我的父親
鄧小平

毛毛　著

三聯書店（香港）有限公司

責任編輯　李　冰

書　　名　我的父親鄧小平（上卷）
著　　者　毛毛
出版發行　三聯書店（香港）有限公司
香港域多利皇后街九號
JOINT PUBLISHING (H.K.) CO., LTD.
9 Queen Victoria Street, Hong Kong
印　　刷　藝光印刷有限公司
香港黃竹坑道四十八號八樓
版　　次　1993年9月香港第一版第一次印刷
規　　格　大32開(140×203mm)648面
國際書號　精裝本　ISBN 962·04·1113·7
平裝本　ISBN 962·04·1103·X

全家福（左起：鄧質方、鄧樸方、鄧林、羊羊、萌萌、鄧小平、小弟、毛毛、賀平、眠眠、卓琳、鄧楠）。

我父親在留法勤工儉學時的留影。

1924年7月，出席中國社會主義青年團旅歐區第三次代表大會的代表在法國巴黎合影。前排左四為周恩來，左六為李富春，左一為聶榮臻。後排右三為我父親。

父親在哈金森橡膠工廠的檔案卡，上面有人事部的附註：辭職不幹，不再僱用。

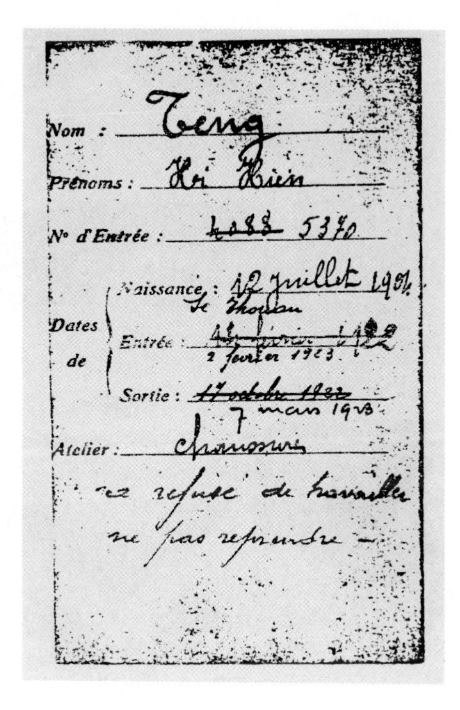

Nom : Teng

Prénoms : Hi Hien

Nº d'Entrée : ~~4088~~ 5370

Dates de
- Naissance : 12 juillet 1904 Se Chouan
- Entrée : ~~[illegible] 1922~~ 2 février 1923
- Sortie : ~~17 octobre 1922~~ 7 mars 1923

Atelier : Chaussures

a refusé de travailler
ne pas reprendre

SALAIRE DECLARÉ

Année 19	Année 19	Année 19
Année 19	Année 19	Année 19
Année 19	Année 19	Année 19
Année 19	Année 19	Année 19

APPOINTEMENTS

Dates	Appointements	Total	Dates	Appointements	Total	Nombre d'Enfants	Allocations

Motif de départ : Retourne en Chine [illegible]

Valeur professionnelle : A.B.

Taux horaire :

Autres appoints : Bonnes

[illegible]

82409A

父親在雷諾廠的檔案卡。離職原因：回國。

1929年12月11日，我父親和張雲逸、韋拔群領導發動百色起義，創建了中國工農紅軍第七軍和右江革命根據地。我父親任中共紅七軍前敵委員會書記、紅七軍政治委員。這是我父親當時的照片。

張錫瑗媽媽遺像。

1936年，紅軍第一軍團和十五軍團的部分領導幹部在陝西淳化縣。左起：王首道、羅瑞卿、楊尚昆、程子華、聶榮臻、陳光、徐海東。右一為我父親。

1938年1月，我父親任八路軍129師政治委員。這是129師領導人在山西遼縣（今左權縣）桐峪鎮合影。左起：李達、我父親、劉伯承、蔡樹藩。

我父親(右一)在山西洪洞縣馬牧村八路軍總部和左權、彭德懷、朱德、彭雪楓、蕭克(左起)合影。

解放戰爭期間，晉冀魯豫野戰軍在緊張作戰的同時，開展了整黨和新式整軍運動。這是我父親在作動員報告。

1948年11月，中共中央革命軍事委員會決定成立五人總前委，統一領導和指揮中原、華東兩大野戰軍，我父親任總前委書記。這是總前委成員合影。左起：粟裕、我父親、劉伯承、陳毅、譚震林。

劉伯承伯伯和我父親共事13年，他們領導的部隊被稱作“劉鄧大軍”。這是建國之初他們的合影。

1939年9月，我的父親和母親，孔原叔叔和許明阿姨在延安舉行了簡樸的婚禮。這是兩對新人結婚時的合影。

我的父親和母親在太行山。

1945年，父親、母親抱着我的哥哥、姐姐與劉伯承伯伯、汪榮華阿姨一家合影。

上海解放後，我父親、母親和陳毅伯伯、張茜阿姨帶着孩子們在一起。

五十年代初，父親、母親和我在一起。

1991年春天，父親、母親和我的一家。左一為我丈夫賀平，左二為我的女兒羊羊。

1993年初，我陪父親在杭州。

永遠銘記着：過去長期艱難的歲月裡，人民英雄們用了自己的鮮血，才換得了今天的勝利。

鄧小平敬題

一九四九年建國日

本書謹獻給我的父親。

父親和他的戰友們，是與整個世紀的命運緊密相連的一代人，是書寫歷史與創造歷史的一代人，是把畢生獻給祖國和人民的一代人。

本書也爲我們的孩子們而作。

作爲後輩，你們愛你們的祖輩。希望你們通過這本書，了解你們的祖輩，理解你們的祖輩。希望你們能夠像他們一樣，爲中華民族創造出燦爛的業績。

目　錄

序　篇

1950年1月25日深夜，我在重慶出生。乍才落地的我，輕輕一啼之後，就闔上雙眼熟睡而去，渾然不知生我者誰，更不知道，此時此刻的中國大地，剛剛進行了一次翻天覆地的歷史性革命。國民黨以損失八百萬軍隊的代價，風捲殘雲般地潰敗而去，一個新生的人民共和國，已經在中國這片廣袤的大地之上誕生。

世上發生的變革是驚心動魄的和無比宏偉的，而我的出生則毫無可以記取之處。母親第一眼看到的我，又小又瘦，一頭稀疏的黃毛，於是，給我起名叫毛毛。我是這個家庭的第四個孩子，我有兩個姐姐、一個哥哥，一年半以後，又多了一個弟弟。父親母親帶着我們五個孩子，加上從鄉下老家出來的祖母（父親的繼母），便組成了我們這個家庭。

春天尚未來到，夜晚依然陰冷而潮濕。剛才出生的我，怎麼會知道，一條不平凡的生活道路，一種集幸福坎坷遭遇於一身的命運，從我來到人世的那一刻起，就注定了將要與我伴隨終生。

我生於一個特殊的環境，長於一個特殊的環境，我耳聞、目睹，甚至親身經歷了許多令人不能忘懷的歷史時刻。那么多的歷史人物在我身邊走過，那么多的歷史事件在我周圍發生，在我這並不算長的生活旅程中，所見所聞所記所知已經太多。知憶既多，思緒既深，久而久之，便萌發了將其記錄下來的願望。我之所知雖然有限，我之所見雖然淺薄，然而我要記錄下來的，卻都是不應被忘懷的。

特別是我的父親。

他原名鄧希賢，曾用名鄧斌，後改名鄧小平。他十六歲遠離故土，漂洋過海去西方尋求實現理想之路，十八歲便矢志於共產主義理想和救國救民大業。在七十多年的革命生涯中，他作過地下工作，作過軍事指揮官，作過政府要員，作過黨的重要領導人。中國的歷史長卷，有一頁與他的名字緊密相連。

他說過，他不寫自傳，也不喜歡別人寫他的傳記。但是，作爲他的女兒，如果我不把我所知道的記述下來，我將愧對歷史。今生今世也許我會一無所成，但如不完成這一夙願，我便會遺憾終生。

在這本書中，我要記述的只是一個人，但他代表着他們那整整一代可歌可泣的風雲人物。我所記述的只是一段歷史，但它卻與中華民族幾千年的光輝歷史一脈相承。我要記述的只是過去，但我深信，人們會從對過去的思索中獲取教益，而像他們的前輩一樣，勇敢地去開拓未來。希望我的拙見拙筆，能給後人留下一分印象。

1. 退休的這一天

1989年11月9日。

清晨，天還未亮，飄飄灑灑的細雨就已潤濕了深秋的大地。

爸像往常一樣，按時起了床。像往常一樣，準時而又規律地吃了早飯，坐下來看書、看報、看文件。

最小的孫兒因患感冒而未去幼稚園，我帶他去看爺爺。

爸問我，還下雨嗎？

我告訴他，開始下雪了。

爸一聽，馬上起身，先把窗户大大打開，進而索性開門走出室外。

外面的空氣寒冷而又濕潤，雨水中果然夾雜着點點雪花，紛紛落落、飄飄揚揚隨風而下。

爸望着雨和雪，感慨地説："這場雨雪下得不算小呀，北京正需要下雪啊！"

大概是所謂的"溫室效應"吧，今年秋來得遲，冬也到得晚。雖已是11月份，天氣仍然不冷。今天這場雨雪雖不很大，但畢竟是北京今冬的第一場雪。

九點多鐘，辦公室主任王瑞林來了，向爸講述了正在召開的黨的中央全會的一些情況。當然，重點匯報了這次全會上關於爸退休的議程、日程的安排和討論情況。他告訴爸，經過閱讀有關文件和討論，與會的同志們逐漸理解了爸請求退休的決心和意義，許多同志在發言中講了很多相當動感情的肺腑之言，今天下午全會將進行表決，晚上由新聞公佈。

爸聽後十分高興，說："總之，這件事情可以完成了！"

中午吃飯的時候，我們一家人圍坐在桌旁，席間的話題自然離不開爸退休這個題目。姐姐說，咱們家應該慶祝一下。哥哥說，我捐獻一瓶好酒。媽媽說，如果身體好，我也想去參觀下午的照相活動。爸則說："退休以後，我最終的願望是過一個真正的平民生活，生活得更加簡單一些，可以上街走走，到處去參觀一下。"大孫女眠眠笑着說："爺爺真是理想主義！"

下午三時，中國共產黨第十三屆中央委員會第五次會議進行表決，通過了爸辭去中共中央軍事委員會主席的請求。

四時許，爸驅車前往人民大會堂，和參加本次中央全會的全體與會者一起照相。

在休息廳裏，剛剛從五中全會會場內出來的中央各位領導同志，看到爸進來，紛紛走過來和爸握手。剛剛當選爲中共中央軍事委員會主席的江澤民同志一步趨前，緊緊握住爸的手。他建議，幾位領導同志一起，和爸照一張相。當江澤民、楊尚昆、李鵬、姚依林、喬石、宋平、李瑞環、王震、薄一波、萬里、宋任窮、胡喬木等十二位同志簇擁着爸一字排好後，記者們一擁而上，閃光燈噼啪閃爍地拍下了這一歷史性時刻。

這些就是我們黨和國家的領導人，他們有的銀絲紅顏，有的烏髮滿頭，他們緊緊地站在一起。

當爸一行人走進大廳時，掌聲驟起。爸走過中紀委委員的行列，走過中顧委委員的行列，走過全體中央委員的行列。

爸笑容滿面地站在麥克風前，他說："感謝同志們對我的理解和支持，全會接受了我退休的請求。衷心感謝全會，衷心感謝同志們。”隨後，爸與參加和列席全會的全體同志們合影留念。

在離開大會堂的時候，江澤民同志一直把爸送到門口，他緊握住爸的手說：“我一定鞠躬盡瘁，死而後已。”

夜幕漸漸降臨，而我們家卻是一片燈火通明。

全家人忙忙碌碌了整整一下午，到了吃飯的時間，四個孫子孫女一齊跑去請爺爺。他們送給爺爺一個他們親手趕製的賀卡，上面貼有四朵美麗的蝴蝶花，代表他們四個孫輩。卡上端端正正地寫道：“願爺爺永遠和我們一樣的年輕！”他們四個人輪流上前親爺爺，才三歲的小孫子小弟親了爺爺一臉的口水，逗得全家人哈哈大笑。在餐廳裏，桌子上擺滿了在我們家工作了三十多年的楊師傅精心設計的豐盛宴席，淡藍色的牆壁上高高地貼着一排鮮紅的字：

1922—1989—永遠

爸望着這一排字，臉上浮現出了深沉的笑容。

看着爸的笑容，看着我們這歡樂的十數口人之家，看着大家高高舉起的紅光閃爍的酒杯，我的心中激情難言。

八十餘年的人生生涯，六十餘年的革命歷程，對任何人來說，都不會是輕而易舉。

該休息一下了，該輕鬆一下了！

退休，是爸多年來的心願。從他第二次復出開始主持工作以來，就在着手安排接班人；從八十年代開始，他就力排衆議，帶頭退出一些領導職務。

我們支持他退休，爲的是他能更加健康長壽。

而他堅持退休，爲的則是國家的前途、黨的利益。

今天，他的願望終於完全實現了，他的心裏怎麼能不自覺安然呢！我們，他的親人們，又怎麽能不爲他感到由衷的高興呢！

第二天，也就是11月10日，《人民日報》發表了爸要求退休的信和中共十三屆五中全會的決議。

爸寫道："1980年我就提出要改革黨和國家的領導制度，廢除幹部領導職務終身制。近年來，不少老同志已相繼退出了中央領導崗位。1987年，在黨的第十三次全國代表大會召開以前，爲了身體力行地廢除幹部領導職務終身制，我提出了退休的願望。當時，中央反覆考慮我本人和黨内的意見，決定同意我辭去中央政治局常委、中央政治局委員、中央顧問委員會主任的職務，退出中央委員會和中央顧問委員會；決定我留任黨和國家的軍委主席的職務。此後，當中央的領導集體就重大問題徵詢我的意見時，我也始終尊重和支持中央領導集體多數同志的意見。但是，我堅持不再過問日常工作，並一直期待着盡早完成新老交替，實現從領導崗位完全退下來的願望。

"黨的十三屆四中全會選出的以江澤民同志爲首的領導核心，現已卓有成效地開展工作。經過慎重考慮，我想趁自己身體還健康的時候辭去現任職務，實現夙願。這對黨、國家和軍隊的事業是有益的。懇切希望中央批準我的請求。

"作爲一個爲共產主義事業和國家的獨立、統一、建設、改革事業奮鬥了幾十年的老黨員和老公民，我的生命是屬於黨、屬於國家的。退下來以後，我將繼續忠於黨和國家的事業。我們黨、我們國家和我們軍隊所取得的成就是幾代人努力的結果。我們的改革開放事業剛剛起步，任重而道遠，前進中還會遇到一些曲折。但我堅信，我們一定能夠戰勝困難，把先輩開創的事業一代代發揚光大。中國人民既然有能力站起來，就一定有能力永遠巋然屹立於世界民族之林。"

全會的決定寫道："鄧小平同志是我國各族人民公認的享有崇高威望的傑出領導人，在黨所領導的革命和建設的各個歷史時期都做出了重大的貢獻。

"全會高度評價鄧小平同志對我們黨和國家作出的卓著功勳。幾十年來的革命實踐表明，鄧小平同志不愧是傑出的馬克思主義者，堅定的共產主義者，卓越的無產階級革命家、政治家、軍事家，我們黨和國家久經考驗的領導人。他根據馬克思列寧主義同中國實踐相結合的原則提出的一系列觀點和理論，是毛澤東思想的重要組成部分，是毛澤東思想在新的歷史條件下的繼承和發展，是中國共產黨和中國人民的寶貴精神財富。"

這是當一個人爲祖國、爲黨、爲人民付出了全部的生命和辛勞之後，黨和人民對他的崇高評價。

從今天開始，爸退休了，可以休息一下了，可以稍事輕鬆一下了。他說過，退休就要真正的退休。我們也真心希望他渡過一個幸福的、安祥的晚年，希望他健康、長壽。

他還有一個心願未了呢！就是 1997 年，香港回歸祖國時，他要踏上這塊祖國的土地。他說，就是坐輪椅也要去，哪怕在香港的土地上站一分鐘也好。到那時，他將是九十三歲高齡。我們全家人都相信，也要全力以赴地努力，確保他實現這一願望。

爸退休了，但是人們仍然十分關心他。人們對他的健康狀況十分關注，常常詢問的有中國人，也有外國人。人們對他一生的功過得失饒有興味，國內外對他的政績和思想的評論研究已經很多。人們對他豐富而又曲折的經歷更是頗感興趣，德國的、匈牙利的、香港的和一些中國國內的作家相繼撰寫了他的傳記和評傳。

爸性格內向，沉默寡言，不願宣傳自己，也從不向人講述他的經歷，就連對我們這些身邊的親人也很少談及往事。因此，許多人對他都只知其現在而不知其過去，只知其表面而不知其究裏。對於他的經歷，甚至還有許多的誤傳謬說。

爸的一生是不平凡的一生，是光輝的一生。我没有資格撰寫他的傳記。但我可以把我所知道的一點記述出來，以補漏於萬一。

萬物都有起源，故事都有開頭。要寫鄧小平，就應該回到他的故鄉——四川。

2. 巴蜀情

四川，人稱“天府之國”，古爲巴蜀之地。

四川的文明史，真可謂古老而悠久。距今二百萬年前，便有人類的祖先在那裏繁衍生息。①後來，在現在四川的東部和中西部，形成了巴蜀兩個小國。公元前 1066 年，周武王牧野會盟，巴蜀兩國曾經參加，共伐商紂。②戰國後期，巴蜀兩國間發生矛盾，其時正值北方强國秦國兼併天下。秦惠文王趁巴蜀嫌隙之際，揮軍南下，先行伐蜀，繼而滅巴。公元前 316 年，巴蜀正式併於秦國。不久，秦便在今重慶附近和成都地區設立了巴蜀二郡。從此，巴蜀之地乃歸於中華大統。

四川得名於宋。宋置川峽路，後分置益、梓、利、夔四路，總稱四川路。到了清朝，正式命名爲四川省。

四川物産豐富。由於氣候溫濕，四季分明，因此最宜農作物生長。自古以來，四川盆地便以糧倉著稱，許多軍事家都曾在此屯田養兵。巴蜀之地盛産稻米、絲麻、水果、茶葉、井鹽。自宋代以來，其紡織、井鹽、瓷器和冶金諸方面就已有相當的發展。

四川人傑地靈。遠在兩千多年的漢代，就出現過司馬相如這樣才華横溢的辭賦大家。許許多多的文人名士都曾活躍在巴蜀這一歷史舞台，其中有唐代詩壇泰斗李白、杜甫，三國鼎足人物劉備、諸葛孔明，戰國水利巨匠李冰父子……。巴蜀之人會種田，會養蠶，會冶礦，會織縑，向以吃苦耐勞、勤勞樸實著稱於世。

平原山脈滋養了肌膚，

長江諸川潤育着魂魄。

作爲一個四川人，你怎麼能夠不熱愛這片土地，怎麼能不爲之而感到驕傲呢！

中國人没有不知道四川的，連一些外國人也知道四川的大名。但是，説起我們的家鄉，廣安縣，就是大有名之中的小無名，真正的鮮爲人知了。

我們家的人都自稱四川人，只有對四川人才會自稱廣安人。

廣安在四川省會成都以東二百多公里，長江重鎮重慶以北一百公里處，今屬南充專區。這個地方至今仍不通鐵路，主要靠陸路與水路通行。這裏是成都平原的邊沿，屬丘陵地帶。土地不算貧瘠，但並非富裕發達之地。所幸一條渠江浩浩蕩蕩穿流而下縱貫全縣。

廣安古屬梁州地界。在這一地區生活着的先民爲賨族人。賨人和其他一些土著部落民族，共同創造了這一地區的先巴文化。

春秋晚期，原在漢水中游一帶生息的巴族人遷入，遂在川東建立了巴國。巴族，自稱太皞伏羲氏的後代，自古活動在漢水流域中游一帶，殷商中葉戰敗於殷，便向殷納貢稱臣。殷朝末年，巴人不堪屈辱，參加了周武王的伐商之戰。巴師曾爲前鋒，驃勇善戰。周王朝建立後，巴被封爲諸侯。武王封其宗族中姬姓人士於巴，號爲子爵。春秋時代，南方大國楚國崛起。巴國在與楚國數度攻伐之後，終於戰敗，遂離開漢水流域，舉族徙遷，最後落足於川東地區。巴人與川東各土著民族融合，建立了以部落聯盟爲基礎的奴隸制國家——巴國，直到公元前 316 年爲秦所滅。③

戰國時期，廣安已屬巴國，由於其先人爲賨族人，於是在此設有賨城。巴爲秦滅後,秦在今廣安設縣,名宕渠縣,屬巴郡管轄。五代改宕渠爲始安,隋復賨城,唐稱渠江,到宋以後,始爲廣安。④

據此，應該説，我們的家鄉廣安，得名於宋，而該地居民則應爲古梁州賨人和漢水巴人融合之後。有人説我們的祖先是湖北人，可能就是根據巴國是由漢水入川而言的吧!

四川今有人口一億之多，乃全國省級行政區劃之最。我們廣安縣，作爲人口衆多的大省的一個分子，自然也不會落後。據記載,唐朝開元年間,當時的渠江縣就已有人口一萬八千餘人。清代以來,廣安人口陡增,到咸豐年間已有十三萬一千餘人。而到今天,由於衆所周知的原因,廣安區區一個縣,人口竟已達一百多萬。

在外人看來，廣安不過如此，並無可以大大稱讚之處。可廣安人自己，則特以家鄉爲自豪。

清末編寫的廣安縣志就寫道：廣安厥土饒沃，無曠土，無閑田，無沃瘠之别，無水旱之憂。樹以桑麻榆棗，畜以牛馬鷄豚(豬)，植以葱韭蔬果，延以瓜瓠薯葛。廣安物産特饒，凡山林竹柏之材，原野羽毛之族，陂池鱗介之蟲，水陸草木之實，岩洞藥石之寶，畜産皮角之富兼而有之。兹地所産之稻米、包穀香尤滋潤，號稱金羹玉版；所出之蠶絲品質特優，黄白瑩然；所織之賨布漢賦有載，謂爲筒中黄潤，一端數金。

廣安除物産豐富以外，文化也不算十分落後。早在公元前一百多年漢景帝的時候，蜀郡郡守派司馬相如進京受業，並還教鄉里，自此巴郡亦設立文學。漢平帝元始三年（公元3年），廣安就已設學校，置經師一人。此後歷經近兩千年的時間，廣安一直辦學。到民國初年，除原有小學外，還設立中學一所。這樣的教育水平，比起文化發達地區，自然落後。但在當時的中國，比之不如的地方實在也不算少。因此據我看，可以算個中等偏下的文化水平。

有這樣一個好的自然條件，按説廣安人完全可以耕作自得。但是，偏偏天不從人願，竟有許許多多的内憂外患困擾着廣安人的生活。

一患爲兵。隋唐兵家征戰，宋末南北交兵，明末流寇侵襲，清朝滇人入擄……。戰亂頻仍，從古到今，廣安人幾乎没得一點閑暇。

二患爲災。廣安地高河低,所以以旱災最爲肆虐。據記載,大旱之年,赤地百里,一望如焚。災民流竄,乞討之人沿路可見。

三患飢餓。災事頻繁便會穀價陡漲，穀貴而民慌。草根木皮掘取爲食，鄉井寥落，人烟蕭索。廣安人生於富饒之地，卻淪爲飢餓之民，實在可悲。

四患疫病。這裏三年一小疫，五年一大疫。一人有病，一家相連；一村患疾，數鄉共染。清朝同治年間，區區一個痢疾，竟然死人五千!

廣安交通不便，閉塞了生存的環境。而這天上横禍和人世劫難，卻更加阻撓着廣安的發展。

直到新中國建立之前，在兩千多年的歲月裏，無論天地怎樣輪轉，無論朝代怎樣更替，勤勞樸實的廣安人，始終無法掙脱命運的枷鎖，始終處於貧窮落後之中。

注：

① 重慶附近的巫山縣大廟龍坪村發現距今二百萬年的人類化石，這是我國迄今發現的最古老的人類化石。見《人民日報》1988 年 11 月 19 日。

② 《中國古代史》。《重慶：一個内陸城市的崛起》。

③ 《重慶：一個内陸城市的崛起》。

④ 廣安縣志。

3. 故鄉行

父親自己不回老家，也不許我們回去。他説我們一回去，就會興師動衆，騷擾地方。

因此，直到 1989 年，我才和我的二姑姑鄧先芙一起“回”了一趟廣安。

其實，我從未到過那個地方，也從未在那裏住過，但因爲廣安是我祖先的家鄉，因此即使是第一次去，也要稱之爲“回”。

那是一個 10 月的清晨，我們起了一個大早，從四川省會成都驅車前往廣安。我們一路快趕，先停遂寧，再停南充，等到達廣安地界的時候，已經入夜很久了。我們只好住進縣裏的招待所，等第二天再回老家。

也許是因爲被褥潮濕，也許是因爲心情興奮，一夜輾轉反側，未能安睡。天才發亮，我就起身，跑到外面。

南方的秋天，已有涼意，但卻不冷。空氣新鮮而濕潤，晨霧朦朦，環繞半山。四周的山坡上全是一片青綠，綠葉上凝結着濃重的露水，晶瑩欲滴。這裏的霧是朦朦朧朧的，陽光也是曚曚曨曨的，全不像北京那種乾燥、清爽而又明亮的早晨。

我們住的招待所是在半山上，它的下面就是廣安縣縣委駐地。那是一個相當獨特的建築，一問才知，此乃原四川軍閥、鼎鼎大名的楊森的公館。

這個公館是順着山勢一層層修建的，最下爲大門。從外面一進大門，迎面長有四棵碩大的鐵樹。拾階而上有幾進院子，院內四周都是現已作辦公室的高大的瓦房，大概原來就是楊森及其家眷居住之處。再往上走，就是楊森的後花園。青石台階的兩旁皆爲花木，此時在霧中若隱若現。山頂有一個“涵虚洞”，可能是楊森坐禪之地。廣安雖然土氣，但它的軍閥可一點也不土氣。在這所公館裏居然還修了一個網球場。據説楊森當年還重金從上海聘來了教練，陪他打球呢。可能我們四川的網球事業就是由楊森發起的吧！

在這所公館裏，最爲有趣的還是要數大門内的四棵鐵樹。

這四棵鐵樹可不是我們廣安的特產，它們是楊森不遠千里從廣東船運而來。據説，這四棵鐵樹自從到廣安定居以來，雖然枝葉茂盛，但卻從來没有開過花。1978 年，我的父親第二次復出工作後，這幾棵鐵樹居然開了花。金燦燦的花朵滿開在葉間，十分絢麗。當時，家鄉的父老們引以爲奇，特地拍攝了照片送到北京。當然，我們並不知道這幾棵鐵樹以前是否真的從未開過花，但這則小故事總之是反映了家鄉人民對父親的敬愛之心。

吃過早飯後，我們就近在廣安縣城裏看了幾處舊址。其中一處是舊的廣安小學。這是一個兩層小樓，灰磚砌的牆，木頭做的門窗欄杆，青瓦蓋的頂，一幅陳舊不堪的樣子。這所舊時的學校現在只剩下樓上樓下各自兩間，爲縣土地管理局所用，看樣子，這僅存的幾間，不久也會被拆掉。

我和二姑姑站在樓前趕快拍照，因爲我們知道，這就是七十多年前父親上過的學校。當年的這所學校，雖不會像今天這樣破舊，但也不會太過漂亮。我想像得出，那些穿着棉袍，頭戴瓜皮小帽的孩子們，挾着書本，如何在樓梯間咚咚有聲地跑上跑下。

父親十來歲進這間學校讀完高小後考入廣安縣辦中學，但並沒有唸幾天，便去了重慶的留法勤工儉學預備學校。因此，這所小學，便是他在家鄉唯一讀過的一所正規的學校了。我想，他對於這所學校的印象一定是深刻的。因爲他的整個少年時代，就是在這裏渡過的。

廣安縣一眼看去就知是一個古老的縣城。雖然已有不少現代化的建築，但更多的還是那種典型的南方老式房屋。街邊大多是兩層的磚木結構的小樓，青一色刷着白色的灰牆，樓上往往有一排木欄杆圍着的涼台。廣安看樣子真是出產石頭，縣城的街梯和房基都是用一塊塊的方石砌成。我們還看見路邊有一些石槽，可能是洗衣洗菜用的。

在一條商業化的街道上，人群熙熙攘攘，日用百貨琳琅滿目，現代化的商品經濟已經進入這個小小的山城。在街上行走的，有挑着竹筐和揹着竹籮的鄉裏人，也有穿着相當時髦的年輕人。那些紅黃藍綠各色服裝，那些大城市也只有時髦人才梳的流行髮式，以及那些街邊陳放着的彩電和音響，構成了這個偏遠山鄉的現代意識。

汽車與牛車，彩電與竹簍，這就是當今中國的特色。

一下子擯棄貧窮和落後，在這樣一個人口多、底子薄的國家是不可能的。但我們畢竟已經開始起步，向着富足和强盛邁進。

你們看看這些農民，他們的田裏禾苗油青，他們的筐裏稻米沉沉，他們不再赤腳，還穿上了西裝，這是怎麼樣的一個變化呀！

四川人好吃，那些攤子上，架子上，擺的，掛的，都是肥肥鮮鮮的魚、肉和圓圓滾滾的川味灌腸。街邊小攤販的鍋裏正熱氣騰騰地煮着各色各樣美味小吃。這裏鮮嫩的青菜、蘿蔔、豆苗、蠶豆，都是城裏人可望而不可即的。

可能因爲是故鄉的緣故吧，在這麼短的時間裏，我已經愛上了這塊地方。

我們的老家，叫協興鄉，離廣安縣城還有二十里路，因此我們看罷縣城，就又急急上路，直奔北邊而去。

在出城的路上，首先，我們看到的就是渠江。

渠江是長江的上游支流，發源於川東北部山區。渠江從東北順流而下，與西面的嘉陵江會合，再一起匯流而入長江。我們看到在山巒之間，渠江之水浩浩蕩蕩地奔流，雖不如長江那樣的雄偉和寬闊，卻已有了長江的激蕩。有水就有生命。雖然在幾千年中，它也曾溢漲成災，它也曾對旱魃袖手旁觀，但它今天已經成爲我的故鄉人民的生命之水，幸福之水。

汽車離開了大道，進入鄉間。這才真正顯露出故鄉的本貌。這裏已不屬於成都平原，是標準的丘陵地帶。平原一望無際固然很美，而丘陵的起伏就更多了一層韻味，更多了一分浪漫。恰值這時霧也散了，天也晴了，在秋日的照耀下，一切都鮮鮮亮亮，暖暖洋洋，令人心情豁然開朗。

北方的10月已近冬天，葉開始落，草也開始黄。而此處則不論高低，不論遠近，都是郁郁葱葱的綠。田是一塊塊的，鱗次櫛比。水稻已經收了，田裏又長出了高高的稻草，散散漫漫地等着人們來把它們翻耕進地裏，以作爲來年的肥料。

據我姑姑說，她們小的時候，穀草割得很乾淨，用來燒火，因爲廣安無柴。而今天，人們做飯多用煤，稻草留在地中則可作肥。肥好，土就黑，明年的苗就壯，穀粒就會飽滿，人們就可獲得豐收。

田地之間，常常看到一家一户，或幾家幾户的房舍，這裏雖不像一些富裕地區那樣能蓋樓房，但也不再是舊時的茅草房。寬大的青瓦灰牆的農舍，大多爲一蓬蓬的綠竹相掩映。這竹可真美呀，有樹那麼高，頭像鳳尾一樣地低垂下來。平平常常的農田農舍，一下子因爲這竹而變得富有神韻起來。竹林的濃蔭下，一定有說不出的涼爽愜意，一定發生過講不完的動人故事。

這竹，好像就是農家的魂。

田邊上，路邊上，山坡上，池塘邊，房前屋後，到處都種着菜。菜葉子綠瑩瑩的，綠得發黑，一看就知道肥水俱足。在北京的時候，家鄉的人常常趁便帶來一些各式菜蔬。我們只知道四川的菜遠比北方的好吃，而今天才知道，四川的菜種得更是特別好。姑姑說，四川人會種菜，又珍惜地，連巴掌大的地方都要種上菜，而且種得像綉花一樣精細。無怪乎四川的菜價如此便宜，就連成都人到了北京，也總抱怨北京的“生活不好”。

廣安的土質没有成都平原那麼好。山坡上的土就更差了，連草都長不茂盛，這是當地人告訴我的。可是我看到的卻是滿山的綠樹。一問才知，這些都是柑橘樹。啊，這柑樹橘樹已經成林，在山上、丘上連成一片。柑子樹下又多種的是菜，景觀十分美麗。姑姑說，這些樹都是這十來年才栽種的。黄土上草都不生，怎麼辦呢？於是政府推廣，八毛錢買點火藥，在土石山上炸一個坑，種一窩橘。就這樣一個坑一個坑，一個窩一個窩，柑橘之樹種滿了山，連成了片，長成了材，結出了果。柑樹橘樹綠了山，富了民，鄉裏的人都說還是共産黨好。

從小就聽奶奶講，廣安有山，山上有棵黄角樹。這回我真的看到那黄角樹了。

廣安的山是緩緩的，頂是平平的，而山頂之上，就有那麼一棵黄角樹孑然挺立。這樹樹幹挺拔，樹冠巨大，遠遠望去好像一把張開的傘，一幅打開的旗。奇怪的是，這樹總是站在最高的山頂，而且每個山頂只有一棵。真不知是天造？還是人爲？反正它就是那樣的特別。别人都低它獨高，别人都平它獨聳。久日不歸的游子望見它，就像已經回到了家園。出門在外的故鄉人離開它，卻永遠不會忘記它。

這傲然高聳的黄角樹，就像是這山川的神。

4. 這就是我們的老家

到了，這就是父親的出生地，我們的老家。

門前已修了水泥路，路兩邊種了花草，還種了芭蕉。當然，這些都是現在修的，是鄉親們的一點美意。原先，這門前的壩子，這路，則都是土的泥的，更不會有花草芭蕉。

和別的農舍差不多，這房也是白灰抹的牆，木頭搭的門，青瓦蓋的頂。一排正房略高一點，兩邊的偏房各有數間。左中右三面房子的中間是一個平平的壩子。當年，一定有許多的雞鴨環遊這房前屋後。聽奶奶説，他們還養過幾隻鵝，不是用來吃的，而是用來看家。鵝的叫聲大，啄起人來也很厲害，卻又不像狗那樣兇狠，所以這裏的人就用它護院。

在正屋大門的上方，懸有一個木匾，上面端端正正地寫着：“鄧小平同志舊居”。

我跨進屋內，頓覺一陣蔭涼。

這幾間屋子內陳列着一些照片，都是父親各個時期的，有留法勤工儉學時期的，有八路軍時期的，有解放戰爭時期的，還有解放後的。啊，這裏還有一張照片，是五十年代我們的全家福，那上面還有我呢!

有一間屋子裏掛了一張不知誰畫的父親的像。畫上的父親站在那裏微笑，手指縫裏還拿着一支烟。他的前面是盛開的鮮花，後面是浮雲繚繞的高山。畫的技術並不高明，但卻帶有鄉土之氣。畫的兩邊有一幅對子，曰：“政通人和千家樂，國富民強萬户歡。”這幅對子的字絶不是出於名家，但意思卻是出於人心。

左邊的那排房子裏，放着一張床，還有一個櫃一張几，都是陳年的舊物。這床很特別，上好的木料，寬寬的床架。周圍有圍欄，上面有頂棚。圍欄和頂棚都有木製雕花，當年一定很是好看。這個床如果是新的，再配上綢緞的床幔，一定相當富麗堂皇。只不過它現在已經黑了，舊了，不復當年風采。人們都説，這是我祖父祖母的床，説我的父親是在這個床上出生的。但我的姑姑和縣裏的人告訴我，當年土改的時候，鄧家的物件都分給了鄉裏農人，後來收集父親家的舊物時，才又從農人家找回來。因爲當地這個樣子的床很多，究竟是哪個也搞不清楚了，所以就從中挑了一個。

不管是與不是，我想都没有什麼重要的關係。能從這個床，這個櫃，這個几，看出舊時代的輪廓就可以了。

父親這個人，歷來就不愛注重一些枝端小事。對老家的舊居，他從來就没有過問過，更不願讓人家把這裏搞成什麼舊居陳列室。從解放以後，我的奶奶和其他親屬離開老家以後，這片房子就在土改中分給了當地的貧苦農民，大概有十來家人住在這裏。直到 1987 年到 1988 年間，這裏的人生活逐漸好了起來，有了錢蓋了新房，才逐漸搬了出去。這樣，這個房子才專門改爲陳列室，供來人參觀。

父親的一個親舅舅，在我回老家的時候尚在人世，雖然他不是鄧家的人，但他長年住在鄧家，直到前幾年蓋了新房，他也才隨家人搬出了鄧家老屋。我去看過他的新居，竟是一個二層小樓。他周圍的鄉親們也都住上了這樣的樓房。有了樓房，誰還要去擠住在那老房子裏呢！老房子自然就騰空了。如果不是這個原因，父親絕不會允許人家把鄉親從他的舊居遷出的。

從後邊的小門轉出去，一眼就看到，老屋的房後，長滿了翠綠的竹。這竹真茂盛啊，種下幾棵，立刻長成一片。細的恰如纖纖少女的玉指，粗的可比健康小伙兒的手臂。這竹邊長邊落，邊落邊長。你看地下已鋪滿掉下的黃葉，而竹枝上卻依然綠羽蒼翠。這竹大概已經在這裏長了上百年，可是卻永遠顯得那麼精神百倍，彷彿比我還年輕。我真想搬個小竹櫈，拿上一把青竹扇，在這小竹林中坐下，靜靜地，靜靜地，聽一聽竹葉的沙響，聞一聞竹枝的清香，透過那茂茂密密的枝葉，去看太陽……

這不是我的家，這也是我的家。我一點兒也不熟悉這裏，卻甚感親切。我從來也沒來過這裏，卻一到如故。因爲，這是我父親的出生地，這是我祖輩生活的地方。

在舊居的門前，掛着一幅長聯。這聯用金色的字迹鐫刻在門的兩邊。

這聯上寫道：

扶大廈之將傾，此處地靈生人傑。

解危濟困，安邦柱國，萬民額手壽巨擘。

挽狂瀾於既倒，斯郡天寶蘊物華。

治水秀山，興工扶農，千載接踵頌廣安。

這聯是四川著名文人馬識途寫的。作於公元 1983 年秋天。

據這裏的人告訴我們，來廣安的外地人並不多，來這小小協興鄉的人就更少。但凡來此地的人，都來這舊居參觀。還有外國人，不遠萬里，來到這裏，爲了考證，或者只是爲了看一看。

我們在北京有一大家子的人，而在這故鄉，卻幾乎沒有什麼親人了。

剛才說過，只有父親的一個親舅舅名叫淡以興。我的這個舅公說來很有意思，他和父親同歲同學，少時的感情也很好。他爲人忠厚，心地善良，但卻一輩子愚弱寡智，無能無才。年輕的時候抽鴉片烟，把家産都賣光了，連孩子都差點賣給了別人。老婆帶着孩子走了，他一個人寄居到了他姐姐的家，也就是我們鄧家。解放後，我的母親每個月給他寄一些生活費用，他常常拿來就約上幾個好友，一頓喝光。"文革"開始後，我們就不知道他的下落了。直到"文革"結束，我們才驚奇地聽說，他居然還在！真不知十年動亂之中，他究竟怎麽活過來的。後來，縣裏面照顧他，讓他當了個縣政協委員，每月發點生活費。我們也照舊給他寄些零用。我去他家看他的時候，看到他和老婆、孩子、孫子都住在一起。他已經八十五歲高齡了，人很清瘦，眼已花了，耳也聾了，長着一臉的白胡子。他居然還認得出二姑姑，但一點兒也不知道我。

看見他，我就想笑，主要是因爲一個小小的故事。有一年，他突然鬧着要去北京。有人問他："你怎麽去北京呀？"他說："我坐火車去。"別人問他："你坐火車有錢嗎？"他居然回答說："我是國舅，坐車還要錢嗎？"他就是這麽一個迂人。他和父親二人親爲舅甥，而差距卻如此之大！在我們回老家的第二年，也就是1990年，他去世了，不久，他的老伴也去世了。從此，在我們的家鄉，就再也没有親屬了。

在老家，我們最後還去看了一下祖父的墳和祖母的墓地。

我很奇怪，爲什麽這些墳地在"文化大革命"中没有被人挖掉？

祖父的墳在離家不遠的一塊地裏，墳前有一塊石碑，上面寫着：鄧紹昌之墓。是丁丑年，也就是1937年立的。

祖母的墳則在一座山上，那裏還埋葬着鄧家的幾個更老輩的祖母。這裏埋葬的我的祖母，是父親的親生母親，姓淡，名字不知。父親二十二歲的時候她便死了。她的墓碑是以她的兒子們的名義給她立的，其中還有父親的名字。其實，那時父親遠在異國他鄉，恐怕根本不知道立碑的事情。

那次回老家的時候，我以爲祖母的墓地就是我們家的祖墳。後來才知道，我們鄧氏家族的祖墳在另一個地方，要走很遠的路，坐船去。我們家的老祖宗們可能都埋在那裏吧。在舊社會，只有家族中的男子才能去祖墳祭祖，女子是不能去的。

祖墳，我是沒時間去了，也沒必要去。

但是，要覓尋祖先的蹤迹，就要找到家譜。

結果，我還真的找到了這本家譜。

5．族宗尋迹

父親幾乎從不給我們講他家裏面的事。他離開家鄉時只有十五歲，對家裏的事情和族中的掌故，可能本就知之不多。只有我的祖母，有時給我們講一些家鄉的故事。

我只知道，我的祖父叫鄧紹昌，字文明，一般人只知他叫鄧文明。我的親祖母姓淡，名字不詳。在我們家的祖先裏，有一個曾入選翰林院，人稱鄧翰林。可能這個翰林就是我們這個鄧氏家族中祖祖輩輩最著名、最光彩的人物了。

有許多研究我父親生平的人，都曾考察過我們家庭和家族的歷史。有的說我們家是從湖北遷來的移民，有的說鄧氏家族從前是廣東的客家人，還有的說，鄧小平根本就不姓鄧，而是姓闞，名叫闞澤高。真是衆說紛紜，莫衷一是。連我的叔叔也說，小時聽大人說，鄧家是從湖北遷移來的。

鄧小平姓鄧，這其實是毫無疑問的。說他姓闞，完全是一個誤會，這是一個留法勤工儉學的老先生，名叫李璜，他在回憶錄中說，鄧小平不叫鄧小平，而叫闞澤高。他的這一席話，曾經誤了不少的文章。有一個時期，竟然許多人真的當成這麼一回事了。有一回，我開玩笑地對父親說：“知道嗎？有人把你的祖宗都改了！”

父親從小到大，名是改了幾回，但姓卻真的從未改過。

我們家，不是鄧氏的嫡傳，乃係旁支，所以我們家的人都不知道鄧家還有家譜。在封建社會裏，正統的觀念是絶對的。一個家族中，只有嫡傳子孫，才能堂堂正正地記入家譜上面。也就是長子、長孫、長重孫、長重重孫的家庭，才可以記載在簿。我們鄧氏的家譜，就保存在鄧家老祖宗的這家嫡孫的手中。

這個家譜，不知從什麼時候開始編的，也不知道是什麼人撰的。據家譜的《凡例》中説，這個家譜是起自明朝，以前則弗能考也。它説，撰寫家譜時，考證了各位列祖的墓志碑銘，因而“俱無異詞，確而有據”。家譜後面還真的把老祖宗們的墓志碑銘一一抄錄在案，可能是爲了證明它的準確真實吧!

《鄧氏家譜》，從明時始，記至民國初年。

上面寫明：一世祖爲鄧鶴軒。原籍江西吉安府廬陵縣人。洪武十三年（即 1380 年，就是明太祖朱元璋建立明朝的第十三年），以兵部員外郎入蜀，遂家廣安。

這就是説，我們鄧家的老祖先是江西吉安廬陵人，在明太祖年間作了個叫兵部員外郎的武官，被派到四川的廣安履任，從此開始了我們四川廣安鄧氏的紀元。而這個鄧氏明代以前在江西的情況，因爲只有這位鶴軒老先輩一人知曉，可能又未曾告訴後人，因此便失傳無考了。我這麼揣摸，可能在江西的那些更古老的祖先當中，定是没有什麼可歌可泣、可以傳頌後世的人物和事迹。如果是孔孟之後，當然不會忘記論宗數典的。

一個家族的家譜，都是由宗親子孫編撰的，自然要多寫點光榮歷史了。再説經歷了“文化大革命”的十年浩劫，誰知道這個家譜的真僞。於是，我就去找了一套廣安縣的縣志，以資驗證。

在《廣安州新志》的册二卷十一中的“氏族志”中有這麼一節：

“望溪鄉姚平鄧氏。

“鄧氏舊志，其先本江西廬陵人。明洪武中有鶴軒者以薦舉南京兵部員外入川，遂籍廣安州北姚平家焉。其祖墓均在姚平，有宗祠。”

《鄧氏家譜》與《廣安州新志》中關於廣安鄧氏來源的說法是一致的，看來似乎可以信之確鑿了。不過，當我翻到《廣安州新志》卷首的“歷代撰志人姓名”時，我發現，清朝乾隆廣安志，是在乾隆三十四年由“廷尉鄧時敏重輯”。這個鄧時敏，就是我在本章開頭時提到的那個鄧家名人鄧翰林。既是鄧家子孫參與了縣志的修輯，就難免有對其祖先多加譽美之嫌。況且，鄧氏家譜，大有可能也有這位鄧翰林的墨迹呢。所以，如果以後有人發現了什麼關於廣安鄧氏起源的新說新證，那也不足爲怪。

目前，在没有其他佐證的情況下，我想，我們就暫且以家譜和縣志作爲依據，追尋一下我們這個廣安的鄧氏家族，在五百多年的時間裏的步履蹤迹。

兵部員外郎，是一個小小的官名，大概也就相當於今天的科級幹部吧。不過古代的官階，遠不如現在這麼多，因此，其職權可能又比科長略大一點。

《鄧氏家譜》中，以鄧鶴軒爲一世祖，明代一共計有九代。編撰家譜的人，自然對自己的祖先要大肆讚美、歌功頌德一番了，所以家譜中所列進士及第的，就有好幾位，這裏面恐怕有真有假，真少而假多者也。據廣安縣志記載，只有兩位進士，一位是八世祖鄧士廉，一位是他的兄弟鄧士昌。

下面，我將根據家譜和縣志所載記述一下鄧氏幾位祖先的舊聞軼事。這些掌故的準確與否都無從考證，也没什麼要緊的關係，大家可以權當傳說和故事來聽聽。

明代的二世祖，即鄧鶴軒之子，名叫鄧顯，字梅莊。據說此人以文行魁蜀，蜀獻王聞其賢，屢聘之仕，皆不應。他的事迹曾載於明代廣安郡志。此乃鄧氏之一大賢人也。

明代的第八世祖，名叫鄧士廉，字人麟，明朝崇禎進士。其人慷慨負氣，經史子集過目不忘。曾任廣東海陽令和吏部侍郎。明末隨桂王入滇緬，官爲吏部尚書晉大學士。清朝順治十八年秋，爲緬人所誘，與其他四十一位大臣同時殉難。乾隆四十七年賜謚節愍。此乃鄧氏一大烈士也。

鄧士廉有一叔伯兄弟，名叫士昌，字龍門。明朝萬曆進士，授南京户部主事之職，後升任浙江處州府知府。其地地瘠民疲，於是盡力撫綏，修堰灌田，民受其利。遂被薦擢爲湖廣按察司副使，永州道兼攝衡州道。後爲人所忌，劾歸家鄉。此乃鄧氏一大賢臣也。

以上是鄧氏家族明代的一些先人軼事。原來只知鄧家清有翰林，乃不知明亦有忠臣烈士呢!

自清代起至今，鄧氏家庭又繁衍了十代有餘。乾隆時期是清朝的鼎盛時期，而這時遠在西南一隅的小小鄧氏家族也處於興盛時期，竟然光宗耀祖地出了一個翰林。好像是盛極必衰，風光一時的鄧家至此以後竟然逐漸地衰敗了下來，書香墨迹不但漸漸無人繼承，就連耕田地畝也漸漸失去。據親戚們講，到了最後，就連那個最爲神聖的翰林的家——翰林院，也窮得賣給他姓了。可見家道中落如此。

前面講過，鄧氏明代八世祖鄧士廉曾任過廣東的海陽令，後來在滇緬殉國。他有一個兒子，叫鄧昉。是鄧氏明代最後一代，也就是第九個世祖。鄧昉於明末攜帶妻子和兩個兒子同赴粵東其父之任上。這一家人行至廣東高耀縣（家譜上如此記載——作者

注）三義河的時候，遇到海賊劫奪，舉家溺水而死。所幸的是，在海賊之中居然有人發了善心，將鄧昉的兩個兒子不殺，拋置岸上。鄧昉的兩個兒子，一個叫鄧嗣祖，時年七歲。一個叫鄧紹祖，年方四歲。

鄧嗣祖，字繩其，乃鄧氏清代的一世祖。嗣祖七歲時隨父赴粵，在高耀縣三義河遇難不死。其時父母俱喪，僕婢盡亡，錢物全無。嗣祖攜弟紹祖沿路乞食，流落到一個伍家村。伍家村有個伍員外。伍員外詢問了這落難的兄弟二人的來歷，大概很喜歡他們，於是大發惻隱之心，把這兄弟二人留下，供其食用，還予書舍教其文學。等嗣祖長大以後，伍員外就把自己的女兒許配給他。不久，嗣祖在廣東生了一個兒子，取名鄧琳。鄧嗣祖在廣東的時候，因遇考，得遇一個其祖父鄧士廉的故人之子李仙根。這個李仙根當時恰爲督學使者。這時李才告訴嗣祖其祖父鄧士廉殉難之事，並諭令嗣祖回籍。想嗣祖此時一定大悲大慟了一番，然後帶領妻兒及弟弟紹祖於康熙十年（1671 年）回到四川。嗣祖、紹祖流落在粵二十八年，終於返回故鄉，承繼家業。據稱，嗣祖爲人存心仁厚，爲鄉里稱頌，可能與他少時的艱苦際遇不無關係吧。這一段故事，可能是鄧氏家族中最動人的一頁篇章了。

鄧嗣祖一共生有兩個兒子，一個是在廣東生的鄧琳，一個是回籍後在四川廣安生的鄧琰。鄧琳生有六子，鄧琰生有四子，從此廣安鄧氏遂分爲兩大房。鄧琳一支爲長六房，鄧琰一支爲二四房。從他們的孫子輩起，開始立下字輩，即是：以仁存心，克紹先型，培成國用，燕爾昌榮。我爺爺這輩是紹字輩，父親這輩是先字輩，而我們這輩，我認爲是最難聽的型字輩。

還是先說老祖宗吧。

鄧琳，字石山，三歲隨父從粵東歸回四川。據縣志上說，他髫齡即能爲古文辭，長大後窮研經史，尤喜談經濟。雍正十三年（1735年）任中江訓導。訓導乃是一種學官，府、州、縣學都設訓導。中江是清朝四川中部的一個縣，因此鄧琳的這個訓導是縣級的。民國時期，各高等學校的訓導是專門掌管學生的思想品德的，也就是今天所謂的政治思想工作者。而清代的訓導，則没有這種功能，只是協助同級學官教育所屬生員（學生）。可能因爲鄧琳學識不淺，又爲人教育者，所以教導有方。其長子簡臨、三子亮執同榜甲子舉人，第六個兒子時敏中了進士，還作了個翰林。

鄧琰，字映華。家譜説他業儒未成，大概就是説學無上進，只好務農了吧。鄧琰爲人輕財好義，故能夠承繼祖産。他對鄧琳的兒子視若己出，見侄子鄧時敏好學，就送給他價值三百挑穀的田地（約合六十畝地）以作膏火（舊時學生學習所用的津貼費用）。其人長壽，享年八十一歲。鄧琰雖然學業無成，但看樣子卻持家有方。他一送給侄子就是六十畝田，證明他當時擁有的田畝至少幾倍於此。這種家業，雖不如北方的豪門巨富，但在當地，可能也不算太小吧。我們鄧家能夠出個翰林，他的的確確是個有功之人。

鄧翰林的大名早已如雷貫耳，現在終於該輪到他了。

鄧翰林，名時敏，字遜齋，號夢岩。據縣志所載，時敏性格溫恭謙退，雍正十年（1732年）中舉，乾隆元年（1736年）進士及第，遂進入翰林院，授以編修。

翰林，爲古代的一種官名。唐朝的時候，翰林學士職掌撰擬機要文書。明清則以翰林院爲“儲才”之地，在科舉考試中選拔一些人入院爲翰林官。清代翰林院爲大學士執掌，下設侍讀學士、侍講學士、侍讀、侍講、修撰、編修、檢討等官。

時敏入翰林院後，雖只是區區一個編修，但對於當時的廣安鄧氏來説，卻是一件了不起的光宗耀祖的大事。時敏在翰林院後升爲侍講，歷任江南宣諭化導使、翰林院侍講學士、通政司副使，最後於乾隆十年（1745年）升任大理寺正卿。

鄧時敏的父親鄧琳病故後，時敏奏請聖上，批准他回鄉奉母。時敏回廣安後，重修了廣安州的州志。

乾隆二十九年（1764年），時敏再次入朝，官復原職。縣志稱，時敏任大理寺卿時，審理案件時常常苦心平反，有所得必爭，爭不得必奏。剛果持正，不稍遷就，同列皆畏敬之。時敏後來因年事已高，乞准告老還鄉，誥受通奉大夫，六十六歲時在家鄉去世。時敏有子無孫，因此現今世界上，已沒有了他的後裔。

如果真如縣志所言，那麼這個鄧翰林、鄧大理寺卿，還真是一位有識有品，有學問有政績的人呢。他的這一輩人，也的確是鄧氏家族明清兩朝五百年中最輝煌的一頁篇章了。

事業成就，要靠天時，要靠地利，更要靠人和，還是人的因素第一。鄧家的老祖先曾爲官，曾爲儒，曾有業，曾有田，真不知怎麼鬼使神差地，一步步竟往下坡路上走去。地賣了，人也窮了。唸書不成，做買賣也不成。

家道不濟，時運也不濟。這麼大個中國，曾經多麼威風，多麼强盛！可到了後來，洋人也來了，還拿着火藥長槍，連西太后老佛爺也給趕出了京城。於是開始了賠款，中國人打輸了仗要賠款，打贏了仗也要賠款。這白花花的銀子，和着中國人的血汗和眼淚，就這麼讓洋人一船一船地運走了。錢也賠了，地也割了，洋人不但沒走，反而更加猖獗了。

洋人欺壓中國人，中國人自己也欺壓中國人。官大的欺負官小的，富的欺負窮的，有錢的欺負沒錢的。到了我爺爺這一輩，國家是疆土淪喪、戰亂不斷。人民是衣食無着、困頓不堪。這人禍合着天災，真是把好好一個國家糟踏得不成樣子了。四萬萬中國人中，恐怕足有三萬萬兩千萬人處於飢餓貧困的境地。

兩千年的封建社會，就給中國留下了這麼一個喪權辱國、民不聊生、千瘡百孔、貧困落後的爛攤子。

也許老天爺真是不置你於死地不讓你而後生吧！國也罷，家也罷，人也罷，大概也只有在大頹大敗之後方能大徹大悟，大徹大悟之後方能變革復興。

6. 我的爺爺

從清朝末期一直到整個的民國期間，就是成天價兵慌馬亂的，真是没有一點兒閑暇之時。

也許就是天災人禍的原因，我們家的祖先們就這樣一代一代地衰敗了下來。國之將亡，焉有家乎？

那個清初的鄧翰林再風光，再爲後輩感念，也畢竟不能再生了。再說，嚴格地講，我們這一家，和鄧翰林傳下的那一支，早就出了五服了。也就是說，鄧翰林的爺爺和我爺爺的第八世祖是同一個人，但從那一代以下，就分了兩大支，鄧翰林是長六房的，而我們則是二四房的。就像一棵大樹一樣，支叉分得越多，離得就越遠。我們這一支的後代們，看樣子是怎麼也沾不上那個鄧翰林的陰德了。

據說，我爺爺的父親十分窮困，田無幾分，地無幾畝。好在他爲人儉樸，十分勤勞，又會紡綫織布，於是他就一天天地省吃儉用，不辭勞苦地積攢家業。他時常帶着紡好的綫和織好的布到集市上去賣，去的時候連口糧都捨不得帶，只隨身揣一把乾胡豆(蠶豆)，喝幾口涼水了事。慢慢地，有了一點錢，買了一點地，到我爺爺的時候，家裏大約已有十幾畝地了。

我的這個爺爺的父親，也就是我的曾祖父，按成份劃分來說，大概不能算是手工業者，只能算是個農民兼營手工業者吧！

前面說過，我的爺爺是1886年出生的。我們這一家人到了我爺爺這一輩，據說是三代單傳，就是說三代人中都只生了一個兒子。舊社會的中國，完全是封建的重男輕女。其實我的爺爺還有幾個姐妹，但都不算數，所以我爺爺還是被稱作“單傳”。

我的爺爺叫鄧紹昌，字文明，一般人都只叫他鄧文明。我們從未見過這個爺爺，父親也從不提起他的爸爸，只是從奶奶的嘴裏聽到一星半點關於他的事情。因此對於他，我們這些孫輩並沒有什麼印象，只是從小聽見爺爺的這個名字，覺得很好玩，尤其用四川話一叫，更覺特別可笑。

最近我問了一些親戚，才了解了一點爺爺的情況。

爺爺小時候讀過一點書，但算不得知識分子。因爲家裏有了一些田地，他便不用再去種田，而是僱傭個把長工種地。因此，他的身份是個地主。但因田產不多，他這個地主充其量也只能是個小地主。

按照我叔叔鄧墾的說法，爺爺是一個典型的舊社會的人，他的思想和生活都是舊社會的，但對舊社會又不滿意。他甚至還說過這樣的話：“這個社會是不像個樣子，是應該革命！”

1911年爆發了辛亥革命。廣安縣所在的以重慶爲中心的川東北地區，早在二十世紀初年就受到了維新改良思潮和資產階級民主革命思想的影響。資產階級民主革命宣傳家鄒容，就是重慶地區巴縣人。鄒容的一篇戰鬥宏文《革命軍》，如滿天陰霾中的一具霹靂，震撼了中華大地，同時也給他的故鄉的革命運動帶來了深遠的影響。

1906年，孫中山的同盟會在重慶建立了支部，進一步地推動了四川的革命鬥爭進程。1907年開始，同盟會在四川各地先後舉行了好幾次規模較大的武裝起義。辛亥革命爆發的前夜，

1911年9月25日，同盟會員吳玉章等人便已在四川榮縣領導起義，宣佈獨立。11月，同盟會在四川重慶地區的長壽、涪陵宣佈起義。11月21日，廣安的同盟會率軍攻佔廣安，成立大漢蜀北軍政府。11月22日，同盟會的重慶蜀軍政府成立，標誌着清王朝在重慶的封建專制統治的覆滅。

在四川，特別是在川東地區資產階級民主革命思潮活躍和革命起義蓬勃發展之時，我的爺爺二十五歲左右，正是年青氣盛、血氣方剛的年齡。他生長於革命思想和運動都相當活躍的地區，受到資產階級舊民主主義革命思想的影響是完全可能之事。因此他支持辛亥革命，並且在地方上參加了辛亥革命的武裝暴動行動。那時他們的目標是滅清興漢。在廣安的革命軍中，他還當過類似排長那樣的小指揮官。當時的革命軍在廣安縣城對面設有大寨、小寨兩個軍寨，大概駐有一、二百人。那時候的社會已相當混亂，因此參加革命軍，都是自願加入。辛亥革命的時候，我的父親才七歲，因爲爺爺在革命軍的寨裏駐紮，父親還曾去過那裏，住過兩個晚上。雖然那時父親還小，但我想那種革命的氣焰一定在他幼小的心靈裏留下了不淺的印象，因爲直到今天，他還記得這件事情。

我的這個爺爺，對於做生意和發家之道可能並無多大本事，可是他爲人比較講義氣，又參加過一些“場面上的事情”，因此在當地的社會上可以算得上有名氣的了。

四川有一種民間的幫會組織，叫作“袍哥”會，也叫作“哥老會”。哥老會曾先後參加過反洋教運動、保路運動和辛亥起義，在四川近代史上起過重要作用。我的爺爺曾在他們協興鄉的“袍哥”中當過“三爺”，也就是第三把交椅。而這種三爺又叫管事，可能在“袍哥”組織中管理日常事務吧。後來爺爺升作“掌旗大爺”，也就是第一把手或首領了。

民國三年左右，爺爺曾當過廣安縣的警衛總辦——又稱團練局長。那時的團練局長是由縣長委任的。由於委任他當團練局長的那個縣長垮台了，爺爺的團練局長也就當不成了。在這以後，他還當過本鄉的鄉長。

據說，爺爺在當團練局長的時候，曾帶兵剿討過華鎣山的土匪鄭某，結下了仇。後來鄭某被政府招了安，一下子當了師長。這個師長可比團練局長權大勢大得多了，於是爺爺就跑到重慶避難，在重慶一住就是八年。正是由於他到了重慶，結識了一些朋友，才知道了有留法勤工儉學這麼一回子事，才把兒子從鄉下找來送去留學，也才使他的兒子走上了一條頗不平凡的人生道路。

爺爺當家以後，可能過於熱心於外部世界，熱心於社會事務，因此沒有化多大的精力來經營家業。由於他當團練局長時掙了一些錢，家業也相應有所擴大，後來家中大約擁有一百多挑穀(合二十多畝的土地)。爺爺本人不參加勞動，僱傭個把長工，但家境並不寬裕，有時甚至相當困難。爲了供兒子唸書和其他一些開銷，有時還不得不賣掉一些田。他雖然有不少的舊思想、舊習氣，但是總的來說思想還比較開明。他一知道消息就把長子送出國留學；知道兒子們在外面參加革命他也不反對；兒子們在外面搞革命實在沒飯吃了，給家裏寫信，他還賣田賣穀地寄錢資助。兒子們寄回來的一些革命書籍和刊物，他收着藏着，裝了滿滿一大箱子，直到最後國民黨搜查得緊了，才和我奶奶一起忍痛燒掉。

我的爺爺就是這麼一種典型的新舊時代交替時期的混雜着新舊思想的人。

爺爺死於 1936 年。

他一共有四個兒子。長子十多歲就離家，一去不回。二子又出去唸書，也參加了革命，有家無歸。第三個兒子也鬧着要出去闖天下，這下爺爺不幹了，可能他是想讓三子留在家中承繼家業吧。但這個老三不肯聽話，偷着要跑，爺爺一氣之下追他而去。爺爺本來就有便血的病，可能連氣帶累，病情突然加重，竟然死在了外面。這時候，他還没有過五十歲的壽辰。家裏的人突然聞此惡訊，悲痛欲絶，不得不現買了一塊地，把他葬在了離家不遠的一個地方。

爺爺一生先後娶過四個妻子。第一個妻子姓張。我算了一下，大約是在他十三歲時成親的。不到兩年，張氏死去，没有兒女。

第二個妻子姓淡，就是我的親祖母。淡家亦是廣安縣望溪鄉的一支旺族，清代曾有人在湖北通城縣、江蘇嘉定縣和甘肅渭原縣出任知縣。這個淡家姑娘嫁給鄧文明的時候，淡家比鄧家家業大得多。爺爺與祖母大約是在 1901 年成婚的。1902 年，他們的第一個孩子，長女鄧先烈出生。那時爺爺才十六歲。1904 年，他們的長子鄧先聖出生，這就是我的父親。1910 年，次子鄧先修出生，他後來改名鄧墾，是我的二叔。後來三子鄧先治出生，他用的名字叫鄧蜀平。

我的這個親祖母，一個大字不識，但爲人十分能幹，也很會講道理。當時在鄉裏面，街坊鄰居發生了什麼糾紛，都請她去斷道理。她還會養蠶，會繅絲，賣了絲賺些錢以補家用。在她們淡家，幾個女孩都很能幹，兒子卻都不行。在本書的前面我曾提到一個和我父親同歲的舅公淡以興，就是我親祖母的弟弟，他就是一個一事無成的無用之人。我的爺爺很少時間在我們協興鄉的老家，凡家中事物和諸多子女全憑親祖母一人照料。父親對他的母親十分敬重，他説過，當時那個家能夠保持生活下去，全靠母親。據説我的親祖母十分疼愛她的大兒子。兒子出門，一去不復返，有時音訊全無，使她十分掛念。有人説她是想兒子想死的，我猜想，對於這樣一個傳統的中國舊式婦女，既要撑持家務，又要思念子女，勞累加上心傷，是她早逝的雙重原因。1926 年，她病故了，再也没有見到她夢魂縈繞般思念的兒子。

爺爺的第三個妻子姓蕭。她爲鄧家生下了第四個兒子鄧先清後不久便病死了。

最後，爺爺娶了一位姓夏的妻子，這就是現在還和我們生活在一起的，我們無比熱愛的奶奶——夏伯根。

奶奶現在已經九十多歲了，可她還是那樣的健康矍鑠。她的一生既平凡又不平凡。奶奶的父親是嘉陵江上的一個推船工人。這是一個真正的貧苦人家，田無一壟，地無一分。她有一個哥哥，但很小就病死了。她的母親因悲失嬌兒，不久也離開了人世。奶奶的父親帶着這唯一的女兒相依爲命。奶奶十幾歲的時候嫁了一個丈夫，職業是給人作“中人”（相當於現在的公證人），他們生了一個女兒。不幸的是她的丈夫不久就病死了。後來，她帶着女兒再嫁給了爺爺。她一共生了三個女兒，第一個是我的二姑姑鄧先芙，第二個鄧先蓉十來歲時病故，第三個就是我的小姑姑鄧先群。我的小姑姑出生才不到一歲，我的爺爺就死了。

爺爺的去世，無疑對奶奶來説是一個莫大的不幸。她是寡婦再醮，没有生過兒子，又不當家，本是没有地位的人，但她聰明能幹，頗識大體，爲人又爽快俠義，因此甚得鄉親愛戴。她會織布，會種田，還特會作飯。鄰人家裏打架鬧糾紛，也都找她去主持個公道。家裏當家的三叔其實並不理家，全靠奶奶辛苦勞作。她和淡氏祖母一樣，成爲我們鄧家賴以維持的頂梁支柱。

綜上所述，我的爺爺共有七個子女（不算早死了的）：

鄧先烈（女）、鄧先聖、鄧先修、鄧先治、鄧先芙（女）、鄧先清、鄧先群（女）。

我的大姑媽鄧先烈比父親大兩歲，嫁給了一個唐姓的地主，比鄧家有錢多了。她也高壽，至今還在人世。

我的二叔鄧墾（鄧先修），1937年參加共產黨。他可以算是我們鄧家唯一的文化人，作過記者，作過文化工作，解放後曾任重慶市副市長、武漢市副市長和湖北省副省長，現在退休在武漢。小時候，我們覺得他最不像他的大哥，因爲他個子又高，人又英俊。可現在，當他和父親坐在一起時，我們又覺得，他最像他的大哥，只不過一個高點，一個矮點。

我的三叔鄧蜀平（鄧先治），解放前是個小地主，人沒有什麼本事，還抽點鴉片烟。解放後父親把他送去戒了烟，讓他受了一點革命的教育，然後一直在貴州省六枝地區作點工作。"文化大革命"期間，因本人的地主成份和他兄長的倒台受到牽連，被迫害致死。

我的二姑姑鄧先芙，解放前夕的時候在唸中學，當時和地方上黨的地下組織有聯繫。四川解放後，她進入西南局辦的西南軍政學校學習，畢業後一直從事機關的機要工作。她現在已退休，只擔任四川省政協委員的職務。由於她長期在四川工作，人又熱心腸，又"愛管閑事"，一天忙於各項公益事業，所以四川的同志們都親切地叫她"鄧大姐"或者"鄧娘娘"。她的丈夫叫張仲仁，曾任四川省檔案局長。我的這位姑父可真正是位實實在在的忠厚老實之人，不但工作勤勉，爲人又勤快、又踏實，是我奶奶最喜歡的女婿。

我的四叔鄧先清，幼小時便喪母，全靠我的奶奶把他帶大成人。但他從小身體不好，所以一直在四川做一些力所能及的工作。

我的小姑姑鄧先群，是我們家長輩中最小的一個。奶奶說她從小就是一個“野人”，上樹掏鳥、下河摸魚，什麼調皮的事都做，從小挨打也多。解放後她隨我們家到了北京，在實驗中學讀完中學，考上哈爾濱軍事工程學院。除了“文革”期間，她一直在軍隊裏工作，現任中國人民解放軍總政治部群衆工作部部長，是中國人民解放軍僅有的幾個女少將之一。由於年齡的關係，小姑姑既是我們的長輩，又是我們的好朋友。她性格活潑開朗，從小就和我們一起玩一起笑，有時簡直不分長幼。她的丈夫叫栗前明，是我軍第二炮兵的副司令員。他們這一對夫妻，在哈軍工是同學，在解放軍中又同是負有一定職責的幹部。因爲我的姑父是位少將，所以我們這些晚輩就不叫他姑父，而總喜歡逗笑地尊其爲“栗大將軍”。

奶奶最喜歡的女婿是二姑父，最喜歡的女兒卻是小姑姑。不管怎麼樣，我這兩個姑姑和我們的關係最親近，她們的幾個孩子也都從小放在我們家裏，由奶奶給她們帶養，也供我們全家人當“小玩具”。

我的爺爺是一代單傳，而到了我們這一輩和我們的下一輩，簡直數不清有多少人了。

曾經是三代單傳的我們這家人，到了現在，應是人口最興旺發達之時了。

7. 父親的少年時代

1904 年農曆 7 月 12 日，也就是公曆 8 月 22 日，父親在四川省廣安縣協興鄉的牌坊村出生，取名叫鄧先聖。

當時他的父親鄧文明十八歲，母親淡氏二十歲。生了一個男孩子，一定是當時鄧家最爲喜慶的事情。這件事，儘管對鄧家來說是件喜事，但在廣安、在四川、在全國來說，卻並沒有什麼特別之處，只不過是那年誕生的千千萬萬個嬰兒中的一個。因爲父親現在出名了，所以我們家的一些親戚和鄉里的人便傳說父親出生時曾經出現過什麼吉兆，其實都是一些無妄的編造。

那時候一個窮鄉僻壤，當然没有照像設備，因此父親小時究竟是什麼樣，我們自然不得而知。但當我弟弟的兒子小弟出生後，全家人都說小弟長得像爺爺。我還開玩笑地說："如果要演鄧小平的童年時代，完全可以讓小弟去當演員!"

小弟長得什麼樣呢? 圓圓的臉，寬寬的額頭，淡淡的眉毛，白白的皮膚，眼睛不大，還有一個小小的鄧家祖傳的圓鼻頭兒。

父親五歲進私塾發蒙。這個私塾就設在當年鄧翰林的"翰林院"。私塾的教師認爲父親的名字不好（可能認爲"先聖"二字太不恭了。孔夫子尚且爲"聖"，你怎麼能爲"先聖"呢?)，就把他的名字改爲了鄧希賢。這個名字一直用了二十年。六歲時，父親進入協興鄉的初級小學唸書。

私塾發蒙，可想而知，讀的不外乎是“三字經”、“百家姓”之類的東西。上了初小，也只讀一些“四書”、“五經”一類的書。當時的教學方法主要是背誦。

1915 年，十一歲的時候，父親考入了廣安縣的高小。當時廣安全縣只有一個高小，這個高小設在廣安城內的一個山坡上。在我和二姑姑回老家時曾去看了一下，當年的這個小學只剩下了幾間舊房。在第三章時我介紹過，這是一個兩層樓房，磚牆瓦頂，二樓教室的外面有木板地的走廊，用木頭的欄杆圍擋起來。教室不大，可以容納二十來個學生。因爲全縣僅有這麼一個高小，因此要進來也並不容易。想必父親小時唸書用功，所以得以考進高小。這個高小每次只收一兩個班的學生，學校裏教的東西也很少，自然科學的東西幾乎沒有。國文課除了孔孟“經書”以外，還教授一些《古文觀止》上的文章，有柳宗元的，有韓愈的。教學方式，和初小一樣，也主要是講背。那時候的高小學生，年齡相差很大，從十來歲到二十多歲的都有。家不在縣城的學生都是住宿。父親也是在校住宿，每周回一次家。我姑姑說，舊廣安根本沒有公路，直到她們到廣安上學的時候，也都是坐渡船過河，走石板路爬坡。

廣安縣當時有二十到三十萬人口，但全縣只有一個高小，也只有一個初中。

1918 年，父親十四歲的時候高小畢業，考入了廣安縣中學。

有很多偉人在青少年時代就顯露出非同常人的天才的火花，但我想父親的少年時代，則可以說過得十分平常。現在在一些親戚中和鄉親們中有一些關於父親少年時代的帶有傳奇味道的傳說，多不可靠。但有一點可以肯定，少年時期的父親，自幼便資質聰明，在家裏是個受父母疼愛的好兒子，在學校裏是個勤奮用功的好學生。

父親考上了廣安縣中學，但上了不久就離開了。因爲那時祖父在重慶，聽到重慶將要舉辦"留法勤工儉學預備學校"的消息，他捎話到家裏，讓父親去重慶，進預備學校讀書。

8. 留法勤工儉學運動之由來

留法勤工儉學，是在十九世紀和二十世紀交替的時代興起的一個新文化運動的組成部分。

1840 年第一次鴉片戰爭以後，中國逐步淪爲一個半封建半殖民地的國家，政治腐敗，社會動亂，經濟落後。在中國人民爲反抗帝國主義的侵略和封建帝王的壓迫進行不屈不撓的鬥爭的同時，一些仁人志士開始廣爲探索，多方尋求救國救民的道路。在“維新思想”和“洋務運動”興起的影響下，許多人，特別是知識階層，認爲要救國，就必須學習西方。辛亥革命以前，一批熱血青年紛紛出國留學，他們在國外學習語言，學習政法，學習軍事。毛澤東曾經說過：“那時，求進步的中國人，只要是西方的新道理，什麼書也看。向日本、英國、美國、法國、德國派遣留學生之多，達到了驚人的程度。國內廢科舉，興學校，好像雨後春笋，努力學習西方。”①

我國的一批舊民主主義革命的青年革命家，不但在國外學習和探索救國救民的真理，而且還在遠離封建統治腹地的海外，進行和開創革命事業。鄒容、秋瑾、陳天華、黃興等著名革命闖將都曾在日本留學，偉大的革命先驅孫中山更把海外當作革命基地，在日本成立了“中國同盟會”。

辛亥革命以前，留學運動風靡一時，留美學生有八百餘人，留歐學生平均每年約五百人，而留日學生人數最多，竟達二萬多人。

辛亥革命以後，中國的封建專制被推翻，帝國主義列强正忙於第一次世界大戰，在這個空隙當中，中國的民族資本主義有了進一步的發展。在這個基礎上，中國的教育界和留學倡導者們的思想發生了很大的變化。一些人認爲，法國是資産階級革命進行得比較徹底的國家，一些科學新説，也多出自法國，因此與其去日本學習，不如直接去法國學習。而且在歐洲諸國之中，法國的生活費用相對低廉，對須遠涉重洋而去留學的中國學生，特別是自費學生，比較適合。

辛亥革命後的第二年，即 1912 年 4 月，蔡元培、[2]吳玉章[3]和李石曾[4]等人在北京發起成立了“留法儉學會”。

“留法儉學會”以宣傳意義、指導旅行、介紹學校爲目的，以節儉費用、推廣西學爲宗旨，指導和幫助自費青年赴法留學。該會於成立的同年在北京大方家胡同建立了一所“留法預備學校”。到 1916 年 6 月，該會共組織了兩批八十人赴法留學。

辛亥革命流産後，蔡元培、吳玉章被迫流亡國外。1915 年 6 月，在他們支持下，在法國的華工成立了“勤工儉學會”，宗旨是“勤於工作，儉以求學”。

1914 年 8 月，第一次世界大戰爆發。在大戰中，法國死傷百萬，後方勞動力嚴重短缺。法國政府派員緊急來華，以廉價招募華工。就這樣，在一次大戰中間，赴法華工高達十幾萬人。這些在法的華工，工資低廉（每日僅有五至十個法郎，不到法國工人工資的三分之一），缺乏教育。針對這一狀況，蔡元培先生等於 1916 年 6 月發起成立“華法教育會”。

同年，在中國，由於袁世凱復辟帝制的活動宣告失敗，許多流亡在外的革命者得以回國。1917年，在北京成立了“華法教育會”和“留法勤工儉學會”。

“留法勤工儉學會”在北京、保定等地設立了三所留法勤工儉學預備學校。很快，留法勤工儉學運動便進一步推向全國。華法教育會在上海、成都、重慶、長沙、廣州、濟南、天津、武漢等地相繼開辦了各種形式的留法預備學校和留法預備班。

1918年11月，第一次世界大戰結束。

1919年以後，留法勤工儉學運動迅速發展，在“五四”運動後達到新的高潮。

留法勤工儉學運動之所以以强大的聲勢遍及中國，主要是受到當時中國國内外形勢的直接影響。

1911年辛亥革命後，以孫中山爲首的資産階級革命派在强大的封建主義勢力和帝國主義勢力的内外夾擊下，被迫放棄了勝利果實。

在1912年清王朝宣佈退位後，中國的資産階級革命成果先是爲竊國大盜袁世凱所攫取，後又爲黎元洪、段祺瑞的北洋軍閥政府所强奪。孫中山領導的“二次革命”和“護法戰爭”均告失敗。

從此，中國開始進入一個軍閥割據和軍閥混戰的悲慘年代。大小軍閥，劃地爲牢，成年混戰不斷。農民破産，工人失業，加上天災助虐，人民生活日益困頓，城鄉經濟愈趨凋蔽。這種天下大亂的國内形勢，促使一批青年知識分子急於向外尋求救國救民的道路。資産階級舊民主主義革命的失敗，更使一批有膽識、有覺悟之士努力去探求新的真理。

在這期間，有兩件大事如霹靂閃電般地震撼了中國大地。

第一件事是1917年俄國爆發了“十月革命”。

十月革命的勝利，給予中國革命知識分子以很大鼓勵，促使中國新文化運動得到飛躍發展，同時促進了馬克思主義在中國的迅速傳播。中國的廣大進步知識分子，如沐甘露般地嚮往和汲取新的思想和新的文化。李大釗、陳獨秀等人更是不遺餘力地積極宣傳、鼓吹和傳播十月革命的偉大意義和馬克思主義。這無疑給予了中國的革命者和思想界以強大的吸引和新的希望。

第二件事是1919年"五四"運動的爆發。

第一次世界大戰結束後，1919年1月，戰勝國們在巴黎召開了一個名爲"和平"而實爲"分贓"的會議。同爲戰勝國的中國提出收回山東主權、廢除《二十一條》不平等條約等要求，英、法、美、意、日五國不但拒絕了中國的正當要求，還竟然將德國在中國山東侵佔的一切權益全部轉讓給日本。而對於這樣蠻橫欺人的"和約"，北洋政府居然準備簽字接受。於是舉國上下頓時輿論鼎沸，群情激憤。5月4日，北京大學等三千餘大專院校師生，於天安門集會並舉行遊行示威。學生們不顧軍警和外國巡捕的鎮壓，痛打北洋官宦、焚燒北洋政府外務次長曹汝霖的住宅。北京學生的愛國行動，立即得到了全國各地的響應。一時之間，學生罷課，工人罷工，商人罷市，舉國沸騰。

"五四"運動是一次偉大的反帝反封建的革命運動，是我國新民主主義革命的開端。在中國的大地上，從南到北，一大批革命知識分子接受了"五四"運動的洗禮，爲繼續尋求真理和進行革命實踐活動打下了基礎。

新思潮的傳播和"五四"運動的爆發，更加推動了留法勤工儉學運動，使其風靡全國，空前活躍。從1919年到1920年間，湖南、四川、廣東、福建、江西、浙江、河南、陝西、貴州、直隸、奉天、山東、湖北、雲南、山西、安徽、廣西等地共有一千六百多名青年赴法留學。其中以湖南、四川兩地人數最多。

湖南是當時留法勤工儉學運動開展得最好的省份之一。1918年4月，一個叫毛澤東的二十五歲的年輕人和一個叫蔡和森的二十三歲的年輕人，在湖南長沙組織了一個革命社團——新民學會。新民學會成立不久就着手組織留法勤工儉學運動。1918年，蔡和森和毛澤東分別北上進京，組織新民學會會員和湖南同學進入保定等地的留法預備學校學習。1919年到1920年，在湖南的留法的三百四十六人中，新民學會會員有十八人，他們在國内是留法勤工儉學運動的骨幹，到法國後進一步成爲進步學習小組乃至成立旅歐共産主義組織的中堅力量。他們之中，有蔡和森、向警予、李維漢、李富春、張昆弟、蔡暢等人，還有年逾四旬的著名教育家徐特立和蔡和森的母親葛健豪老人。

四川的留法勤工儉學運動是由吳玉章親自倡導和領導的。1918年，成都和重慶兩地分别成立了留法勤工儉學預備學校。到1920年年底，陳毅、聶榮臻、鄧小平（當時名鄧希賢）、江澤民、周維楨等三百七十八人分别赴法留學。

同時期，貴州的王若飛與其舅父黄齊生老先生於1919年12月赴法。

安徽的陳延年、陳喬年（二人皆爲陳獨秀之子）和李慰農等人於1920年赴法。

1920年9月，四川的趙世炎赴法。

1920年11月，天津“覺悟社”的組織領導者周恩來赴法。

從以上名單就可以知道，到了1920年底，已經有如此衆多的進步青年雲集法國。他們千里迢迢，跋山涉水，並不是爲了去追求西方文明，更不是僅僅爲了學會一技之長。他們懷着愛國的熱情，懷着救國的熱望，衝破封建主義的牢籠，到外面的世界去學本領、求真理，爲的是有朝一日回到祖國，拯救祖國，報效祖國。

二十二歲的周恩來在詩中寫道：

念你的精神，
　　你的決心，
　　你的勇敢，
興勃勃的向上，
　全憑你的奮鬥壯膽。
出國去，
　走東海、南海、紅海、地中海，
一處處的浪捲濤湧，
　奔騰浩瀚，
　　送你到那自由故鄉的法蘭西海岸。

到那裏，
　舉起工具，
　　出你的勞動汗，
　　造你的成績燦爛。
磨練你的才幹；
　保你天真爛漫。
他日歸來，
　扯開自由旗；
　唱起獨立歌。
　爭女權，
　求平等，
　　來到社會實驗。

推翻舊理論，

全憑你這心頭一念。

注:

① 毛澤東《論人民民主專政》。《毛澤東選集》第四卷。

② 蔡元培，浙江紹興人，我國近代著名的教育家和革命民主主義者。1907年留學德國，早年參加孫中山先生的同盟會，1912年任南京臨時政府教育總長。1917年任北京大學校長，積極支持新文化運動，後曾任國民政府中央研究院院長。九一八事變後，與宋慶齡、魯迅等組織中國民權保障同盟，1940年病逝。

③ 吳玉章，四川榮縣人，我國著名教育家和中國共產黨老一輩無產階級革命家。1903年留學日本，是同盟會的重要成員。1925年加入中國共產黨，1927年參加"八一南昌起義"。解放前後歷任中國共產黨和政府的各種高級職務，與林伯渠、謝覺哉、董必武一起，被黨內同志尊稱爲"四老"。1966年病逝北京。

④ 李石曾，河北高陽人，早年留法，自稱信仰無政府主義，推崇法國文明。

9. 千里之行始於足下

1918 年春天，在吳玉章先生親自倡導下，四川成都開辦了留法勤工儉學預備學校，並於 1919 年 6 月派出了第一批留法學生。

重慶，乃川東重鎮，商埠地區，自然於文化教育方面不能落後。當時的重慶商會會長汪雲松、教育局局長溫少鶴等人召集各社會名流，籌集經費數萬元，準備在重慶開辦留法勤工儉學預備學校。

大概是聽到了這一風聲，祖父便託人從重慶帶話回廣安，叫父親直赴重慶來唸留法預備學校。

1918 年下半年，父親和他的遠房叔叔鄧紹聖及一個同鄉胡明德一起，到了重慶。鄧紹聖和胡明德（又名胡倫）也都是廣安縣中學學生。

留法勤工儉學預備學校招生，分爲公費生（或稱貸費生）和自費生。鄧紹聖取得貸費生資格，鄧希賢和胡倫則爲自費生。赴法旅費，除由學校董事會補助一百多元外，另須自行籌集一部分，湊足三百元即可成行。父親的旅費自是祖父幫他籌集的，鄧紹聖的旅費是向人借的，而胡倫的旅費則由友人借助。①

1919 年 9 月上旬，重慶留法勤工儉學預備學校正式開學。由重慶商會會長汪雲松任董事長，下設校長、教務及事務等負責人。校址在重慶市夫子祠内。

該校招生對象是中學畢業生和具有同等程度的青年，共招收一百餘人，分兩班上課。凡中學畢業的讀高級班，其餘的讀低級班。課程有法文、代數、幾何、物理、中文及工業常識等，以法文爲主。教法文的教員有兩人，高級班的爲法國駐重慶領事館翻譯王梅柏，低級班的是一位曾經留學法國的張某。據父親當時的同學江澤民回憶，該校教室簡陋，設備很差，學校的組織比較鬆懈，學生們上課就來，下課就走，没有宿舍和體育場所。學習的目的是要粗通法語並掌握一定的工業技術知識，爲去法國勤工儉學作些準備。父親曾經説過，這個預備學校當時在重慶已算是最高的學校，所以考進去是很不容易的。

父親進入這一學校，剛滿十五歲。據江澤民回憶："鄧小平是稍晚才進入這所預備學校的。他那時就是顯得非常精神，總是精力十分充沛，他的話不多，學習總是非常刻苦認真。"

留法勤工儉學預備學校的學生們入學不久，便發生了令全體學生終生難忘的事件。

重慶是我國西南門户，是長江上游的水陸交通樞紐和最大的工商業重鎮。1890年中英《烟台條約續增專條》及1895年中日《馬關條約》簽訂後，重慶正式成爲外國的通商口岸。法、美、日等國相繼在重慶設立領事館。重慶屬於英、法帝國主義勢力範圍。從此，四川的一切權利由英法共享；外國商輪頻繁駛入；帝國主義兵艦横行江面；英、法、德、日、美等國輪流把持重慶海關；他們還强佔碼頭，設立兵營，强佔租界。因爲交通閉塞，重慶和沿海一帶相比，具有更濃厚的封建性，經濟更爲落後，階級壓迫更爲深重。

辛亥革命後，四川出現了軍閥混戰的局面，重慶成了各派軍閥爭奪的重點。資產階級革命派成立的蜀軍政府，很快落入封建軍閥和官僚手中，四川革命黨人的討袁運動和護國運動相繼失敗。四川軍閥勢力惡性膨脹，各自擁兵割據，戰禍連綿，給重慶人民帶來了無窮的災難。

1919年5月4日，北京爆發了“五四”運動。由於四川比較閉塞，消息傳到重慶，已是5月中旬了。重慶的青年學生和各屆人士熱血沸騰，立即響應。重慶的“五四”運動除了以各種形式聲討賣國賊外，還進行抵制日貨和反對與日商進行各種交往。

是年11月，重慶警察廳長鄭賢書，挪用公款四千多元，廉價購買信孚洋行的日貨八十多箱，以警察廳名義公開拍賣，該舉頓時激起了愛國學生的抗議浪潮。11月17日上午，川東師範、重慶聯中、重慶留法勤工儉學預備學校等學校的一千多名學生到警察廳示威，强烈要求鄭賢書交出日貨。鄭賢書嚇得不敢出見，於是學生們將警察廳緊緊圍住，徹夜不歸。學生們的愛國行動，得到市民的聲援，他們送來飯食特表慰問，學生們的鬥志更加高昂。第二天上午，鄭賢書被迫答應交出日貨。由於學生們和鄭賢書所帶衛隊發生衝突，槍傷學生兩名，憤怒的學生和軍警展開搏鬥，解除了衛隊的武裝，鄭賢書跳窗而逃。當天下午，學生們在重慶朝天門怒燒鄭賢書交出的日貨。這場鬥爭最終以四川當局被迫撤銷鄭賢書職務而告勝利。

江澤民在回憶中寫道：“我們預備學校的同學，為了抵制日貨，反對賣國賊，曾經集體到重慶衛戍司令部去示威請願，在那兒堅持了兩天一夜的鬥爭，取得了初步結果。我們回到學校後，就自動把帶有日本商標的牙粉、臉盆等用品摔在地上焚燒，把洋布衣服也撕毀，表示再不用東洋劣貨。當時，時代的脈搏，愛國的思潮，在衝擊着我們的頭腦，廣大青年學生和各屆人士高昂的愛國熱情，給了我深刻的教育。”

時年十五歲的父親，同全校同學一起參加了這個運動。父親曾回憶，由於參加了這個運動，愛國救國思想有所提高，但是，所謂的救國，無非是當時在同學中流行的所謂工業救國思想。在他那尚且幼稚的腦海中，只是滿懷希望地想到法國去，一面勤工，一面儉學，學點本事回國，如此而已！

那時的父親，只是具有初步的愛國思想和進步思想，還沒有形成他今後所具有的那種鮮明的人生觀和世界觀。但是，參加“五四”運動的戰鬥洗禮，對於他今後的世界觀的形成和革命實踐活動的進行，具有相當大的影響和意義。

1920年7月19日，經過一年的學習，留法勤工儉學預備學校學生在重慶商會舉行畢業典禮。駐渝法國領事、旅渝法商、教士及各學校校長參加了畢業典禮。

經過學校畢業考試、法國駐重慶領事館的口試及體格檢查，合格的有八十多人。鄧希賢，即是其中的一名，而且還是其中年齡最小的一名。

四川留法勤工儉學運動的倡導人公推吳玉章先生，而重慶留法勤工儉學的功臣，當屬重慶商會會長汪雲松先生。

汪雲松，字德薰。他曾目睹成都留法學生途經重慶赴法的盛況，便立即着手籌組留法勤工儉學會重慶分會，並先任會長，後任留法勤工儉學預備學校董事長。從籌組分會、建立學校、募集資金、辦理簽證，直到最後送走畢業生，汪雲松先生都是親力親爲，極盡熱心。他的這一份熱忱大概給學生們留下了深刻的印象，他的學生幾十年後都没有忘記他。

1949年重慶解放後，有一天，西南軍區派了幾個人到汪雲松家，汪不知凶吉，没敢見。第二天來了輛吉普車，把汪雲松接到軍區，原來是當時的西南軍區政委鄧小平請他吃飯。汪雲松回來很是高興，逢人就說："小平真不錯呀，我現在才曉得，共產黨也不忘故舊！"1950年第二屆全國政協開會時，汪雲松應邀前去北京列席。他回來講，在中南海懷仁堂開宴會，頭一桌的主人是毛主席，第二桌有小平同志，他也坐在第二桌。小平和陳毅分了工，小平同志請客，陳毅宴會後拿自己的車子送他回招待所。

汪雲松曾經當過清朝的四品道台。五十年代有一年周總理和陳毅副總理出國訪問時途經四川，見了汪雲松，問起他的這個官是實缺還是候補？汪雲松答，是實缺。他作過清朝的官，也具有維新思想。他辦學，原本不是想培養共產黨，只是要培養搞實業的人，走實業救國的路子。

汪老先生愛國，解放後也愛共產黨，他把自己珍藏的文物都捐獻給了國家。汪老先生有一對心愛的古瓷瓶，他把裝瓶子的楠木盒子刻上"東方紅"三個字，送給毛主席作爲祝壽之用。按一般的規矩，中國共產黨的領導人是不祝壽，不收壽禮的。當時在重慶統戰部工作過的一位同志說，小平同志知道了這件事，跟統戰部說："要了解汪雲松。"於是，作爲特例，統戰部收下了這份禮物。統戰部的這位同志說，後來小平同志還說過，汪雲松爲我們培養了兩個副總理——指小平同志和聶榮臻同志。

1920年8月27日下午三時，重慶留法勤工儉學預備學校八十餘名學生，整隊出發，出太平門，搭乘開往萬縣的"吉慶"輪準備東下。

28日，"吉慶"輪提錨啓航，徐徐向宜昌方向駛去。可以想像，當時在岸邊送行的人一定爲數不少，許多人飽含熱淚與期望，送走了自己的子弟，很有一番此去天涯路漫漫的感嘆。

乘船而去的這川東八十三位子弟，大概既有對故鄉和親人的依依惜別之情，而更多的卻是對未來、對他鄉、對一切熱情嚮往着的、但卻陌生的事物的憧憬和激蕩之心。

注:

① 胡倫自述。

10. 有心萬里求學　不怕路遠山高

蜀道之難，難於上青天。

四川位於中國西南内陸，北有黃土高原，西有青藏高原，南有雲貴高原，東爲山野丘陵之地。在這千山萬壑之中，突然降下這麼一片坦平的綠地，在地圖上看來，就好像是鑲嵌在黃楊木雕上的一塊晶瑩奪目的翡翠。

四川在大西南中的確是一塊天賜寶地，但古來就困於交通，失於閉塞。秦嶺、大巴山、岷山、大雪山、大涼山、大婁山……把四川盆地團團圍住。古人入蜀，翻山越嶺，車行馬跑，大概尚需數月時間。

唐代大詩人李白五歲入蜀，二十年後“仗劍去國，辭親遠遊”。對於蜀道，他以親身的經歷感慨嘆道：

“爾來四萬八千歲，不與秦塞通人烟。”

“上有六龍回日之高標，下有衝波逆折之回川。”

“黃鶴之飛尚不得過，猿猱欲度愁攀援。”

“問君西遊何時還，畏途巉岩不可攀。”

“蜀道之難，難於上青天！使人聽此凋朱顏。”

“蜀道之難，難於上青天！側身西望長咨嗟。”

這是古人的太息之詞。

近代有一個外地人，到了四川之後的感想則是，四川人天天在無路中找路走。在三峽行船，動不動就前看無路，後看也無路。在他的眼中，四川的水無一不是怒水，四川的山無一不是峻嶺。俗話說，“四川已治天下亂，四川已亂天下治”，這種情形既有利於四川於政治經濟上的獨立，也造成了四川的閉塞。外地人到了四川，有時真會有到了“壺中天地”的感覺。

四川通外，既無平川，山路又險，幸有一條長江，曲曲彎彎，由西向東奔騰而去，成爲古今出入巴蜀的命脈。

入蜀難，出蜀也難。就是憑藉長江之水順流而下，也不知要穿過多少高山陡峭，經過多少激流險灘。古往今來，更不知有多少人喪生波濤，食果魚腹。

但是，四川人畢竟嚮往着新的生活境界和新的生活內容。只要順着長江，順着這條水路，走了出去，外面就是一個更加廣闊的世界。因此，當蜀人乘舟而下，一路順風之時，心情一定會是別樣的激蕩，而兩岸陰霾險峻的山色，也一定會使人倍覺別樣的風流。一千多年前，李白在這條水道上順流泛舟之時，心境甚佳，以至於禁不住咏唱起來以抒情懷：

朝辭白帝彩雲間，
千里江陵一日還。
兩岸猿聲啼不住，
輕舟已過萬重山。

重慶留法勤工儉學預備學校的八十三名學生，乘着法商吉利洋行的“吉慶”輪船東下，一路順利。重慶地方政府沒有派員護送，同學們就自動“組織起來，互相照顧”。八十三人共分爲四個小組，每組約二十人。每組設有組長，第一組爲袁文慶同學，第二組爲王興智同學，第三組爲吳宥三同學，第四組爲周玉書同學。

經過八天航行，途經宜昌、漢口、九江，最後平安抵達上海。這是一個爲時很短的航行，但卻是這批學生的首次航行。八天之中，他們一定是興奮不已，一路飽覽。過了山川，即是平川，這眼前瞬間而過的景色，與家鄉四川是那麼的相同，又是那麼的不同。

上海，是當時中國東部的商貿中心，又是中國與外部通商通航的重要口岸。當時所有由華法教育會和留法勤工儉學會組織的留法勤工儉學學生，都首先匯集到上海，再由上海的上述組織安排赴法。上海的華法教育會設在上海法租界霞飛路 247 號。因爲由上海到法國的郵輪每月一次，因此上海華法教育會特別設立了留法勤工儉學招待所和俱樂部，以接待過路的留法學生。他們還負責安排住處、訂購船票和協助辦理出國手續。

重慶的八十三名學生到滬後，即由華法教育會安排他們住在"名利大旅社"，並在上海辦理購買船票和從法國領事館領取護照等項事宜。

一周之後，也就是 1920 年 9 月 11 日，八十三名四川學生於上午十一時登上法國郵船"鴦特萊蓬"（Andre－Lebom）號。上船那天，大雨如注。可這些年輕的學生，只盼早日得見世外新的天地，這傾盆大雨，怎敵他們萬里求學之雄心！

學生們上船之後，正在檢點行李，只聽氣笛長鳴，"鴦特萊蓬"號已經啓錨開航，駛離上海黄浦碼頭，不久，便駛過吳淞口，進入浩瀚無垠的蒼茫大海之中。

這艘輪船是來往於歐亞美三洲的法國郵船，長約五十丈，寬約六丈，高約十丈，約有幾萬噸。船的艙位分爲三等，每艙可容數百乘客。最高的一層是遊戲場，專供乘客運動之用。貨艙在首尾兩頭，容量甚大。船上還設有起重機兩架，以爲裝卸貨物之用。

乘這艘郵輪踏上留法勤工儉學征途的，共有九十名中國學生，其中八十四名[1]爲重慶留法勤工儉學預備學校的學生，還有幾名浙江籍的學生一路同行。在重慶的八十四名學生中，貸費生四十六人，有江澤民（江克明）和鄧紹聖等人。自費生三十八人，有鄧希賢（鄧小平）和胡倫等人。

據江澤民回憶，那艘郵船上一等艙的票價是八百元，二等艙是五百元，三等艙是三百元。中國學生花一百元買的是四等（即無等艙）的船票。這船本來沒有什麼四等艙，只是爲了照顧貧窮的留法勤工儉學學生而臨時設的。所謂四等艙，就是貨艙。半明半暗的船底裏，到處堆放着各種貨物。沒有什麼設備，學生們就住在雙層床鋪上。艙內空氣非常惡劣，天氣悶熱，臭蟲又多，蚊子肆虐，許多人就買個躺椅到甲板上去消磨時間和睡覺。有時風平浪靜，可以飽覽海上風光。有時狂風大作，巨浪劈頭打來，就使人頭暈目眩。

學生們上船時那種興奮的心情，到了此時大概已經平靜了不少。因爲從船上望去，只見水天一色，孤舟往還，不見山，不見樹，也不見陸地，使人頓感荒涼寂寞，一些同學便拿出行囊中的書籍，用讀書來聊以慰藉。

在這一行學生中，有一個四川巴縣的同學，叫馮學宗，他在給親友的來信中，詳細記述了他們這次海上航行的細節。現將其信摘錄如下，我們可以通過他的記述，來了解當時的情形和學生們的一些感受。[2]

> “14日，船抵香港泊一日。此地背山面海，樹木蔭翳，商旅雲集，街市寬闊，屋宇齊整。此地貿易的人，雖是中國人，但那種種的管轄權，是完全屬於英國的

了。英人自得此地之後，訂立許多束縛華人的條例，近已成為一個沿海最繁華最緊要的商埠了。

“18 號船抵西貢，此地概是平原，自法人奪去之後，沿岸建築碼頭，岸上房舍街市，都秩然有序。只是有一件悲慘的事，就是那亡國的安南人。他們的國家，既為外人的殖民地，他們的人民，遂不得不受外人的管轄。他們知識較高一點的，就受法人的呼喚，養成一種不痛不癢的性質。那知識低下的，就受外人使用，耕田挽車，不敢稍辭勞苦，偶一懈怠，即加鞭楚，彼等狼狽啼泣，已極可憐，而法人還要設種種惡例，使彼等永無恢復的一天。例如讀書要讀法文，着鞋要納稅，既滅人家的文字，又要滅人家的種族，正義在哪裏？人道又在哪裏？安南人蓬首赤足，四季如一，難道就不成問題麼？

“西貢為歐亞交通的衝要，五洋雜處，人口甚繁。中國人僑寓此地數有六七萬人，但是入境以後，凡是成年者，每年須納身稅數十元，這也是法人限制外人旅居最嚴厲的一個方法。我們中國人在世界上向來以‘病夫’見稱，各國防甚嚴，此次船泊西貢，曾見同船的人，上岸時必經種種檢查，然後列隊到警察署註册，否則不准登岸，從此看來，中國人也像在候補亡國奴了。

“船泊三日，21 日復起碇向新加坡駛去。

“行三日，達新加坡。此地街市屋宇之整齊，與西貢相彷彿，但面積較西貢大，市面亦較清潔。此地有華人數千萬，華人商務頗好，所以殷實之家亦多，但有一大部分，仍是勞力的生活。

“25 日由新加坡啓程，行一日，那驚天駭地的浪濤，推來推去，時上時下。我們同行的人，好似大病加身，不敢直立，不思飲食，整整鬧了三天，我們望岸之心，真是‘如大旱之望露霓’一般。日復一日，望眼欲穿，好容易才盼到停泊休息的哥倫布。

“30 日抵英屬之哥倫布，此地風浪很大，不易停泊，幸賴有一港口，可免風浪的危險。我們赴法只有法國護照。哥倫布是英國的屬地，没有英國護照，就不得上岸，也就不得窺其全貌。

“10 月 7 日船行阿拉伯海中，距紅海口甚近。此口在歐洲大戰時候，設有水底危險物多件，戰後還未取出，所以往來經過的船隻，都要預防不測，我們今天也得把水袋來練習，但是心中總是忐忑不安，如有所失一般。

“8 日到奇布特，地屬非洲，當紅海之口，為法蘭西屬地。遍地沙漠，草木不生，人迹很少，熱度達於極點。然而法國不棄之者，正以此地為航海必經之處，往來休息之所。因此之故，法國不但不捨棄它，還在那兒苦心經營咧。此地土人，都是黑種，身黑面黑，連牙齒也是如漆一般。土人多不着上衣，下部圍布一方，如中國的裙子。貨物除果子、駝毛，及一切裝飾品之外，並没有什麼奇異的東西。

“10 日入紅海，空氣是很乾燥的，太陽是很厲害的，在這幾天只見日光與海水相映，那海水的綠波，竟變而為紅波，紅海之名，或者因是而得。是日為中華民國成立九年紀念，我們中國人，各帶國旗一面，並於午後齊集大禮堂，向國旗行三鞠躬禮，奏國歌，講故事，演新劇，以誌慶祝，大家都欣然有喜色。就是外人參觀，也鼓掌歡呼，聲如雷動！這次也是此次航行中一件極饒趣味的事啊！

"13日抵蘇伊士運河口，停數小時，即啓碇前進。傍晚進口，兩岸林木，排列有序，燈光灼灼耀人，水聲潺潺觸目，流連啓興，幾乎忘卻睡鄉。翌日，辰刻，憑欄眺望，此河之寬約十餘丈，可容兩船並行。正在觀察之時，不覺已到北口的波賽，我們不曾上岸，沒有見着什麼事物。午後五時入地中海。當我們出蘇伊士運河的時候，岸上銅像直立，威威可畏，赫赫可敬，原來就是開鑿運河的雷賽咧。

"17日過意大利半島，雖大半均是山地，然意人已建築許多鐵道，交通尚便利。許多巍峨雄麗的城市，連綿不絕，最終觀大島孤立海中，烟霧濃密，聞舟中人說，這是終歲如斯的活火山。

"19日早飯後，遠望看許多檣帆和燈台，與我們愈見相近，於不知不覺間，就到了法蘭西南部的馬賽(Marseille)。"

馮學宗同學的記述，使我們至今可以比較完整地了解他們這次海上遠涉的經歷。這份材料能保留下來，真是一大幸事。

當時船上的另一名同學江澤民在回憶中對這次遠航也有描述，現也摘錄如下，以作參考。

"我們在印度洋碰到了一次大風暴。當時，風暴捲着海水，掀起山峰似的巨浪，四萬噸的郵船，一會兒被掀上浪尖，一會兒又落到浪谷當中，白天也颳得天昏地暗，宏大的郵船尤如一葉扁舟，在茫茫的海水中漂泊，真是嚇人得很。我們不但一點東西也吃不進，就連黃膽都要吐出來了。這樣，我們飽受了三天三夜的風暴襲擊，算是幸運的過來了。另一方面，則是大開了眼界。郵船到了各地大海港，都要停上兩三天，裝卸貨物。有錢人上岸去進餐廳、買東西，我們窮學生就上岸去觀光遊覽，飽閱市容，看博物館，參觀名勝古迹。許多城市儘管是高樓大廈，也有許多人是西服革履，但也有不少人是破衣襤衫，沿街乞討。在有的港口，我曾看到一些窮苦的兒童游泳在船泊周圍，向乘客們哀告乞憐。有的客人就將硬幣拋入海水中，那些窮孩子們就潛入海水裏去把硬幣摸上來，客人們以此取樂，孩子們則以此謀生。當時看了，真使人心酸。這使我深深感到，世界上的人們同住在一個天空之下，卻過着兩種大相懸殊的生活，到處都是這樣的不平。當然，我當時並不了解這是資本主義、殖民主義制度造成的。

“途中給我留下了美好印象的，是我們在地中海上遙遠地看到了火山爆發的餘焰，特別是在夜晚，噴射的火焰，尤如五顏六色的禮花，射入深藍的天空，而在水中則出現着倒影。天上水中互相輝映，那種夜景是很奇妙的。船上雖然有時下令要我們帶上救生圈以防碰上大戰後尚未消除乾淨的水雷，但卻始終沒有碰上。我們在經過了四十來天的航海生活之後，在10月中旬，終於從馬賽上岸，踏上了法國的土地。”③

第一次出國，第一次遠洋，異國他鄉的風情，海闊天高的景色，一定給每一位同學都留下了不可磨滅的印象和深深的感觸。

1974年，當“文化大革命”發展得更加如火如荼之時，由江青等人一手製造了一個“風慶”輪事件。“四人幫”借國產萬噸輪“風慶”號遠航歸來爲題，大肆吹噓，並借題大批所謂造船買船問題上的“崇洋媚外”、“賣國主義”，實則把矛頭指向周恩來總理和有關中央領導同志。父親自1966年“文革”開始時被打倒後，當時剛剛恢復工作，任國務院第一副總理，主持國務院的工作。他萬分蔑視江青等人之所爲，與“四人幫”進行了針鋒相對的鬥爭。父親後來曾多次提到這件事。他說：“才一萬噸的輪船，就到處吹。我對他們說，一萬噸有什麼可吹的，1920年我到法國去的時候，坐的輪船就有幾萬噸!”

可見這首次出國遠洋，同樣給父親也留下了深刻的印象。

有一位留法勤工儉學的名叫李璜的老先生回憶，他曾到馬賽去接一次船，遇着鄧小平，而且似乎鄧是他們那一批學生中的負責人。我曾問過父親。父親笑道：“我是那一批八十幾個人裏面最小的，連發言權都沒有。”可見李璜先生當年遇到的並非鄧小平，而是另外的人。

注:

① 據當時報刊記載，從重慶出發時爲八十三人（見1920年8月8日《國民公報》），而登船後則爲八十四人（見1920年9月14日《時事新報》）。

② 馮學宗君自拱比扭來信。見《五四運動在重慶》第180頁。

③ 江澤民《留法、比勤工儉學的回憶》。《赴法勤工儉學運動史料》第445頁。

11. 從儉學到勤工之路

馬賽，是法國南部的重要港口和工商業城市，地處羅訥河口和地中海之濱。

1920年10月19日，"鳶特萊蓬"號郵船駛入馬賽港。船上的中國學生歷經三十八天的時間，行程三萬餘里，終於到達歐羅巴的西部，踏上了他們嚮往已久的法蘭西的土地。

華法教育會已派人專程從巴黎前往馬賽迎接這批新到的學生。

《小馬賽人報》10月20日報道：一百名中國青年人到達馬賽，他們的年齡在十五到二十五歲之間，穿着西式和美式服裝，戴着寬邊帽，身着尖皮鞋，顯得彬彬有禮和溫文爾雅。華法教育會學生處的處長劉先生給他們致了歡迎詞。這些年青人經過長途跋涉來到歐洲，特別是來到法國，心情是非常高興的，其喜悅之情溢於言表。①

據馮學宗同學的記述，②這批學生打點行李下船之後，當天即離開馬賽，乘汽車直赴巴黎。

經過十六個小時的行程，他們到達巴黎。

據江澤民回憶："第二天我們來到巴黎，受到了許多勤工儉學學生的歡迎，其中就有在一年前就到法國的聶榮臻同志。我們在異國相逢，真有說不出的高興和親切之感。"③

聶榮臻，四川江津人，中華人民共和國元帥。青年時代便接受進步思想影響，在中學時參加“五四”運動。1919 年暑期，懷着變革現狀的熱情，籌措了三百塊銀元，和十來位同學一道，先到重慶，通過重慶商會會長汪雲松，到法國領事館辦了護照，於 1919 年 12 月 9 日赴法勤工儉學。到法後曾在施奈德的克魯梭鋼鐵廠作工，1922 年復進入比利時沙洛瓦勞動大學學習。聶榮臻由於先到法國，自然是學長。從法國時期開始，父親便和他結下了戰鬥友情。解放後，從 1952 年到 1957 年，我們家和聶家曾比鄰而居，我們孩子們常常穿過院牆的小門到聶伯伯家玩。聶伯伯也常常請我們全家去他家吃四川風味一豆花。1992 年聶伯伯去世前，父親已很少出去串門，但有時還是去聶伯伯家走一走。每次見到聶伯伯，父親總是親切地叫他“老兄”。他們自從這次見面結下的友誼，歷經七十二個春秋，歷盡風風雨雨，深沉、深刻而又感人至深。

在巴黎呆了不久，父親和他的同學們由華法教育會安排，分別到蒙達尼、楓丹白露、聖得田、佛勒爾等地中學去學習或補習法文。[④]鄧希賢和鄧紹聖被分到諾曼底的巴耶男子中學，他們的同鄉胡倫被分到翚比耶公學學習。

這些新到法國的學生，在開始他們的勤工儉學生活之前，已初步領略了法蘭西的風貌和巴黎的氣派。馮學宗描述道：“巴黎之大，直徑約三十餘里，周圍可百餘里，街房之高，平均五六層，不見敗陋的形狀。街的上層，只見汽車電車，風馳電掣的爭道而馳。街的下層，罽遂道一層叠一層，真是層出不窮。天堂地獄，瞬息可到，真是便利極了！還有王宮的陳列品，件件完全，博物院的博覽物，樣樣齊備。八道車站，四通八達，既可供遊客的賞玩，又能給旅人的便宜，‘世界花都’真是不錯。”這歐洲大陸的景色，西方大都市的繁華，乃至異國他鄉的風土人情，在這些初來乍到的中國學生眼中一定是充滿了新鮮感和魅力，使他們驚嘆不已。比起他們那貧窮落後、封建不開化的祖國，這裏真正的好似另一番天地。幾天的所見所聞，使他們對未來的勤工儉學生活，又增添了不少的信心和美好的嚮往。

1920年10月21日，父親和他的族叔鄧紹聖，還有二十名中國學生，開始了在巴耶（Bayeux）中學的學習生活。

巴耶中學在法國西北部諾曼底大區，離巴黎約有二百多公里。《巴耶日報》於10月22日發表了一條消息，題爲《中國學生到巴耶》，消息說："二十多名中國學生在兩名法文講得非常流利的同鄉帶領下，於昨天晚上到達巴耶市，這些年輕人是由他們的政府派往法國的，並在巴耶中學學習他們感興趣的課程，以便使他們了解法國的語言和風土人情。他們是寄宿制學生。"⑤

在這所中學裏，中國學生專門單獨開班，主要是提高法語水平，過的是正規的中學學生生活。有一次父親告訴我們，學校待他們像小孩子一樣，每天很早就要上床睡覺。他還說，那是一家私人開的學校，才上了幾個月，沒學什麼東西，吃得卻很壞。

現在在法國的國家檔案中，保留了一份巴耶中國學生的開支細帳。⑥這份帳目中說明，1921年3月，鄧希賢（Ten Si Hien）在當月共用了二百四十四法郎六十五生丁的食宿費。其中二百法郎生活費，七法郎的洗衣費，七法郎的臥具租金，十二法郎的校方收費和十八法郎六十五生丁的雜支費。一個月二百多法郎的開支，對於自費學生來說實在不是一筆小的數目。父親離家時，家境已十分困難，爲了支持他赴法留學，家中還賣了些穀子田地，因此到了法國後，他知道需節儉過日。根據這份帳目，其他中國同學的雜支費在十五至五十法郎之間，平均二十五法郎左右，父親則是十八法郎，可見其用度實屬節省。

儘管父親盡量節儉用度，但是未幾，所帶來的錢就用完了，於是，他不得不離開巴耶學校。巴耶中學在1921年3月的一份報告中說："二十二名中國學生中的十九名於13日晚上離開學校。他們自稱去克魯梭市工作。我懷疑他們是去打工。"⑦

父親和他的同學們離開了巴耶學校，他當時絶對没有想到，這次離開學校後，他便再也没有邁進過法國學校的大門。從1920年10月底到1921年3月，不過五個月的時間，父親就結束了他在法國的學習生涯。

儉學不成，只好走勤工的道路。

父親曾回憶道："一到法國，聽先到法國的勤工儉學生的介紹，知道那時已在第一次世界大戰後的兩年，所需勞動力已不似大戰期間（即創辦勤工儉學期間）那樣緊迫，找工作已不大容易，工資也不高，用勤工方法來儉學，已不可能。隨着我們自己的切身體驗，也證明了確是這樣，做工所得，糊口都困難，哪還能讀書進學堂呢。於是，那些'工業救國'、'學點本事'等等幻想，變成了泡影。"

中國學生來到法國，不懂技術，又没有知識，許多同學要想勤工，只能作一般的散工，也就是雜工。散工這個詞的法文音爲"馬篓五"，同學們就戲謔地稱爲"馬老五"。散工無固定的工作，視各工段的需要而流動工作。苟有延誤，還要受工頭責罵。⑧

到了1920年12月，到法國勤工儉學的中國學生已達一千五百多人。⑨當時正值法國經濟不景氣，工廠緊縮或關門，要想找到工作，實在並非易事。華法教育會終於在克魯梭的施奈德鋼鐵聯合工廠找到大量散工工作，於是介紹了一百幾十人前去工作，其中四川學生幾乎佔了半數。⑩

1921年4月2日，父親、鄧紹聖和另外幾名四川學生，經介紹也來到了克魯梭的施奈德工廠做工。從此，他便開始了作爲一個勞動者，一個外籍工人的長達四年多的“勤工”生活。

克魯梭（Creusot），法國南部的重工業城市，是法國最大的軍火工廠——施奈德鋼鐵總廠所在地。這個工廠當時是歐洲僅次於德國克虜伯工廠的第二大軍火工廠。

施奈德工廠（Schneider & Cie）大約有三萬餘工人。第一次世界大戰期間，大批工人應徵入伍上前綫打仗，施奈德工廠便大批招募外籍工人，1917 年，就有好幾千中國勞工作爲合同工來廠工作。⑪1920 年 8 月以前，在這裏勞動的中國學生有二十一人，1921 年夏增加到一百多人。⑫

這個工廠有鐵道、機械、造炮、冶鐵、建築、翻砂、電氣等部門，除了造炮、建築和冶鐵三個部門外，其餘部門都有中國學生。⑬

直到現在，施奈德工廠的檔案中還保留了父親等人的有關檔案。在工廠人事處的招工登記卡上，清清楚楚地寫明，鄧希賢，十六歲，工人編號爲 07396，進廠註册日期是 1921 年 4 月 2 日，由哥隆勃（Colombes）中法工人委員會送派，來自巴耶中學。⑭

鄧希賢和鄧紹聖被分配到軋鋼車間當軋鋼工。

軋鋼車間的工作就是把高爐裏熔融的鋼水先鑄成鋼錠，再軋成鋼板。這項工作不需要專業技術培訓，但勞動强度極大，而且常有危險。鋼材（鋼條或鋼板）的重量通常是幾十上百公斤，在高達四十度以上的高溫車間内，在被鋼水映紅了的熱蒸氣中，工人們要用長把鐵鉗挾着火紅、熾熱的鋼材拖着跑，如不小心摔在熱軋的鋼材上，全身定被燙傷。有時軋機發生事故，鋼條從軋機向外射出，亂穿亂刺，也會發生傷亡事故。工人們每周要在這樣的環境中工作五十多個小時，有時還要加夜班。⑮我們從小就聽父親講過，他在法國幹過雜工，拉過鋼條。可以想像，一個十六歲的學徒工，尚未成年，身材矮小，要作如此繁重的苦工，一定不堪重負。

在這個工廠裏，中國學生的工資十分微薄，固定工資每天只有十二至十四個法郎。父親當時只有十六歲，按法國的規定，不滿十八歲的只能當學徒工，而學徒工的工資則更爲低廉，每天只有十個法郎。⑯

勤工儉學的學生，住在離工廠二十里地的蓋沙南宿舍，二十幾個人住一間大屋。宿舍設有食堂，可吃早晚二餐，中餐則只帶麵包在工廠吃，渴時就飲點自來水，肉菜皆無。食堂的飯菜雖比外面便宜，但一客也要四十至七十生丁。學生們還要買工作服穿去上班，每套價目也要二十到三十法郎。⑰像父親這樣每日只有十個法郎的學徒工，生活用度是十分拮据的。本來，中國學生到工廠作工，是想以勤工而達到儉學的目的。可是，繁重的苦工壓榨得他們精疲力竭，低廉的工資更使他們連日常生活都不能支持。父親曾說過，他在克魯梭拉紅鐵，作了一個月的苦工，賺的錢，連飯都吃不飽，還倒賠了一百多法郎。

在克魯梭的工廠裏，學生們中間有一首極爲流行的順口溜，叫“散工曲”：

“作工苦，

“作工苦，

“最苦莫過‘馬老五’。

“舍夫（法文chef，工頭）光喊‘郎德舅’（法文non de dieu，非上帝的善類），

“加涅（法文gagner，賺得）不過‘德桑蘇’（法文deux－centrou，二百個小錢，即十個法郎）。”⑱

1921年4月23日，父親辭去了施奈德工廠的工作，離開了克魯梭。[19]一個月後，鄧紹聖也離開了那裏。

這近一個月的法國工廠的勤工實踐，使父親初次接觸到了資本主義的黑暗面，親身體驗了勞工階級受壓迫受剝削的悲慘地位。資本家的壓榨，工頭的辱罵，生活的痛苦，使他本來十分單純的心理，受到了不小的震撼。但是，那時的他畢竟年輕，畢竟對人生充滿着美好的追求，他後來在莫斯科時回憶道："最初兩年對資本主義社會的罪惡雖略有感覺，然以生活浪漫之故，不能有個深刻的覺悟。"

這時的他，雖然離開了克魯梭，但還是希望能夠找到一個工作，積攢些錢，以完成重新進行學習的夙願。

注：

① 《小馬賽人報》。1921年10月20日。

② 馮學宗君自拱比扭來信。《五四運動在重慶》第180頁。

③ 江澤民《留法、比勤工儉學的回憶》。《赴法勤工儉學運動史料》第三册第445頁。

④ 同注③。

⑤ 《巴耶日報》。1920年10月22日。

⑥ 旅法中國青年法中救濟委員會檔案，第47AS2號法國國家檔案。

⑦ 巴耶中學報告。1921年3月。

⑧ 黄里州《四川留法勤工儉學運動》。《四川文史資料選輯》第23輯第1頁。

⑨ 同注③。

⑩ 同注⑧。

⑪ 巴爾曼和迪利烏斯特所著《對一幅青年時代的肖像的修飾——記鄧小平在法國的歲月》。

⑫ 《留法勤工儉學運動簡史》第55頁。

⑬ 曙光《法國克魯佐史萊德工廠之勤工儉學生》。《赴法國勤工儉學運動史料》第二册（上）第256頁。

⑭ 施奈德工廠人事處招工檔案卡。施奈德工廠檔案，工廠檔案號碼第62175號。

⑮ 黃里州《四川留法勤工儉學運動》。《四川文史資料選輯》第23輯第1頁。

曙光《法國克魯佐史萊德工廠之勤工儉學生》。《赴法勤工儉學運動史料》第二册（上）第256頁。

⑯ 第47AS8號法國國家檔案。克魯梭市施奈德工廠的學徒合同。

⑰ 同注⑮。

⑱ 同注⑧。

⑲ 施奈德工廠人事記錄和施奈德工廠中國自願工人檢查名單。施奈德工廠檔案。

12. 為了生存求學而鬥爭

1920年，留法勤工儉學運動達到高潮，本年内有八批學生到法。到了1920年底，留法勤工儉學學生已達一千六百多人。這些學生到法後，大部分由華法教育會安排進入法國的一些中學和補習學校上學，一部分則直接進入工廠作工。到了後期，由於經濟原因，只有少部分學生仍堅持在學校唸書，大部分則都已進入工廠，以勤工賺錢謀生。

法國各地的七十多個工廠企業中，都有中國學生的足迹，比較集中的據點有巴黎、克魯梭、聖德田、聖夏門、勒哈佛爾、里昂等地。

到了1921年，留法勤工儉學運動出現了波折。

1918年11月第一次世界大戰結束後，法國經濟蕭條，工廠開工不足，物價上漲。由於大批復員軍人返鄉，使得就業問題益發突出。從1919年冬季開始，法國的經濟狀況更加惡劣。法郎不斷貶值，中國銀元原來一元可以換八個法郎，現已可換十四法郎，最後曾一度可換二十五個法郎。物價飛漲，麵包，10月份每公斤二十五生丁，12月漲爲五十生丁，到了1920年3月已漲爲一法郎五生丁，9月更漲爲一法郎三十生丁。大米，1919年第三季度爲每公斤一法郎十生丁，一年後漲到四法郎八十生丁。吃的主食品一漲再漲，其他日用品、副食品和交通費用等亦都相繼提價。

人民生活日感艱難，而資本家卻熟視無睹，於是罷工風潮便此起彼伏。1920 年 5 月 1 日，巴黎總工會發起“五一”大罷工，此次罷工延續半個月之久才告結束。罷工結束後，雖有一些工廠開了工，但經濟仍不穩定，失業情況嚴重。

1919 年間到達法國的中國勤工儉學學生約有七百多人，這些學生來到法國後多數已開始進入勤工階段，但此時連法國人都面臨着失業的困擾，中國學生就更難覓工，已有工作者，也隨時有被裁汰的危險。到了 1920 年 8 月，已有千餘學生雲集法國，他們之中，除少數可以自費讀書外，有工作的已不上三百人，失業的則有五百人之多。失工的學生紛紛聚集於巴黎的華僑協進社，由華法教育會每日每人發給五法郎以維持生活。爲了生活，學生們經常找華法協會要求介紹工作。因學生責怪華法教育會辦事不力，有失職責，不時與之發生糾紛，後來竟有一位湖南同學把華法教育會的秘書劉大悲痛打一頓。華法教育會偶而覓得一、二個工作，然而粥少僧多，學生們爲了爭奪，有時甚至發生毆打，結果不得不採取拈鬮的辦法加以解決。

這時候，相當一批的留法勤工儉學學生，已從儉學的理想落到了勤工的現實，有的更從勤工的現實落到了失工的困頓之中。那個富饒美麗的西方之邦，已開始呈現其陰暗和悲慘的一面。那些自由、平等、博愛的美談，也爲冷酷、嚴峻的現實所取代。

黃里州回憶，1920 年底到 1921 年初，這些學生無工可作、無錢入學、遠隔重洋、無家可歸，有如熱鍋上的螞蟻，惶惶不可終日。①

留法學生所面臨的，是失學，是失業，是飢餓，甚至是死亡。在這種情形下，號稱學生之家的華法教育會，卻在暗中巧立名目，營私舞弊，集體貪污，以中飽私囊。非但如此，他們還漠視學生飢苦，反誣學生“既無勤工之能力，又乏儉學之志”，甚至用遣送回國相威脅。華法教育會和中國駐法公使館的所作所爲，使得學生們和他們之間的矛盾日益尖鋭。

1921年，華法教育會會長蔡孑民（即蔡元培）來到歐洲。留法勤工儉學學生們把他視爲家長，視爲救星。可是，蔡孑民卻於1月12日發出一則通告，實際是從組織上宣告與勤工儉學學生脱離關係。1月16日，蔡孑民再發第二通告，宣佈脱卸一切經濟上之責任，自今日起，一律再維持兩個月，至3月15日截止，此後華法教育會不再發維持費。

這個通告一發出，猶如晴天霹靂，全體勤工儉學學生爲之大嘩。

1月23日，住在華僑協社的四川、湖南、湖北、江西等四省的失工同學組成留法勤工儉學聯合會籌備會。

2月14日正式成立留法勤工儉學聯合會，向中國駐法公使館遞交請願書。

2月27日，在華僑協社舉行勤工儉學學生大會，決定28日向公使館集體請願，定名爲“反飢餓運動”，選出蔡和森、趙世炎等十人爲發言人。

28日，上午八時許，近五百同學在蔡和森等人領導下，從四面八方雲集公使館附近。由於法國警方阻攔，只有蔡和森、趙世炎等十一人進入公使館進行交涉。當公使陳箓到廣場與學生見面時，學生怒不可遏，高喊“打！打！”陳等倉皇逃回使館。法國憲警此時衝入廣場，毒打學生。是夜九時許，武裝法警衝進公使館，强行抓走十位發言人。

此後經學生們堅持不懈地鬥爭，6月1日，成立了一個法華留法中國青年學生監護會，決定由法國庚子賠款中取一定數目，每日每人發給五個法郎生活費用，以五個月爲限，願回國者可設法遣送回國。

至此，“二·二八”反飢餓運動雖未取得完全勝利，但迫使中法當局作了某些讓步。這是留法勤工儉學學生自發組織起來進行的第一次鬥爭。這次鬥爭使留法學生進一步團結起來，以鬥爭方式維護其自身利益，爲爭取“勞動權、讀書權、麵包權”而進行鬥爭。

在“二·二八”反飢餓鬥爭的基礎上，留法學生鬥志高昂，於同年 6 月 2 日開展了反對中法秘密借款的鬥爭。

1921 年 6 月，北洋軍閥政府爲了擴充實力以擴大內戰，派專使朱啓鈐、財政次長吳鼎昌到巴黎，同法國政府秘商借款三億法郎以購買軍火事宜。消息傳出後，旅法華工、華僑及勤工儉學學生無不義憤填膺。周恩來、趙世炎、蔡和森等人，立即聯合旅法華人團體，組織了“拒款委員會”。

6 月 30 日，旅法華人三百多人懷着强烈的愛國主義熱情，在巴黎召開“拒款大會”。會上發言者慷慨激昂，無不痛斥賣國賊和法國政府。

8 月 13 日，巴黎召開第二次“拒款大會”，質問公使陳籙。陳籙不敢到會，結果其替身使館秘書長王曾思遭到憤怒群衆一頓痛打。聲勢浩大的拒款鬥爭終於取得了重大勝利，迫使中法政府放棄借款陰謀。

留法學生的正義鬥爭，極大地觸怒了中法政府。法國外交部通知中國駐法使館，決定將拒款運動的主謀——中國留法學生分兩批遣送回國。9 月 15 日，法國政府決定停發留法學生的生活維持費，企圖置中國留法學生於死地。

1921 年 9 月，處於極端困境之中的中國學生，在趙世炎、周恩來、蔡和森等領導下，發動了具有歷史意義的“爭回里昂中法大學”的鬥爭。

中法大學是華法教育會創辦的，校長是吳稚暉。這所中法大學的創辦，實是藉着勤工儉學之名，爲少數官僚政客圖己之私利。學校建成後，竟然不收留法學生，而向國內招生！積壓在留法學生心中的怒火，頓時像火山一樣迸發出來。

9月20日，勤工儉學學生代表大會派出由趙世炎、蔡和森、陳毅等組成的一百多人的“先發隊”，從巴黎等地向里昂進發。周恩來、王若飛、李維漢、徐特立、蕭子璋等留駐巴黎接應。

9月22日，先發隊到達里昂，被法國武裝警察包圍，並用暴力手段，强行把學生押上囚車，送到一所兵營囚禁起來。

先發隊被囚禁的消息傳來，周恩來等四處奔走，組織營救，法國輿論界對中國學生的鬥爭行動也深表同情和支持，先發隊的學生在軍營中更是堅持鬥爭，甚至絶食。

10月13日，駐法公使館同法國政府勾結在一起，將先發隊學生集體押送回國。這次被押送回國的勤工儉學學生共一百零四人，其中有蔡和森、陳毅等人。趙世炎在同學們的幫助下，機智地逃出兵營，留在法國，繼續鬥爭。

爭回里昂中法大學的鬥爭雖然没有達到目的，但它進一步揭露了中法當局迫害中國留法學生的面目，提高了廣大勤工儉學學生的政治覺悟，許多學生從此走上了徹底的反帝反封建的革命道路。被押送回國的學生，則大部分都積極投入了中國國内的大革命洪流。蔡和森、陳毅、李立三等人在未來的中國革命鬥爭中，還成爲功不可没的中流砥柱。

注：

①《四川文史資料選輯》第26頁。

13. 在哈金森工廠

1921年4月23日，父親離開了克魯梭的施奈德工廠，來到了巴黎。

父親這時已經失學，又已失工，家中帶來的錢已經用光，工作一時又找不到，於是，他只好一邊向華法教育會領取救濟金，一邊等待繼續做工的機會。

根據法國國家檔案記載，父親從5月到10月的五個月中間，一直領取每天五個法郎的救濟金。他領救濟金時所用的登記號是二百三十六號。

這時，在巴黎領取救濟金的學生大約有五百人。這些學生大都住在巴黎西郊哥倫布的華僑協社裏面。

華僑協社是一座三層的普通樓房，華法教育會、留法儉學會、留法勤工儉學會、和平促進會等幾個華僑團體都設在裏面。這棟樓房的二樓是會議室，三樓、一樓及地下室此時都已住滿了勤工儉學學生。由於不斷的有學生湧向此地，樓内早已人滿爲患。有一位法國的參議員於格儒的夫人便贈送了一些帳篷，搭在房屋後面的菜園地上。後來，非但樓内，就連這些帳篷内也擠得水泄不通。學生們只有每日五法郎的生活費用，因此每日兩餐，都是自來水加麵包，有時佐以粗製的巧克力糖，連蔬菜亦很難得。少數人有煤氣爐還可燒點熱水，而絶大多數人則只能飽飲自來水。

由於缺油少肉，這些年輕的學生每日需吃一公斤半的麵包，方能解飢。有時腰無餘錢，只好連粗巧克力也節省了。

這些千里迢迢，遠涉重洋而來的勤工儉學學生，已經從美好幻想的天堂跌進了殘酷現實的地獄。

到了8月，父親已滿了十七歲。而他的十七歲的生日，就是在這樣一種既無前途，又無希望的困境之中渡過的。

可能是由於年齡尚小，所以在這一年中發生的“拒款鬥爭”和“爭回里昂中法大學”兩次大型鬥爭，他都未參加。只是在5月20日，由王若飛、陳毅、劉伯堅、李慰農等二百四十三名勤工儉學學生聯名寫信給蔡元培，要求將里昂中法大學和中比大學改辦工學院以解決勤工儉學學生求學問題時，父親才在其中簽了名。①那時候，站在鬥爭前列的是一批較他年長的，已具有相當政治覺悟的進步青年，他們之中有趙世炎、周恩來、蔡和森、陳毅、李維漢、王若飛、向警予、李富春、劉伯堅等人。而父親雖已在國內參加過“五四”運動，雖已飽受勤工儉學遭遇的磨練，但那時的他，還僅僅只具有初步的覺悟和進步意識，還未接受到馬克思主義思想的感召，還未躋身於自覺地與黑暗勢力進行鬥爭的行列。

1921年9月，法國政府決定停止發放給予中國留法勤工儉學學生的生活維持費。10月，父親和其他學生一樣，已經毫無生活來源，面臨生活絕境。

也許是天無絕人之路，在巴黎第十區的運河邊上，有一家專門製作扇子和紙花的香布朗工廠（Chambre - lent），正要招收一批工人。於是，父親、他的叔叔鄧紹聖和其他學生，共一百零五名，於1921年10月22日進入這家小小的工廠，父親的編號是二三八。②這份工作，對於走投無路的學生來說，是十分幸運的事。有一位名叫羅漢的同學形容道：“絶處逢生，竟有人像哥倫布發現新大陸的在巴黎城中找到一種紥花工。困難到了極點的勤工儉學學生，忽然發現了這個新大陸，不管工資厚薄，只要他肯受，便是好路徑了。於是一擁擁去了一百多人。”③

留法學生們在這間工廠的工作，是做一批爲了在美國募集資金的訂貨。他們用薄紗和綢子作花，然後把花纏在一根鐵絲上，再貼上一個小標簽，上面寫着“陣亡將士的遺孀和孤兒作”。這種工作一般由女工來作，工價很低，做一百朵花才掙兩個法郎。有的人熟悉了以後，一天可以做六、七百朵，那便可以掙到十幾個法郎。④這一百零五名學生似乎是可以暫時藉此糊口了。但是，好景不長，他們作的這份工，本來就不是固定的工作，而只是一份臨時性的雜工。不久，這批活兒就做完了，兩個星期後，也就是 11 月 4 日，父親和他的同學們便被工廠解僱。⑤

他們又失業了。

父親曾經説過，他在法國做過各種各樣的工作，而且都是雜工。他這次失業以後，一定是四處努力尋找工作，也可能間或幹過一些臨時性的雜工。這種没有着落的不穩定的狀況持續了三個多月，直到 1922 年 2 月，他重新找到一份工作，就是在蒙達尼附近的哈金森橡膠工廠。

1922 年起，法國的經濟已開始好轉，一些工廠逐漸恢復開工，就業機會有所增加，在報紙上已經常常可以看到招工的廣告，一部分留法學生陸續找到工作，渡過了生存危機這一險關。與此同時，由於留法學生的强烈呼籲和國内熱心人士的奔走，國内一些有留法學生的省和縣也籌集了一些資金，寄給留法學生。譬如四川的彭縣，每位學生得到了六百元一年的貸款。故此，從 1922 年起，凡得到貸款和國内資助的學生，紛紛爭取投考技術專業學校和一些大學，以實現來法勤工儉學的夙願。僅四川一省的留法學生，據不完全統計，就有二百餘人先後在各類院校畢業。⑥

蒙達尼（Montargis），在巴黎以南，是盧瓦雷省的一個小城鎮。這座城鎮中世紀時是法國王室的一個居住地，到了十九世紀已有一萬三千多人口，工業、商業、交通運輸和文化教育都很發達。在蒙達尼的旁邊有一個名叫夏萊特（Chalette）的小市鎮，只有三千居民，但這裏有一家老字號的哈金森工廠（Hutchinson），專門生產各類橡膠產品。1921年底，哈金森工廠開始招募工人，一些中國留法學生便紛紛來到這裏，進入該工廠作工。

哈金森工廠的廠主是一個英裔美國人，十九世紀中葉他在法國和歐洲其他國家建了一些工廠，當時夏萊特的哈金森工廠，據説是歐洲唯一的橡膠廠。第一次世界大戰後，該廠招募了大量的外籍工人，有印度人、越南人和白俄。由於這個工廠的人事部門與法中友協有關係，因此由法中友協介紹了一些中國學生前來作工，最多時達到二百一十人。在1922年的時候，哈金森工廠一共約有一千多名工人，大部分是女工和童工，其中有中國留法勤工儉學學生三十多人。中國學生有的做車胎，有的做雨衣，大部分做橡膠套鞋。⑦

1922年2月13日，鄧希賢在夏萊特市政府的外國人登記簿中進行了登記，他寫明了父母名氏和出生年月，注明來這裏以前的地址是“拉加雷納科隆市（La Carenne - Colombe），德拉普安特街39號（39，rue dela Pointe）”，身份卡上的編號是1250394。⑧

2月14日，父親進入哈金森工廠，工號爲5370。⑨在這裏，父親渡過了一段較爲穩定的作工生活，並在這裏，開始了他生命中的一個巨大的轉折點。

父親在哈金森工廠被分配到製鞋車間工作，製作防雨用的套鞋。他們每日工作十小時，星期六作半天，即每周工作五十四小時。新工人實行計時工資，每小時工資學徒期爲一法郎，以後逐步增加，[10] 熟練後就實行計件工資。這種工作屬於輕體力勞動，但要節奏快，適合心靈手巧的人幹。鄭超麟也曾在這家工廠做工。我去採訪他時，他對我講，他一天只能做十雙鞋，而我的父親則可以做二十多雙。像父親這樣工作，一天大約可以掙得十五六個法郎。

1988 年我去法國進行一個項目考察時，曾到蒙達尼去了一下，在工廠人員的陪同下，我參觀了哈金森工廠。這個工廠今天仍舊是橡膠製品企業，擁有九千多名職工，在寬敞的庭院右邊，父親當年做工的廠房仍然完好無缺。這裏現在樓上作爲倉庫，樓下也堆滿了雜物，已不再作爲車間使用。這個廠房高大明亮，可想而知比克魯梭的施奈德鋼廠的工作條件要好得多。工廠的陪同人員告訴我，這個工廠一百年前曾經失火，後來由法國著名的建築設計家古斯塔夫·埃菲爾設計了這個廠房。就像埃菲爾設計的舉世聞名的巴黎鐵塔一樣，這個廠房也是由鋼鐵結構建造而成，據說在當時是世界上第一個金屬結構的廠房。回國後我問過父親，你當年做工的廠房是埃菲爾設計的，你知道嗎？父親還真的不曾知曉。

據和父親當時在一起作工的鄭超麟回憶，在離工廠五分鐘路程的一個小樹林中，工廠撥出一個木棚，內有四十多個鋪位，專門爲中國勤工儉學學生而住。我去法國的時候，工廠的人告訴我，這個木棚早已拆掉了，但我可以想像得出它當年那種簡陋的樣子。當時住在這裏的學生們搭伙做飯，推舉兩個人作廚師，大家照工廠計時制給他們支付工資，伙食帳目公開，每人每日伙食費約三個法郎。早晨咖啡麵包，午、晚兩餐都有肉吃。房子不需付租金，因而算起來，像鄭超麟這樣的計時工，每月可剩餘一百多法郎。而像父親他們那樣的計件工，便可以剩餘大約二百多個法郎。

當時在木棚中一同居住的，有鄭超麟、汪澤楷、李慰農、尹寬等人，最多的是安徽人。1922 年 6 月 9 日以後，王若飛和他的舅父黃齊生老先生也來到蒙達尼的哈金森工廠作工，也住到了這個木棚裏，他和父親從此相識。

父親在哈金森工廠做工時，於 8 月渡過了他的十八歲生日。那時的他生活已有着落，工作也不像在克魯梭時那樣沉重，因此大概生活得比較輕鬆。鄭超麟和他同住一個木棚，他回憶道："晚飯後至睡覺時間有二小時至三小時可以利用。此時木棚裏很熱鬧，看書的人很少，甚至沒有，大家閑談、開玩笑、相罵，幸而没有相打的。有個四川小孩子，矮矮的，胖胖的，只有十八歲，每日這個時候總是跳跳蹦蹦，走到這一角同人説笑話，又走到那一角找人開玩笑。"⑪可見，父親年輕時的性格相當活潑開朗。這種於困難艱苦之中尚能保持樂觀的精神狀態，他保持了終生。

1922 年 10 月 17 日，父親和鄧紹聖辭去了哈金森工廠的工作。⑫他們於 11 月 3 日離開了夏萊特，填寫的去向是塞納－夏狄戎中學（College de Chatillon－sur－Seine）。⑬

據我祖母説，父親曾寫信回家，希望家中寄點錢去。我的祖父就又賣掉了一點穀子和田地，給他在法國的兒子寄去了一筆爲數不多的錢。那時祖父家中已十分困難，他能夠賣田賣地來籌錢，證明他對於兒子的留法勤工儉學是全力以赴地予以支持的。大概直到 1922 年底，父親才收到這筆錢，加上他在哈金森工廠做工九個月掙得了一小筆錢，因此他又自然地想起了他不遠萬里來到法國的目的。爲了實現求學的願望，他已吃盡苦頭，今日稍有餘力，他便又想去繼續求學。

父親去了夏狄戎，但並沒有在塞納中學上成學，原因當然是錢不夠。兩個月後，也就是1923年2月1日，他又從塞納－夏狄戎（Chatillon－sur－Seine）回到了夏萊特。⑭

這次求學不成，使父親想要繼續讀書的夢想最終破滅。除了以後曾在蘇聯進過“中山大學”以外，他再也沒有進過任何正規學校讀過書。他曾經開玩笑地跟我們說，他只有中學文化水平。父親的知識，都是他在以後的歲月中日積月累地自學而來。他的智慧，也都是在革命鬥爭中和切身實踐中鍛煉而來。

父親愛學習，終生愛學習。他從書本中學習，從工作中學習，從社會生活的大課堂中學習，更從革命鬥爭的實踐中學習。他從社會實踐和革命實踐中的所學所得，多於學校，勝於學校。

父親特別愛看書，什麼書都看，中外古典名著、歷史人物傳記、時勢評論專輯乃至整本整册的二十四史，他通通都喜歡讀。在歷史古籍中，他最喜歡讀的，還是《資治通鑒》。父親還有一個愛好，就是翻字典。我從小就常常受父親的差遣，爲一句話，爲一個詞，爲一個字，去翻辭海、辭源和康熙字典。結果，不知不覺地，我也就養成了一個嗜好——翻字典。

1923年2月2日，父親重新回到哈金森工廠。在製鞋車間做了一個多月的工後，他於3月7日離開了哈金森工廠。他的工卡上注明他離開的原因是“拒絕工作”。⑮

父親離開哈金森工廠，並不是因爲他不需要做工了，而是因爲在1922年，發生了一件決定他終生命運的大事。

1922年6月，在法國的勤工儉學學生中的優秀分子，組織了旅歐中國少年共産黨（次年改名爲旅歐中國共産主義青年團）。同年夏秋之際，父親也參加了這個組織，成爲一名青年團員，成爲一名馬克思主義和共産主義的信仰者。

1923年他離開哈金森工廠，從此成爲一名職業革命家。

如果説當1922年年初他進入哈金森工廠時，還僅僅是一個具有愛國思想的進步青年的話，那麼，在1923年3月他離開哈金森工廠時，便已成爲一個具有一定政治覺悟和選擇了共産主義理想的革命青年。

在他之先和與他同時，一大批熱血沸騰的中國革命青年，相繼在法國、在歐洲走上了革命的道路，建立了革命的組織，進行了革命的活動。

注：

① 陳志凌、賀揚《王若飛傳》。第44頁。

② 第47AS8號法國國家檔案。香布朗工廠招工名單。

③ 羅漢《勤工儉學生活的一段》。《革命周刊》1928年12月15日第75期。

④ 同注③。

⑤ 第47AS8號法國國家檔案。香布朗工廠檔案。

⑥ 黄里州《四川留法勤工儉學運動》。《四川文史資料選輯》第1頁。

⑦ 鄭超麟的回憶。

⑧ 夏萊特外國人登記簿。

⑨ 哈金森工廠工卡。

⑩ 第47AS9號法國國家檔案。哈金森工廠經理致旅法中國青年法中救濟委員會主席的信。1922年3月18日。

⑪ 鄭超麟的回憶。

⑫ 哈金森工廠檔案。鄧希賢的工卡。

⑬ 夏萊特市外國人花名册。

⑭ 同注⑬。

⑮ 哈金森工廠檔案。鄧希賢的工卡。哈金森工廠中國工人花名册。

14. 旅歐共產主義組織的建立

在第八章裏，我曾介紹過，1917 年俄國“十月革命”和 1919 年我國“五四”愛國運動的爆發，以其強大的衝擊力震撼了中國。許許多多中國進步青年獲得了新的啓迪，開始進行新的探索。在他們之中，湧現出一批優秀分子，李大釗、陳獨秀等人已率先接受了馬克思主義。

湖南青年毛澤東和蔡和森於 1918 年組織了一個革命社團，取名“新民學會”。新民學會會員蔡和森、李維漢、李富春等人先後赴法勤工儉學。

這批青年在國內時已具有相當的進步和革命的色彩，到法後，他們繼續進行研究和探索。

1920 年 2 月，李維漢、李富春等人組織了一個“勤工儉學勵進會”（簡稱工學勵進會），對真理和勤工儉學的目的進行探索。1920 年，蔡和森來到了法國，住在蒙達尼公學。至此，新民學會在法會員的中心很快移至蒙達尼。

1920 年 7 月，蔡和森、李維漢等新民學會會員在蒙達尼舉行聚會，辯論改造中國與世界的目標和道路。蔡和森主張激烈革命，組織共產黨，走十月革命的道路；而其他一些人則主張溫和革命或無政府主義。他們一面探討，一面與國內的毛澤東頻繁通信，以茲溝通。

1920年8月，“工學勵進會”改名爲“工學世界社”。10月間，“工學世界社”在蒙達尼開了三天會。經過熱烈的辯論，大多數社員贊成以信仰馬克思主義和實行俄國式的社會革命爲宗旨。

“工學世界社”是旅法勤工儉學學生中成立最早的帶有社會主義性質的團體，它和新民學會一道，以蒙達尼爲中心，積極學習和傳播馬克思主義，並參加了1921年勤工儉學學生兩次大的群衆鬥爭的領導。

1920年6月，一個名叫趙世炎的四川青年來到了法國。

趙世炎，1901年出生於四川，從小就受到新思想的影響，積極參加“五四”運動和具有青年社會主義性質的工讀運動。到法國後，趙世炎曾在幾個工廠做工，也經歷了失工的困苦，這使得他對資本主義世界有了很多的感觸。

1921年初，在勤工儉學生和華工比較集中的克魯梭，趙世炎和李立三等人發起了一個“勞動學會”，其最初宗旨是篤信工學主義，主張把留法勤工儉學運動堅持到底。他們重視工人運動，深入華工，因此深受華工歡迎。

以蒙達尼爲中心的“工學世界”和以克魯梭爲中心的“勞動學會”，是留法勤工儉學學生中的兩個進步團體，雖然初期階段兩個團體之間互持不同意見，甚至言詞對立，但都在致力於對留法勤工儉學運動及對理想和真理的探尋，並無原則分歧。

1921年初，留法勤工儉學學生遇到了失學、失工的生存危機(本書第十二章中有詳述)，留法學生自發地發起請願示威，在鬥爭的緊張時刻，蒙達尼的新民學會和工學世界社在蔡和森領導下，討論了形勢，一致認爲應支持巴黎近郊學生的正義鬥爭。

“二·二八”運動以後，以蔡和森等爲代表的“蒙達尼派”

和以趙世炎等爲代表的“勞動學會派”，根據鬥爭的需要，雙方都迫切希望消除隔閡，實現留法勤工儉學學生的團結。

1921年夏天，趙世炎專程到蒙達尼，會晤蔡和森。他們交談三天，結果取得了完全一致的意見。雙方都表示，爭論已經過去，今後要共同研究問題，共同革命，大家都談馬克思主義。①

在留法勤工儉學運動出現波折，各派進步學生團體分頭探索研究的時候，周恩來於1921年2月中旬從英國來到了法國。

周恩來，這個名字享譽世界，無人不知。1898年，他出生於江蘇古城淮安。在中學時期，便萌發了憂國憂民的愛國之心。1917年他東渡日本求學，在那裏受到了民族危亡的震撼和《新青年》等進步思潮的衝擊。1919年，周恩來回國，立即受到“五四”運動的薰陶。周恩來參加和領導了多次反帝愛國的天津學生運動，並遭到反動當局的逮捕鎮壓。出獄後，周恩來於1920年11月經上海赴歐洲勤工儉學。在法國停留了半個月後，周恩來到英國準備求學。他在英國没有入成學，但卻看到了歐洲戰後社會生活的嚴重動蕩和不安。當時正值聲勢浩大的英國工人罷工席卷英倫全境，他對英國的工人運動進行了認真的考察。1921年2月，周恩來來到法國。他一邊學習法文，一邊進行社會調查。戰後歐洲的思想異常活躍，各種思潮雜然紛陳。經過反覆學習和思索，周恩來終於堅定地選擇了共産主義的信念。1921年春，經張申府和劉清揚介紹，周恩來加入了中國共産黨的八個發起組之一——巴黎共産主義小組。從此，他把畢生的精力和才華全部獻給了共産主義事業，直到生命的最後一息。

1921年2月，周恩來來到法國時，正值第一次勤工儉學學生大規模鬥爭進入高潮。6月，周恩來和工學世界社的袁子貞等，聯絡各屆人士，展開了反對中國政府向法國政府借款購買軍火的鬥爭（本書第十二章中有詳述），從此，他便走上了留法勤工儉學學生鬥爭和革命鬥爭的領導崗位。

9月，克魯梭的趙世炎、李立三和蒙達尼的蔡和森等，決定聯合發動一個爭取留法勤工儉學學生到里昂中法大學入學的運動。雖然這次鬥爭被法國軍警鎮壓，蔡和森、陳毅等骨幹力量被遣送回國，但經過這幾次的鬥爭，團結起來，組織起來，已成爲勤工儉學中先進分子的共同要求。建立統一的共產主義組織的條件已經成熟。

1921年3月，趙世炎與來到法國的張申府、劉清揚和周恩來取得了聯繫，並成立了巴黎共產主義小組。這個小組共有五名黨員：張申府、劉清揚、周恩來、趙世炎、陳公培，它是中共旅歐支部的前身，當時爲秘密組織。

1921年7月，中國發生了一件在當時鮮爲人知，而對中國的前途命運則至關重要的大事，那就是以李大釗、陳獨秀等爲首的中國共產主義者們，建立了中國共產黨。

這個共產主義政黨誕生之初，僅有五十多名黨員，但是，共產主義的星星之火，在中華大地上迅速擴展，轉眼已成可以燎原之勢。其組織建設，不但在中國的大地上不斷壯大發展，而且在海外的中國革命者中也已孕育成熟。1922年，歐洲勤工儉學共產主義組織的建立，進入了一個歷史性的時刻。

1921年底，在法國北方避居法國軍警搜捕的趙世炎通過書信與在法國、德國和比利時的周恩來、李維漢、劉伯堅、王若飛、傅鐘等密切聯繫，商組旅歐“中國少年共產黨”事宜。

1922年6月，旅歐青年中的共產主義組織誕生了。

它的第一次代表大會是在巴黎郊區的布羅尼森林中舉行的。代表大會共開了三天，在法國、德國、比利時三國勤工儉學的十八名代表參加。他們是：趙世炎、周恩來、李維漢、任卓宣、陳延年等。會場設在森林中的一個小空場上，他們向一個開露天咖啡茶座的法國老太太租來十八把椅子，就地而坐。會議由趙世炎主持，由趙世炎和周恩來報告了籌備經過和組織章程。經過討論，決定將組織定名爲“旅歐中國少年共産黨”。會議選舉趙世炎、周恩來、李維漢爲中央執行委員會委員。趙世炎任書記，周恩來負責宣傳，李維漢負責組織。委員會的辦公地點設在巴黎十三區意大利廣場附近的戈德弗魯瓦街17號一座小旅館内。趙世炎住在那裏，李維漢和陳延年經常在那裏工作。

至此，留法勤工儉學的共産主義組織正式成立，並相繼在德國、比利時發展了組織。

與此同時，中共旅法小組於1922年冬進一步發展成中共旅歐支部，“少共”中夠黨員條件的同志正式轉爲中共黨員。當時黨團機關合在一起，領導機構也是統一的，但黨組織是團組織的領導與核心。黨組織是秘密的，團組織則是公開的。

少共自成立之日起便發展迅速，剛成立時，僅有成員三十多人，半年之後，已達七十二人，到1924年，更發展到二百人之多。一大批旅法、旅歐勤工儉學學生中的優秀分子和先進青年聚集在了黨團組織的周圍。

少共是在中共旅歐支部的絶對領導下進行活動的。趙世炎既是少共中央執行委員會的書記，又是中共法國組書記。他和周恩來兩人都是品格高尚、具有很强組織領導能力的少共領導者，少共的同志們對他們十分敬重和熱愛，蔡暢就曾充滿詩意地讚美他們，説：“世炎和恩來全身都是聰明。”

1923年2月17日至19日，少共召開臨時代表大會。會場設在巴黎西郊一個小鎮上某警察分局的禮堂内，參加會議的有四十二名代表，他們之中除了參加成立大會的人員外，還增加了陳喬年、聶榮臻、鄧希賢、傅鐘等人。②會上決定將旅歐"中國少年共産黨"改名爲"旅歐中國共産主義青年團"，也稱"中國社會主義青年團旅歐支部"，其領導機構改稱旅歐共青團執行委員會。由於中共中央決定調趙世炎、王若飛、陳延年、陳喬年等十二人到蘇聯東方勞動大學學習，會議新選出周恩來等五人組成第二屆執行委員會，周恩來爲書記。

到了這個時候，中國共産主義青年團旅歐支部已進入了第二屆時期：壯大了組織，設立了機關，正式確定了與中共中央和中國共産主義青年團的隸屬關係，確定了組織的正式名稱，並創立了機關刊物《少年》。其組織與工作都更趨完整，更趨成熟。

注：

① 李立三《回憶留法期間趙世炎同志》。《趙世炎烈士革命資料匯編》。

② 《趙世炎生平史料》。《四川文史資料選輯》第193頁。

15. 革命歷程的起點

父親曾回憶道："我在法國的五年零兩個月期間，前後做工約四年左右（其餘一年左右在黨團機關工作）。從自己的勞動生活中，在先進同學的影響和幫助下，在法國工人運動的影響下，我的思想也開始變化，開始接觸一些馬克思主義的書籍，參加一些中國人的和法國人的宣傳共產主義的集會，有了參加革命組織的要求和願望，終於在 1922 年夏季被吸收爲中國社會主義青年團的成員。我的入團介紹人是蕭樸生、汪澤楷兩人。"

從 1922 年 2 月開始，父親一直在蒙達尼附近夏萊特市的哈金森工廠作工。蒙達尼是先進學生雲集之地，是旅歐中國學生中共產主義組織的發源地之一，而在哈金森工廠裏，也聚集了一些具有先進思想的勤工儉學學生。父親雖未參加其活動，但耳濡目染地逐漸接受了革命思想，並開始閱讀《新青年》、社會主義討論集等書報。

當時在法國的青年中，各類思想思潮都很流行，特別是無政府主義思潮曾經大爲流行。陳獨秀的兩個兒子陳延年和陳喬年就曾一度熱衷於無政府主義。但是，父親雖然年齡尚輕，卻從未受這些思想的影響，他曾回憶道："每每聽到人與人相爭辯時，我總是站在社會主義這邊的。"他從一開始就接受了馬克思主義和共產主義思想，從一開始，便選擇了無產階級革命的道路，而且積其七十年的歷程和歲月，歷盡艱難而始終不渝。

他在蘇聯學習時對自己總結道："生活的痛苦，資本家的走狗——工頭的厚罵，使我直接的或間接的受到了很大的影響，最初對資本主義社會的罪惡略有感覺，然以生活浪漫之故，不能有個深刻的覺悟。其後，一方面接受了一點關於社會主義尤其是共產主義的智識，一方面又受了已覺悟的分子的宣傳，同時加上切身已受的痛苦，"於是加入了中國社會主義青年團旅歐支部。"總上所說，我從來就未受過其他思想的浸入，一直就是相當共產主義的。"

這是父親在 1926 年時對他在法國加入共產主義革命行列的一個小結，是一個二十二歲的青年對其為什麼在十八歲時就選擇了共產主義理想，走上了革命道路的一個如實的自我剖析。

父親說，他是在蒙達尼入的團，和"蔡媽媽"，即蔡暢等一起到巴黎進行的入團宣誓。在入團宣誓會上，他們每個人都進行了自我宣誓，心情相當激動。幾十年後，他們在一起回憶起當時的情景，都還記憶猶深。

蔡暢，1900 年生於湖南。早年參加毛澤東主辦的"新民學會"，1920 年，蔡暢與其兄長蔡和森攜母親葛健豪共同赴法勤工儉學，先後在里昂、巴黎等地做工，積極參加蔡和森、向警予等新民學會在法會員的討論活動，參加了蒙達尼的"工學世界社"等進步團體，同時參加了"拒款運動"等留法學生鬥爭。她於 1922 年在里昂加入中國社會主義青年團旅歐支部，1923 年轉為中國共產黨旅歐支部正式黨員。父親與蔡和森在法時並不熟悉，但他與蔡暢卻相當熟悉，由於蔡暢年長四歲，父親一直親切地稱她為"大姐"。蔡暢與李富春在法國相愛並結為終生伴侶，父親和他們相當親近，他稱李富春為"大哥"，而李、蔡夫婦則親熱地稱他爲“小弟弟”。後來他們一起在巴黎共青團支部工作時，父親有一個時期曾和他們住在一起。父親告訴我們，他常去吃“蔡媽媽”煮的麵條。父親和他們的友誼維持了幾十個春秋。

1957年後，我們家搬到中南海居住，在懷仁堂的旁邊共有前後四個院子，叫“慶雲堂”，李伯伯和蔡媽媽家住一院，我們家住三院。比鄰而住，使我們兩家的關係更加密切，父親和母親常常帶我們這些孩子們去李伯伯、蔡媽媽家玩。李伯伯帶有濃重的湖南口音，因此總把我弟弟飛飛的名字叫成“灰灰”，我們這些孩子們也非常敬愛這一對父親的“大哥、大姐”。母親與蔡媽媽的關係也相當親密。母親對蔡媽媽相當敬重，有事常常向她請教。由於工作關係，父親和李伯伯兩個國務院副總理常常一起出差，我們兩家人和其他同行的人，常常一坐就是幾天幾夜的火車，去東北，去西北，去西南，去華東。到了“文化大革命”，父親受到批鬥並被軟禁，那時真是普天之下無人敢於接近，也不能夠接近。有一天，李伯伯的警衛員小孔，拿了兩包烟悄悄塞在我們家一位老公務員的手中，說是富春同志送的，說完趕緊就走。這區區的兩包烟，足以表明了李伯伯和蔡媽媽的政治觀點，其中浸注了他們對父親作爲老戰友、老同志之間的全部感情。李伯伯於“文化大革命”中去世了，後來蔡媽媽重病長年住院，父親和母親常去探望。1990年蔡媽媽九十大壽時，母親率我們全家子女，代表父親前去醫院祝壽。蔡媽媽去世時，父親送了花圈，母親代表父親參加了遺體告別儀式。這種長達幾十年的友誼，是革命的友誼，它親如手足之情，甚於手足之情。我們後輩人，親眼目睹，既覺感動，更受教育。

1923年初開始，周恩來成爲中國共産黨旅歐支部和中國社會主義青年團旅歐支部的領導者，李富春、蔡暢等人也已成爲活躍的革命工作者，而父親，才僅僅是一個剛剛跨進共産主義事業殿堂的、尚未完全成熟的青年革命者。但他那時年輕、熱情、活躍、向上，毫不遲疑地、堅定地邁開了革命的步伐，在周恩來等領導者的帶領和培養下，開始了他作爲一個職業革命者的終生事業。

1923年6月11日，父親離開了蒙達尼附近的夏萊特市，填寫的前往地址是：拉加雷納－科隆市（La Garenne－Colombe）德拉普安特街39號（39, rue de la Pointe）。[1]這時他根據青年團執行委員會書記部的工作需要，一邊做一些臨時性的雜工，一邊開始在巴黎專職從事青年團旅歐支部的工作。

父親加入團組織後，不僅思想有了提高，精神面貌也爲之煥然一新。他在1922年初剛到哈金森工廠時，還是一個活潑甚至有點調皮的大孩子，而入團以後，頓覺成熟了許多。當年的一個留法勤工儉學學生吳琪回憶道："我所接觸的同學中，年紀最輕的要算鄧小平同志。1922年下半年，我在巴黎郊區皮浪哥飯店見到他的時候，他還不到二十歲。他年齡雖輕，卻很老練，才氣橫溢，身體强壯，精神飽滿，説話爽直，聲音宏亮，鏗鏘有力。時過半個多世紀，但這一切仍印在我的腦海中。"

由此可見，一個人在有了理想，有了追求，有了明確的信念和奮鬥目標之後，確實等於獲得了一次新的生命。

1922年，中國國内的革命局勢發展迅速，孫中山幾經波折和失敗後，終於選擇了一條新的革命道路，從1922年夏季開始，進行了改組國民黨的準備，並邀請陳獨秀、李大釗等共産黨人參與指導改組工作，其後，又堅決地確定了聯俄、聯共、扶助農工的三大政策。

1922年6月，也就是旅歐少共成立的同時，中國共産黨中央委員會發表了《中國共産黨對於時局的主張》，提出要同以孫中山爲首的國民黨等革命民主派共同建立一個民主主義的聯合戰綫。1923年6月，中國共産黨在廣州召開的第三次代表大會上，決定全體共産黨員以個人名義加入國民黨，以建立各民主階級的統一戰綫。這時，孫中山派王京歧到法國籌建國民黨支部。

王京歧原爲留法勤工儉學學生，因參加爭回里昂中法大學的鬥爭被遣送回國。王京歧到法後，立即與周恩來等取得聯繫。同年6月16日，周恩來等與王京歧達成協議：旅歐中國共産主義青年團團員全部以個人名義加入國民黨。父親在1923年也以個人名義加入了國民黨。

1923年，旅歐中共支部和青年團，除了宣傳馬列主義和建立擴大組織外，於7月還領導旅法勤工儉學學生和華工開展了一場反對帝國主義列强企圖“共同管理”中國鐵路的鬥爭。

7月15日，旅法華人大會在巴黎舉行，六百餘人到會。周恩來在會上發表了聯合起來，推翻國内軍閥，打倒國際帝國主義的演説。會後，決定成立中國旅法各團體聯合會。旅法中共支部和青年團的鬥爭，進一步聯合了旅法華工、華人，進一步與國内反封建、反殖民主義的政治鬥爭相結合。

父親1922年加入共青團後，很快成長起來。他曾回憶，此時，他在巴耶（Bayeux）支部擔任了兩屆宣傳幹事，同時受支部的命令與傅烈共同爲華工辦理工人旬報。

1923年夏季，他已開始參加支部的工作。據廖焕星回憶：“1923年6月，旅歐支部召開第二次代表大會，委員會又增加了鄧小平同志。”②江澤民也回憶道：“1923年夏天，學校放暑假後，我同喬丕成到巴黎找臨時工作。在這個時候，恰好召開旅歐共青團第二次代表大會改選領導。我倆都作爲代表參加了。會上產生了書記局，由周恩來任書記，李富春任宣傳，尹寬任組織，傅鐘、鄧小平同志也是負責人。會上決定改《少年》爲《赤光》，但實際上到 1924 年 2 月才實現改版。”③

可見，從 1923 年夏天起，父親由一名普通的青年團員成長爲積極的活躍成員，已進入青年團的領導機構工作。廖焕星和江澤民都没有寫明父親那時擔任什麼樣的工作，但我分析，他只是在支部負責同志的領導下，作一些具體工作，還不能算作支部的領導。因爲他對我們説過，只要參加了青年團的領導，就算自動轉入中國共產黨正式黨員。而他 1923 年還只是一名青年團員，直到 1924 年才正式轉黨。

1922 年 6 月少共成立後不久，於 8 月 1 日創辦了一份機關刊物《少年》，編輯部與少共機關一起設在戈德魯瓦街 17 號那個小房間裏。它的任務是“傳播共產主義學理”。上面刊登過馬克思和列寧著作的譯文，登過共產國際和少共國際的文件和消息，趙世炎、周恩來都曾在上面發表文章，闡述共產黨的性質和作用，解釋馬克思列寧主義基本原則，以及和無政府主義分子進行論戰。共出版十三期。蔡暢回憶：“《少年》刊物是輪流編輯，鄧小平、李大章同志刻蠟板，李富春同志發行。後來該刊物改名爲《赤光》。有時是三日刊、二日刊、月刊，時間不定。《少年》社址在巴黎意大利廣場，S 街 5 號，一個咖啡館的樓上，我在 1948 年還去看過一次。鄧小平、李富春同志是白天做工，晚上搞黨的工作，而周恩來同志則全部脱產。”④

對於這個位於意大利廣場旁邊的小小的咖啡店，父親深懷感情，念念不忘。1974 年去紐約參加聯大會議途經巴黎時，他告訴隨行的同志，他和他的戰友們曾住在意大利廣場那裏，並時常去一個小咖啡館喝咖啡。他請中國駐法國大使館的人帶他去意大利廣場那裏看了一下，看完後，他感慨地說："面目全非了！"喝不上原來那家小咖啡館的咖啡了，父親就叫使館的人每天早上從街上的咖啡館中買咖啡送去給他喝。沒辦法，他就是喜歡那種真正的法國小咖啡館裏的咖啡，而且還總愛把法國的小咖啡館和他家鄉四川的小茶館相提並論。

從1923年開始，父親已直接在周恩來的領導下工作。他從此便正式地成爲一名不折不扣的職業革命家。

1924年2月1日，旅歐中國共產主義青年團機關刊物《少年》改名爲《赤光》，正式出版。

《赤光》所發表的文章，着重於揭露帝國主義列强和中國封建軍閥壓迫中國人民的黑暗事實，闡述現階段中國革命的任務和方針，推進國民革命運動的發展。周恩來、李富春等都在《赤光》上撰寫文章。僅周恩來一人就發表了近四十篇之多。

父親說過，他以希賢的本名和一些化名也寫過一些文章。

用化名發表的文章已不可辨認，以希賢本名發表的有：1924年11月1日出版的第十八期中《請看反革命的青年黨之大肆其揑造》；1924年12月15日及1925年1月1日第二十一、二十二期合刊中《請看國際帝國主義之陰謀》、《請看先聲周報之第四批造謠的新聞》等。他在文中揭露了青年黨的醜陋行徑；批駁了青年黨關於蘇俄調軍邊境壓迫中國等無耻造謠；抨擊了帝國主義列强假中國請求爲名，以組織專家委員會入手，藉負審查中國政治經濟形勢及整理中國債務之責，干涉中國事務的罪惡企圖。這些文章言辭潑辣，戰鬥性强，但都屬於揭露性質的，尚未上升到理論和政論的水平，這與時年只有二十歲的，剛剛加入革命隊伍的一個青年所具有的水平是相當的。他自己評論自己時曾說過："我在《赤光》上寫了不少文章，用好幾個名字發表。那些文章根本説不上思想，只不過就是要國民革命，同國民黨右派鬥爭，同曾琦、李璜他們鬥爭。”

《赤光》是半月刊，十六開本，每期十來頁。它出版靈活而迅速，印數比《少年》多，發行範圍也更爲廣泛。由於它辦得生動活潑，形式多樣，文章短小精悍，切中時弊，對於勤工儉學學生及華工、華人具有强烈的感召力，因此深受他們歡迎。旅歐華人盛讚《赤光》爲“我們奮鬥的先鋒”和“旅法華人的明星”。⑤到1925年止，《赤光》一共出版三十三期，由於它是中共旅歐支部和青年團的機關刊物，因此又成爲旅歐中共黨團支部、小組學習理論和進行討論的資料。

周恩來負責編輯、發行和主要撰稿人的重任，李富春、鄧希賢、傅鐘、李大章等人曾先後參與這一工作。李富春負責發行，鄧希賢和李大章刻蠟板。他們身居陋室，條件艱苦，白天做工餬口，晚上通宵苦幹。他們開會，擠在周恩來住的小房間裏，床上、桌子都坐滿人。他們吃的是麵包，喝的是白水，有時連菜蔬都吃不上。這些旅歐的黨團幹部，就是在這樣一種艱苦的環境中努力工作，頑强鬥爭，保持着樂觀、向上的革命熱情。

父親是負責刻蠟板和油印的，翻開《赤光》，你就會看到他當年那雋秀的字迹和從中反映出的認真態度。因爲字迹清晰，裝釘簡雅，大家曾讚揚他爲“油印博士”。⑥

《赤光》的封面，是一個正欲躍起的少年，他赤身裸體，無牽無掛；他手持號角，高擎旗幟；他背靠光芒四射的赤光，腳踩無邊無際的山川。這個封面不知是由誰人設計的，但我認爲它極好地表現出了旅法中共黨員和青年團員們的風貌和氣質。這群在法蘭西的土地上加入共産主義戰士行列的青年，正處在揮斥方遒、指點江山的意氣風發之時，在他們的行列中，許許多多優秀分子經過錘煉，脱穎而出，成爲改變中國面貌和人民命運的革命鬥爭的中流砥柱。

注：

① 夏萊特市外國人花名册。

② 廖焕星《中國共産黨旅歐總支部》。《“一大”前後》(二) 第502頁。

③ 江澤民《參加留法、比勤工儉學的回憶》。《天津文史資料選輯》第93頁。

④ 蔡暢《談赴法勤工儉學和社會主義青年團旅歐支部》。《“一大”前後》(二) 第555頁。

⑤ 陳崇山《雷鳴遠破壞旅歐勤工儉學運動》。《天津文史資料選輯》第15期第146頁。

⑥ 同注②。

16. 黨的錘煉

1924年7月13日至15日，旅歐中國共産主義青年團召開第五次代表大會。7月17日“旅歐中國共産主義青年團通告”第56號中這樣記載着：

旅歐中國共産主義青年團第五次代表大會選出新的執行委員會：

秘書：周唯真

委員：余增生、鄧希賢。

（三人組織書記局）

訓練部主任：李俊杰

宣傳部主任：徐樹屏

在第五次代表大會上，父親已進入執行委員會的書記局。根據黨的規定，當時擔任旅歐共産主義青年團執行委員會（支部）的領導，就正式轉爲中國共産黨旅歐支部的黨員。因此，1924年7月，父親在他的革命生涯中邁進了第二個階段，擔任了旅歐中國共産主義青年團的領導，並加入了中國共産黨，時年二十歲差一個月。

當時的中共旅法支部和共青團中，領導人經常更换，父親告訴我，這是因爲黨團組織着眼於培養人才，不搞終身制，最多只當一年。還有一個原因是因爲中國共産黨的戰場是在國内，中共中央經常選調旅歐中共黨員和團員去蘇聯學習再回國工作，或直接回國參加鬥爭。

1924年，以廣東爲根據地的國內革命運動迅速發展，急需大批幹部。因此在第五次代表大會後，黨中央又選送了一批批的黨團員或經蘇聯，或直接回國。7月下旬，奉中央指示，周恩來等同志從法國直接坐船回國。

周恩來，二十二歲來到歐洲，二十六歲離開法國。他從一個追求真理的青年學生，已成長爲具有堅定的馬克思主義和共産主義信仰，具有一定的革命鬥爭經驗和具有較强的組織領導能力的職業革命家。旅法中國勤工儉學學生中的共産主義事業，是由他和他的同志們開創的，許許多多的革命青年在他的領導下、引導下和榜樣作用的影響下，更加堅定了信念和學習了鬥爭藝術。中國共産黨和中國社會主義青年團旅歐支部的同志們對周恩來的回國，既感振奮，又依依不捨，他們圍聚在周恩來的身邊，和他留影以玆送行紀念。照片中有聶榮臻，有李富春。站在最後一排的就是新當選的執委會書記局委員鄧希賢。他身着西裝，頭戴帽子，圓圓的臉龐上尚未稚氣全脱，但已開始顯露出信心與剛毅。

我問過父親，在留法的人中間，你與哪個人的關係最爲密切？

父親深思了一下答道：還是周總理，我一直把他看成兄長，我們在一起工作的時間也最長。

是的，在法國的兩年，在二十年代末到三十年代初在上海作地下工作的年月，在江西中央蘇區，在長征路上，在革命戰爭中，在建國後的黨和國家最高機關中，直到周總理爲黨、爲國、爲人民鞠躬盡瘁，吐出最後一息，父親在長達半個多世紀的歲月中一直是周恩來的得力助手和忠誠戰友。在總理病重時，父親頂住壓力，治國治軍，替總理分擔重任；在總理垂危時，父親通宵達旦守候在總理的病榻旁邊；在周總理去世後，父親忍住巨大的悲痛，代表全黨和全國人民爲總理致了悼詞……

寫到這裏，我都已然熱淚滿頰。

因爲父親的關係，我們從小就認識周伯伯，也非常地愛戴周伯伯。因爲鄧媽媽與父親同姓，所以有一段時間家長們曾讓我們叫她姑媽，由此可見父母親與他們的親情。周伯伯對我們這些孩子非常之慈祥，他還和我們開玩笑，說我是我們家的“外交部長”，我的二姐鄧楠則是我們家的“總理”，和他的官一樣大！我們的少年時代，就是在像周伯伯這樣的許許多多革命老前輩的關懷下幸福地渡過的。“文化大革命”中，我們親眼目睹了我們的這些長輩所經歷的險峻的境遇。周伯伯病重時，我們和父母親一樣地擔心；周伯伯病逝後，父母親帶領我們全家參加了在人民大會堂舉行的隆重的追悼會。當最後走到周伯伯的遺像前鞠躬時，我們每一個人都禁不住失聲痛哭。每想到那時的情景，每念及周伯伯的風采和音容笑貌，我還是難以自禁地悲盈於懷。至今，我仍保留着參加周伯伯追悼會時所佩戴的黑紗。

周伯伯和他的戰友們，是一代將被歷史和人民永遠銘記的人。

……

1924 年 7 月下旬，周恩來回國參加革命鬥爭去了。在他之前，一批又一批的旅歐黨團員也離開了法國，他們之中有趙世炎、李維漢、陳延年、陳喬年、王若飛等人。

這些骨幹雖然離開了法國，但旅法、旅歐的中國共產黨和中國社會主義青年團支部的工作和鬥爭並未沉寂下來。新的支部繼續建設組織，組織黨團員學習，深入勤工儉學學生和華工，宣傳馬列主義，介紹國際國內革命形勢，並繼續和國民黨右派以及"青年黨"作堅決的、針鋒相對的鬥爭。

1924年12月，旅歐中國共產主義青年團舉行第六次代表大會。大會決議支部下設監察處，以李俊杰、鄧希賢等七八人組成，李俊杰爲主任。工會運動委員會以加入過工會或熟悉工會運動的蕭樸生、李大章、任卓宣、李富春、鄧希賢等同志組織之，余增生爲主任。

"六大"以後，旅歐團支部又作出了擴大執行委員會的決定：支部下屬宣傳部設副主任六人，鄧希賢等人司理工人運動事宜。①

1925年春天，父親在擔任了一屆青年團支部委員之後，作爲中共旅歐支部的特派員，被派到里昂地區工作，任宣傳部副主任，青年團里昂支部訓練幹事，並兼任黨的里昂小組組書記，在那裏作爲黨團地方組織的領導人。

同年，旅法黨團組織又發起了幾次大規模的群衆鬥爭運動。

1925年5月30日，中國爆發了震驚世界的"五卅"運動。1925年，上海工人運動蓬勃發展，日本帝國主義和北洋軍閥政府大肆鎮壓。5月15日，工人領袖、共產黨員顧正紅遭到槍殺，激起公憤，中共中央決定進一步開展反帝鬥爭。5月30日，上海學生支持工人，號召收回租界，被英帝國主義逮捕一百多人，開槍屠殺群衆十餘人，傷無數，造成"五卅慘案"。在中共中央號召下，上海二十餘萬工人罷工，五萬學生罷課，相當數量的商人罷市。北京、南京、漢口、廣州等全國近五百個城鎮立即響應，聲勢浩大的鬥爭一直持續了三個月之久。"五卅"運動，揭開了中國大革命高潮的序幕。

"五卅"事件爆發後，中國共產黨旅歐支部和中國共產主義青年團旅歐支部立即行動起來，與中國國民黨駐法總支部聯合通告，於6月7日在巴黎中心地區的布朗基96號舉行旅法華人反帝大會。到會的一千多人中，除華人、華工、留法學生外，還有法國共產黨和安南（越南）共產黨留法組的代表。大會主席由當時的中共旅歐支部書記任卓宣擔任，各界代表踴躍發言，聲討帝國主義侵略中國和屠殺中國人民的滔天罪行。大會決議，堅決支持"五卅"反帝運動，抗議法國政府出兵上海，要求法國立即撤退其駐華軍隊和兵艦，號召華人聯合起來共同反帝，由赤光社等團體成立"旅法華人援助上海反帝國主義運動行動委員會"，會後舉行遊行示威。

6月14日，中國共產黨旅歐支部執行委員會和中國共產主義青年團旅歐區執行委員會發出"告示威華人"書。這張傳單一看即知是由鄧希賢用那雋秀的字體刻寫的，上面寫道："一個沉重而光榮的表示在歐洲反動勢力的中心——巴黎發動了，我們被壓迫的中國人民第一次向帝國主義的政府作直接的示威運動！參加示威運動的華人啊！你們的精神應該爲我們所敬重，不論你們是相信什麼主義的，只要你們在言論上、行動上是反對帝國主義的，只要你們從今日起能與帝國主義從事不妥協的鬥爭，我們都向你們致敬了。我們相信一切推翻帝國主義的工作，比什麼都神聖。被壓迫民族解放的起點，全人類解放的起點關鍵就是：推翻帝國主義！反對屠殺上海人民的法蘭西帝國主義！反對屠殺上海人民的一切帝國主義！"②

6月21日，中共旅法支部和共青團支部聯合國民黨左派，發動了一次向中華民國駐法公使館示威的行動，參加者二百餘人，他們從四面八方而來，封鎖了公使館的大門，切斷了電話，捉到公使陳箓，迫令其在事先已準備好的文件上簽字。這些文件以駐法公使陳箓名義，致電全國人民支持反帝運動；以陳箓名義通牒法國政府從華撤軍；讓公使向旅法華人道歉，保證以後切實保護華人利益和自由；還迫讓陳箓捐款五千法郎，匯交上海援助罷工工人。上述所有文件全部分送了有關機關和報社。

旅法華人聲援國內“五卅”反帝運動的行動，震動了整個歐洲，同時也大大地嚇壞了法國政府。第二天，也就是6月22日，法國政府命令警察大肆搜捕旅法中國共產黨人。數天之內，居住在巴黎區域內的中共黨員和青年團員任卓宣、李大章等二十多人被捕入獄。③隨後法國當局又將四十七名中國留法勤工儉學生驅逐出境。④

任卓宣等支部領導人的被捕，使中共旅歐支部和青年團旅歐支部遭到了很大的破壞。

當時，父親還在里昂，他曾記述道：“因在巴黎的負責同志爲反帝國主義運動而被驅逐，黨的書記蕭樸生同志曾來急信通告，並指定我爲里昂——克魯梭一帶的特別委員，負責指導里昂——克魯梭一帶的一切工作。當時，我們與巴黎的消息異常隔絕，只知道團體已無中央組織了，進行必甚困難。同時，又因其他同志的催促，我便決然辭工到巴黎爲團體努力工作了。到巴黎後，樸生同志尚未被逐，於是商議組織臨時執行委員會，不久便又改爲非常執行委員會，我均被任爲委員。”

在組織被破壞的情況下，鄧希賢和他在外地的戰友傅鐘、李卓然等，回到巴黎，自動接替了黨團組織的領導。

1925年6月30日，中國共產主義青年團旅歐區臨時執行委員會宣告成立：

秘書：傅鐘（由蕭樸生代）

委員：鄧希賢、毛遇順

臨時執委會規定，以上三人組成書記局，但只維持一個人的生活費。⑤

6月30日，臨時執行委員會剛一成立，他們便開始繼續進行活動。

據法國警方密報："1925年7月1日，在比揚古爾市(Billancourt)特拉維西爾街14號（14, rue Traversière）召開一次會議，共有三十三人參加。會議主席首先講話，說，旅法中國行動委員會大部分成員均已被逮捕，所以有重新組建的必要。此外，最近將要用法文和中文印刷抗議聲明，以便在巴黎散發。會上，反歐洲資本主義的激進分子表示，堅決反對法方驅逐中國同胞的行徑，尤其是對本星期六還要驅逐十名中國人表示强烈憤慨。當飯店的老闆進來説警方來了時，會議就結束了。"⑥

7月2日，臨時執行委員會還召集了抗議帝國主義的會議。法國一份警方的密報記載："旅法中國行動委員會昨天下午在布瓦耶街23號（23, rue Boyer）召開會議，抗議國際帝國主義，共有七十多人參加。該委員會主席說，我們成立了行動辦公室，其人員組成尚未上報代表大會，待小組選舉。會上共有八人發言，其中鄧希賢的主張爲反對帝國主義，應同蘇聯政府聯合。"⑦

8月17日，旅歐中國共産主義青年團召開第七次代表大會第一次執委會，分工如下：

秘書：傅鐘

委員：鄧希賢、施去病

以上三人組成書記局。⑧

傅鐘、鄧希賢、鄧紹聖等人還在黨團刊物上擔任投稿人。⑨

父親自己記述過，在這一時期，組織決定他同時擔任中國國民黨駐法總支部監察委員會書記，負責國民黨的一切工作。

在法國政府和軍警的鎮壓下，旅歐中共和青年團組織不但没有後退，反而迅速地恢復了組織，並以更加積極的姿態進行頑强不屈的鬥爭。

據法國警方的密報："9月6日，在貝勒維拉市（Bellevilloise）布瓦耶街23號（23, rue Boyer）召開了一次會議，有四十多人參加。自從中國公使館事件發生後，部分中國共産主義者居住在巴黎地區，並採取了緊急措施，以防被人發現。此會的目的，是爲紀念廖仲愷先生。調查待繼續進行，以便進一步摸清會議的組織者和與會者。"⑩

1925年9月12日，離法國軍警大搜捕才兩個多月，中共旅歐支部即召開擴大會議，決定再次舉行一次規模較大的旅法華人反帝大會，並決定大會以中國國民黨駐法總支部的名義召集。

9月15日中午，在巴黎中心地區塞納河旁一個會議廳内，一千多旅法華人以戰鬥的姿態舉行聲勢浩大的反帝大會。首先由中共黨員、國民黨駐法總支部副主席施益生發言，説明自"五卅"反帝運動以來，旅法華人積極投入鬥爭，但這還不夠，還要再接再勵，奮勇前進，高舉無産階級國際主義的旗幟，一致向英、日、法、美等帝國主義開炮，一定要把他們驅逐出中國領土之外，完成中華民族解放的偉大事業。施益生發言後，法國共産黨代表道里歐、法國國會議員馬爾馳、越南共産黨代表、非洲黑人代表相繼踴躍發言。最後由共産黨代表傅鐘和蕭樸生發言，他們指出，"五卅"運動是世界無産階級社會主義革命的一部分，全世界無産階級和勞動人民要團結一致，同帝國主義作針鋒相對的鬥爭，不獲全勝，決不收兵！會場上群情激昂，高喊"打倒帝國主義！打倒軍閥！中華民族解放運動勝利萬歲！"

這次大會，又一次震驚了法國政府。法國政府馬上決定：逮捕這次大會的主持者和組織者。由於國民黨右派分子的告密，法國警方逮捕了施益生，並將他驅逐出境。⑪

父親雖在這次會議上沒有發言，但他作爲支部領導成員，參與領導和組織了這次會議。

中共旅歐支部和青年團的活動愈有戰鬥性，法國政府就愈爲緊張。法國警方開始越來越密切地注意華人和中共黨人的動向，進行秘密監視，連一些小範圍的會議也有人向警方告密。然而，旅法中共黨員並無畏懼。他們仍就以共產黨員或國民黨員的身份，主持各種會議，發表各種講演。

1925年10月25日，法國情報員報告："昨天（即10月24日）二十點至二十一點三十分，在伊希－莫利諾市（Issy－les－Moulineaux）夏爾洛街（rue Charlot）一家咖啡餐館召開了一次中國共產主義者會議，共有二十五人參加，會議由鄧希賢主持。吳琪宣讀了共產主義教育課，並指出，重建中國共產主義小組和創辦刊物的必要性。"⑫

1925年11月16日，法國情報員報告，在巴黎舉行了一次國民黨的群衆大會，由鄧希賢主持，紀念國民黨旅歐負責人王京歧，並揭露國際帝國主義和法國帝國主義對進步人士的迫害。

該報告稱："國民黨於11月15日十五時至十七時在貝勒維拉市（Bellevilloise）布瓦耶街23號（23，rue Boyer）召開會議，出席會議的共有四十七人，會議由鄧希賢主持。此會爲紀念被法國驅逐，並死於回國船上的王京歧，會上陳希（音）等十一名代表發了言，發言者抗議法國警察逮捕中國人。最後，鄧希賢總結說：我們希望與會者永遠牢記王京歧同志，繼續進行反對帝國主義的鬥爭。"⑬

1925年11月20日，法國內政部長致法國外交部長的一封信函中，也提到了這次會議。信中稱："11月15日在貝勒維拉市（Bellevilloise）布瓦耶街 23 號（23, rue Boyer）召開一次會議，紀念被法方驅逐，並死於回國船上的王京岐。另外，國民黨方面指定陳希（音）爲國民黨代表。”⑭

到了此時，年僅二十一歲的鄧希賢，已由一名普通的青年團員轉爲中共正式黨員，進而被選爲旅歐黨團組織的負責人。他已經成長爲一個信念更加堅定，行爲更加成熟，具有一定的鬥爭經驗和領導能力的共産主義者。他在法國共擔任了一屆半的支部領導，他的活動，已引起了法國警方的特別注意。法警開始秘密監視他，跟蹤他的行蹤。

1925年7月30日，父親在巴黎附近的比揚古爾市所屬布洛涅警察局花名册上進行了居住登記，號碼是 1250394。⑮

1925年11月6日，父親進入雷諾汽車廠做工。⑯他被分配在鉗工車間。1988年我去法國時，曾去雷諾汽車廠找尋父親的資料。雷諾汽車廠熱情地接待了我，他們帶我參觀了當年父親工作過的鉗工車間，還送給我一些二十年代雷諾汽車廠工廠和工人的一些圖片材料。最爲珍貴的，他們找到了父親在雷諾汽車廠做工的工卡。

在工卡上，父親登記道：鄧希賢（Teng Hei Hien），中國人，1904年7月12日（陰曆）生於四川，住比揚古爾市（Billancourt）特拉維西爾街 27 號（27, rue Traversière）。熟練工種工人，分配在 76 號車間，磨件單位工價一法郎五生丁。

卡片的左下角，有一張父親的一寸小照，上面印着 82409A 的編號。照片上的父親是那樣的年輕，不知道的人，可能會錯認成一個十幾歲的少年呢。殊不知，二十一歲的他，已是一個爲法國警方監視的中共旅歐支部的負責人！

在雷諾汽車廠工作的時間雖然不長，可父親卻心靈手巧地學習了一些鉗工技術。這項手工技術，到七十年代的“文化大革命”，他在江西的一個工廠被監視勞動時，可發揮了大作用。當然，這是後話了。

父親到了雷諾汽車廠後，法國警方仍然密切地監視着他。我曾經問過父親：“爲什麼法國警方這麼注意你?”父親說：“因爲我比較活躍。我們的行動法國警察都是清清楚楚的!”

到了1926年1月7日，法國警方弄到了一份詳細的報告。⑰這個報告說：

“據本月5日獲得的情報，旅法中國人小組行動委員會曾於1月3日下午，在貝勒維拉市（Bellevilloise）布瓦耶街23號（23，rue Boyer）召開了一次會議。在這次會議上，有好幾個講演人提出‘反對帝國主義’，並要求在法國的中國人聯合起來支持馮玉祥將軍的親共產黨、反對北京政府的政策。

“行動委員會在會上還決定要求中國駐巴黎的公使先生對中國的南北衝突表明立場，並起來反對任何國際干涉。

“由於行動委員會的組織非常審慎，雖對其進行了調查，但未能發現這個委員會的所在地及其組成人員。然而，在1月3日會議上發言的幾個中國人已被辨認出來了。

“他們中的一個人叫鄧希賢，1904年7月12日出生於中國四川省鄧文明和淡氏夫婦家。他從1925年8月20日起就住在布洛涅—比揚古爾市（Boulogne－Billancourt）的卡斯德亞街3號（3，rue Castēja）。他符合有關外國人的法律和政令的規定。他於1920年來到法國。開始，他在馬賽做工，後又到巴耶、巴黎和里昂。1925年他重新回到巴黎後，在比揚古爾的雷諾廠當工人，直到本月3日。他作為共產黨積極分子代表出席會議，在中國共產黨人所組織的各種會議上似乎都發了言，特別主張親近蘇聯政府。

"此外，鄧希賢還擁有許多共產黨的小冊子和報紙，並收到過許多寄自中國和蘇聯的來信。

"有兩個中國同胞與鄧希賢住在一起，好像他們也都贊成鄧希賢的政治觀點。外出時，他們總是陪伴着鄧希賢。傅鐘（Fou-Tchang），1903年6月出生於中國（實應為1900年出生——作者注），Ping-Suen-Yang，20歲，生於上海。他們符合外國人在法國的法律，聲稱是學生，沒有從事任何工作。

"由於在巴黎的中國人很封閉，了解他們的情況很難。為了弄清情況，看來有必要通過警察總局局長先生的允許，對他們在比揚古爾的幾個住地進行訪問調查。可以通過房主搞清一些情況，這樣就有可能通過檢查身份證了解他們中間的被通緝的共產黨人。

"有三家旅館應密切監視：卡斯德亞街3號（3, rue Castëja）；特亞維西爾街14號（14, rue Traversière）；朱勒費里街8號（8, rue Jules Ferry）。"

得到這份報告之後，法國警方立即決定對鄧希賢等人的住所進行搜查。1926年1月8日，法國警方突然對比揚古爾的三家旅館進行了搜查。

搜查報告如下：

"執行警察局長的命令，今天早晨五時四十五分至七時，在布洛涅－比揚古爾對下列三家旅館進行了搜查。這三家旅館的地址是：

“特拉維西爾街14號（14，rue Traversière）；

“卡斯德亞街3號（3，rue Castèja）；

“朱勒費里街8號（8，rue Jules Ferry）。

“搜查這三家旅館的目的，是為了查找從事共產主義宣傳的中國人。

“這些旅館的全部房間已被搜查過，上百份中文文件都被查看過。

“在卡斯德亞街3號旅館的5號房間裏，發現了大量的法文和中文的宣傳共產主義的小冊子（《中國工人》、《孫中山遺囑》、《共產主義A. B. C.》等），中文報紙，特別是莫斯科出版的中國共產主義報紙《進步報》，以及兩件油印機的必須品並帶有印刷金屬板、滾筒和好幾包印刷紙。

“名叫鄧希賢、傅鐘和Ping Suen Yang的三個人在這個房間裏一直住到本月7日。他們昨天突然離去，而住在朱勒費里街8號的名叫Mon Fi Fian和Tchen Kouy的人，也同時匆匆離去。這些中國人看來是活躍的共產主義分子。

“看來這些人由於發現自己受到懷疑，因此就急忙銷聲匿迹了。他們的同胞採取了預防措施，丟棄了一切會引起麻煩的文件。”⑱

是的，在卡斯德亞街3號旅館5號房間居住的房客，法國警方要逮捕的中共旅歐支部負責人，鄧希賢、傅鐘等人，早已聽到風聲，機警地遠走高飛了。

他們遠走高飛了，飛向哪裏，走向何方？

當時的革命聖地——蘇聯。

注：

①《旅歐中國共産主義青年團通告》第七十七號。1924年12月29日。

② 第F7 13438號法國國家檔案。1925年6月20日記錄。

③ 施益生《回憶中共旅歐支部的光輝業績》。《天津文史資料選輯》第十五輯第114頁。

④ 第F7 12900號法國國家檔案。

⑤《中國共産主義青年團旅歐臨時執行委員會通告》。1925年7月1日。

⑥ 第F7 12900號法國國家檔案。1925年7月2日記錄。

⑦ 同注⑥。

⑧《中國共産主義青年團旅歐區通告》第113期。1925年8月17日。

⑨《中國共産主義青年團非常執行委員會宣傳部通告》第2號。1925年7月22日。

⑩ 第F7 12900號法國國家檔案。1925年9月9日記錄。

⑪ 施益生《回憶中共旅歐支部的光輝業績》。《天津文史資料選輯》第十五輯第114頁。

⑫ 第F7 12900號法國國家檔案。1925年10月25日記錄。

⑬ 第F7 12900號法國國家檔案。11月16日記錄。

⑭ 第F7 12900號法國國家檔案。法國内政部長致外交部長的信函。1925年11月20日。

⑮ 雷諾汽車廠檔案卡片。

⑯ 同注⑮。

⑰ 第F7 13438號法國國家檔案。1926年1月7日記錄。

⑱ 第F7 13438號法國國家檔案，第202號文件。1926年1月8日搜查報告。

17. 告別——法蘭西

早在1925年5月，中共旅歐支部即已擬定一批人到莫斯科學習，其中就有鄧希賢。①

同年11月18日，已在莫斯科的袁慶雲給傅鐘等人的信中又提到："準備在最近的期間，候我們有信到，叫你們動身，便馬上動身。"②

12月9日，莫斯科又給傅鐘等人來信："11月18日寄你們的信想已收到。關於鄧希賢、劉明儼、傅鐘、宗錫鈞、徐樹屏五人接到此信後盡可能的速度動身前來。如宗錫鈞不能來，即以李俊杰（即李卓然——作者注）補充之。必須來此的理由前函已說明，站在C. P. 及革命的利益上必須即刻來此學習。"③

由此可見，父親等人已接到莫斯科的中共旅莫支部的指示，正在着手準備趕赴莫斯科。他們一邊進行革命工作，一邊做工，一邊已作好離開法國的準備。所以當法國警方前來搜查之時，他們説走就走，没有半點拖拉，於是法國警方只能撲了個空。

1月7日，中國共産主義青年團旅歐支部執行委員會發出通告："赴俄同志二十人，已決定今晚（1月7日）由巴黎起程……他們大約不久即可回到中國。同志們！當我們底戰士一隊隊趕赴前敵時，我們更當緊記着那'從早歸國'的口號。"

1926年1月23日，C. Y.（共産主義青年團的縮寫）負責人劉明儼寫道：“1月7日，此間有二十個同志起程赴俄。”其名單中有：傅鐘、鄧希賢、李俊哲（疑爲李俊杰之誤——作者注）、鄧紹聖、胡倫等。

1月7日，父親和他的戰友們坐上北去的列車，奔赴十月革命的故鄉——蘇聯。

上車之時，他們接到了法國警方頒發的驅逐令。這份驅逐令實際上是要令他們永遠不要再踏上法蘭西的土地。當時氣勢洶洶的法國警察當局，無論如何也沒有想到，他們於二十年代驅逐的人，五十年後竟然以國賓的身份訪問了法國，而且受到法國政府和法國人民極其熱情而又隆重的歡迎和接待！

父親和他的戰友們在途經德國時，住在德國工人家中，受到了德國工人階級和共產黨人的熱情接待。父親說，那是真正的無產階級的同志式的熱情接待。

從1920年10月19日到1926年1月7日，父親在法蘭西的土地上生活了五年兩個月又十九天。來到法國時，他是一個十六歲的單純的青年，經過求學、做工、參加黨團組織、參加革命鬥爭的不平凡的經歷，在他二十二歲離開法國時，已成長爲一個具有堅定的共產主義信念和革命鬥爭經驗的職業革命家。

中國共產黨旅歐支部和中國共產主義青年團旅歐支部，培養、鍛煉和造就了一大批具有共產主義信仰和革命實踐經驗的優秀革命家。他們是一批愛國愛民的青年知識分子，他們具有很高的革命熱情，他們的生活清苦廉潔，他們的品格高尚而又純潔。

父親曾告訴我們：“我們那時候生活很苦，職業化以後生活來源是公家，但只能吃點麵包、煮點麵條。我們那時候的人不搞終身制，不在乎地位，沒有地位的觀念。比如說，在法國趙世炎比周恩來地位高，周恩來比陳延年地位高，但回國以後陳延年的職位最高。陳延年確實能幹，他反對他的老子（陳獨秀），見解也比別人高，他的犧牲很可惜。趙世炎回國後工作在他們之下，並不在乎。大家都不在乎地位，没有那些觀念，就是幹革命。這是早期共產黨員的特點。”他還感慨地説：“那個時候能夠加入共產黨就不容易。在那個時代，加入共產黨是多大的事呀！真正叫做把一切交給黨了，什麼東西都交了！”

聽了父親這些話，我深受感動，又深有感觸。相比起他們那一代人，現今的一些青年人，好像缺了點什麼，似乎熱情没有那麼高，信仰没有那麼明確，品德没有那麼純正，就連血管裏奔流着的血液，似乎也没有那麼鮮紅與火熱……

中國古來有云，時勢造英雄。中國革命的大潮，一浪推一浪，一波湧一波，在中國共產黨建黨的初期，就已是人材濟濟，英雄輩出。僅在法國，在留法勤工儉學生中，在旅法中共黨員和青年團員中，就造就了一大批投身於中國人民革命和解放事業的先驅。

周恩來，未來的共和國總理。

鄧小平，未來的中華人民共和國國務院副總理和中央軍事委員會主席。

陳毅，未來的中華人民共和國元帥和國務院副總理。

聶榮臻，未來的中華人民共和國元帥和國務院副總理。

李富春，未來的中華人民共和國副總理。

李維漢，未來的中共高級領導人，中央統戰部部長。

李立三，未來的中共高級領導人。

徐特立，未來的黨和國家高級領導人。

蔡暢，未來的全國婦聯主席。

傅鐘，未來的中國人民解放軍上將，總政治部副主任。

何長工，未來的中國人民解放軍重要將領，重工業部和地質部副部長。

李大章，未來的四川省省長。

歐陽欽，未來的黑龍江省省委書記兼省長。

李卓然，未來的中央宣傳部副部長兼馬列學院院長。

蕭三，未來的文化界著名人士和詩人。

……

還有那些在新中國沒有建立以前就英勇犧牲的烈士們：

王若飛，中共高級領導人，1946 年於空難犧牲，時年五十歲。

趙世炎，中共高級領導人，1927 年被國民黨殺害，壯烈犧牲，年二十六歲。

陳延年，中共高級領導人，1927 年被國民黨殺害，年三十不到。

陳喬年，中共高級領導人，1928 年被國民黨殺害，年二十六歲。

蔡和森，中共高級領導人，1931 年被國民黨殺害於廣州，年三十六歲。

向警予，中國婦女運動領導人，1928 年在武漢英勇就義，年三十三歲。

劉伯堅，紅軍高級將領，1935 年被國民黨殺害，年四十歲。

羅學瓚，浙江省委書記，1930 年被國民黨殺害，年三十七歲。

張昆弟，中共和紅軍的重要領導人，1932 年犧牲，年三十八歲。

……

還有，還有，還有那些早已被人遺忘了的許許多多的名字。

這些人生於中國，長於中國，他們吸吮過西方的進步思想，最後找到了真理。他們憑着青年豪氣，大膽追求理想；他們拋灑出一腔熱血，爲他們的信仰而獻身；他們矢志不渝，定要把中國和中國人民拯救於危難之中。

他們本可以在法國繼續求學，他們本可以在西方或去做工、或去經商、或成家立業安度一生。但他們回來了，最終都回到了他們那貧困落後、滿目瘡痍的祖國，回到了生他們養他們的土地上，回到了他們的兄弟姐妹和他們苦難深重的人民中間。他們把他們的熱血和汗水灑在了中國的土地上。

……

父親在法國只留下四張照片。

一張是他剛到法國不久，於 1921 年 3 月照的，是一張頭戴便帽身着西裝的單人全身像，他於 1925 年 6 月送與同學柳溥慶，幸蒙柳老保存下來，差不多於四十年後還贈於父親。這張照片也是我們所有的他最早的一張照片，時年十六歲。

第二張是父親和他的叔叔鄧紹聖一起合照的，年齡比第一張略大一點。

第三張是 1924 年 7 月出席中國共産主義青年團旅歐區第三次代表大會時與衆代表的合影，也就是爲周恩來送行的那一張，他站在最後一排的右邊。

第四張便是雷諾汽車廠的工卡上的那張一寸小照。

只有這四張。有些文章和報道把一些別人的照片指認爲他，那都是誤認。

在法國期間，父親還患過一次傷寒，時間大約是在 1923 年到 1925 年之間。父親告訴我，他一生中患過兩次傷寒，一次是在法國，一次是在長征以後，兩次都差點死掉。幸虧當時法國的公共醫療已具相當水平，因此他得以住院治療，並於出院後在療養院療養了一個月，而且這些都是免費的。我想，父親當時生活條件極其艱苦，病疫之災是在所難免的，但萬幸於能免一死。若非如此，我今天也就不會有此殊榮來撰寫這本書了。

這裏還要附帶說一下的，就是一些現代的作品中間，一表現父親，往往以他在法國生活過五年爲依據，總要表現出他帶點"洋"味，比如聽西方古典音樂等等。還有的作品爲了表現性格化，便以他現在喜愛打橋牌爲依據，常常在戰爭年代，哪怕在討論軍國大事時，都手握一副撲克牌如此等等。

父親在西方共生活過六年多的時間（包括在蘇聯一年），他的確習慣了一些外國的生活習慣，例如愛吃土豆，愛喝法國葡萄酒，愛吃奶酪、愛吃麵包、愛喝咖啡等等。與他一起留法的一些老同志們也都多有此好。1975 年父親訪問法國時，和 1974 年他赴紐約參加聯合國大會途經法國時，都買一些法國的牛角麵包帶回國，分送給曾經留法的老同志們，有周總理，有聶榮臻，有蔡暢。每逢有人送他好的法國葡萄酒和奶酪，他也總忘不了分送給這些老友共同品嚐。

父親在法國時還染上一個嗜好，而且終身興趣盎然，就是看足球。在法國，他没有錢，有一次爲了看一場國際足球比賽，花了五個法郎買了一張最便宜的門票。至今他回憶起來還說，五個法郎，是一天的飯錢，在那時候對他來說可不容易呀！而且看球時坐的位置又最高，連球都看不清楚。他還記得，那次世界比賽的冠軍是烏拉圭。解放後，他一直是足球的熱情觀眾，有球必看，連在北京先農壇體育場娃娃隊的比賽，他也去看。不但他自己去看，還帶着我們去看，看不懂也要去。我們小時候就大半坐在休息室中喝汽水，慢慢地大了，也都成了看足球的"癮君子"了。有一次看球令我特別感動。那是"文化大革命"還未結束，1973 年的時候，父親剛剛被解除軟禁，還未出來工作，適值一個外國球隊來比賽，父親帶着我們去看，本想悄悄坐在主席台末排，不想他一進場，便被旁邊看台的觀眾發現了，於是全場一萬多觀眾全體起立，熱烈鼓掌。父親只好走到主席台的前排，連連向觀眾們鼓掌致意。當時的那種場面，的確激動人心，令我多年不能忘懷。他和足球在法國時期便結下了不解之緣，當時未能盡興，而今天條件就好多了，不出家門就可以看到。平時一遇世界大賽，凡有轉播，他必定要看，一時沒有時間，也要錄下來慢慢欣賞。1990 年的"世界杯"足球賽時，他正好已經退休，這下有時間了，連實況帶錄相，一共轉播了五十二場，他看了總共五十場球，可算是過了癮了。

至於西方古典音樂，父親不大喜歡，也不大懂。他喜歡聽的是京戲，還相當內行。在這方面他可是個"國粹派"，一點兒洋味兒也沒有。他最喜歡的是鬚生的言派和青衣的程派。我們家住得離懷仁堂近，因此只要懷仁堂演戲，我們總是舉家前去，爸爸、媽媽是真愛京戲，我們則多是跟着湊熱鬧。不過看京戲的確是一種好的藝術欣賞，聽得多了，看得多了，不但可以知道許多歷史故事，還可以幫助提高文化水平，那些戲中的詞句，真是太美了!

至於橋牌，他則是進軍西南後在重慶才學會的，解放前的戰爭年代根本不可能有此“典型造型”。

注:

① 《中共旅歐支部執委會給中共旅莫地方執委會的信》。1925 年 5 月 29 日。

② 袁慶雲於 1925 年 11 月 18 日給傅鐘等人的信。

③ 1925 年 11 月 9 日莫斯科給傅鐘等人的信。C. P. 即共產黨的英文縮寫。

18. 在十月革命的故鄉

這就是俄羅斯，土地廣漠，白雪皚皚。

這就是莫斯科，古城新貌，森林環繞。

這就是紅場，寬闊莊嚴，紅旗飄揚。

這就是克林姆林宮，裏面有列寧的辦公室，有第一個蘇維埃社會主義國家的人民政權。

這個 1917 年誕生的世界上第一個無產階級政權，剛剛渡過八年的鞏固政權和恢復經濟時期。十月革命的領導人，世界無產階級革命的導師符拉基米爾·伊里奇·列寧剛剛病逝。在新生的蘇維埃政權全力以赴癒治戰爭創傷、發展經濟的同時，列寧所領導的共產國際便開始履行其國際主義義務，幫助東方民族、民主革命高漲的國家和地區培訓幹部。

1921 年，在蘇聯首都創辦了一所“莫斯科東方勞動者共產主義大學”，既爲蘇聯東部地區民族訓練幹部，也爲東方國家培訓幹部。在該校培訓的有印度人、越南人、日本人、土耳其人、阿拉伯人、波斯人、阿爾及利亞人等。1921 年該校有中國學生三十五人（大多爲黨團員），1922 年爲四十二人。1923 年，中共旅歐支部派來趙世炎、陳延年、陳喬年、王若飛等十二人進入東方大學學習。

1924 年以後，中國革命形勢迅速發展。1924 年 6 月，中共提出了與國民黨建立統一戰綫的主張。同年，孫中山確立了聯俄、聯共、扶助農工的三大政策，在共產黨幫助下改組國民黨，創辦了共産黨參與領導的黄埔軍校，建立了革命軍隊。中國國内第一次國内革命戰爭的形勢迅速發展。在這種形勢下，國共雙方深感革命幹部力量不足，要求增加在蘇培訓人數。

在這種要求下，蘇聯於1925年建立了“中山勞動大學”，專門招收中國學生。其目的在於，用馬克思主義“培養中國共産主義群衆運動的幹部，培養中國革命的布爾什維克幹部”。①

1925年底，在蘇聯駐廣州國民政府政治顧問鮑羅廷的參與下，國共雙方共挑選了三百一十名學生準備送往中山大學培訓。第一批學生一百一十八人於1925年11月抵達莫斯科，其中共産黨員和共青團員至少有一百零三名，超過87%。1926年1月，又有十名在德國學習的國民黨員進入中山大學。不久，中共旅歐支部和中國共産主義青年團旅歐支部派遣二十名黨團員從法國等地赴蘇學習，其中有鄧希賢、傅鐘、李卓然等人。他們先進入東方大學，不久旋即轉入新辦的中山大學。

1990年我率中國國際友好聯絡會小組訪蘇時，曾去中山大學的舊址參觀。那是一座三層樓房，據説革命前是舊俄一個貴族的府邸，我去參觀時是蘇聯科學院的哲學研究所。房屋裏面的裝設已是現代形式，但在一些大房間内還留有當年的屋頂浮雕，華美依然，室内的吊燈也精緻堂皇。每間房屋都高大敞亮，還有一個大廳，已改爲禮堂，可見當年這棟樓房之華貴氣派。在樓内，有一個廳室，貴族時期是個舞廳，據説俄國偉大詩人普希金和他妻子的婚禮舞會，就是在這個大廳舉行的。現在在這棟樓内，大多數屋子已改爲辦公室和會議室，大禮堂和會議室内都陳設着列寧的半身像。

1926年初，當父親他們這一批從法國和歐洲其他國家來的青年共産黨員和共青團員來到此處之時，一定會頓覺來到了另一個世界。

在法國，他們是社會最底層的外國勞工和窮學生，是受到法國警方追捕的秘密共産主義組織的成員。而到了蘇聯，他們則一下子變成了受到熱烈歡迎的貴客，成爲高級共産主義大學的堂堂正正的學員。在蘇聯同志們中間，在蘇聯勞動人民當家作主的大家庭中，他們第一次過上了没有壓迫，没有黑暗的光明的生活。他們在這裏可以自由討論共産主義理想，可以自由開展黨團活動，他們的心情一定是愉快的，思想一定是解放的。

當時的蘇聯，内戰和帝國主義武裝干涉的創傷尚未完全恢復，但是，年輕的蘇維埃國家對這些外國學生則盡全力給予了生活上和學習上的保障。蘇聯國内成立了中山勞動大學促進會，籌集辦學經費。中山大學每年預算約爲當時的一千萬盧布，而且爲了給外國學生們必要的外匯（例如回國費用），還需動用蘇維埃政府本來就十分短缺的外匯。蘇維埃政府盡一切可能保證學生生活，外國學生甚至享有優於俄國師生的生活待遇。有一位中國學生回憶道："我們從未斷缺過蛋、禽、魚、肉，而這些在1926年是不容易搞到的。雖然經濟困難，但一日三餐的數量和質量卻相當高。我認爲不會有什麼富人的早餐比我們的更豐富了。"學校給學生發送西服、大衣、皮鞋、雨衣、冬裝及一切生活日用品，還設有門診部爲學生看病。學校組織學生觀看芭蕾舞、歌劇等藝術演出，組織假期的療養和夏令營，還組織參觀莫斯科的名勝古迹和到列寧格勒參觀旅行。②父親説過，他在1926年就曾隨校去列寧格勒旅行。

這種生活，比起父親他們在法國的那種生活，簡直就如天上地下之別。

當然，中國學生來到這裏，主要的任務是學習。

學生首先要學習俄語，第一學期俄語學習時間特別長，每周六天，每天四小時。中山大學的必修課爲：經濟學、歷史、現代世界觀問題、俄國革命的理論與實踐、民族與殖民地問題、中國的社會發展問題、語言學。具體的課程是：中國革命運動史、通史；社會形態發展史；哲學（辯證唯物主義與歷史唯物主義）；政治經濟學（以《資本論》爲主）；經濟地理；列寧主義。中山大學還有一門重要課程就是軍事訓練。

學習方法是教授先講課（用俄語，但有中文翻譯）；然後學生提問，教授解答；再次由學生開討論會，自由辯論；最後由教授作總結發言。③

教學基本單位是小組。1926 年初約有學生三百餘人，設有十一個小組，每組三十人到四十人不等。到 1927 年初，學生已超過五百人。④

在中山大學就學的學生的水平參差不齊，有的已受過中高等教育，有的文化基礎比較差。學生中對馬克思主義學説的了解程度也相差甚遠。針對這一情況，學校根據學生知識水平的差異，按照學生具體情況來分小組。對程度較差的學生設有預備班，進行初級教育。對俄語程度較高的設有翻譯速成班。

學校中有一個組，特別引人注目，這就是被稱爲“理論家小組”的第七組。這個小組裏雲集了當時在校的國共兩黨的重要學員，中共方面有鄧小平、傅鐘、李卓然等，國民黨方面則有谷正綱、谷正鼎、鄧文儀，還有汪精衛的侄兒和秘書、于右任的女婿屈武等等。按父親的説法，就是共産黨和國民黨的尖子人物都在一個班組，因此這個班很有名！

父親、傅鐘和李卓然，三個人都是旅法共青團執委會的領導成員，都是在法國接受了馬克思主義思想而且具有一定革命鬥爭領導經驗的共產黨員，他們在思想和行動上都已成熟，履歷也很引人注目。他們與國民黨人士相處一個班組，在信仰上、觀點上、見解上和階級立場上都會很不相同，因此在各種問題上雙方常常發起辯論，甚至於經常展開一定程度的鬥爭。這種鬥爭特別表現在與國民黨右派勢力的較量中，是和中國國內的政治鬥爭緊密相連的。

當時中山大學的中共黨支部書記是傅鐘，父親則是第七班的黨組組長。

1926年6月16日，中山大學內中共黨支部的一份“黨員批評計劃案”中，記載了有關父親當年的一些情況，也就是當時的中共黨組織對他的評價，現摘錄下來，以供更好地了解那個時期的鄧小平。

“姓名：鄧希賢。

“俄文名：多佐羅夫

“學生證號碼：233

“黨的工作：本班黨組組長。

“一切行動是否合於黨員的身份：一切行動合於黨員的身份，無非黨的傾向。

“守紀律否：守紀律。

“對於黨的實際問題及其他一般政治問題的了解和興趣如何，在組會中是否積極的或是消極的提議各種問題討論，是否激動同志們討論一切問題：對黨中的紀律問題甚為注意，對一般政治問題亦很關心且有相當的認識，在組會中亦能積極參加討論各種問題，且能激動同志討論各種問題。

“出席黨的大會和組會與否：從無缺席。

“黨指定的工作是否執行：能切實執行。

“對同志們的關係如何：密切。

“對功課有無興趣：很有興趣。

“能否為別人的榜樣：努力學習可以影響他人。

“黨的進步方面：對黨的認識很有進步，無非黨的傾向。能在團員中樹立黨的影響。

“在國民黨中是否消滅黨的面目：未。

“在國民黨中是否能適合實行黨的意見：能。

“做什麼工作是最適合的：能做宣傳及組織工作。”

這份黨小組的鑒定，勾畫出了一個二十二歲的年輕共產黨員鄧希賢的基本形象。

父親在法國時期，就曾讀過馬克思主義的一些著作，他説他們旅法青年團小組每周都要組織一次學習討論。但我想那樣的學習畢竟不夠系統和精深。在蘇聯的學習，最重要的是較全面、較系統地學習了馬列主義的基本觀點和其他知識。如果説他以前從未有機會進入高等學校就學的話，那麼進入這所中山大學便可以算作他接受高等教育，特別是共產黨的高級黨校教育的一個良好的機會。同時，在這裏，他和他的同志們與直接從國內來的國民黨人士共同學習、生活，使他們對國民黨各派有了更多更直接的了解，並與國民黨右派進行了較量。這些，對於他回國以後進行革命活動和革命鬥爭，奠定了更加充實的理論基礎和鬥爭基礎。

在一份在莫斯科時撰寫的自傳中，父親寫道：“我過去在西歐團體工作時，每每感覺到能力的不足，以致往往發生錯誤，因此我便早有來俄學習的決心”。“我更感覺到我對於共產主義的研究太粗淺”，“所以，我能留俄一天，我便要努力研究一天，務使自己對於共產主義有一個相當的認識。”

在這份彌足珍貴的自傳中，這位二十剛剛出頭的年輕共產黨人進一步寫道：“我來莫的時候，便已打定主意更堅決的把我的身子交給我們的黨，交給本階級。從此以後，我願意絕對的受黨的訓練，聽黨的指揮，始終爲無産階級的利益而爭鬥！”

這是鄧希賢，這個年輕的共産主義戰士的戰鬥誓言。他用他今後幾十年的革命鬥爭實踐，實現了他的誓言。

在莫斯科的同學中，還有兩個人值得一提。一個是蔣介石的兒子蔣經國，他和父親不同班，年齡也較小，當時在學校並不出名。另一個是從國内派到莫斯科培訓的一個年輕的女共産黨員，名叫張錫瑗。

張錫瑗生於1907年，在莫斯科時正好十九歲。她的原籍是河北省房山縣良鄉，父親張鏡海在鐵路供職，參加過“二七”工人大罷工，曾任良鄉火車站站長。張錫瑗在直隸省第二女子師範學校讀書，1924年作爲骨幹分子參加該校學生改革學校教育的學潮運動，並在該校參加了共産主義青年團。1925年她到北京，在北京認識了李大釗、趙世炎等黨的領導人，同年在北京加入中國共産黨，並參加黨領導下的國民會議促成會的活動。大約於1925年下半年，張錫瑗被黨組織送往莫斯科中山大學學習。她和父親就是在中山大學作爲同學時認識的，兩人之間相當熟識。

1926年，張錫瑗與中山大學的二十幾位女同學一起在莫斯科郊區的一個療養院照了一張集體像，像片中的她，端正秀麗的面容，短短精神的頭髮，和同學們站在一起的親熱姿態，都非常真切。誰能從照片上看出，這個女孩子般的年輕共産黨員，已經幾經革命鬥爭的錘煉了呢？張錫瑗把這張照片寄給了她在國内的家人，直到1978年，上海龍華革命公墓才從她的親人手中找到這張珍貴的照片。這也是張錫瑗在短短的二十四年的生涯中僅存的一張照片。現在，它正端端正正地鑲嵌在上海龍華公墓張錫瑗烈士的墓碑之上。

父親和張錫瑗在莫斯科中山大學時只是同學，只是戰友，還未發展到戀愛的程度。但是，他們兩個人之間的關係，畢竟是起於斯時，始於斯地。

中山大學的學制是兩年制，但是父親並未唸完兩年，不到一年，也就是1926年底，父親便奉命回國，參加國內的大革命活動。

他踏上了回國的道路。在一別六年之後，他又要回到祖國去了，回到那硝烟瀰漫的戰火中去，去參加那千難萬險的國內革命鬥爭。

祖國，你的兒子們又回來了。

注：

① A. B. 潘佐夫《蘇聯爲中國革命培養馬克思主義理論幹部的過程》。
A. B. Панцов" ИЗ ИСТОРИИ
ПОДГОТОВКИ В СССР МАРКСИСТСКИХ
КАДРОВ КИТАЙСКОЙ РЕВОЛЮЦИИ".
" РЕВОЛЮЦИОННАЯ ДЕМОКРАТИЯ И
КОММУНИСТЫ ВОСТОКА" мая 1984 года.

② 同注①。

③ 同注①。

④ 同注①。

19. 第一次國内革命戰爭的風雲變幻

1926 年，第一次國内革命戰爭進入了一個迅猛發展的時期。

1925 年 3 月 12 日，偉大的民主革命先驅孫中山不幸逝世。孫中山先生的逝世，對於正在蓬勃發展的民主革命運動無疑是一個巨大的損失，但是，人民革命運動已如弦上之箭，不得不發，更如已經沸騰的火山，必欲噴發。1925 年 7 月，成立了以汪精衛爲主席，廖仲愷爲財政部長，蘇聯人鮑羅廷爲顧問的廣州國民政府，繼續實行對革命運動的領導，同時將國民政府所屬軍隊統一改編爲國民革命軍。改編後的軍隊中普遍設立了黨代表和政治部，周恩來、李富春、林伯渠等共産黨人都擔任了各軍的黨代表。孫中山先生生前制定的“聯俄、聯共、扶助農工”的三大政策依然得到了貫徹執行。革命軍在取得了東征和南征的勝利後，進一步鞏固了廣東革命根據地。

1926 年 1 月，國民黨第二次全國代表大會後，舉行北伐的條件已逐漸成熟。同年 7 月，在全國愛國力量的響應下，廣州國民政府在共産黨的影響、推動和組織下，舉行了北伐戰爭。北伐軍首攻兩湖，要消滅軍閥吳佩孚。7 月中旬北伐軍首戰長沙告捷，8 月再戰汀泗橋。9 月北伐軍兵臨武昌，10 月便攻取武昌。

北伐軍英勇善戰，所向披靡，特別是以共産黨員葉挺爲團長的獨立團更是勇不可擋，戰功赫赫。9月，北伐軍在江西發起了對號稱“浙、閩、蘇、皖、贛五省總司令”、軍閥孫傳芳的進攻。11月上旬，共産黨人李富春爲政治部主任的革命軍第二軍便攻克南昌。吳佩孚和孫傳芳兩大軍閥被打垮後，革命軍越戰越勇，12月又佔領浙江。1927年3月更奪取了江南重地——南京。

革命軍自廣東出師北伐以來，不到十個月的時間，就打垮了吳佩孚和孫傳芳，從廣州打到武漢，直至南京、上海，革命狂飈席卷了大半個中國。由帝國主義支持的北洋軍閥反動政府雖試圖組織由奉系、直魯聯軍以及孫傳芳殘部拼湊而成的“安國軍”以作反攻抵抗，但其計劃終告失敗，北洋軍閥的反動統治已基本陷於崩潰。

北伐戰爭這一場空前規模的反帝反封建的革命戰爭，是一場翻天覆地的人民大革命，它嚴重地動搖了帝國主義和封建軍閥的反動統治，爲進一步開展人民革命開拓了一個廣闊天地。

在中國的北方，在歷史古都、中國名城西安，馮玉祥將軍加入了國民革命的行列，打破了各路軍閥盤踞北方的局面。

馮玉祥，字煥章，安徽人氏，自幼行伍出身，曾任北洋政府旅長、師長，陝西、河南督軍等職。在第一次直奉戰爭後，與原上司吳佩孚發生矛盾，同時在革命高潮的推動下，開始傾向革命。第二次直奉戰爭中，暗中醞釀倒戈反直，發動了北京政變，將其部改爲國民軍，建立過以馮系爲中心的北京臨時混合內閣，並把中國末代皇帝及清室逐出皇宮紫禁城。馮部國民軍與奉軍大戰，佔領天津，使北方國民軍控制範圍由河南擴大到直隸全境。

馮玉祥在北京時，受到中共人士李大釗的關心和幫助，在中國共産黨的感召下，馮玉祥的愛國之心和革命之志更愈明確。

1925年5月，在中共安排下，馮玉祥決定赴蘇聯考察學習。馮將軍訪蘇，受到蘇聯政府和各屆人士的熱烈歡迎。中共中央特派遣中共旅莫支部書記劉伯堅全程陪同。蘇聯各屆和在東方大學、中山大學就讀的中國學生熱烈而又真誠的歡迎，使馮玉祥"極是感動"，他説："我在留俄的三個月内，會見了蘇聯朝野的許多人士：工人，農民，文人，婦孺及軍政界的領袖。從和這些人會談以及我自己對革命理論與實踐的潛心研究和考察的結果，深切地領悟到要想革命成功，非有鮮明的主義與參與行動中心的黨組織不可。"馮玉祥在共産國際與中國共産黨的幫助下，對中國革命有了進一步的認識，對於孫中山先生"聯俄、聯共、扶助農工"的三大政策有了趨同的意向。在蘇聯的所見所聞，對於馮玉祥的思想起了不小的推動作用。

在馮玉祥訪蘇期間，中國國内形勢不斷變化，段祺瑞的北洋政府在直系軍閥吳佩孚、孫傳芳，奉系軍閥張作霖的支持下鎮壓群衆，妄圖撲滅國民革命軍和北方革命勢力。馮玉祥鑒於國内形勢的變化，在劉伯堅、于右任以及共産國際顧問烏斯曼諾夫陪同下，於1926年8月啓程回國。馮玉祥於9月中旬回到陝西之時，正值國民革命軍攻佔漢口的捷報傳來。9月17日，馮玉祥召集部屬，在五原舉行誓師大會，宣佈所部集體加入國民黨，誓師鏟除賣國軍閥，打倒帝國主義。此後，馮玉祥便在劉伯堅等共産黨員的協助下改造舊部隊。爲了壯大實力，他一方面接受了蘇聯的大批軍火物資援助，一方面接受中國共産黨派遣更多的人員幫助工作。就這樣，五原誓師後，先後派到馮部國民軍的共産黨員有二百名之多。其中有：劉伯堅、宣俠父、陳延年、方廷楨、劉志丹、王一飛、鄧希賢等人。他們是分別從莫斯科、黄埔軍校、中共北方局等地抽調的富有較强工作能力的優秀共産黨員。

正在莫斯科中山大學學習的中共黨員鄧希賢，就是由蘇聯奉調到馮玉祥部隊的第一批人員。這一批共選調二十幾人，他們於1926年年底從莫斯科啓程，先乘火車，到烏金斯克換乘汽車，到達當時蒙古的庫倫（即今烏蘭巴托）。等了一個短時期後，由於車輛容載的限制，首先派了三個人爲第一批先遣隊，這三個人就是共産黨員鄧希賢和王崇雲、朱世恒兩名共青團員。他們三人乘坐的是蘇聯給馮玉祥部隊運送子彈的汽車，一共三輛，都由蘇聯人駕駛。

從庫倫到包頭，雖然只有八百多公里的路程，今天可能只需要坐一個小時的飛機便可到達，但在當時，卻是茫茫草原，人烟絶迹，風沙四起，尋路何難。

就在這漫無邊際的荒原上，三輛蘇聯汽車顛顛簸簸、搖搖提提地向前行駛。餓了，吃點乾糧，冷了，找點牛糞燒火取暖。當時蒙古的草原，絶非今日般的水草豐茂、牛羊成群，而是僻地千里，皆爲荒原，加上時值隆冬，雪壓冰封，寒風刺骨，一路之上，艱苦異常。荒原本無路，遇有困境，有時還需人來推車，只能日行幾里。

好不容易，走出了荒原，而荒原之外，卻又是沙漠。

這沙漠比草原更是荒涼，無草，無水，無樹，無人，風刮起來滿天黄沙，日曬之下，赤地千里。到了夜間，上有蒼穹星繁似錦，下無人寰黄沙如海。草原無路，尚可行車，到了沙漠，車也不能行走了，只好改乘駱駝，整整走了八天八夜，才算是走出了這看似無邊無際的死亡之海。

就這樣，歷盡千難萬險，走了一個多月，終於到達了中國西北寧夏的銀川。父親告訴我們，這一路上，足足一個多月，連臉都没洗過一次。在銀川稍事休息，他們又改爲乘馬，日夜兼程，經陝甘大道，終於於1927年2月間到達了西安。

父親説過，他們從莫斯科經蒙古草原、西北沙漠而來的二十多個同志，到了西安後都已經是衣不掩體了。有一次馮玉祥召見他們這些中共派來的人員，所見到的，幾乎個個都是這個樣子。

父親到達馮玉祥部隊後，即見到劉伯堅。父親與劉在法國時就很熟識，同志相見，自是十分高興。不久，和父親一起作爲先遣隊來的王崇雲和朱世恒被分配爲軍裏面的政治處長，而父親則被分配到剛剛成立的西安中山軍事學校任政治處長。

父親回憶道："這個學校是當時擔任國民革命軍駐陝總司令的于右任辦的，于當時屬於國民黨左派，這個學校的主要職務都是由黨派人擔任的。校長史可軒是黨員（後犧牲），副校長是由蘇聯回國的李林同志（我們在法國就熟識，李後在中央蘇區犧牲），我同時擔任校黨的書記。學校經過短期籌備，很快辦起來，學生不少是黨團員，除了軍事訓練外，主要是政治教育，健全和發展黨團等項工作。政治教育主要講革命，公開講馬列主義，在西安，是一個紅色的學校。這個學校在1928年成爲陝西渭華暴動的基礎。"

父親在西安期間主要做學校工作，也曾短期兼在西安中山學院講課，這個學院也是由我黨派人領導的。除此以外，他還參加西安的一些黨團會議和革命群衆集會。當時西安的群衆革命氣氛很濃，遊行集會自不會少。

在西安的這一段時間内，父親等人的生活費用是由馮玉祥部隊發給的，這種軍旅生活當然並不寬裕，因此他們這些共産黨派去的同志們，就時常找機會"打打牙祭"。父親告訴我，那時他們幾乎每個禮拜都去西安的鼓樓，敲軍事學校校長史可軒的竹槓，讓他請客，吃牛肉泡饃。他至今還感嘆地説，那時候，能吃到牛肉泡饃就是好東西了!

父親和他的同志們在馮玉祥的軍隊裏不過三四個月的時間,到了6月,第一次國內革命戰爭的政治形勢,發生了巨大突變。

1927年4月12日,蔣介石背叛革命,發動了“四·一二”反革命政變。

1927年3月,蔣介石有恃無恐地開始了他的反革命大屠殺。4月12日,蔣介石解除了上海二千七百名工人糾察隊的全部武裝,查封一切工會組織,大肆逮捕和槍殺工人領袖和革命群眾。4月13日,上海工人大罷工,召開十餘萬人群眾大會,蔣介石武裝鎮壓,當場槍殺百餘工人,傷者無數。三日之內,上海工人被殺三百餘人,被捕五百餘人,下落不明者五千餘人。

4月15日,蔣介石指使廣東的李濟深又製造了“四·一五”廣州慘案,逮捕槍殺大批共產黨人和工人積極分子。此後,又在南京、無錫、寧波、杭州、福州等地先後大批屠殺共產黨員和革命群眾。

蔣介石的反革命罪行,激起了革命人民的無比憤怒,毛澤東、董必武、惲代英、林伯渠、吳玉章等共產黨員聯合國民黨左派鄧演達、宋慶齡、何香凝等,聯名通電討蔣。武漢國民黨中央及武漢國民政府發佈了斥責蔣介石的命令,開除蔣介石的黨籍,撤銷其一切職務並下令通緝蔣介石。

一波未平,一波又起。1927年,真是中國革命運動史上無比悲壯和慘痛的一年。

5月,江西吉安反動軍官槍殺革命群眾;武漢十四師師長夏斗寅勾結四川軍閥楊森叛變革命,進攻武漢;長沙反動軍官許克祥叛變革命,屠殺一百餘人。6月,許克祥在湖南屠殺一萬多人;武漢反動軍官何鍵宣佈與共產黨分裂,拘捕共產黨員;該月

10日，汪精衛、孫科、譚延闓等與馮玉祥在鄭州召開反共會議。7月15日，汪精衛正式宣佈和共產黨決裂，並在武漢地區瘋狂屠殺共產黨人、進步青年和工農革命群衆。

由于蔣介石、汪精衛背叛革命，大肆屠殺共產黨人和革命群衆，中國共產黨的組織被破壞，一大批優秀的黨的領導人被屠殺，日益高漲的群衆反帝反封建的革命運動遭到血腥鎮壓，蔣介石逐步在全國建立了一個反共、反民主、反人民的新軍閥統治。共產黨人和革命工農群衆的鮮血，染紅了江河，染紅了山川，染紅了中華大地上的漠漠黃土和殷殷綠草，一場轟轟烈烈的大革命失敗了。

曾經參加革命，傾向進步的馮玉祥，在這場全國風雲突變之中，倒向了蔣介石。

6月10日，馮玉祥參加了汪精衛在鄭州召開的反共會議，19日，他以集訓爲名，下令其部全軍政治處長集中開封，並逮捕了中山軍事學校校長、共產黨員史可軒，將其殺害。馮玉祥一邊對其軍隊中的共產黨人進行清除，一邊在開封對被囚禁起來的共產黨員搞集中營，洗腦筋。

父親其時在中山軍事學院任政治部主任，“四·一二”以後觸目驚心的國內形勢早已歷歷在目，由於他直接和劉伯堅保持聯繫，因此消息比較靈通，在得到所有共產黨員要被集中的消息後，他與劉伯堅、史可軒以及李林等商量，大家一致認爲鄧應去武漢找中央，而不到開封去“受訓”。因此，6月底，父親離開了西安，經鄭州，很快到達武漢。

馮玉祥畢竟受過進步思想的影響，對大多數共產黨人手下留情，並未加害，最後將劉伯堅等二百多名共產黨員“禮送出境”。

馮玉祥離開了革命，離開了共產黨，他走上了一條崎嶇不平的人生之路，一次又一次的失敗和教訓，使他幡然醒悟，最終積極投身於抗日的革命洪流，並再次與共產黨攜手合作，共反獨裁。1948 年 9 月，他應共產黨的邀請，從國外回來準備參加新政治協商會議的籌備工作，不幸在途中，因輪船失火而遇難。

馮玉祥將軍的一生，是不平靜的一生，也是不平凡的一生。本來，他還可以參加新中國的建設事業，爲人民和祖國的建設做出更大的貢獻，卻不幸早逝。他的夫人李德全女士秉承馮玉祥將軍的遺志，爲新中國的建設竭盡全力。她在擔任中央人民政府衛生部長之職時，其誠懇待人，慈祥勤政之風範，爲同志們留下了難忘的印象。父親因爲曾在馮玉祥部工作過，所以對李德全女士相當親切與尊敬。李德全女士於 1972 年病逝北京，享年七十六歲。

20. 走出腥風血雨

1927年6、7月間，父親到了武漢，向中央軍委報到。

父親報到後，旋即將黨的組織關係轉到黨中央，並被分配擔任中央秘書工作。當時的中央秘書長是鄧中夏。父親在法國就已熟識的周恩來此時也到了武漢，擔任政治局委員和中央軍事部長。父親的工作主要是管中央文件、交通、機要等項事務，在中央的重要會議上作記錄和起草一些次要性的文件。

爲適應秘密工作的需要，父親改名鄧小平。

汪精衛背叛革命後，國民革命的政府所在地武漢，已處於一片白色恐怖和血腥屠殺之中，中國共產黨被迫轉入地下秘密狀態。這時全國到處都是白色恐怖，許多地方黨的組織遭到嚴重破壞，共產黨員大量犧牲，黨中央與全國大多數黨組織失去了聯繫。由於同各地聯繫很少，那時中央機關的工作量不大。

父親告訴過我們，陳獨秀當時準備在中央秘書長之下設八大政治秘書，他任命了劉伯堅、鄧小平等幾個人，但由於形勢的變化，八大秘書並未設滿，連已任命的幾個人也未到任，所以在中央秘書長之下，只有父親一個人作秘書工作。

父親以秘書的身份參加了當時中央的各種會議。有一次會議是陳獨秀親自主持的，討論河南問題。父親的印象是，陳獨秀搞一言堂，主持開會亦相當簡單，會議沒開多久，他說了一句"耕者有其田”就宣佈散會，顯得相當武斷。會後讓父親根據會議記錄起草一個給河南省委的文件。父親當時剛到中央，既不了解情況，又不熟悉問題，會議本身討論的又少，因此只寫了三百多字。鄧中夏看了以後說，太簡單了吧，不過這次就這樣，下次再寫長點。陳獨秀是一個地地道道的“大知識分子”，所以當時的文牘主義是相當厲害的。父親說過，由於他是剛到中央工作的，因此對此事印象很深。

7月中旬，中共中央召開政治局會議，決定陳獨秀去共產國際討論中國革命問題，國內組織一個五人政治局常委會代行中央政治局職權，成員有張國燾、周恩來、李維漢、李立三和張太雷。自此，陳獨秀即不視事。①

這次中央改組，是一個肅清右傾投降主義的重要轉折點。

7月下旬，中央決定舉行南昌起義，周恩來、李立三、張太雷、鄧中夏等相繼奔赴南昌，中央秘書長的職務改由李維漢兼任。父親和李維漢先前在法國時雖未有機會面晤，但李維漢畢竟是留法勤工儉學的“學長”，因此父親對他的大名可謂早已如雷貫耳。父親在李維漢的領導下繼續工作，並一直同他一起住在漢口一個法國商人的樓上。

“四·一二”反革命事變後，以蔣介石爲代表的國民黨右派，建立了新軍閥的統治。他們依靠帝國主義、封建勢力和財閥的力量，更加殘酷地壓迫和剝削廣大工農群衆，鎮壓革命力量。

中國革命由高潮轉入了低潮，中國共產黨黨的組織由公開轉爲秘密，黨的活動也由公開轉入地下。

在血腥的白色恐怖下，革命隊伍中的人，有的被殺害了，有的被逮捕了，有的彷徨了，有的驚慌失措了，有的脫離了黨和革命的隊伍，有的甚至投向了反革命的陣營。

在新軍閥迫害下，中國革命力量遭到了極大的摧殘。到1932年以前，約有一百萬人死於反革命的屠刀之下，僅1928年1月至8月，就有十萬餘人殉難。黨的組織也遭到嚴重破壞，到了1927年底，黨員人數由五萬多銳減到一萬餘人。

在這血雨腥風、一片黑暗的日子裏，“共産黨和中國人民並没有被嚇倒，被征服，被殺絕。他們從地下爬起來，揩乾淨身上的血迹，掩埋好同伴的屍體，他們又繼續戰鬥了”。②

陳獨秀離開了中央，但新的黨的中央政治局常委卻没有停止工作。

1927年8月1日，黨中央軍委書記周恩來和賀龍、葉挺、朱德、劉伯承等直接指揮，發動了具有偉大歷史意義的“南昌起義”，這是中國共産黨領導的革命武裝力量向國民黨反動派打響的第一槍。

南昌起義是在一片白色恐怖和强大的敵人包圍之中舉行的，雖然它失敗了，但卻開創了無産階級武裝奪取政權的先河，從此，中國出現了一支完全由中國共産黨領導的、獨立的人民武裝力量。

南昌起義爆發後不久，8月7日，中共中央在漢口召開緊急會議，在瞿秋白、李維漢主持下，會議堅決地糾正了陳獨秀的右傾投降主義，確定了進行土地革命和武裝反抗國民黨反動派的總方針，號召全體共産黨員和人民群衆繼續進行革命戰鬥，並且決定派遣有經驗的幹部到主要省區去組織領導農民起義。會議選出了臨時中央政治局。9日，政治局會議選舉瞿秋白、李維漢、蘇兆征三人爲常委，瞿秋白爲負責人。

雖然“八七”會議也有助長冒險主義和命令主義等不正確傾向，但在黨的危機時刻，它確實糾正了右傾投降主義錯誤，穩定了黨的局勢，堅定了鬥爭信念，指出了革命方向，所以具有不可磨滅的歷史意義。父親作爲中央秘書，列席了這次會議。

“八·七”會議後，爲了避開武漢的險惡局勢和適應革命運動發展需要，中共中央於 9 月底到 10 月初從武漢遷往上海。父親也隨中央一同遷往上海。

上海，位於中國的東海之濱，是全國最大的城市。由於地理位置重要，交通方便，因此當時已成爲我國最重要的經濟中心。在上海，有當時在中國已開始發展的民族工業，有已具雛形的金融基礎，有較爲發達的商業貿易系統。二十年代初葉前後，大批的留法勤工儉學生，就是從這一海上通道離開祖國，去遠方求學。

由於上海工商業發達，因而在那裏形成了一支力量可觀的工人階級隊伍。在“五四”運動中，在“五卅”運動中，在歷次反帝反封建鬥爭中，這支工人階級隊伍早就經歷了鬥爭的鍛煉。

1926 年和 1927 年，在北伐戰爭以波瀾壯闊之勢向前開展之時，上海工人在中國共產黨領導下，在周恩來、羅亦農、趙世炎等直接指揮下，發動了三次規模龐大、聲威壯闊的工人武裝起義。上海的工人階級，用自己的血肉之軀，爲北伐軍打開了上海的大門。上海的工人和革命群衆具有高度的革命覺悟和豐富的鬥爭經驗，具有光榮的革命傳統，是我黨依靠的一支重要革命力量。

上海作爲中國資本主義的發祥地之一，近百年來就已成爲帝國主義進行殖民侵略的基地。各國帝國主義勢力麇集上海，把上海的地盤作爲他們的勢力範圍，各自分一杯羹。這裏外國租界遍地，外國巡捕房林立。在上海，外國軍隊、外國官員、外國商人、外國傳教士儼然是世界的統治者和一等公民。在公園的警示牌上，寫的是“狗與華人不得入內”！

上海乃黃金寶地，官僚資本、外國幫辦、各路封建幫會勢力，各種政治派別分子，無不盤桓於此。高樓大廈之上，是腰纏萬貫的金融巨子。陰溝歧巷之中，是流氓地痞的棲身之地。這些見得人的和見不得人的，官冕堂皇的和下三爛的，“正人君子”和魍魎魑魅，統統都糾集在一起，勾結在一起，纏繞在一起，形成了一個巨大的網，真正的是“剪不斷，理還亂”。表面上是十里洋場、紙醉金迷，骨子裏卻是污泥濁水、污穢腐爛已極。

上海曾經是北伐軍的革命基地，現已成了反動新軍閥的勢力範圍，這裏軍警森嚴、特務猖獗。他們到處搜捕，收買叛徒。他們和外國巡捕房勾結起來，大肆鎮壓革命群衆和共産黨人。這裏，幾乎每個星期都有人被捕被殺。這裏，同樣是白色恐怖的血腥戰場。這裏，陳延年、趙世炎等著名共産黨人慘遭殺害。

正是因爲上海具有這樣一種十分特殊的環境，因此，我們的黨中央，就可以憑藉着這錯綜複雜、無常變化的社會情況，在反動勢力的眼皮底下，在各種派別活動的縫隙中間，站住脚跟，建立機關，開展工作。

這，就是中共中央從武漢遷往上海的原因。

在中共中央進行改組並遷往上海的前後，中國共産黨一邊恢復黨的建設，一邊繼續組織武裝起義。

1927 年 9 月，毛澤東受中央委託，以中央特派員的身份前往湖南，在湖南舉行了聞名於世的“秋收起義”，組建成五千人的工農革命軍第一軍第一師。起義軍先攻湖南省會長沙不下，毛澤東迅速總結經驗，放棄攻打中心城市的計劃，把革命力量轉移到敵人統治力量比較薄弱的農村中去，於 10 月到達江西湖南邊界的井岡山，在那裏創建了第一個中國工農紅軍的革命根據地。

1927年12月，緊接着秋收起義，中國共產黨又發動了震驚中外的廣州起義。英、美、日、法等帝國主義派遣海軍陸戰隊登陸鎮壓。廣州起義失敗。但起義軍的餘部分兩路撤離廣州，其一路與朱德、陳毅所率起義軍在粵北韶關會合，另一路與東江農民起義軍在海陸豐會合，繼續戰鬥。

南昌起義、秋收起義和廣州起義，這三大起義，成爲中國共產黨建立自己領導的革命武裝力量，創建紅軍，最終以武裝奪取政權的偉大開端。

中國共產黨人走出了腥風血雨，毫無畏懼地向着更加艱苦卓絶的鬥爭道路邁進！

注：

① 李維漢《回憶與研究》第158頁。

② 毛澤東《論聯合政府》。《毛澤東選集》第三卷。

21. 二十四歲的中央秘書長

"八·七"會議後，黨中央遷往上海。新的黨中央在非常緊張的政治局勢和十分嚴重的全國範圍內的白色恐怖下，積極開展了大量的工作。

黨中央通過各種秘密渠道迅速向全黨傳達了八·七會議的精神，派了一些同志到湖南、湖北、廣東等地進行指導工作；黨中央先後組織發動了湖南的"平江起義"、湖北的"黃麻暴動"、江西的"弋横起義"，有力地回擊了國民黨的瘋狂屠殺和血腥鎮壓，並開始把革命向農村推進，爲壯大工農紅軍和開闢農村革命根據地提供了經驗，在這些軍事鬥爭中，直接打出了蘇維埃的旗幟，直接組織了由我黨領導指揮的中國工農紅軍；黨中央還在國民黨新軍閥的統治下，積極開展了工人運動、學生運動和婦女運動，建立秘密工會，組織秘密學聯，並組織了一些城市的工人鬥爭。

黨中央到上海後，很重要的一項任務就是要進行極其艱難的組織工作，恢復、整頓和重建黨的組織，改變在嚴重白色恐怖之下全黨的散亂狀況。

在上海，很快地，黨中央便建立了秘密組織系統，建立了秘密工作機關，組織了全國的秘密交通網絡，並出版了黨的秘密機關報。

1928年1月，中央決定中央政治局常委周恩來兼任組織局主任。周恩來即在中央擔負起處理日常工作的重要責任，他對於國民黨統治區的秘密工作，根據實際情況，提出“以絶對秘密爲原則”，要求黨的“機關群衆化和負責幹部職業化”。

父親隨中央遷到上海後不久，於 1927 年 12 月間，就被任命擔任黨中央秘書長的職務，協助周恩來等中央領導處理中央日常工作。

除了列席和參加中央各種會議外，父親還負責文件、電報、交通、中央經費、各種會議安排等項工作。由於上海處於敵人的嚴密統治之下，周圍環境異常險惡，因此當時的中央領導同志需要不斷地變換居住點和姓名，像周恩來這樣重要而又出名的人物，更是需要注意隱蔽，住處有時一月半月就要更換一次。爲了秘密工作的需要，中央領導同志之間，都互不知道他人的住處。而父親作爲中央秘書長，則掌握着所有中央負責同志和各處中央秘密機關的地址和地點，而且只有他一個人掌握這些絶密情況。

中共中央的機關，當時一般都設在外國租界區，中央機關大部分設在公共租界的滬中區。

在鬧市中心四馬路（福州路）上有一個天蟾舞台，在舞台後面的 447 號，就是黨中央的一個秘密機關。

這裏，樓下，是一家“生黎醫院”，樓上，則由熊瑾玎、朱端綬夫婦租有三間房子，作爲中央政治局開會和辦公的地方。熊瑾玎扮成一個湖南來的經營土布土紗的商人，門上掛個“福興字莊”的牌子，當時人們都稱其爲熊老闆。從 1928 年 11 月到 1931 年 4 月間，中央政治局會議差不多都是在這裏召開。

1990 年的時候，我去看望了一下革命老人朱端綬。其時，她已經 82 歲了，但還是精神抖擻，步態康健。

朱媽媽告訴我：“我是在 1928 年夏天到上海的，到了上海就認識你父親了。那時他才二十四歲。我們的機關在公共租界，一直沒有被破壞，直到 1931 年顧順章叛變，我和熊老闆才撤離。你爸爸是中央秘書長，經常來我們這個機關，來了呆半天就走，有時只呆一兩個鐘頭，辦完事就走。中央政治局和政治局常委的會議都是在我們這個機關開。你爸爸管開會的議程，頭一次開會定好下次開會的時間。常委會人少，在一間屋子裏開。政治局擴大會人多，有時兩間屋子一起開。你爸爸常在會上發言。有一次他的發言我記得最清楚，就是李立三主張先取得一省數省的勝利，你爸爸反對，説國民黨有幾百萬軍隊，我們剛剛組織起來，没有武裝，土槍土炮的怎麼打得贏？當時的書記是向忠發，一點本事都没有，你爸爸和周恩來同志他們，到過法國和蘇聯，知道的東西多。"

朱媽媽還告訴我："我是專門在中央機關當交通，直接在你爸爸的領導下工作。從各地和蘇區來的報告，都是用藥水密寫在毛邊紙或者布上，由我洗出來，用明礬水洗，然後謄抄好。我抄的文件都是最絶密的，不出政治局的門。熊老闆在秘書處搞特會(特別會計)，也歸你爸爸領導。政治局這個機關歸我管，我除了抄寫文件和當交通外，還給來機關工作和開會的同志燒開水、做飯。中央的同志們都愛吃我做的幾樣菜，周恩來同志愛吃我做的獅子頭，你爸爸愛吃辣椒。你爸爸性格挺好，平易近人，他比我大四歲，叫我小妹妹。你爸爸愛講話，也愛開玩笑，但很文雅。當時作地下工作，裝的是有錢人，所以要穿長袍，戴禮帽。你爸爸也是這樣的打扮。"

朱媽媽是在湖南加入黨的組織的，她到上海中央機關工作時才二十歲，由周恩來同志介紹，她和熊老闆一起"坐機關"，先是扮作假夫妻，後來於 1928 年 8 月結了婚，當時請了兩桌客，向忠發等中央的同志，包括我的父親他們都去參加了，熊老闆比朱端綬年長二十多歲。離開上海中央後，他們二人到湘鄂西蘇區工作，曾雙雙被捕。解放後熊老闆生病在北京醫院住院時，父親還去看過他。熊老闆先逝，朱端綬還健在，這對革命夫妻在上海地下工作期間，在中央機關裏，可以說是名聲不小，功勞很大的了。

1991 年 7 月，我在北京全國工商聯的辦公地點拜訪了一位革命老人黃介然。他原名黃文容，1926 年入黨，曾在上海中央擔任過秘書處長。1929 年我的父親被中央派到廣西工作時，他曾接替我的父親擔任中央秘書長。他詳細地給我介紹了許多當時的情況。

黃老說："我在武漢時，給陳獨秀當過秘書，中央遷到上海後，我先在黨的《布爾什維克》刊物工作，後在北四川路永安里坐過機關，1928 年夏天調任中央秘書處處長。我第一次認識你爸爸是在 1928 年。那時在上海同孚路柏德里 700 號有一個兩樓兩廳的房子，那就是中央的一個機關，當時由彭述之兩夫婦、陳賡的夫人王根英、內交科主任張寶泉和白戴昆等同志以房東房客的關係住在裏面。實際上這個地方負責處理中央機關的日常工作，我們都稱這個地方爲中央辦公廳。那時候恩來同志和小平同志每天都來這裏，中央各部分、各單位都來請示工作。屬於機關事務性的問題和技術性的問題，小平同志作爲秘書長進行處理解決。中央和各部門、各地區來請示的問題，如要人、要經費、匯報工作和請示中央的問題等等，恩來同志能解決就當場解決，不能解決的和重大的問題，他就交到政治局會上去討論決定。恩來同志實際相當於黨內日常工作的總管。我當時在黨刊工作，也是去請示工作，在那裏頭一次見到恩來和小平同志。他們非常忙，我們請示工作的人很多，有時還要排隊在外面等。

“1929 年小平同志要調往廣西以前，我準備接他的工作，因此也參加一些政治局在熊老闆那個機關的會議，有兩三個月的時間，這時接觸就多了。政治局開會，由總書記向忠發主持。會議的內容都是事先定好的，都是討論專門的問題。如工人運動，國際形勢，國內形勢，經濟問題，全國和局部地區的形勢，策略，對策，方針，工作方法和鬥爭方法等等，都是大的問題。每次討論的問題都由主管這一工作的負責同志作中心發言，其他同志圍繞中心發言談看法、意見和不同意見。發言不能時間太長，不能長篇大論。向忠發有時也很能發揮一通，但沒有水平。發言最多的是周恩來，他了解的問題多，管的工作多，準備又充分，還常常寫好發言提綱，特別是關於蘇區的工作和軍事工作，他發言最多。小平同志是秘書長，負責記錄（有時也請別人記錄），但他也發言，因爲秘書長有權發言，也有權提出問題。因爲秘書長要負責處理政治局會議決定的工作，起一個承上啓下的作用，責任很大。秘書長知道的事情多，處理的事情多，所以他的工作直接牽涉到中央的安危。小平同志的特點是發言不多，但發言和提問都很有分量，他雖然沉默寡言，但說的話深入淺出，容易懂。有些人很能說，但常常說得不得要領。會議以後，秘書長還要負責起草一些文件，文件的一切處理過程都由秘書長負責。秘書長還要負責管中央機關的秘書處的工作，可以說，秘書長不但管的事多，而且責任很大。

“我們開完政治局會，有時在熊老闆家吃飯。朱端綬做的一種鷄湯煲牛肉我們最愛吃。吃飯的時候大家總是又說又笑。小平同志也愛說笑，而且詼諧得很。我對小平同志印象很深，他是非常鎮靜的，非常謹慎的，而且可親得很。”

我請黃老介紹一下秘書處的組成和工作。

黃老說："秘書處下屬五個科：文書科、內交科、外交科、會計科和翻譯科。

"文書科科長是張唯一，工作人員有張越霞、張紀恩等人。這個科要負責刻蠟板、油印、收發文件，分發文件、藥水密寫。這些工作都是分頭去作的，而且都是非常秘密的。中央的文件和會議記錄，一式三份，一份中央保存，一份送蘇聯的共產國際，一份由特科送到鄉下保存。據說鄉下的這一部份沒有損失，解放後都拿到了。有的機關被破壞了，外國巡捕房搜去文件存了檔，解放後我們又從巡捕房找了回來。保存文件是很不容易的。文書科還有一個中央負責同志看文件的地方，文件一到，秘書長總要先去看。

"內交科是顧玉良當主任。工作人員有張寶權、張人亞等。主要工作是把文件送到各處、各單位，還要送一些通知和情報，任務很重。我們常常利用一些夫人來作這個工作，只要靜定的，大膽心細的，能察言觀色和處理突然問題的女同志，都可以作。負責幹部的夫人們都當過內交。

"外交科歸吳德峰管，就是解放後當了最高人民法院副院長的那個吳老。外交的工作就是負責上海中央與順直、滿州、湖南、湖北、廣東、廣西等省的聯繫。主要分爲南方綫、北方綫和長江綫三條路綫。各綫再分支綫，建立一個全國的交通網溝通上海的中央和地方。文件、鈔票和幹部、來往人員都需要交通迎來送往。我們在各地都設有交通站，名義上是開店、開旅館、開商店，來往的交通員可以住在裏面。蘇區周圍就建了許多商店的交通站，以便以採購的名義去接頭。搞交通工作的同志都要經過挑選，要非常堅定的人，要用各種手段，要非常鎮定。

“搞內外交通，看來是平平常常的工作，但很艱苦，技術性高，責任性很大。每個人都要動腦子想辦法。文件可以藏在書本裏、棉被裏、熱水瓶裏。有的微形照片還可以放在鋼筆裏。其他東西可以放在點心、布匹裏。蘇區送來的經費，有錢票，也有黃金和金銀手飾，怎麼送？敵人要搜查，就放在扁擔的竹筒裏，有的買條魚放在魚肚子裏。總之要想很多辦法。

“會計科就是熊老闆一個人，他住的那個地方最保密也最安全，只有政治局同意的人才能去，他的那個機關由秘書長直接管理。熊老闆負責管理黨的經費，政治局決定後由熊老闆去發送，政治局派人檢查財務的支出情況。中央蘇區送來的黃金、手飾都要去兌換，錢票也要兌換，可是又不能拿到一般銀行去兌換，怕暴露。於是就利用章乃器的關係。章乃器那時是上海的浙江實業銀行的副董事長，他與陳雲同志關係很好，但不知道我們是共產黨。陳雲同志和我找他去玩，順便叫他幫忙換點銀票，他還很高興，因爲銀行可以拿點手續費。

“翻譯科編制在秘書處，但實際由中央政治局直接領導。劉少文是俄文翻譯，徐冰是德文翻譯，浦化人是英文翻譯，還有一個法文翻譯。劉少文主要是保持和蘇聯人的聯繫。”

劉少文解放後擔任中國人民解放軍情報部部長，徐冰解放後擔任中共中央統戰部部長，浦化人戰爭年代在八路軍一二九師和第二野戰軍擔任高級顧問。外交科主任吳德峰擔任過我最高人民法院副院長，內交科主任顧玉良擔任過上海市的領導工作。黃介然老人已是九十一歲高齡。但還常常參加全國工商聯的各項活動，實爲可敬。1952 年他參加亞太地區和平會議時，在中南海懷仁堂還見過我的父親一面，不過這也已是四十年前的事情了。

1990 年 2 月，我在上海看望了另一位革命老人張紀恩。他生於 1907 年，1925 年參加革命，1928 年到黨的中央機關工作。他和黃介然一樣，都曾在上海法科大學唸書兼作學運工作，該校的校長是沈鈞儒先生。黨中央遷上海後，張紀恩開始在永安里 135 號一個中央機關工作，後來轉到五馬路的清河坊坐機關，機關的樓下是一個雜貨舖，賣香烟、肥皂、洋火等雜物。

張老告訴我："這個舖子原來是鄧小平開的。那時候我們開很多的舖子作掩護。我這個樓上原來是政治局委員李維漢住的，李調到江蘇省委當書記後，就不能住在中央的機關裏面了，而要搬到滬西區江蘇省委的地方去，我們夫婦就調到這裏來了。在我這個機關，開了好幾次中央政治局會議。向忠發、周恩來、瞿秋白都來開過會，會上討論的是浙江問題和雲南問題。我們還接待過許多來往的人。周恩來最注意秘密工作，提倡女同志梳髻子，穿綉花鞋，住機關要兩夫婦，不要革命腔。我這個機關屬於秘書處管。我曾經在文書科工作過。"

據張老介紹，在黨的組織方面，中央有一個直屬支部，支部書記是鄧穎超。直支的支委叫幹事，大約有五、六個幹事，其中一個就是惲代英，他曾任黃埔軍校政治總教官，五大中央委員，參加過南昌起義，1928 年擔任中央宣傳部秘書長，1931 年在南京被國民黨殺害。還有一個是張國燾的弟弟，1930 年在江西犧牲。支部下面還有分幹，幾個人組成一個分幹，相當於現在的支部。以分幹爲單位過黨員的組織生活。直支的主要任務是秘密工作和保密工作，還負責黨員的思想工作，組織黨員過組織生活。直支還辦有刊物，都是些短小精悍的文章。周恩來、瞿秋白都在上面發表過文章。

張老後來調到機要部門工作，他說："中央政治局開會，鄧小平作過記錄。他走了以後，叫我作記錄。中央很多負責同志都是湖南人，我聽不懂他們講話，作記錄可就困難了！”

在上海作地下工作，住的地方和開會的地方要經常更換，而且要找那種在幾個弄堂裏面都要有出口的房子，以應付敵人的搜查。父親曾和李維漢一起住過一段，還和周恩來夫婦一起住過半年。那時候，和他工作關係最密切、個人關係也最親密的，第一要算周恩來夫婦，其次就是李維漢。不過，他那時在中央工作，所以接觸人的範圍是很廣的，像趙世炎、陳延年、李碩勛、鄧中夏、羅亦農、瞿秋白、關向應、蘇兆征、李立三、顧順章、向忠發等中央和各地方的負責同志，他都很熟。

李維漢在回憶錄中説，1928 年黨的六大開會期間，“我和任弼時受命留守中央，中央秘書長是鄧小平。從 1928 年 4 月開始到同年 9 月新中央負責人回來的期間，開會的地方仍在上海四馬路天蟾舞台後面樓上的兩間房子裏。這個秘密機關是 1927 年冬或 1928 年初建立作爲中央常委開會的地方。房子是租賃來的，由熊瑾玎、朱端綬夫婦住守。那時，開會的同志從天蟾舞台西側雲南路的一個樓梯上去，就可以直到開會的房間。房間內朝西的窗下有一張小桌子，開會時，小平就在小桌子上記錄。這個機關從建立起一直到 1931 年 1 月六屆四中全會以後，都没有遭到破壞。後來，大概由於 1931 年 4 月顧順章被捕叛變，中央才放棄了這個機關（1952 年毛澤東在杭州主持起草憲法時，通知小平和我到他那裏去。路過上海時，小平和我去看過那個老地方）。當時，每天上午九時，我、弼時和小平碰頭處理日常事務，不是在這個地方，而是在離此不遠，隔一條街的一個商店樓上，到場的還有熊瑾玎、内部交通部主任和其他負責幹部，例如江蘇省委留守負責人李富春有時也來參加。”①

黨的第六次代表大會是在蘇聯莫斯科召開的，絕大部分中央領導同志都赴蘇參加會議，在上海的留守中央繼續抓緊開展工作。他們開展反日運動，反對國民黨政府勾結英美出賣山東、滿洲給日本帝國主義；他們加緊城市工人運動、發展農村工作和加緊對敵軍士兵的爭取和瓦解工作；他們抓緊整頓和發展黨的組織，加强黨的秘密工作。

父親在上海期間，一直在中央機關工作，作爲掩護，他當過雜貨店老闆，當過古董店的老闆。作爲中央秘書長，他熟知所有中央機關的地點和秘密接頭地點，對於上海的大路小路、街巷弄堂，特别是秘密機關所在的那種四通八達的弄堂，他都相當熟悉。當時由於上海市區的大部分地區都是外國租界，因此許多街道用的都是外國名字，例如貝當路、福熙路等等。有趣的是，父親對上海街道的舊名稱很熟悉，但卻對不上現在的新名字。1991年父親去上海，上海市的一些同志陪同他乘車觀看上海市容。父親興致很高，於是便講起了他們當年在上海作地下工作的一些情形。他説，爲什麼有一條路叫福熙路呢？那是因爲這條路在法租界，而福熙則是一個法國有名的將軍，因此用這位法國將軍之名來命名了這條路。父親提起一些街道的舊名，還問上海的同志這些路現在叫什麼名字。對於這些幾十年前的陳年舊事，年紀較輕的這些上海的“地方官”們，只能面面相覷，無言以答！

父親在上海黨中央共作了一年半的秘書長，在派遣他去廣西工作以前，中央本來準備派康生接替他的工作，父親於是便和他見了面，帶他看了中央的地方，那時康生是在上海的一個區委工作。後來中央派康生作了其他的工作，沒有接替父親作中央秘書長。但父親從那時起認識了康生。

解放後，父親和康生都在中央工作，工作關係相當密切。特别是在和蘇共中央進行意識形態的論戰時，在中央寫“九評”

時，父親為主要的負責人，康生是主要的主持人，一時之間來往更多，有時還一起出差。記得有一次到雲南，康生讓我們所有隨行的孩子們都背誦昆明大觀樓清代文人孫冉翁的一百八十個字的長聯，而且還要考試，因此，我們這些人，直到今天還能把這幅不朽的對聯一字不差地倒背如流，連我們家最沒有“文化水兒”的弟弟飛飛，也能像炒崩豆兒一樣地一口氣背完。

康生本是個文化人，肚子裏墨水又多，故事也多，我們從小都愛聽他講故事。他還帶我們這群孩子去他家看他的收藏，就是那些珍藏在櫃子裏面的各種寶硯。我們最喜歡的是那些令人眼花繚亂的玉石的、瑪瑙的、孔雀石的硯台，而他自己最珍貴的則是我們這些小孩子連看也不看的那些青銅器皿和古漢陶硯。我們還看過他的夫人曹軼歐收藏的古字畫，我只記得其中有一幅是武則天的字。因為當時剛看過京劇《謝瑤環》，對武則天頗有興趣，因此一看便記住了。康生還特愛看戲，經常在釣魚台小禮堂組織戲劇晚會，那時候又正值戲劇藝術發展的鼎盛時期，京戲、昆曲、川劇、甚至晉劇，什麼戲都看。《關漢卿》、《謝瑤環》、《楊門女將》……看得我們如醉如痴。康生還特地推薦和組織觀看“鬼戲”昆曲《紅梅閣》，李淑君演的李惠娘，真是令我這樣的少女為之大大地神魂顛倒了一番。所以，小時候，在我們眼裏，康伯伯那個留着小鬍子的瘦長臉是格外有趣和親切的。

誰想，到了“文化大革命”，他一改常態，再露猙獰，積極參與林彪、“四人幫”的陰謀，並親手打倒、屈死了無數的人。我們也沒有想到，他的那麼多珍貴收藏，竟是用各種手段強取豪奪而來。我們更沒有想到，他自己所推崇的“鬼戲”，竟成了他用來迫害他人的利刀。

1973年父親出來工作後，曾帶着媽媽和我去釣魚台十號樓看過康生一次。我們所看到的康生，已是病入膏肓，骨瘦如柴。那時，他爲了爭權奪利，已和“四人幫”鬧得水火不容，於是開口就罵江青，張嘴就罵張春橋。父親坐在那裏，靜靜地聽着他時而激動，時而咬牙切齒的怒罵，一言不發。我在旁邊，一邊聽，一邊感到驚奇，一邊感到不可思議。

這是我最後一次看見康生，後來他就死了。

注：

① 李維漢《回憶與研究》(上) 第243頁。

22. 張錫瑗媽媽

1989年夏天，在離北京不遠的避暑勝地北戴河，我去看望了張聞天的夫人，老紅軍劉英媽媽。

劉英媽媽告訴我："我認識你爸爸可早咧!"

那是1928年，湖南省委在白色恐怖中受到嚴重破壞，省委書記也犧牲了。湖南黨的組織就派劉英到上海，找中央。劉英千辛萬苦地來到上海，找到了周恩來，湖南的黨組織找到了黨中央。

劉英是在1925年五卅運動時，由當時的湖南省委書記李維漢發展入黨的。到了上海後，李維漢就讓劉英住到他的家裏，假裝成他的姨妹子。

劉英媽媽說："那時候周恩來經常來找李維漢談問題，每次都帶着小平同志，他們就在李維漢的家裏開會，那時候黨中央總書記是向忠發，中央還有瞿秋白、李立三、周恩來和李維漢。李維漢分管湖南的工作。"

劉英媽媽笑着對我說："我就是這樣認識小平同志的。1928年，他二十四歲，我二十三歲，大家都喜歡開個玩笑，所以一下子就熟了。我連問也沒問他是幹什麼的，就小平、小平地叫開了。那時候他很活躍，愛說愛笑。我記得寫東西的都是他，很隨便的一個人。"

父親在我們眼裏，人很內向，話不多，又慈祥又嚴厲。只有當他在他的老同志、老朋友之間時，才話也很多，聲也很大，還常常哈哈大笑。對於我們來說，真是要憑點想像力，才能想像得出一個活躍而又開朗、愛說愛笑的年輕的鄧小平的形象。

父親那時候心境開朗，是有原因的。一是到了上海後，黨的工作逐步得到了恢復。還有一個原因，父親於 1928 年春天，結婚了。

大家一定還記得，在第十八章裏，我提到過一個父親在莫斯科的同學，張錫瑗。

在莫斯科時，一個是從國內來的十九歲的共產黨員，一個是從法國來的二十一歲的共產黨員，兩人同學不同班，相互很熟識，印象也很好。那時候他們的任務是學習，專心致志地學習，還要同國民黨右派作鬥爭。因此，同學就是同學，並未有感情的發展。

1927 年，父親回國後不久即遭遇國民黨右派背叛革命，他從西安到了武漢，進入武漢的黨中央當秘書。這時，他驚喜地遇到一個人，就是剛剛從莫斯科回國的張錫瑗。

張錫瑗於 1927 年秋天，約在八、九月間，經過蒙古回國。回國後她參加領導了一次保定的鐵路工人罷工運動。這次罷工的籌劃領導工作，自始至終是在張家進行的，因此連張錫瑗當時只有八歲的小弟弟都印象很深。此次罷工後，張錫瑗到了武漢，在武漢中央的秘書處工作。在這裏父親和她老同學相遇，必有一番喜悅。

不久，武漢中央遷往上海，父親到了上海，張錫瑗也到了上海，而且就在父親下屬的秘書處裏工作。

1928 年剛過年不久，父親和張錫瑗結婚了。父親不到二十四歲，張錫瑗不到二十二歲。

爲了慶祝這對年輕的革命者喜結良緣，中央的同志們特地在上海廣西中路一個叫聚豐園的四川館子辦了酒席。周恩來、鄧穎超、李維漢、王若飛等在中央的大部分人都參加了，共有三十多人。

當時曾參加吃喜酒的鄭超麟老人對我說：“因爲上海比較鬆(1928年10月以前)，所以可以辦酒席，還有幾個在中央工作的同志也是這樣辦喜酒結的婚。”鄭超麟已經九十一歲了，可他還記得清清楚楚：“張錫瑗人長得很漂亮，個子不高，是保定第二女子師範的學生，和李培之（王若飛的夫人）一道鬧學潮的，在武漢也作過秘密工作。張錫瑗的朋友很多，當時也有其他的人追求她，可她和你爸爸結了婚。後來我住在一個叫王少興的人家裏，你爸爸在西北軍裏認識王，他和張錫瑗常到王少興那裏去，因此我常見到他們。”

革命老媽媽朱月倩也對我說：“在上海時，我的丈夫霍步青在中央軍委工作，我也是在中央軍委機關工作。那時我們夫婦和你爸爸、張錫瑗，還有恩來同志和鄧大姐，六個人一個黨小組。我們一起過組織生活，一個禮拜過一次，地點換來換去，主要內容是學習。你爸爸是個很好的幹部，工作能幹。張錫瑗是北京人，一口北京話。我現在還記得她的樣子，個子和你差不多(注：我是一米六十高)，講話輕聲輕氣的，長得蠻漂亮，白淨的臉，很秀氣，人溫柔得很，和你父親的感情很好。”

1990年我看見朱月倩時，她已八十一歲，她於1909年出生。那麼1928年，她和父親一個黨小組時，應該只有十九歲，比張錫瑗還小三歲。周伯伯那時剛剛三十歲，鄧媽媽和父親同歲，也是二十四歲。他們的平均年齡才二十出頭，可真是一個年輕的黨小組呀！可我想像得出，這個黨小組，又是一個成熟、堅定和活躍的黨小組。

朱端綬媽媽也告訴我："我當然認識張錫瑗！她來過我們機關，和我挺要好的。她人很漂亮，性格挺好，挺活潑的，和我一個脾氣，很爽快，有話就講。她的性情溫和，很可愛，對人很好，我們年齡差不多，很是談得來。那時候我們作地下工作，裝的是有錢人，所以張錫瑗也是穿旗袍，短頭髮，穿高跟鞋。恩來同志和你爸爸他們也是，穿長袍，戴博士帽。"

父親和張錫瑗，曾經有大半年的時間，和周恩來與鄧穎超兩對夫婦住在一起，那是在公共租界的一幢房子裏。周伯伯和鄧媽媽住樓上，父親和張錫瑗住樓下。鄧媽媽曾經說過，他們常常聽見父親和張錫瑗在樓下又說又笑的。

我問過父親，他說："那時候都是年輕人，當然又說又笑！"

有一次，父親沉思般地說過："張錫瑗是少有的漂亮。"

父親和張錫瑗，既是同學，又是戰友，更是一對感情篤深的年輕夫妻。

在那白色恐怖的上海灘上，在那巡捕森嚴的租界地裏，還真有這一片純潔、美好的人間真情存在其中，實在令人看之悅目，聞之清心。

我常常想，張錫瑗是個什麼樣子？長得什麼樣？個性什麼樣？在她的周圍，好像有一層既神秘又朦朧的光環，會引起人的遐想和追念。

她死的時候才二十四歲，剛生下來的孩子也死了，說起來令人不禁心酸。

但是，在人們的心目中，她永遠年輕，永不衰老。

她不是我的媽媽，她又是我的媽媽。

張錫瑗在良鄉的家是一個大家庭，她有好幾個弟弟和妹妹。

大妹妹張錫瑞與她一起參加革命，一起到蘇聯莫斯科中山大學留學，後來回國參加革命鬥爭，於天津犧牲。

小妹妹叫張曉梅，原名張錫珍。父親和張錫瑗結婚後，就把張曉梅接到上海，介紹她加入了中國共產黨，並安排於黨中央職工部工作。

父親1925年在莫斯科中山大學時有一個同學，名叫徐冰。他本名邢西萍，1903年出生於一個富裕的工商業家庭，1924年在德國留學時加入中國共產黨，1928年，任黨中央秘書處翻譯科的德文翻譯。

由父親介紹，徐冰和張曉梅在上海結了婚。

張錫瑗雖然早年去世，但張曉梅和徐冰則一直和我們家保持着相當密切的往來，我們叫張曉梅姨媽，叫徐冰姨爹。

徐冰解放後任中共中央統戰部部長，張曉梅任北京市婦女聯合會主任。他們這一對夫婦可是活躍人物，因爲多年的工作關係，他們和周總理夫婦、葉劍英元帥以及中央的各位領導人都相當熟識。他們兩個人都是性格活潑而又開朗，說起話來是大聲大氣，笑起來是哈哈大笑。他們常請父母親去統戰部吃飯，而我們一去，就是連家帶口、老老少少的一大家子人。席間，父親母親和他們總是又說又笑的。我們這些孩子們，從小就喜歡這個姨爹和姨媽。他們的女兒叫邢舒，是個醫生。邢舒姐姐有一個兒子，叫小猴子，患有先天性心臟病，人瘦瘦的活像個小猴兒，嘴唇也總是紫黑紫黑的，我們大家都很寵愛這個孩子。

“文革”開始以後，無妄之災從天而降。1966年8月召開了黨的八屆十一中全會，這是一次由毛澤東親自主持召開的，正式由黨中央確認“左”傾指導方針，進一步擴大“文化大革命”，錯誤改組中央領導機構和領導人的會議。在小組會上，徐冰曾與陳伯達、江青有過面對面的鬥爭。爲此，陳伯達叫嚷要“炮打徐冰領導的統戰部”，江青也攻擊徐冰“在會上一直唱反調”。不久，“四人幫”即網羅罪名，打倒徐冰。徐冰曾於1932年在青島被捕過，後經家庭營救出獄。“四人幫”便誣徐爲叛徒，加以陷害，並對其進行了長期的監禁和摧殘。徐冰與林彪、“四人幫”進行了頑强的鬥爭，始終堅貞不屈，終於1972年3月18日，被迫害致死，終年六十九歲。直到1979年粉碎“四人幫”後，中共中央才舉行隆重的追悼大會，爲徐冰等同志平反昭雪。追悼會由中共中央副主席李先念主持，當時爲中央組織部長的胡耀邦致悼詞。

悼詞說：徐冰同志的一生，是革命的一生，戰鬥的一生，他爲中國人民的解放事業和偉大的共産主義事業貢獻了自己畢生精力。他對人民無限忠誠，他襟懷坦白，光明磊落，顧全大局，在重大原則問題上堅持原則。他對和他共同戰鬥的戰友和朋友們，誠懇真摯，熱情親切，對幹部對下級寬厚熱忱，平易近人。他爲不斷發展和鞏固統一戰綫，作出了重要貢獻，成績卓著。

張曉梅姨媽也没有擺脱“文革”衝擊的惡運。在林彪、“四人幫”瘋狂批判北京市市委書記兼市長彭真，徹底砸爛舊市委的同時，張曉梅被罷官、免職，遭到殘酷地揪鬥和迫害。她本來就患有高血壓症，在强迫勞動改造中，突然摔倒，1968年4月28日含冤去世。一個第一、二、三屆全國人民代表大會代表、全國婦聯主席團委員、北京市婦聯主任，就這樣死去了，時年只有五十七歲。

她在1925年，只有十五歲時便參加了北京的進步學生運動和中國共産主義青年團，1928年加入中國共産黨，參加過黨的文化工作，統戰工作和軍調部的工作，與周恩來和鄧穎超的關係特別親密。組織上對她的評價是：政治原則性强，組織性强，掌握政策，對工作認真、負責、細緻、謹慎，考慮問題周密，能夠照顧全面。

她的兩個姐姐都把生命獻給了黨和人民的事業，她也把畢生獻給了黨和人民。1978 年 2 月 17 日，黨和人民爲她平反恢復名譽，舉行了追悼會和骨灰安放儀式。

他們走了，都這麼早早地走了。

但他們終生無悔，因爲他們都實現了他們的諾言，爲黨和人民、爲實現共產主義理想而貢獻一切，乃至生命都在所不惜。

23. 戰鬥在龍潭虎穴之中

上海雖爲魚龍混雜之地，有利於我黨開展地下工作，但其地仍爲帝國主義和反動勢力所嚴密控制。敵人利用各種手段，企圖破壞我黨地下組織和捕殺我們黨的領導人。他們利用外國巡捕鎮壓，利用特務監視，利用叛徒告密。在大革命失敗後的三年內，江蘇省委書記陳延年、江蘇省委代理書記趙世炎、中央政治局委員羅亦農、中央政治局候補委員彭湃、中央軍事部長楊殷等黨的許多重要領導人先後被叛徒出賣，被捕犧牲。1928 年 11 月，中央決定由向忠發、周恩來、顧順章組成特務委員會，負責領導中央特科，加强對黨的工作和黨的領導同志的保衛。

早在 1928 年春天，在周恩來直接領導下，由陳賡等負責，我黨的特科就建立了第一個反間諜的關係，楊登瀛。

楊登瀛，又名鮑君甫，曾留學日本。楊社會關係複雜，與各黨各派、外國租界人士以及黑社會都有來往。有人稱他爲四朝元老，就是因爲他與國民黨、日本人、漢奸、共産黨都有聯繫。1928 年，蔣介石着手在上海建立特務組織。他們選定由楊登瀛來建立偵探機關。楊登瀛同情革命，因此他將這一情況告訴了我黨。我黨便由特科負責人陳賡親自負責，把楊登瀛發展爲在敵人偵探機關中的第一個反間諜關係。

在我黨的指示下，楊登瀛很快和國民黨情報系統的頭面人物陳立夫、張道藩拉上了關係，並變爲他們的親信。他還得到了上海特務頭子徐恩曾的特別賞識和倚重，同時，他與外國巡捕房，特別是英國巡捕房也建立了密切的聯繫。從楊登瀛那裏提供的大量情報，對於防止我黨的機關被破壞、營救被捕人員和清除叛徒內奸起了重要作用。1929 年，我特科又利用楊登瀛的關係和介紹，把共產黨員李克農、錢壯飛、胡底派遣打入國民黨高級特務機關。錢壯飛還擔任了國民黨中央組織部黨務調查科主任徐恩曾的機要秘書。

黨中央特科在周恩來的直接領導下，順利而卓有成效地開展着工作。1928 年，由李強負責，在上海中央建立了我黨第一個秘密無綫電電台。同年，在香港的南方局，又由李強建立了第二個秘密電台，並於 1930 年開始滬港通訊。

李強叔叔告訴我："後來我們又在江西的中央蘇區建立了第三個電台。建這個電台還有個故事。那時廣西軍閥俞作柏在香港買了一個電台設備，放在他弟弟俞作豫手裏。俞作豫不敢用，就給了我。這台機器是買的英國馬科尼公司的，我不敢直接去拿，就通過在香港熟悉的德國西門子公司幫我取來，然後找人帶到上海，再由上海帶到蘇區。我、伍雲甫、曾三，和一個作機器的工人，四個人到了蘇區，1931 年才建立了蘇區的電台。當時我們在蘇區的電台是用的手搖發動機，很艱苦的。"

1931 年以後，上海中央的工作環境，由於敵人的破壞，變得更加危險和惡化了。這時，發生了兩起惡性事件，給黨中央造成了巨大的損失。

一個是中共中央政治局委員顧順章的叛變。

顧順章原是上海的工人，但此人原來參加過青紅幫，三教九流的關係都很多。據一些老同志介紹，他人很精明能幹，路子也很多，他在組織上海工人運動中是有能力的，在負責特科的工作，特別是除奸工作中是得力的。但是他的個人品質不好，有流氓無產者的習氣，生活腐化，還抽大烟，爲此多次受到周恩來的批評。1931 年 4 月 25 日，顧順章送張國燾去鄂豫皖根據地後，私自在武漢的遊藝場公開耍把戲（他會耍魔術），結果被一個叛徒認出而被捕。當天，顧順章就叛變了。

顧順章是黨的中央政治局候補委員，長期負責黨的保衛工作，了解的機密極多，還知道許多中央機關和負責幹部的住址。因此他的叛變，將會給我黨帶來滅頂之災。

武漢的國民黨特務機關抓到這樣重要的中共要員，當天即發電報給南京特務本部。這份電報，當即爲我黨黨員、徐恩曾的機要秘書錢壯飛截獲。錢壯飛一見情況緊急，立即親自趕到上海向周恩來匯報。

針對這一極其危險和嚴峻的局面，周恩來當機立斷，立即親自佈置，採取措施，把顧順章知道的機關和人員立即轉移，廢止顧順章知道的一切秘密工作方法。周恩來甚至不顧個人安危，親自去通知一些負責同志轉移。朱月倩回憶說，那天晚上，她聽見敲門，一看是周恩來，原來周恩來是來通知她轉移，並和她商量如何保障她的丈夫、軍委負責人霍步青的安全。霍步青此時剛從上海出發坐船到武漢。正是由於周恩來的緊急安排，霍才中途下船，避免了在武漢遇險。

當敵人於 4 月 28 日開始根據顧順章提供的情報大肆搜捕時，黨中央的機關和人員早已安全轉移，渡過了這一險關。

但是，顧順章的叛變，畢竟使我黨中央多年經營起來的地下工作系統和局面受到了無可估價的損失。一些機關撤離了，一些負責人和工作人員轉移離開上海。顧順章還出賣了爲敵人逮捕但没有暴露身份的中央領導惲代英，使其慘遭殺害。顧順章同時也出賣了楊登瀛，後楊登瀛因與張道藩的特殊關係，才得以脱險。

顧順章這個罪大惡極的叛徒，最終還是没有逃脱惡運的懲罰，1935年，他在國民黨特務機關内因鬧派别、拉山頭而被國民黨特務機構“中統”處決。

此乃千古罪人，死有餘辜！

第二起事件是中共黨中央總書記向忠發被捕叛變。

向忠發原來是一個工人，其人並没有政治水平和領導能力，只是由於當時强調工人成份和共產國際的扶植，才當上中共黨的總書記。在他任總書記期間，黨中央的實際日常工作都是由周恩來和其他同志處理。

向忠發歷來生活作風不好，又不遵守紀律，他還從妓院裏討了個小老婆。任弼時的夫人陳琮英媽媽説：“恩來同志發現了這些情況，就派我的媽媽去和向忠發的那個小老婆住在一起，注意他們。恩來當時想把向忠發弄到蘇區去，於是先把向忠發的小老婆轉移到一個旅館住下，把向忠發轉移到周自己的住處，告誡他不要外出。但是向忠發違反紀律，乘恩來同志不在，便偷偷去看他的小老婆，而且住下就不肯走了。我媽媽還去敲門警告他們，他們也没理。第二天他叫出租汽車，被司機認出，報告了警察局，向忠發就被捕了。”

這是1931年6月22日的事情。24日，向忠發就叛變了。

當年的地下工作者黄定慧，也就是黄木蘭告訴我：“我當時和一個律師在咖啡館，在一起的還有一個在巡捕房作翻譯的朋友。那人説，國民黨懸賞十萬元的一個共產黨頭頭抓到了，是湖北人，金牙齒，九個手指頭，六十多歲，酒糟鼻子，他是個軟骨頭，坐電椅，吃不消。我一聽，這不就是向忠發嗎！我馬上回來通過潘漢年向康生報告了。當天晚上十一點，周恩來、鄧穎超、蔡暢幾個人趕快轉移住到一個法國的飯店裏面。午夜一點，我們佈置在恩來住宅周圍的裝作餛飩擔子的特科工作人員，看見巡捕帶着向忠發來了。向忠發有恩來的房子鑰匙，他們看見向忠發帶着手銬，去開恩來的門，結果裏面已經沒有人了。真險哪!”

向忠發身爲中共黨的總書記，他的叛變，本來會給我黨造成更大的破壞，但是，好像是老天有眼，該叫這個十惡不赦的叛徒絶!

向忠發一被捕，上海的特務機關立即給南京的總部發報，説抓到匪首。當時蔣介石在廬山，他一看到電報，當下批示立即就地槍決。向忠發在上海一叛變，上海馬上發電給南京報告，可是不久上海就收到立即槍決的指示，於是馬上奉命槍斃了向忠發。等蔣介石收到向忠發叛變的電報，着急也没用了，因爲人已槍下作鬼了!

這些惡性事件的連續發生，使得黨中央在上海的活動越來越困難，一些中央負責人紛紛轉到蘇區，周恩來也於 1931 年 12 月離開上海前往江西的中央蘇區。

父親曾回憶説：“我們在上海作秘密工作，非常的艱苦，那是吊起腦袋在幹革命。我們没照過相，連電影院也没去過。我在軍隊那麼多年没有負過傷，地下工作没有被捕過，這種情況是很少有的。但危險經過過好幾次。最大的危險有兩次。

“一次是何家興叛變，出賣羅亦農。我去和羅亦農接頭，辦完事，我剛從後門出去，前門巡捕就進來，羅亦農被捕。我出門後看見前門特科一個扮成擦鞋子的用手悄悄一指，就知道出事了。就差不到一分鐘的時間。後來羅亦農被槍斃了。

“還有一次，我同周總理、鄧大姐、張錫瑗住在一個房子裏。那時我們特科的工作好，得知巡捕發現了周住在什麼地方，要來搜查，他們通知了周恩來，當時在家的同志就趕緊搬了。但我當時不在，沒有接到通知，不曉得。裏面巡捕正在搜查，我去敲門，幸好我們特科有個內綫在裏面，答應了一聲要來開門。我一聽聲音不對，趕快就走，沒有出事故。以後半年的時間，我們連那個弄堂都不敢走。

“這是我遇到的最大的兩次危險。那個時候很危險呀！半分鐘都差不得！”

白區的地下工作是異常艱苦的，只有在艱苦危險之中，方能暴露那些殘渣敗鄙，也只有在艱苦危險之中，方能顯出中國共產黨人的英雄本色！

24. 在廣西的政治舞台上

1929年7、8月間，中共中央派鄧小平去廣西工作，以黨中央代表的身份，領導廣西黨的工作和準備、組織武裝起義。

這次中共中央派人去廣西，是應廣西省政府主席俞作柏的要求而派遣的。

爲什麼在舉國上下一片白色恐怖之中，俞作柏卻要邀請共產黨前去廣西呢，話還要從頭説起。

1927年，在蔣介石、汪精衛等國民黨右派相繼背叛了革命後，大革命運動宣告失敗，而國民革命的目標——北洋軍閥政權卻並未消亡，加之國民黨内部的分崩離析，使得蔣介石實現獨裁統治的美夢難以實現。當時的中國，出現了北京的軍閥政權、漢口的汪精衛政權和南京的蔣介石政權三足對峙的政治局面。

中國，仍然是軍閥割據的混亂局面，而且，新的割據必然醞釀着新的戰爭。

在這些軍閥混戰中，蔣介石與桂系勢力的爭鬥最先爆發。在蔣介石實現獨裁統治的道路上，桂系勢力的威脅一直如梗在喉，必欲先吐爲快。

在蔣介石和汪精衛的寧漢對立局面中，蔣介石曾聯合桂系攻打武漢。後來，桂系又與蔣介石一起北上共討盤踞京、津的奉系舊軍閥張作霖。在這兩度攻伐之中，桂系軍隊能征善戰，鋭勇無敵。

桂系利用戰爭之便，迅速擴張勢力，佔領地盤。一時之間，桂系勢力，從廣東至長江，再到華北，大有虎視眈眈，欲與蔣氏一爭雄雌的架勢。

桂系也是“得勢便猖狂”，佔了地盤還不算，又免去了蔣介石信任的湖南省主席的職務，以何鍵取而代之。此事恰如一繫導火綫，使本來就已岌岌可危的蔣桂聯盟終於破裂。

1929年3月，蔣介石下令討伐桂系，準備以南北兩路夾擊武漢。而桂系方面亦嚴陣以待，加緊在武漢一綫的佈防，準備與蔣一行決戰。

正在這雙方都已劍拔弩張，大戰行將爆發之際，桂軍大將李明瑞突然率領所部第四旅由武漢南撤至湖北孝感，然後又宣佈服從蔣介石的“中央”。李明瑞的這一行動，頓使桂系大驚失色。眼見大勢已去，桂軍遂放棄武漢，向荊州、沙市、宜昌一帶撤退。

4月4日，蔣軍進入武漢，並下令繼續對桂系實行武力追剿。同時，蔣介石繼續以金錢、官位相許，使更多的桂系軍人倒桂投蔣。

6月，粵軍相繼攻佔桂林、梧州和廣西首府南寧。李宗仁、白崇禧、黃紹竑丟兵棄將，相偕逃往香港。蔣介石任命俞作柏爲廣西省政府主席。

蔣桂之戰以蔣勝桂敗而告結束。

在這場蔣桂戰爭中，使得桂軍敗北的中心人物，就是桂系中的俞作柏和李明瑞。那麼這俞李二人究竟是何等之人呢?

俞作柏，廣西北流縣人氏，與李宗仁共爲陸小同學。年輕時參加廣東討袁護國軍，曾任參謀、連長。在兩次粵桂戰爭後，俞作柏在李宗仁麾下擔任第一統領，下轄兩個營。

俞作柏一邊隨李宗仁受編於粵軍，一邊在廣西暗中發展自己的實力，使他與李宗仁之間的關係從此伏下嫌隙。

李明瑞，廣西北流人，俞作柏的姑表兄弟，自幼靠其舅舅（俞作柏的父親）接濟上學，一直投效俞作柏麾下。李明瑞年輕膽大，驍勇善戰，一直爲桂軍中的一名身先士卒的戰將。他和其表兄俞作柏一道，義無反顧地追隨孫中山，投身國民革命。

1926 年兩廣統一，正值國共合作的高潮到來。俞作柏、李明瑞衷心擁護孫中山先生的"聯俄、聯共、扶助農工"的三大政策，成爲桂軍中的國民黨左派人物。

1926 年 7 月，北伐誓師大會後，全國掀起了國民革命的浪潮。北伐軍一路北進，所向披靡。

李明瑞在統一兩廣時曾屢建戰功，在北伐戰爭中，更是功勳卓著。是北伐軍中赫赫有名的一員能征善戰的戰將。

本來，對於像這樣一位有功之臣，應該是獎賞有加，但卻不想，李宗仁、黃紹竑卻竟然嫉賢如仇。爲了削弱李明瑞的實力，他們下令撤掉了李明瑞左右的得力助手的職務，還爲了一己私利，重用他人，而且拖欠軍費，使得官兵困苦異常。而一些李宗仁、黃紹竑所用之鄂籍軍官，卻營私舞弊，貪贓枉法，無惡不作。因此，李宗仁、黃紹竑與李明瑞之間的矛盾已發展到了水火不容的程度。

桂系内部這一矛盾，早已爲蔣介石所獲悉，這時，他正爲桂系勢力迅速膨脹而焦慮萬分呢。蔣介石將計就計，要倒李宗仁、黃紹竑、白崇禧，必用俞作柏和李明瑞。

蔣介石秘密派人，分別向李明瑞及在香港的俞作柏表示拉攏之意。一時之間，傳聞四起，連桂系部隊内部都已謠言不斷，人心疑惑。

蔣介石的爲人，陰險多疑，詭計多端，衆所周知。他的坐榻之旁，豈能容他人安睡？俞作柏和李明瑞早已知道，蔣介石分明是想利用他們除掉李宗仁等桂系實力派，並非真的對俞氏兄弟特別青睞。但是，利用蔣介石除掉李宗仁和黃紹竑，對他們來說，仍不失爲一個良機。

蔣桂大戰爆發以後，蔣介石部隊大舉向桂系實行全綫進攻。桂系李宗仁也氣勢洶洶，誓與老蔣決一勝負。

正在此時，李明瑞看看時機已到，便突然宣佈獨立，不參加蔣桂大戰，這一舉動，好似抽掉了桂軍的一根主筋。很快，桂軍便兵敗如山倒，顯赫一時的桂軍李宗仁、黃紹竑、白崇禧外逃香港，鄂軍胡宗鐸、陶鈞等被迫下野。蔣介石萬分驚喜地通電全國："兵不血刃而定武漢。"

倒桂成功之後，李明瑞立即揮師南下，經廣東而回廣西，未遇抵抗地佔領了梧州，繼而佔領桂平，最後佔領南寧，一舉平定廣西局勢。

目的已經達到，俞作柏就任廣西省政府主席，李明瑞任討逆軍第八路副總指揮（總指揮陳濟棠）、廣西軍事編遣特派員和廣西省綏靖司令。

俞、李執掌廣西軍政大權後，軍政基礎極爲薄弱，軍費方面籌措艱難，省內經濟困難重重。蔣介石原許二百萬金，其實根本沒有兑現。原黃紹竑所留部隊雖然接受編遣，但其實並不甘受俞李節制，實力仍存。

蔣介石利用俞李打敗了桂系，誰知何日何時又會用何人來打敗俞李？

蔣介石絕不可信，舊桂系乃是死敵，於是，俞作柏、李明瑞便通過俞作柏的弟弟俞作豫找共產黨，希望共產黨派人，幫助他們撐持局面。

俞作柏對於共產黨，心中本無芥蒂，而且向有好感。而李明瑞則本來就生性磊落，傾向革命。

更爲湊巧的是，在俞作柏和李明瑞身邊，還有一個秘密共產黨員，每日耳熏目染，對他們進行提示。那就是俞作柏的同胞兄弟俞作豫。

俞作豫曾在廣州護法軍燕塘講武堂就讀，大革命時期參加北伐戰爭，任李明瑞旅下轄第三團團長，也是一員勇猛戰將，大革命失敗後，俞作豫於 1927 年 10 月在香港加入了中國共產黨，同年 12 月參加了廣州起義，後被派回廣西從事革命活動，領導農民運動，組織農民自衛隊。1929 年春奉命到桂軍俞作柏、李明瑞部進行秘密工作。當其兄俞作柏、表兄李明瑞一經表示想邀請共產黨共事商議之時，俞作豫義不容辭，立即與我黨取得了聯繫。

由此，中共中央決定派遣幹部到廣西工作，中央代表即爲鄧小平。

25. 到廣西去

1929年7月到8月間，正是南方盛夏酷暑之際，父親奉黨中央和中央軍委的派遣，告別了妻子，坐上南下的船，經過香港，趕赴廣西。

此時的鄧小平，已不是從蘇聯剛剛學習回國的那個鄧希賢了。在國內兩年多的革命實踐活動，特別是大革命失敗後在艱難困苦和白色恐怖之中的革命活動，使他增加了不少的革命鬥爭經歷。自從在“八七”會議之前到黨中央機關工作以來，特別是在擔任了中央秘書長的職務後，他有機會列席黨中央的各種最高會議，有機會看到全國各地的工作報告，有機會參加黨的一些重大決策活動的技術性工作，這對於他增加工作經驗，提高政治政策水平，了解全國革命工作的情況和經驗，不啻是大有裨益。

此時的鄧小平，已具有更豐富的革命鬥爭經驗和更高的政治水平。

父親乘船到香港後，立即與黨的南方局取得聯繫。

當時黨中央的南方局設立在香港，負責廣西、廣東兩省的工作。因爲香港和上海一樣，是租借地，因此便於我黨的工作掩護。

南方局的書記是賀昌，聶榮臻任中共廣東省委軍委書記。賀昌和夫人黃木蘭（定慧）、聶榮臻與夫人張瑞華兩對夫婦住在香港跑馬地的鳳凰台附近。父親一到香港，便與他們取得了聯繫。

據黄定慧回憶:“那時我們夫婦和榮臻、瑞華住在一起,小平同志到香港後住在一個旅館,他到我們住的那裏來過一次,主要是與賀昌同志和聶榮臻同志一起談廣西的工作。他還在我們那裏吃了晚飯,菜是我和瑞華燒的。後來賀昌曾去了廣西,參加了廣西省委的會議,還和你爸爸兩個人都講了話。賀昌在廣西幾天就回來了。”

爲了保持和中央的聯絡,黨中央還派了特科的龔飲冰與鄧小平一道前往廣西,並帶着電報密碼,負責機要工作。

與此同時,我黨還陸續派了幾十名軍政幹部,利用各種渠道和關係,進入俞作柏的省政府和李明瑞的軍隊中去工作。他們或是由人介紹,或是改換姓名,都未公開使用共産黨員的身份。

就這樣,無聲無息地,一個又一個的共産黨人,按照黨給他們的指示,來到了廣西。

大約在9月間,父親和龔飲冰到達南寧。

到達南寧後,父親首先和廣西特委書記雷經天取得了聯繫。9月10日,中央代表鄧小平主持召開了中共廣西第一次代表大會,南寧、梧州、左右江地區等三十多名代表參加了會議。會上父親介紹了當前的形勢和任務,會議作出了開展土地革命,建立工農武裝,準備武裝暴動等重要決議。還通過了有關農村工作、宣傳鼓動工作、職工運動、婦女運動、共青團等問題的文件,確定了新形勢下廣西黨組織的鬥爭任務和策略,並選舉了以雷經天爲書記的廣西特委。

父親回憶:“我們到南寧後,我同俞作柏見過幾次面,根據中央指示的方針進行統戰工作,同時注意把中央派到俞處的幹部分配到合適的地方。”

父親到廣西後化名鄧斌,公開以廣西省政府秘書的身份作爲掩護，實際則以中共中央代表的身份負責領導廣西黨的工作。

在廣西，父親迅速和俞作柏建立了密切的合作關係。在我黨的影響下，俞作柏和李明瑞便作出決定，釋放全部在押“政治犯”。這些人，特別是一批黨團員幹部，後來都成爲建立廣西紅軍的骨幹。

李明瑞在掌握廣西軍事大權以後，鑒於過去的經驗教訓，非常需要擴建軍隊，以充實力量。李明瑞由武漢帶回的部隊僅有三萬餘人，而收編的桂系殘部也有三萬多人，這些桂系舊部名義上雖接受編遣，但實際上並不能爲李明瑞所調用。因此，李明瑞急需建立一支自己能夠掌握的部隊。於是廣西警備大隊應運建立，下轄新編第四、第五兩個大隊。

在這種形勢下，父親等人通過俞作豫，向李明瑞提出建議，建立教導總隊，以培訓初級軍官。用這種方式，我們黨把一百多名幹部學員安排進教導總隊，培訓和教育了近千名李明瑞舊部隊中的進步青年，並在學員中發展了一批新的黨員。

在與共產黨的協商下，一批共產黨人被安排到新建立的警備大隊中。這次擴充的新軍，便成爲以後建立紅七、紅八軍的基本武裝基礎。

在我黨的影響下，俞作柏在廣西開放了進步的群衆運動，省農協得到了恢復，而且召開了代表大會，工會、婦女協會、學生會等進步組織相繼恢復，整個廣西，在短短的時間內，好像又回到了大革命前那種生氣勃勃的革命熱潮之中。

在我黨的影響下，俞作柏着手在農村拔掉黄紹竑的舊勢力，任命了一批大革命時期湧現出來的農民運動領袖擔任各縣縣長，其中就有東蘭縣的韋拔群。

韋拔群出身富裕之家，早年即有愛國之志，曾參加討袁護國，1925 年進入廣州農民運動講習所，並參加中國共産黨。1926 年，當大革命在全國迅速發展之時，廣西右江地區由韋拔群領導的東蘭、鳳山等地農民運動發展得如火如荼，成爲當時全國最發達的農民運動地區之一。韋拔群不但建立了農民協會，而且建立和發展了農民自衛武裝。1926 年春，桂系軍閥慌忙派軍鎮壓，製造了駭人聽聞的“東蘭慘案”。韋拔群率領農民軍堅決打擊敵人，佔領了縣城，迫使當時的桂系省政府承認了東蘭農運的合法地位，取得了這次鬥爭的勝利。“四·一二”事變以後，廣西革命鬥爭轉入地下，而在這一片白色恐怖之中，獨有東蘭拔哥率領的這支農民隊伍，始終堅持公開的武裝鬥爭。爲今後紅軍創建右江革命根據地提供了極爲有利的條件。

除了兵運工作以外，父親和廣西特委，針對原廣西中共地方組織非常零亂的狀況，抓緊恢復和發展各地方組織，使廣西地方黨的組織逐級建立了聯繫，同時還舉辦黨員學習班，出版了黨内刊物。

南寧變了！廣西變了！

一個新的革命熱潮在南寧，在廣西，迅速發展了起來。

在全國革命形勢處於低潮，在反動派一片白色恐怖之中，唯獨廣西，出現了革命新高潮。這種局勢，真是令革命者和進步人士耳目一新，爲之振奮。而桂系首領李宗仁則驚呼：俞作柏、李明瑞“南歸後，爲虎附翼，共禍始熾，桂省已成爲共産黨之西南根據地！”①

父親到了廣西後，在他的主持下，廣西黨的活動已積極活躍起來了，和俞作柏、李明瑞的合作已順利開展起來了。他和其他黨中央派來的同志們的工作，已迅速初見成效。

但是，當時在廣西，人們並不知道有鄧小平這麼一個人。根據中央的指示和多年從事秘密工作的經驗，父親到了廣西後，並未公開露面，只在極小的範圍内活動，只和極少數的人進行接觸和聯繫。除了黨内很小的範圍以外，父親只和俞作柏見過幾次面，對俞加强工作。父親在積極開展廣西的工作的同時，和黨中央始終保持着密切的聯繫，以便及時請示和匯報工作。

廣西局勢的發展，早已引起了各色人物的注視。共産黨雖未以公開名義活動，但活躍的革命氣氛已足以引起反革命人士的密切關注。已經有人在高喊：“俞作柏、李明瑞來搗亂，致使左右兩江赤焰滔天，原東蘭之共匪，也就死灰復燃。”

這，尚且是局外人士的驚詫，那麼曾經支持俞李倒桂的蔣介石，就更加關切廣西局勢的發展了。

蔣介石這個人，素來以城府很深，攻於心計而著稱。早在聯合俞作柏、李明瑞倒桂之時，他就已着手安排，派員進入李明瑞的十五師當政治部主任，以進行監視。這員大將，就是鼎鼎大名的國民黨高級特工，黃埔四期學生鄭介民。廣西發生的這所有的一切，當然由鄭介民這一耳目一五一十地全部向蔣介石進行了報告。而蔣介石，對於廣西所發生的情況，亦當然不會滿意，但如何才能挾制住俞、李所爲，一時尚未有妙策。

説來也湊巧，勢態的發展，很快便爲蔣介石提供了一個除掉俞、李的良機。

1929 年 8 月間，一直與蔣介石齟齬相爭的汪精衛，企圖聯合馮玉祥、閻錫山、唐生智等一些對蔣介石的作法心有不滿的軍事集團，共同反蔣倒蔣，並派人到南寧游説俞作柏、李明瑞共同反蔣。

當時俞作柏和李明瑞感到，反蔣雖是他們的既定目標，但他們剛剛打敗舊桂系，軍政權力均未鞏固，而且軍費軍餉都十分缺乏，因此對於此時反蔣，尚覺遲疑。汪精衛看到俞、李的猶豫，於是一再電催。

消息傳到南京，蔣介石大驚。

蔣介石一面讓鄭介民趕緊對俞、李加緊勸說，一面於 9 月親自給李明瑞來電大罵汪精衛。

在汪精衛的一再催促和蔣介石的威逼恐嚇之下，俞作柏、李明瑞認爲，聯合張發奎的第四軍奪取廣州，對廣西也是有利的，於是便義無反顧，選擇了堅決反蔣的道路。

1929 年 10 月 1 日，俞作柏和李明瑞在南寧舉行了反蔣誓師大會，發出通電，宣佈俞作柏爲討蔣南路總司令，李明瑞爲副司令。隨後，俞、李立即對其所轄各部隊作了戰鬥部署，李明瑞還親赴前綫，指揮軍隊向廣東進攻。

俞、李通電反蔣後，南京《中央日報》驚呼：俞、李勾結共產黨反蔣。蔣介石分析了廣西的形勢，決定以收買方式瓦解俞、李部隊。

蔣介石的確不愧爲一代梟雄。他之所以能縱横捭闔，最終實現獨裁的目的，全憑了他善於分析形勢，善於利用矛盾，善於使用各種手段以對付各種敵手。

蔣介石先下手爲强，以重金和要職收買了李明瑞軍中的舊桂系軍人乃至李明瑞最親信的旅長。

李明瑞剛剛到達前綫三個主力師和一個旅均已倒戈，李明瑞手中的軍事實力瞬間喪失殆盡。

這次反蔣，不到十天就告失敗，眼見大勢已去，李明瑞只得帶着少數隨從，倉促返回南寧。

在俞作柏、李明瑞決定參加通電反蔣時，我黨即客觀地分析了形勢，認爲李明瑞只有三個師的兵力，内部又不一致，來廣西時間且短，立足未穩，政治、經濟基礎都很薄弱，因此此次反蔣定會失敗。

俞、李不聽我黨勸告通電反蔣後，爲了保存革命實力，以防不測，父親決定把我黨已經控制的第四、第五警備大隊和教導總隊留下，擔任保護後方的任務。經父親等人一再說服和堅持，俞、李終於同意了這一方案。

俞、李率大隊出發後，父親與張雲逸等立即着手準備應變。他們派四、五大隊各一個營去左、右江地區，先行準備工作。在南寧，利用張雲逸兼任南寧警備司令的職權，接管了省軍械庫等機關，控制了五六千支步槍以及山炮、迫擊炮、機槍、電台和堆集如山的彈藥。同時，將汽船備好停在江邊待用，作好一切應變準備。

幸虧有父親等共産黨人的遠識和未雨綢繆，否則，俞作柏、李明瑞這次倒蔣將會遭到全軍覆没，不但不會東山再起，就連一塊容身之地，恐怕亦難找到了。

俞作柏、李明瑞倉遑逃回南寧後，立即準備再向左江逃去。父親和他的同志們商議後，當機立斷，決定即刻舉行兵變，把部隊拉出南寧，向左、右江地區轉移，並以百色、龍州作爲重點，重新開創局面。

這一決定經秘密電台上報了上海的中共中央，並得到了批准。

時間緊迫，刻不容緩。

10月中旬的一天，入夜時分，南寧市區内槍聲四起。兵變部隊突然行動，打開了軍械庫，搬取了所有的槍械和彈藥。第四大隊、第五大隊和教導總隊在宣佈行動後迅速撤離南寧。

第四大隊和教導總隊的一小部分，由張雲逸率領沿右江逆流撤向西北方向的百色地區。第五大隊，由李明瑞、俞作豫率領沿左江撤向西南方向的龍州地區。

而父親，則率領着黨委和地方作秘密工作的同志，指揮着裝滿軍械的船隊和警衛部隊，沿水路溯右江，向百色地區進發。

參與當年兵變的許鳳翔回憶：“十月中旬的一天早晨，晨霧迷茫，在南寧海關的碼頭上，同志們緊張而有秩序地把槍械彈藥等軍用物資搬上大小船隻，然後上船出發。我乘坐的是一艘汽船，最後上船的一位同志，身材不高，體態結實，二十多歲年紀，精力充沛。他一邊登船，一邊微笑着和先上船的同志們問好。我不認識這位同志，忙向別人打聽，正在這時，有人開玩笑地說：‘秘書來了，咱們把鋪位讓出來吧！’原來，他就是我們行動的最高領導人鄧小平同志，公開身份是廣西省政府秘書。”②

當時在教導總隊任政治教官的袁任遠回憶：“小平同志指揮軍械船和警衛部隊從水路向右江進發。很巧，我和佘惠是和小平同船而行。過去我們只知道小平是我們的領導，但從未見過面，這是我第一次見到小平。他當時化名叫鄧斌，第一次見面就給我留下了難忘的印象。小平遇事冷靜沉着，機智果斷。他平易近人，没有架子，很健談，有時也很詼諧。”③

父親率領着他們的船隊，在滔滔江水中逆流而上。江水在船舷邊翻起浪花，南方十月的風吹拂着每一位革命戰士的臉龐，他們的心，猶如陽光般的明亮，他們的激情，猶如這江水翻滾激蕩。

船隊一路順風，不久即到達右江地區。

對於中央代表鄧小平，張雲逸早已久聞其大名，只是由於秘密工作的原因而從未謀面。部隊到了田東後，他才第一次見到了鄧小平。

張雲逸在回憶中寫道：“我們到達不久，軍械船也到了。過不一會，忽然見葉季壯陪着一個不認識的同志，向大隊部走來。

那位同志中等身材，二十多歲年紀，神采奕奕，舉止安祥。我們連忙迎上前去，葉季壯就給我介紹說：‘這位就是鄧小平’——‘哦！你就是鄧小平！’我不禁歡呼起來。三四個月來，我經常得到他的許多寶貴的工作指示，解決了許多工作中的疑難，但卻一直沒有見過面。鄧小平也很激動，緊緊握着我的手不放，同志的溫暖感情充滿心間，使我們一時忘記了説話。坐下來後，雷經天和特委會的幾位同志也來了，大家互相介紹，興奮地談笑。這時鄧小平説我們明天到百色去，大部分軍械都帶去，目前不用的重武器和彈藥，則疏散到東蘭、田東的山區裏保存起來。大家都贊成這個意見，便馬上行動起來，繼續走了兩天，到達百色。從此，鄧小平就和我住在一起。”④

就這樣，在作爲中央代表的鄧小平和其他共產黨人的精心安排和組織下，廣西的黨組織有效地保存了革命的有生力量，把部隊轉移到百色和龍州地區，爲在不久的將來，打起紅旗，成立紅軍和建立紅色革命根據地提供了基本條件。

注：

① 李宗仁《第四集團軍軍事經過概略》。

② 原紅七軍副官許鳳翔回憶。《廣西黨史研究通訊——紀念百色起義和龍州起義六十周年特刊》，1989 年第六期，第 51 頁。

③ 袁任遠《從百色到湘贛》。《左右江革命根據地》（下），第 621 頁。

④ 張雲逸《百色起義與紅七軍的建立》。《左右江革命根據地》（下），第 585 頁。

26. 舉行百色、龍州起義

廣西的形狀就像一片扁平而寬闊的大桑葉。

它的水是紅水河水，它的土是紅土地，而在紅土地之上，則是滿山遍野的綠，是那種恰如桑葉般的鬱鬱葱葱的綠。

首府南寧，在廣西的西南部。北部，有通往湘黔的重鎮柳州。東部，有通往廣東的門户梧州。而左右江地區，則在其西部。

從南寧往西，一條邕江一下子分爲南北兩江，西北方向通向百色的叫右江，西南方向通向龍州的叫左江。左右兩江之間的三角地帶，稱爲左右江地區。

百色，距南寧約二百一十多公里，這裏已非廣西腹地，周圍没有大鎮，西邊就是雲南。

龍州，距南寧約一百五十公里，這裏緊臨我西南要塞鎮南關(今憑祥市)，對面跨過十多公里就是越南。

右江地區地處桂、滇、黔三省交界之地，是一個聚居着壯、漢、瑤等民族的多民族地區。大革命時期，韋拔群即在該地區的東蘭、鳳山兩縣建立了農民革命武裝。在這裏，我黨領導的革命鬥爭，即使在大革命失敗後的白色恐怖時期，也從未停息過。韋拔群和他的戰友們在右江地區打下的深厚的群衆基礎，爲迎接鄧小平、張雲逸率領的革命武裝部隊的到來，提供了極爲有利的條件。

父親曾回憶："廣西右江地區，是一個比較有群衆基礎的地區，這裏有韋拔群同志那樣優秀的、很有威信的農民群衆的領袖。東蘭、鳳山地區是韋拔群同志長期工作的地區，是很好的革命根據地，這給紅七軍的建立與活動以極大的便利。"

父親和他的同志一到百色，就積極進行政治工作和組織工作，根據當時當地的情況，立即籌劃武裝起義。

據袁任遠、韋國清等回憶："鄧小平同志召開了黨委會議，決定進一步發動群衆，宣傳黨的'六大'主張；改造和擴大部隊，建立政治工作制度，組織士兵委員會，實行官兵平等；通過地方組織，武裝農民，開展打土豪劣紳的鬥爭。右江地區的革命活動日益發展。至11月初，黨中央批准了在左右江地區舉行武裝起義的計劃，頒發了紅七軍、紅八軍的番號，任命了領導幹部。鄧小平同志根據黨中央的指示，立即在百色和龍州籌劃一切，具體部署武裝起義的各項準備工作。"①

袁任遠回憶：到百色後，根據小平的指示和部署，積極開展工作。首先，在部隊和群衆中宣傳我黨的主張，發動群衆；第二，把政權掌握過來，在我們力量所及的地方，撤換一些反動的縣長，換上我們自己的人；第三，整頓軍隊，擴大武裝。我們的部隊是從李明瑞的舊部隊拉過來的，成份複雜。爲了把這支舊部隊改造成革命的軍隊，我們首先清洗了一些反動的軍官，對他們不抓、不殺，發給路費，'禮送出境'，然後在部隊中實行民主革命，成立士兵委員會，實行官兵在政治上、生活上一律平等，禁止打罵，建立政治工作制度；第四，建立和發展黨的組織；第五，消滅地主武裝和土匪，鞏固根據地；第六，培訓幹部，小平對這項工作非常重視，他親自給我們講課。我記得黨的"六大"

決議、“十大綱領”、蘇維埃政權等問題，就是他親自給我們講的。他講課深入淺出，通俗易懂，理論聯繫實際，很受歡迎。②

許鳳翔回憶，在百色，“我在小平同志身邊工作。當時，我們不斷接到派往右江各地的同志給‘鄧秘書’的信函、電文，反映舊政權的殘酷壓迫和土豪劣紳的胡作非爲，以及人民群衆對我軍的熱烈歡迎。每當我把這些信函、電文送給鄧小平同志時，小平同志都很重視這些由各地傳回的消息。爲了準備起義，小平同志夜以繼日地工作着，白天找同志談話、開會，佈置工作。晚上則與張雲逸等首長在一起商討大計、運籌起義事宜。不久，我軍就消滅了反動的警備第三大隊，進一步發動工農群衆，繼續整頓改造部隊。”③

就在這時，回上海向黨中央請示工作的龔飲冰秘密回到百色，向父親他們傳達中央的指示。中央批准了父親他們的建議，要他們在廣西左、右江地區創建根據地，創建紅軍，頒給的番號是紅七軍，委任張雲逸爲軍長，鄧小平爲政委。左江地區的部隊編爲紅八軍。

聽到中央的決定，父親他們一定十分振奮。當即，他們又派龔飲冰回上海，把部隊撤到右江地區的情況再向中央匯報，並表示：“我們堅決執行中央的指示，大概需要四十天的準備，就可以就緒，那時就立即宣佈起義。”

“鄧小平當即召開了黨委會議，傳達了中央的指示，決定加緊準備，在12月11日廣州起義二周年紀念那天，宣佈起義，成立紅七軍和右江蘇維埃。”④

公元1929年12月11日，百色城頭高高升起了武裝起義的紅旗，宣告中國工農紅軍第七軍正式誕生。

按照黨中央的任命，張雲逸爲軍長，鄧斌（小平）爲政委。

下轄三個縱隊：第一縱隊司令李謙，政治部主任沈靜齋；第二縱隊司令胡斌，政治部主任袁任遠；第三縱隊司令韋拔群，政治部主任李樸；軍部經理處長葉季壯。

第二天，在平馬召開了右江地區第一屆工農兵代表會議，選舉産生了右江蘇維埃政府，雷經天任主席，韋拔群、陳洪濤等爲委員。⑤

紅七軍成立後，建立了前敵委員會，中央代表鄧斌爲書記，張雲逸、陳豪人、雷經天、李謙、何世昌等爲委員，統一領導部隊和地方的工作。

在百色起義的前夕，也就是在11月的下旬，父親突然接到上海黨中央發來的電報，要他去上海報告工作。於是父親便同張雲逸等作了工作佈置，於百色起義的前幾天，也就是12月初，由百色動身，由一個嚮導帶路，化裝成商人，準備首先到龍州佈置檢查工作，爲龍州起義和成立紅八軍作準備，然後再由龍州經越南海防乘船到香港，再乘船去上海。

父親帶領袁任遠和余惠由百色出發，先到田東住了一宿，第二天，他們在路上，正巧遇見李明瑞。

原來，李明瑞，俞作豫到了龍州後，一方面籌集軍餉，一方面整理部隊。而俞作柏此時已離開廣西去了香港。11月末，李明瑞欲乘粵桂兩軍對峙、廣西政局混亂、南寧空虛之際，發動攻勢反攻南寧。他已命令俞作豫率領左江部隊開進崇善待命，並親自過右江與右江的部隊商議聯合攻取南寧。正在他去右江的途中，遇到了鄧小平。

鄧小平和李明瑞，都已相互聞名已久，而這次路遇，卻是他們第一次的相見。從這一次相識開始，父親便和李明瑞結下了深厚的戰鬥友情，並開始了一段並肩作戰、生死與共的戰鬥歷程。

這次相遇後，據袁任遠回憶：小平和李明瑞談了一會，便決定一塊返回百色。

這是因爲，父親和李明瑞接觸後，發現李明瑞和俞作豫對於是否打紅旗，還持猶豫態度，但又感到除此之外没有别的出路。

據何家榮回憶："當李明瑞到百色時，路遇鄧小平同志，鄧小平同志和李明瑞又轉回百色，做李明瑞的政治思想工作，宣傳革命道理，指出軍閥混戰的危害，説明黨的計劃是建立左右江革命根據地，準備百色、龍州起義，成立紅七軍、紅八軍，至時請他任紅七、八軍總指揮，希望他跟共産黨走革命的道路。李明瑞同志欣然接受鄧小平同志的勸告，毅然走革命的道路。"⑥

決心下定之後，李明瑞立即返回龍州。鄧小平也再度踏上回上海向中央匯報工作的路程。

李明瑞回到龍州時，發現當俞作豫率部隊向崇善前進時，大隊副蒙志仁竟在龍州叛變。李明瑞和俞作豫會合後，當即決定奪回龍州。經過對龍州的封鎖和圍攻，蒙志仁戰敗逃竄，五大隊於12月3日光復龍州。

紅七軍老戰士黄一平回憶：李明瑞反蔣失敗到龍州後，"形勢更逼迫他靠近革命。鄧小平和張雲逸多次親自找他做思想工作，介紹《共産黨宣言》等革命書籍給他看，指出革命前途和出路，啓發他打起紅旗，參加革命，在政治上給予信任，安排他擔任紅七、紅八軍總指揮。在我黨政策的感召下，李明瑞親眼看到右江紅軍力量日益擴大，各族廣大群衆熱情擁護黨和紅軍，使他認識到，只有跟着共産黨走，參加革命隊伍，才是唯一的出路。在此期間，蔣介石曾多次派心腹特務帶着廣西省主席、第十五軍軍長的委任狀和巨款到龍州等地，向李明瑞及其親屬進行拉攏、引誘，但李明瑞不爲所誘，斷然拒絕。"⑦

據何家榮回憶："龍州光復後（吳西回憶是在光復龍州的第二天——作者注），鄧小平同志帶同嚴敏、何世昌、袁振武等隨即到達龍州，他和李明瑞、俞作豫等同志研究了龍州起義的工作計劃和具體部署之後，即經越南去上海向黨中央匯報。左江的革命空氣高漲起來了。秩序迅速恢復，地方政權的建立，工農赤衛隊的成立，組織群衆和宣傳教育等等工作，都在積極進行。特別是接受鄧小平同志對改造部隊的重要指示和吸取過去的教訓，加緊整頓改造第五大隊成爲可靠的革命力量。"⑧

遵照鄧小平的意見，李明瑞等人抓緊在起義前進行部隊的整頓改造和地方政權建立的籌備工作，撤銷了一批反動舊軍官的職務，派袁振武等共產黨員充實了各級崗位。

經過整頓改造，部隊的情況很快得到了變化。士兵委員會的建立，更使得部隊的革命熱情高漲。與此同時，爲了積極作好起義的準備工作，部隊還派兵剿匪反霸，並積極組織和宣傳群衆。

1930年2月1日，廣西左江人民革命起義，在龍州爆發了。在古龍州城上，豎起了鐵錘鐮刀的紅旗。

龍州沸騰了，到處是紅旗，到處是鞭炮聲，到處是嘹亮的歌聲。國際歌聲響徹雲霄，遊行的工、農、學生和紅軍隊伍威武雄壯。

中國工農紅軍第八軍正式成立。

軍長：俞作豫。

政治委員：鄧斌（鄧小平）

政治部主任：何世昌。

下轄兩個縱隊，第一縱隊司令何自堅（何家榮）。第二縱隊司令宛旦平。

左江革命軍事委員會，肅反委員會，工人、農民、婦女等各委員會也相繼建立。

在建立紅色政權的同時，龍州人民在共産黨領導下，還進行了英勇的反對法國帝國主義的鬥爭。

龍州，自清末以來，就一直是法國的勢力範圍。龍州起義後，法國帝國主義勢力萬分驚恐，竟用“照會”污衊龍州“陷股匪握”之中，並宣稱其駐越南總督要派武裝衛隊十五名及機關炮車一輛，“以資保護”，此外，還派飛機侵入龍州上空進行武裝威脅。

紅八軍嚴厲駁斥了法方的誹謗和威脅，明確聲明“取消帝國主義在華一切特權”。

法帝國主義的無理行徑，激怒了早已飽受帝國主義侵略之苦的龍州人民。數萬群衆奮起示威，包圍了法國駐龍州領事館、由法國人把持的海關大樓和天主教堂，查抄了他們準備發動暴亂的武器、電台和其他軍用物資，繳獲銀元十五萬，並驅逐了法國領事和傳教士。

百色起義和龍州起義，使中國共産黨人在中國的南疆大地上豪邁地高高舉起一面呼啦啦飄揚的赤色旗幟，在一片白色恐怖中，極大地震動了反動勢力，鼓舞了革命者的戰鬥士氣。

百色起義和龍州起義後，左右江區域二十個縣，一百多萬人口，成爲當時全國矚目的紅色革命根據地之一。

根據中共中央和中央軍委的任命，李明瑞任紅七軍、紅八軍總指揮，鄧斌（小平）爲紅七軍、紅八軍總政委兼任前敵委員會書記。

其時，李明瑞三十三歲，鄧小平二十五歲。

注：

① 袁任遠、韋國清、陳漫遠、莫文驊、吳西《紀念百色起義》。《廣西革命鬥爭回憶錄》，第1頁。

② 袁任遠《從百色到湘贛》。《左右江革命根據地》（下），第621頁。

③ 原紅七軍副官許鳳翔回憶。《廣西黨史研究通訊——紀念百色起義和龍州起義六十周年特刊》，1989年6月，第51頁。

④ 張雲逸《百色起義與紅七軍的建立》。《左右江革命根據地》（下），第585頁。

⑤ 同注①。

⑥ 何家榮《回憶中國工農紅八軍》。《廣西文史資料》，第十輯，第1頁。

⑦ 黃一平《紅七軍初創時期的若幹政策》。《左右江革命根據地》（下），第687頁。

⑧ 何家榮《回憶紅八軍》。《左右江革命根據地》（下），第867頁。

27. 國事家事傷心事

1930年1月的一天，父親受中央匯報工作之命，回到了上海。

他首先向黨中央和中央軍委匯報了廣西的工作。

中央檔案館現存的《軍事通訊》第二期，也就是1930年3月15日那一期中，有一篇名爲“對廣西紅軍工作佈置的討論。”據考證，這次討論會時間應爲1930年1月。文中所載人物用的都是化名，我認爲，其中的報告人應爲鄧小平，參加討論的人可確定都應是黨中央和中央軍委的負責人。

《軍事通訊》爲發表這份“討論”加了一個編者按，内容如下：

> “我們本來不準備再把討論記録的全部發表，只因為廣西這個轉變是在全國範圍內最有組織最有意識的一次兵變，站在目前應擴大全國兵變的意義上，發表這個記録，把這次兵變所得的教訓和經驗傳播到各地方黨部是很重要的。因此我們把這個記録全面發表了。”

報告人（應爲鄧小平——作者注）在報告中，詳細匯報了廣西前一階段的工作，並對今後的工作提出了設想。

報告認爲，前一階段廣西軍事工作可分爲四個時期。第一個時期爲軍委（即前委）未建立時，士兵運動未能有計劃的開始。

第二個時期爲鄧斌[1]去後建立軍委，開始有計劃地注意士兵運動，並有計劃地派了些人到軍隊中去。第三個時期，教導總隊已帶了紅色，有可能拖出來發動游擊戰爭，但已引起敵人注意。第四個時期，俞作柏反蔣失敗到現在，已將警備大隊第四、五隊拖到右江百色，決定正式成立紅七軍。

關於前委今後的工作，報告中提到，要繼續深入土地革命，建立直接由群衆選舉的蘇維埃革命政權。

關於軍隊，要加緊軍隊的戰鬥力，建立游擊戰爭的戰術，改善待遇，作到官兵一律平等。軍事發展方向是左右江取得聯繫，推向湘粵邊界發展，以造成與朱（德）毛（澤東）會合的前途。

另外，紅七軍中軍事人材夠用，但缺乏黨和軍隊中的政治工作人材。當地農民生活很苦，土地大部分集中在中小地主手中，自耕農多，但大都很窮，豪紳對農民壓迫很厲害，因此農民對土地革命的積極性很高。

以上是報告人報告內容的大意。

在討論中，發言人對廣西的工作提了很多意見和建議，其中一些意見一看即知帶有濃厚的"左"傾味道，例如認爲廣西紅軍應向柳州、桂林發展（即攻打大城市）等等。特別是幾位發言人（廣東老、奧洋）都提到對李明瑞絕對不要存"絲毫的幻想"，並要加緊與之鬥爭，否則將爲其出賣。表現了對李明瑞極大的不信任和排斥。

衆人發言後，報告人（應爲鄧小平）根據討論者的意見作了補充說明，重申了一些工作重點，就一些人的意見和誤解進行了說明和解釋。

對於李明瑞，父親和他一起組織領導了百色、龍州起義。李明瑞雖爲舊軍官，但他畢竟是北伐名將，是反蔣勇士，是百色、龍州起義的領導人之一，而且，他已經接受了共産黨的感召，已經堅定地毅然投身於革命隊伍的行列。父親認爲他最了解李明瑞，也最信任李明瑞。面對中央和中央軍委一些領導的不同意見，他十分誠懇地解釋道："對李明瑞， 我們當然不好怎樣還存幻想，但是現在，在左江我們主觀的力量還不夠趕走他，而以爲暫時利用他的綫索去發動其下層群衆工作也不是不可以的。當然，主要的要發動下層群衆工作是對的，但是我們不能把建立工作的上層綫索忽視掉!"父親後來對我説過："中央派我去廣西，就是去做統戰工作!"

看到這裏，我可以更加確定這位未署名的報告人一定就是父親，就是那個親手創建紅七、紅八軍的政委鄧小平。因爲，這種面對謬誤敢於堅持真理，面對持有錯誤意見的上級敢於大膽陳述意見的作風，正是符合父親一貫的爲人與風格。

討論會的最後，一位中央軍委的領導同志（浩）作了結論。

他認爲，廣西是適合於革命的發展，也適合於反革命勢力的生存，因此要了解到，"這一時期還不能怎樣樂觀。"政治方面，要爲武裝保衛蘇聯和反軍閥戰爭這兩大黨的任務服務，同時要加緊對紅軍政治綱領的宣傳，建立經工農兵群衆大會選舉的蘇維埃政權，深入地進行土地革命，建立工會農會。在軍事上明確前委是軍中黨内的最高機關，要開展士兵運動和擴大紅軍，紅七軍兵力應相對集中，龍州亦應與百色兵力會合，以與廣東、福建朱毛紅軍相呼應而達到會合的前途。

這個結論性的發言，雖然未能脱離中央當時"左"的大框框，但總的來説，比較客觀和求實地分析了廣西的形勢，指示了廣西紅軍今後的工作，與前幾位發言人的風格和水平大不一樣。當時主持軍委工作的是周恩來，因此我估計這個結論性的發言或許就是周恩來所作。②

在這個結論性的發言中，沒有提及李明瑞的問題，但據父親說，他向中央建議批准發展李明瑞爲中國共產黨黨員，他的這一建議得到了中央的批准。

父親向中央和中央軍委匯報完不久，即在3月2日，上海黨中央給中共廣東省委轉紅七軍前委發了一份指示，上面寫道：

> "小平同志來，對於過去廣西軍中工作及轉變情形有詳細的報告，除與小平同志詳細討論許多具體問題由他面達外，更有下面的指示。"

指示說：目前的形勢是，帝國主義進攻蘇聯的危機更加深刻，全國軍閥戰爭的局面更形混亂，加速了統治階級的危機，紅七軍是在全國客觀條件下產生出來的，是在廣西群衆鬥爭的影響之下產生出來的，他雖出現在偏僻的廣西，但並不能減低他偉大的作用與意義。

指示總結了紅七軍前一階段的工作中的優缺點，指明今後工作的主要路綫是：深入進行土地革命，擴大游擊戰爭，徹底摧毀封建勢力，建立在廣大群衆信任之上的蘇維埃政權，紅七軍發展的前途，"是向湘粵邊、廣東的中心推進與朱毛紅軍以及北江地方暴動取得聯絡，以爭取廣東一省或數省先勝利的前途。

指示批准七軍前委名單，指定鄧小平、陳豪人、張雲逸、李謙、韋拔群、雷經天、何世昌七人組成前委，鄧小平爲書記。張雲逸爲第七軍軍長，鄧小平爲政委。③

黨中央的這份指示，爲七軍指出了今後的任務和方向。其中許多指示十分重要，比如深入進行土地革命、建立蘇維埃政權、發動群衆、加緊反對帝國主義等等。但其內容中仍充滿了"左"傾冒險主義的精神，特别是提出保衛蘇聯、攻打大城市、一省數省先勝利，以及一些“左”的政策措施。而正是這些“左”的指示和精神，爲紅七、紅八軍定下了一條必須去走的，極其艱難而又充滿危險的道路。

父親在上海忙完公務後，便又急忙去忙他的家事。因爲，在上海的時候，父親的個人生活遇到了一件不幸的事。

父親匯報完工作，趕忙去看他的妻子。此時，張錫瑗正住在上海寶隆醫院裏，準備生孩子。十月懷胎，一朝分娩，本是天大的喜事，但是，誰也没想到，偏偏孩子難産。好不容易，孩子總算生下來了，可是張錫瑗卻因此得了産褥熱。那時候雖是住在醫院，但醫療條件是很差的。父親在醫院以極其焦慮的心情日夜陪伴着妻子，不幸的是，幾天以後，張錫瑗就去世了。

孩子，生下來後便放在徐冰和張曉梅家裏，可能因難産的關係，没有幾天，孩子也死了。

這是一個女孩兒。

聽鄧媽媽講過，張錫瑗的死，令父親十分悲痛。

但是，再不幸也是個人的不幸，再悲痛也只能把它深深地埋在心底裏。

因爲，前方，形勢逼人，軍情如火。

張錫瑗的突然不幸去世，使得父親在上海多耽擱了幾天。大約在1月底，他連妻子也未來得及掩埋，便又急匆匆地趕去廣西了。中央已批准他們的計劃，廣西的部隊和同志們正等着他去佈置指揮呢!

父親再次取道香港時，他通過我黨當時在香港的地下交通，找了一下正在香港建立秘密電台的李强，向李强詢問到廣西後如何與上海用無綫電聯絡的有關事宜。李强告訴了他有關的呼號等事項。李强回憶説，那時“也談到他的夫人託我埋葬的事情。那是我第一次認識小平同志。”

李强是特科的工作人員，當時黨内有些同志死後，都是由他負責去埋葬的，比如中央政治局委員羅亦農被敵人殺害後和政治局委員蘇兆征病逝後，都是由李强去掩埋的。

1930年春天，李强回到上海後，承中央軍委之命，負責安葬張錫瑗。父親自被派到廣西工作後，就離開了中央機關，改爲由中央軍委領導。當時的中共中央軍委書記是周恩來。

李强叔叔告訴我：“我們把張錫瑗埋葬在上海江灣的公墓。墓碑上寫的名字是張周氏，但在公墓進行登記時用的是原名張錫瑗。當時埋葬這些同志們多用假名，羅亦農用的是畢覺，蘇兆征用的是姚維常。給張錫瑗送葬的，有鄧穎超同志和她的媽媽，還有一位姑娘，我們安葬好了以後按當時的規矩祭奠了一下。後來我才知道，同我們一起去的那個姑娘就是張錫瑗的妹妹張曉梅。”

我的二叔鄧墾説，他在1931年去上海唸書，5月份找到了當時正在上海的兄長。父親帶二叔到江灣公墓去看了張錫瑗的墓。二叔記得，那個墓碑上立碑人用的不是父親的真名，而是隨便起的一個名字。這些都是地下工作的需要。

1949年，上海解放後，父親一進城，就去查找張錫瑗的墓。因爲戰亂，日本人又在公墓那裏動土修機場，許多烈士的墓地都找不到了，羅亦農的墓地，也不知下落了。還是李强的記憶力好，在他的幫助下，終於找到了張錫瑗的墓地。當父親和母親兩個人一起前去查看時，發現那裏都被水淹了。於是父親叫人把張錫瑗的遺骨取出來，放在一個小棺木中，和當時找到的蘇兆征的遺骨一起，兩個小棺木，都放在父親他們在上海住的房子樓下，也就是當年國民黨勵志社的那個房子。不久，父親就又離開上海，率軍揮戈南下、西進，進軍大西南，直到全國解放。

張錫瑗和蘇兆征的棺木，一直放在上海勵志社的舊址裏，直到"文化大革命"爆發，就根本無法顧及了。

事情也是很怪，蘇兆征、張錫瑗等革命烈士的遺骨，最後於1969年被安葬在上海烈士陵園。

當時正是"文化大革命"最洶湧澎湃的時期，父親被當作全國"第二號最大的走資派"已經打倒。我想，當時建立上海烈士陵園的人，一定不知道張錫瑗是誰，看到她和蘇兆征的棺木放在一起，就一起安葬了。如果他們知道這個張錫瑗是鄧小平的妻子，那非但不會將她安葬，而且還不知要懷着多大的階級仇恨來處置張錫瑗的遺骸以示對鄧小平的徹底批判呢。

也可能，在冥冥之中，真有什麼力量，在那一片瘋狂與混亂之中，就這麼把張錫瑗保護了下來。

現在，上海烈士陵園已改名爲龍華革命公墓。張錫瑗那塊樸素簡單的墓碑上鐫刻着"張錫瑗烈士之墓"，她那張在莫斯科時的照片鑲嵌在石碑之上。她和蘇兆征、楊賢江、顧正紅等革命烈士一起，安祥地靜卧在青松翠柏之中。

當我們去她的墓地瞻仰時，獻上了許多鮮花，讓這些美麗絢爛的花朵，伴隨她寧靜地安息於此。

……

1930年1月，父親還未滿二十六歲。他前來上海時，想的是與妻子重聚，迎接他的第一個孩子的誕生。而他離開上海時，則是妻子去世了，孩子也死了。這突如其來的巨大不幸，使父親遭受的悲痛是可想而知的。

但是，他不能沉湎於個人的悲痛之中，他甚至不能夠多在上海停留片刻以掩埋妻兒，他必須馬上啓程，馬上趕回廣西去.

廣西那時不我待、瞬息萬變的革命形勢正等着他呢！廣西的千千萬萬的革命同志正等着中央代表和他們的政委回去呢!

注:

① 此處文中用××，我分析應爲鄧斌。

② 《對廣西紅軍工作佈置的討論》，1930年1月。《左右江革命根據地》(上)，第174頁。

③ 《中共中央給廣東省委轉七軍前委的指示》，1930年3月2日。《左右江革命根據地》(上)，第218頁。

28. 紅八軍的興衰

1930年2月7日，父親再次經香港取道越南，回到了廣西龍州。

當他還未走出越南的地界，遠遠望去，就看到鎮南關上高高飄揚着紅旗。他知道，龍州起義一定舉行了，紅八軍也一定已經成立了。

他一到龍州，才發現紅八軍已分頭到各縣去剿匪反霸，只有第二縱隊司令員宛旦平在紅八軍司令部。

宛旦平向鄧小平詳細匯報了紅八軍工作情況和龍州的形勢。

鄧小平發現，八軍和左江的工作存在一些問題。

左江革命委員會雖已成立，但尚未實際開展工作，政權仍不穩定。八軍剛剛建立，人數不多，只有一千多桿步槍，部隊基礎完全在舊軍官手中，共產黨員許多都未掌握帶兵的工作，大軍已經出發，而後方留守的是極不可靠的收編隊伍。同時，龍州起義以來，紅色政權與反動勢力之間的矛盾更加深刻和激化，而左江地區本來群衆基礎就較差。

2月上旬，八軍第二支隊游擊司令、龍津縣縣長黃飛虎叛變，還殺害了左江革命委員會農民運動委員會主任、中共黨員何健南。同時，靖西、鎮邊、天保等縣的反動勢力，已相互勾結，成立保安部隊以對抗紅軍。左江的形勢，已日益變得困難。

父親得知，此時此刻，在紅七、紅八軍總指揮李明瑞和紅七軍軍長張雲逸的帶領下，紅七軍正在向南寧進兵，途中，在隆安與桂軍近四個團的兵力發生激戰。同時，紅八軍在軍長俞作豫帶領下，也正按照預定計劃，向崇善方向進軍，準備配合紅七軍攻打南寧。

父親認爲，從主客觀條件上估計，攻打南寧必遭失敗，甚至有全軍覆滅的可能。根據黨中央不打南寧的精神，父親立即急電李明瑞、張雲逸，要求他們停止進攻南寧，並同時通知俞作豫回師龍州。

接到鄧政委的指示後，俞作豫立即趕回龍州。

隨即，父親召集了一個廣西軍委和地方黨委的幹部會議，根據他在上海向中央匯報工作的精神，作了幾次詳細的報告，指出左江各方面的工作尚未抓住中心工作。經過幾次會議的討論，決定了職工運動、農村鬥爭、發展黨的組織、反帝鬥爭、土地革命、擴大和發展紅軍等問題的方針政策。會議同時決定，八軍暫時組成一個前委，總的方向是與七軍會合，集中力量向湘、粵邊進展，以期與朱、毛紅四軍會合。①

會後，由於明確了目標和方針政策，左江的工作很快地做出了相當的成績，特別是將反對法國殖民主義（近在越南）的運動與土地革命結合起來，受到群衆熱烈歡迎。

鄧政委告訴俞作豫要嚴加戒備，在不能立足時，就向右江的紅七軍靠攏，但因爲當時紅八軍的部隊經費全靠龍州地區的稅收解決，因此俞作豫一時還下不了決心向右江靠攏。

不久，父親他們得知七軍在右江的隆安戰鬥失利，主力已退出右江，不知何往。此時，重掌廣西軍政大權的桂系軍閥，以四個團的兵力進犯龍州。八軍此時已認識到龍州是絕對不能守的，因此爲了保住與右江七軍的聯繫，決定打下左、右江之間的重要通道靖西。

父親在龍州佈置完工作後，急於趕赴右江。他於3月7日到達雷平的八軍第一縱隊。

據第一縱隊司令何家榮回憶，鄧政委“3月7日趕到雷平，在雷平建立第一縱隊黨組織之後，便親自指揮第一縱隊向靖西敵人進攻。他對年輕的第一縱隊，無論在政治、軍事工作上，都作了指示。

當年八軍老戰士周志回憶道：“我們紅八軍第一縱隊一千多人，在總政委鄧斌（小平）直接指揮下，從龍州出發向靖西進軍。當時我在第二營當勤務員。在行軍途中，鄧政委跟我們一起爬山越嶺，同甘共苦，他那豪爽的風度，平易近人的作風，革命樂觀主義的精神，給人以深刻印象。一路上，他關切地詢問部隊的思想和生活情況，勉勵我們：做一個戰士既要懂得打仗，又要懂得做宣傳群衆的工作，在任何艱難的情況下，都要堅持鬥爭。鄧政委的教誨，給我們很大的教育和鼓舞。”②

第一縱隊於3月11日包圍了靖西的敵人。何家榮回憶：“鄧政委親臨前綫和我同在南門外陣地（即現在的靖西大橋附近）指揮作戰。在圍攻了四天尚未能攻下之際，鄧政委因不能在靖西耽延太久，我便派譚晉連長率領第八連護送他過右江。握別時他指示第一縱隊領導一定要把靖西攻下，掃除左、右江聯繫的障礙，並隨時注意龍州方面的情況。鄧政委由第八連戰士護送，安全到達韋拔群同志處。”③

在靖西時，父親得知右江沿岸還有果化在紅七軍手中，他爲了趕去傳達中央指示，離開紅八軍第一縱隊趕赴右江。行前，他電告龍州，務須照決定原則，迅速向右江推進，以取得與紅七軍的聯絡。

父親離開紅八軍後，第一縱隊久攻靖西不下，在撤回龍州時，在鐵橋與敵人激戰，四百多名指戰員壯烈犧牲。

這時，敵人已調重兵襲擊龍州，紅八軍在敵衆我寡的情況下進行了英勇抵抗，最後放棄龍州，由俞作豫軍長率領退至憑詳。敵人尾隨追擊，俞軍長所率部隊僅剩七百餘人。這時紅八軍第二縱隊内部已不鞏固，在和敵軍進行了多次艱苦的戰鬥後，遭受慘重損失，一批政工人員被迫離開部隊，許多紅軍戰士和農軍戰士犧牲，致使紅八軍第二縱隊喪失。龍州被敵人佔領，紅八軍和龍州革命政權至此失敗。

紅八軍軍長、共産黨員俞作豫爲了找黨組織而去香港，不幸爲叛徒出賣被捕押送廣州。1930 年 8 月 18 日，俞作豫軍長及廖光華、王敬軒三同志被陳濟棠殺害於廣州紅花崗。俞作豫年僅三十歲。在慷慨就義之前，俞作豫無比悲壯地寫下了“十載英名宜自慰，一腔熱血豈徒流”的絶筆詩句。

紅八軍失敗後，其攻擊靖西的第一縱隊，在司令何家榮和參謀長、共産黨員袁振武的帶領下，幾次企圖與紅七軍取得聯繫，均因敵人强大圍攻而不得，乃退至貴州邊界，但仍堅持戰鬥。

最後，這支紅軍隊伍，歷盡千辛萬苦，轉戰滇桂、黔桂邊境數月，歷經半年的時間，剩下三百多名戰士，在參謀長袁振武的率領下，終於於同年 9 月間在廣西河池地區與李明瑞、張雲逸率領的紅七軍會合。當袁振武緊緊握住李明瑞總指揮的手時，兩軍的戰士們像久别重逢的親人一樣，激動得熱淚盈眶。

紅八軍第一縱隊餘部，從此併入紅七軍建制，一起參加了平馬整編。

注:

① 《紅軍第七軍報告（給蘇代會)》1930 年 5 月。《左右江革命根據地》(上)，第 290 頁。

② 周志《與紅七軍會師》。《廣西革命鬥爭回憶錄》第 53 頁。

③ 何家榮《回憶中國工農紅八軍》。《廣西文史資料》第 1 頁。

29. 紅七軍的勃興與右江紅色革命根據地

1930年3月，父親和紅八軍第一縱隊的一個連，從靖西一帶衝到右江。這時，右江沿岸已完全爲敵人佔領，紅七軍已退入東蘭一帶。3月下旬，父親終於在重敵重圍之中，迂迴到了東蘭。

自百色起義以來，右江的形勢也發生了很大的變化。

1929年12月百色起義以後，右江的形勢一片大好。但是，在大好的革命形勢下，前委没有將工作中心放在深入發動群衆進行土地改革，而是決定攻打南寧，結果途中在隆安即吃了敗仗，部隊傷亡很大。部隊向後撤回平馬後，又再被敵人追至亭泗，雙方交戰，激烈異常，由於損失不小，雙方都同時撤退。我紅七軍主力粉碎了敵人圍殲我於右江河谷的企圖，在擺脱了敵人的尾追後，於2月中旬進入東蘭、鳳山一帶休整。約半月時間，前委決定向外游擊一個時期。一、二縱隊由張雲逸軍長帶領向北邊河池方向活動，韋拔群率領的第三縱隊留在東蘭右江。

一縱、二縱經東蘭、河池、懷遠，於4月初到思恩（今環江）。在思恩因桂軍突然來襲，受到一個小的挫折後，部隊翻越苗山，到達貴州榕江地區。1930年4月底，紅七軍攻佔了榕江（當時名古州），繳獲了大批武器、彈藥和其他物資，部隊士氣也大有提高。在榕江稍事休整後，七軍一、二縱隊回師廣西右江地區。

1930年4月的一天，父親到達東蘭縣武篆區，他來到魁星樓旁，找到在縣婦聯工作的黄美倫。

黄美倫回憶：那一天，“飄着毛毛細雨，近掌燈的時候，一位精悍的年輕人，戴着竹笠帽，提着拐棍，穿着草鞋，褲腳捲得高高，後面跟着一位紅軍戰士，神采奕奕地來到我家門口。”這就是鄧斌，鄧政委。

黄美倫立即帶鄧政委去見韋拔群，兩人相見，格外親切。韋拔群“安排鄧政委換了濕衣服，吃了飯，坐在我們壯家的火盆邊，説個沒完”。

第二天一早，韋拔群便帶鄧政委上魁星樓去。

魁星樓，原爲人們祭祀文神魁星之地，現已成爲農協和蘇維埃政府辦公的地方。

> “鄧政委來到武篆，拔哥就在二樓上增加一張竹床和一張舊的八仙桌，供鄧政委辦公和學習之用。從此，魁星樓上的燈光，經常明亮至深夜。”①

到武篆後，父親一面設法同已向北行動的七軍主力取得聯繫，一面與韋拔群一起進行土地革命的調查研究和試點工作。

鄧小平和韋拔群，經常在魁星樓上一起召開軍政幹部會議和黨員領導骨幹會議，研究制定有關土地革命的方針政策。他向第三縱隊的黨員領導幹部介紹了紅四軍的土地革命工作，引導幹部們進行熱烈的討論。他還經常和韋拔群一起下鄉，宣傳土地革命政策和佈置工作。

由於右江地區開展工作主要的困難是幹部太弱，許多地區找不出足以勝任的領導幹部，因此父親除了對實際工作的指導外，還辦了一些訓練班，吸收貧僱農參加。據紅七軍老戰士姜茂生回憶："1930 年 4 月，前委書記鄧小平同志親自在東蘭武篆主辦了一期黨員訓練班。他親自編寫教材，親自講課，簡明地講解馬克思列寧主義的基本原理和黨的各項方針政策。"②

父親曾說過，他在右江地區開展土地革命的一些作法，是他在上海黨中央工作時，從毛澤東、朱德領導的紅四軍的報告和紅四軍到上海的同志向中央進行的口頭報告中學習的經驗。

父親在武篆的魁星樓住了兩個月左右。到了 5 月底，他們估計紅七軍主力可能向河池方向移動，父親便決定去河池一帶尋找紅七軍。

由韋拔群派去護送鄧政委的牙美元回憶，當他們來到鄧政委住地時，看到年僅二十五歲的鄧政委"身着一套深灰色軍裝，頭戴一頂紅軍帽，腳穿一對涼鞋，紅彤彤的圓臉上，長有一對特別和藹而機靈的眼睛"。③

在晨曦之中，父親和他的隨行人員，告別了拔哥，策馬上路，去找紅七軍。

他們一路翻山越嶺，涉水渡河，吃的是乾糧，飲的是泉水，一路快馬加鞭，加緊尋訪。

到了第四天，他們打聽到已有一隊打着鐵錘鐮刀大紅旗的部隊到達河池。

第六天，父親趕到河池，終於與李明瑞、張雲逸會合。

到河池後，父親與七軍領導集中開會，傳達中央的指示，並研究回師右江的問題。

父親在河池召集了一個黨員大會，決定回師右江，在右江深入開展土地革命和改造紅七軍，總的方向還是迅速向外發展。並決定乘紅七軍從貴州回來一路上取得的勝利成果，一鼓作氣，揮師百色，收復百色。

會議後，紅七軍上下士氣大振，全軍指戰員整裝待發。

父親回到廣西後，還辦了一件事，就是按照中央的批准，根據李明瑞的要求，接受李明瑞爲中國共産黨黨員。這一決定，當父親一到龍州後便宣佈了。從此，李明瑞，由一位具有愛國民主主義思想的舊的軍事將領，成長爲一名具有堅定的共産主義信仰的革命戰士。

李明瑞由一個舊軍人轉變爲一名紅軍革命將領這一過程，是一個非同尋常，卻又極帶普遍意義的事例。朱德、彭德懷、賀龍、葉劍英、劉伯承，這些未來的中華人民共和國的元帥們，都是這樣走過來的。

父親與李明瑞之交，才一年不到的時間，但他們之間已建立了真誠的友情和信任。對於李明瑞，對於他舊軍人的出身背景，許多人存有疑慮，當時左傾的立三中央，更是明確地三令五申，不要對李存有幻想，甚至明確指示，“堅決反對他入黨”，並强令“驅逐他離開該地”！④

對於中央的這些態度，由於廣西和中央音信隔絶，所以父親當時並不知道。不過，即使知道了，他也會頂住壓力，十分堅決地，十分熱忱地，用真誠和勇氣把李明瑞歡迎到革命隊伍中來。因爲，是他，最了解廣西的情況，是他，最了解李明瑞。他知道，李明瑞需要革命，革命也需要李明瑞。

父親就是這樣的一個人，作爲一名黨員，他具有十分强的組織紀律性，同時，又絶不輕易向謬誤讓步，敢於堅持真理，敢於實事求是，敢於承擔責任。

1930 年 6 月初，紅七軍在李明瑞總指揮、鄧小平總政委和張雲逸軍長的帶領下，向百色進發。6 月 8 日，紅七軍一、二縱隊向百色發起進攻。由於敵人工事堅固，兩天仍未拿下。李明瑞、張雲逸親到前綫指揮，令二縱二營營長、共産黨員馮達飛用山炮轟擊。在紅軍猛烈攻擊之下，勝利收復百色。

收復百色後，前委決定繼續擴大戰果，紅七軍乘勝戰鬥，又收復了奉議、恩隆、思林、果德等右江沿岸各縣縣城，全部恢復了右江蘇區。在紅七軍於軍事上取得一系列的勝利的同時，右江地區繼續開展土地革命，擴大群衆基礎，鞏固紅色根據地的建設。

> "紅七軍一、二縱隊從貴州邊境回師右江，進行整訓，並開展以土地革命為中心的根據地建設工作，經過土地革命，有二十多萬群衆參加了農會、工會、婦女會等群衆組織，地方赤衛隊發展到數萬人，各級黨政機關舉辦的幹部訓練班、少數民族訓練班、鄉村宣傳隊、以及勞動小學、農村夜校等，遍佈山寨村鎮。整個右江地區呈現出一派生機勃勃的景象。"⑤

4月初，馮玉祥、閻錫山、李宗仁、張學良與蔣介石之間的中原大戰開始。桂系參與反蔣，李宗仁、白崇禧、黃紹竑親率桂系主力北上湖南參加中原會戰。正是在這軍閥混戰的空隙中間，桂系主力北上，紅七軍才得以取得了一系列的勝利，鞏固了右江革命根據地。

但是，右江紅色烈焰的熊熊燃燒，早已引起了蔣介石的忐忑不安。

7月初，在中原戰局剛剛變得對蔣方有利的情況下，蔣介石的南京政府便即刻下令，命雲南滇軍龍雲，取道龍州、百色，沿左右兩江進攻南寧。

這是一石二鳥之計，也是漁翁得利之舉。

滇軍攻桂，主要目的是趁桂系北上之機，抄襲桂系後方，牽制桂系的討蔣行動，同時，又打擊右江的紅色政權。利用滇軍進桂，一打桂系，二打共產黨，真是一個“以夷制夷”，不傷蔣介石個人實力分毫之絶妙好計。

針對這種形勢，紅七軍撤出百色，向思林撤去。

滇軍，素來勇猛善戰，這次以盧漢爲總指揮，師長張冲爲先鋒，率三個師來打廣西。兩萬人的滇軍，浩浩蕩蕩，的確氣勢不凡，而且一到右江，他們就佔了百色，於是乎便更加趾高氣昂。不想滇軍大將張冲帶領部隊繼續向南寧進發的途中，於平馬附近的果化一帶突然遭到早已埋伏在那裏的紅七軍的伏擊，惡戰一場，滇軍死傷五、六百之多。經過這一戰鬥，氣勢洶洶的滇軍真好象當頭挨了一棒，以後再未敢與紅色區域爲難。

1986年，我們隨父親去廣西桂林，在遊覽灕江的時候，父親曾回憶起當年在廣西的戰鬥生活，他説到這次伏擊滇軍一戰：“雲南軍隊能打仗，最沉着。但是每個兵都是兩桿槍，一個是步槍，一個是烟槍。抽鴉片烟走不動路，所以滇軍是打防禦戰打得好。我曾經與張冲打了一仗，在百色東面平馬附近。張冲是雲南的戰將，滇軍三個師就要打廣西！後來張冲參加了革命，他是彝族人，解放後才死的。”

與滇軍一戰之後，紅七軍也傷亡二百多人，因此部隊便開到平馬，進行整訓。

紅七軍在一開始建立的時候，就注意到部隊的改造和發展黨員、建立黨的組織，同時在部隊建立士兵委員會，廢除軍閥作風。

在平馬，爲了提高軍隊政治素質，紅七軍軍部舉辦了一期爲時三個月的教導隊，以培養連排基層幹部。

據七軍老戰士磨力回憶，教導隊共培養了一百多名學員。鄧斌政委親自主持開學典禮，親自作了形勢報告，還親自給學員講課。鄧政委幾乎每隔幾天就給學員們上一次政治課，講授的內容有工農民主政權問題、土地革命、武裝鬥爭、帝國主義等。“他講課能夠照顧到學員的不同文化程度，深入淺出，講得形象、生動、通俗易懂，密切聯繫中國革命的具體實際。記得他講到土地革命問題時，明確地指出：當前農村的土地集中在地主階級手中，而廣大貧苦農民没有土地，或只有很少土地，這是農民一切痛苦的根源。目前革命的主要內容是深入土地革命，實現耕者有其田，鏟除封建基礎，進一步調動廣大農民的革命積極性。”⑥

紅七軍在對部隊進一步進行政治思想、組織和軍事整訓的同時，在地方黨委的配合下，進一步開展土地革命，頒發了《土地革命宣傳大綱》及《土地問題決議案大綱》等指導性文件。

由於進行了土地革命，廣大貧苦農民歡欣鼓舞，熱情高漲，一批又一批的青年農民踴躍參軍。由於貧苦青年農民的參軍，紅七軍的部隊成份大大地得到了改變，精神面貌爲之一新。

紅七軍在右江約有三個半月的時間，在整訓的同時，還與豪匪武裝作戰。父親説過，在那個時期，幾乎没有一天停止武裝行動。

爲了保衛土地革命成果，保護秋收，紅七軍決定在整訓之後於 10 月初出發向河池地區行動。

紅七軍老戰士莫文驊回憶：“整訓結束，根據地的土地革命也基本勝利完成。廣大貧苦農民不僅在政治上當家作主了，而且在經濟上也得到了翻身，因而大大激發了廣大農民的革命熱情和生産積極性。許多翻身農民紛紛要求參加紅軍和赤衛隊。有幾千農民報名參加了紅軍，這就使紅軍隊伍由三個縱隊擴大爲四個縱隊，全軍發展到八千人。這時紅軍兵强馬壯，躍躍欲試，爲迎接新的戰鬥，開闢新的局面，做好了充分的準備。”⑦

按父親的說法，此時，“是紅七軍的極盛時期”。

1930年9月間，由袁振武率領的紅八軍餘部，歷經六個月的轉戰，終於到達河池，與紅七軍勝利會師。從此，紅七軍、紅八軍，匯成廣西革命的一支英勇的武裝力量，開始了新的征程。

自1930年2月間父親向上海黨中央匯報廣西工作離滬回桂後，由於種種原因，中央失去了與廣西的聯絡。

4月，中央給紅七軍前委一封信，稱“自小平同志去後，中央没有得到你們的報告，僅從反動的報紙得到你們一些消息”。⑧

同月，中共廣東省委給中央的報告稱：“前天廣西左右江已有交通來，隔絶很久的消息，到現在才能恢復，但可惜他們帶來的兩件報告因繕寫技術不好，致糊塗不清，只知其大概。”⑨

到了6月，中共廣東省委因經費缺乏等困難，還未打通與廣西紅七軍的交通聯絡。⑩

6月16日，中央給軍委南方辦事處並轉七軍前委發了一封指示信，上面稱：“關於七軍問題，自小平同志回七軍後，中央即未曾得到報告，自退出龍州百色後除龍州部分失敗情形有同志到滬報告外，關於從百色退出的大部分的行蹤，中央都不甚明瞭，近日上海有西文報紙載説已到柳州附近，但詳情亦不知道。”⑪

在這封信中，黨中央重申了立三路綫的觀點，認爲“世界革命有首先在中國爆發的極大可能”，要求“革命首先在一省或重要幾省之内勝利”，在南中國要爭取廣東的勝利，“堅決的進攻敵人的柳州桂林向着廣東的西北江發展”。同時批評七軍前委對於李明瑞、俞作豫的態度是“非常錯誤而且危險的問題”，是“没有遵照中央正確指示做法，故結果遭受機會主義的失敗!”

可以看出，上海立三中央因對七軍前委一些作法不滿，又聯絡不上，情緒十分焦急。

因此，黨中央爲了在廣西更有保證地貫徹“左”傾方針，特派鄧崗（又名鄧拔奇），前往廣西指導工作。

9月31日，中共南方局代表鄧崗（拔奇）來到紅七軍。

10月2日，紅七軍前委在平馬召開前委會。會上，鄧崗傳達了6月11日中共中央政治局會議精神。紅七軍前委決定，七軍由四個縱隊改編爲三個師，十九、二十兩個師北上向河池方向行動，在河池集中全軍舉行全國蘇維埃代表的閱兵典禮，以鼓舞士氣，並召開全體黨員大會。韋拔群率領第二十一師留在右江地區堅持右江根據地的鬥爭。

10月4日，紅七軍主力七千餘人浩浩蕩蕩，威武雄壯地整裝北上，向桂黔邊界的河池地區進發。

這支紅軍隊伍，正是朝氣蓬勃、士氣旺盛之時，他們怎麼會想到，他們的總政委、前敵委員會書記鄧小平的心裏，卻是思緒萬千，很不平靜!

原來，中央南方局代表鄧崗到來後，傳達了黨中央政治局會議精神，認爲新的革命高潮已經到來，要取得一省或幾省先勝利，進而建立全國革命政權。命令紅七軍進攻柳州、桂林，最後奪取廣州，以配合紅三軍團奪取武漢，要求“會師武漢，飲馬長江”。

除了軍事部署以外，鄧崗還傳達了中央對廣西右江根據地土地政策的批判，說右江特委所執行的土地政策是右傾富農路綫。

黨中央的新的戰略部署和對右江土改工作的批評，引起了父親的沉思和憂慮。

對於革命形勢和現階段革命任務的不同看法，對於紅七軍這支七千多人的紅色革命武裝力量的前途命運的擔憂，不容他不深刻的思考，不容他不心存憂慮。

一省或數省先勝，進而建立革命政權，革命高潮已經到來，這就是“立三路綫”的戰略佈局。

那麼，什麼是立三路綫，它又是怎樣形成和發展的？

在下一章裏，我有必要作一詳細的介紹。

注：

① 黄美倫《鄧政委來到武篆》。《左右江革命根據地》（下），第682頁。

② 姜茂生《憶紅七軍的黨組織和士兵委員會》。《廣西革命鬥爭回憶錄》，第二輯，第34頁。

③ 牙美元《護送鄧政委》。《左右江革命根據地》（下），第795頁。

④《中共中央給軍委南方辦事處並轉七軍前委指示信》，1930年6月16日。《左右江革命根據地》（上），第315頁。

⑤ 袁任遠、韋國清、陳漫遠、莫文驊、吳西《紀念百色起義》。《廣西革命鬥爭回憶錄》，第二輯，第1頁。

⑥ 磨力《在紅七軍軍部教導隊裏》。《左右江革命根據地》（下），第741頁。

⑦ 莫文驊《百色風暴》，第156—157頁。

⑧《中共中央給七軍前委信》，1930年4月20日。《左右江革命根據地》（上），第258頁。

⑨《中共廣東省委給中央的報告》，1930年4月。《左右江革命根據地》（上），第264頁。

⑩《中共廣東省委給中央的報告》，1930年6月10日。《左右江革命根據地》（上），第313頁。

⑪《中共中央給軍委南方辦事處並轉七軍前委指示信》，1930年6月16日。《左右江革命根據地》（上），第315頁。

30. 立三“左”傾冒險主義的由來

在我採訪諸多的革命老前輩時，有一位革命老媽媽在給我講述了許許多多的黨的歷史以後，嘆了一口氣，說：“那時候，我們的黨，還處於幼年時期和左右搖擺的時期呀!”

自從中國共產黨在 1921 年創立以後，直到 1935 年“遵義會議”這一個期間，曾經歷了陳獨秀、瞿秋白、李立三、王明等幾個歷史階段，而在長達近十四年的戰鬥歷程中，儘管中國共產黨和中國共產黨人用他們的英勇鬥爭和頑强奮鬥，取得了光輝的成就和巨大的革命成果，但是，由於黨的路綫、黨的政策一再的變化，由於黨的領導者的決策和認識一再的失誤，同時，也由於共產國際的不當影響，致使中國革命的道路經歷了那麼多的曲折，耽受過那麼大的風險，遭受過那麼樣令人痛心的損失!

父親曾經說過，“遵義會議”以前，我們的黨從未形成過一個真正的領導核心。

從 1921 年到 1934 年，中國共產黨不斷發展壯大，建立了紅色武裝，建立了紅色革命政權，同時，也經歷了陳獨秀右傾投降主義、瞿秋白“左”傾盲動主義、李立三“左”傾冒險主義和王明“左”傾機會主義的錯誤和挫折。

1921 年 7 月，中國共產黨成立以後，黨員人數由成立時的五十多人，迅速發展到大革命高潮時期的近六萬人。1927 年，由於國民黨右派背叛革命和中共黨的總書記陳獨秀所犯的"右傾投降主義"錯誤路綫，使得大革命慘遭失敗，共產黨人鋭減到一萬餘人。在批判了陳獨秀的右傾投降主義路綫後，黨中央進行了改組，在白色恐怖的惡劣環境中頑强戰鬥，卓有成效地迅速恢復了組織和開展工作，到了 1928 年 6 月黨的第六次代表大會時，黨員人數已上升爲四萬多人。

在黨的領導下，進行了周恩來、朱德等領導的南昌起義，毛澤東領導的湖南秋收起義，彭湃領導的廣東海陸豐起義，湖北的黄麻起義，張太雷等領導的廣州起義，朱德、陳毅領導的湘南起義，劉志丹、謝子長領導的陝西清澗起義和渭華起義，賀龍等領導的湘鄂邊起義，彭德懷等領導的江西平江起義，鄧小平、張雲逸等領導的廣西百色起義等。在這些起義中，公開打出紅旗，建立了共產黨領導的中國工農紅軍，建立了各蘇維埃紅色政權和紅色革命根據地。在進行革命武裝鬥爭的同時，中國共產黨人在紅色區域還進行了土地革命運動，使中國革命從此走上了武裝鬥爭和土地革命的新的歷史階段。

1927 年 8 月 7 日在武漢舉行的黨中央緊急會議，及時糾正了陳獨秀右傾投降主義，確定了進行土地革命和進行紅色武裝鬥爭的方針。八七會議，具有其不可磨滅的歷史功績。但是，在黨中央反對右傾錯誤的同時，卻爲"左"的錯誤開闢了道路。

1927 年 11 月上旬，中共中央召集了臨時政治局擴大會議，會議由瞿秋白主持，會上通過了《中國現狀與共產黨的任務的決議案》。會議認爲當時的革命形勢仍在繼續高漲，反對退卻，要求繼續進攻，其"總策略"的核心便是進行武裝暴動，進行農村暴動和城市暴動的匯合。這種暴動的實質是强求工人暴動，搞"城市中心論"，而對農民暴動的估計，也過於盲目樂觀，認爲甚至可以發展成農民總暴動。

在這次中央擴大會議上，以瞿秋白爲代表的“左”傾盲動主義，在黨中央領導機關取得了領導地位，並受到共產國際代表羅米那茲的堅決支持。

在“左”傾盲動主義錯誤的領導下，中央的主要工作都圍繞着全國總暴動的“總策略”，先後發動了宜興、無錫、上海、武漢、長沙等城市暴動，由於缺乏廣泛的群衆基礎，這些暴動先後失敗，黨的組織和革命力量也受到了嚴重的破壞和損失。

瞿秋白的錯誤指導方針，曾在黨内受到許多同志的批評和抵制，同時，共產國際也對中共和共產國際代表的錯誤提出了批評。從1927年11月到1928年4月，不到半年的時間，以瞿秋白爲代表的“左”傾盲動主義就基本結束。

瞿秋白，生於1899年，江蘇常州人，曾參加“五四”運動，1922年加入中國共産黨，是黨的第四屆到第六屆中央委員。在他主持中央政治局工作期間，雖犯了“左”傾盲動主義錯誤，但他接受了中央和同志們的批評，在被解除了中央領導職務後，繼續爲黨努力工作。他曾遭受王明“左”傾教條主義和宗派主義的打擊，曾在上海與魯迅一起領導了“左聯”的工作，著有約五百萬字的作品，後在中央蘇區堅持鬥爭。1935年，瞿秋白在福建武平被國民黨逮捕，6月18日在長汀英勇就義，時年三十六歲。

瞿秋白是我黨早期領導人之一，他犯過錯誤，但勇於承認和改正錯誤。他才華橫溢，斯文儁雅，卻又堅定頑强，視死如歸。他的一生，絶非“如歌的行板”，而是一首悲壯的交響詩。

1928年6、7月間，爲了避開中國白色恐怖的險惡局勢，中國共産黨在蘇聯的莫斯科召開了黨的第六次全國代表大會。

黨的“六大”基本上是正確的。它正確地總結了過去革命工作的經驗教訓，反對了右的和“左”的兩種傾向，正確地分析了中國社會的性質和中國革命的性質，正確地估價了中國革命的政治形勢，還決定了黨在各方面的工作任務。但是，這次大會對於中國革命的長期性，對農村根據地的重要性等問題缺乏正確的認識，没有從根本上糾正“左”傾錯誤，因此而留下了再犯“左”傾錯誤的後患。

黨的“六大”還選舉出了新的中央委員和政治局委員。由於受共産國際的影響，過分强調工人成份，使得根本不能勝任的工人出身的向忠發被選爲中央常委主席（相當於總書記）。

早在“八七”會議之前，陳獨秀便離開了黨中央的領導崗位，“六大”以後，他拒絶中央給他分配的工作，聯合了一些觀點相同的人，反對“六大”路綫和黨内對他的批評。他還組織了反對黨中央的小組派别活動，因此1929年中共中央決定將其開除出黨。以後，陳獨秀便自立門户，聯合各托派，組織成立了統一的托派組織。1932年，陳獨秀被國民黨逮捕，1937年出獄，1942年病故於四川省江津縣，死時六十二歲。

陳獨秀是中國新文化運動的倡導人，“五四”運動以後，接受和宣傳馬克思主義，是中國共産黨的主要發起人和組織人之一，是中國共産黨的第一任中央局書記（總書記）。他曾經是新文化運動的一面旗幟，是中國進步青年心中的偶像；他曾經當過六年中國共産黨的主要負責人，對中國革命作出過重要貢獻。但是，他個性很强，固執己見，是黨内有名的“大家長”，因此他非但不能接受意見、正視錯誤和改正錯誤，反而和黨分道揚鑣，從此失去了他人生的光彩。最後，正當全國進入抗日戰爭高潮的時候，他卻默默無聞地病死他鄉。所以，可見，一個革命者，無論他曾經多麼著名，無論他個人的貢獻曾有多麼之巨大，當他離開了革命的群體，離開了革命的隊伍之後，他的影響和作爲就會黯然失色。因爲，中國的革命，不是依靠任何一個個人，而是依靠千千萬萬志同道合的革命者的集體奮鬥，才最終取得成功的。陳獨秀的悲劇正在於此。

前面說過，1928 年召開的黨的“六大”，批判了陳獨秀的右傾投降主義和瞿秋白的“左”傾盲動主義，確定了一個基本正確的路綫，因此在“六大”以後，黨的組織結束了渙散狀態並得到了進一步的發展。到了 1930 年 9 月，共產黨員的人數已增加到十二萬二千三百多人，白區工作得到了整頓和發展，一些中心城市，如武漢、廣州等黨的工作得到恢復，黨在群衆中的影響進一步擴大，赤色工會會員達到十萬以上。

到了 1930 年年中，黨領導的工農紅軍有了較快的發展，建立和鞏固了農村革命根據地。全國正式紅軍共十幾個軍，連同地方武裝力量共約十萬人，開闢了大小十幾塊農村革命根據地。

在贛南、閩西地區，毛澤東、朱德領導的紅一軍團，近兩萬人，縱横馳騁數百餘里，形成了比較鞏固的革命根據地。

在湘鄂贛邊地區，由彭德懷等率領的紅三軍團，下轄兩個軍，形成了具有一萬五千餘人的武裝力量。

在湘鄂西地區，賀龍、周逸群領導的紅二軍團，建立了有部隊一萬人，在長江、漢水之間的紅色根據地。

在鄂豫皖地區，由許繼慎、徐向前領導的紅一軍，建立了有部隊五千餘人、二十多個縣區的紅色革命根據地。

在贛東北，在方志敏、邵式平領導下，形成了一個擁有十幾個縣，兩千餘紅軍的革命根據地。

在廣西右江地區，鄧小平、張雲逸率領的紅七軍，七千餘人，建立了右江十一個縣的革命根據地。

此外，在蘇中，在廣東東部，在陝甘邊和陝北等地區，都建立了規模不等的革命根據地和紅色政權。

在軍閥割據、相互混戰、無暇他顧的大好時機，全國各地，特別在軍閥勢力薄弱的南方各省交錯之地，紅色革命根據地和中國工農紅軍得到了發展壯大。星星之火，現已成爲即將照亮中華大地的燎原之勢。

與此同時，各革命政權建立以後，迅速開展了土地革命。

當時的中國，是一個貧困落後的農業國，民族工業十分薄弱，因此，要取得革命的勝利，必先解放千百萬貧苦農民，發動農民，形成一個以農民爲主體的革命大軍。中國的革命，實際上主要是農民的革命。在土地革命中，許多根據地排除了“左”、右傾干擾，實現了毛澤東提出的依靠貧僱農，團結中農，限制富農，保護中小工商業者，消滅地主階級的路綫。由於貧苦農民分到了土地，獲得了人身解放，大大地激發了農民群衆的革命積極性。廣大農民擁護紅色革命政權，踴躍参加紅軍和支援前綫，使根據地的革命形勢一片高漲，有力地壯大了紅軍和鞏固了革命根據地。

在國內革命形勢發展和革命力量增長的時候，中共中央內的某些領導人滋長了驕傲情緒，黨內本未徹底肅清的“左”傾思想又開始抬頭，並進一步發展成爲“左”傾冒險主義。

1930 年 6 月，中央政治局召開會議，會上由向忠發主持，李立三爲主導，通過了由李立三起草的《目前政治任務的決議》。這個決議誇大了中國革命的形勢和力量，否認中國革命發展的不平衡性，堅持“城市中心論”，提出爆發“一個偉大的工人鬥爭”，馬上形成革命高潮，緊接着舉行武裝暴動，達到以武漢爲中心的附近省區的“一省或幾省的首先勝利”，進而建立全國革命政權的“黨的策略總路綫”。

由此，形成了以李立三爲代表的“左”傾冒險主義。

基於這一“左”傾冒險路綫，中央規定了一整套以武漢爲中心的全國中心城市武裝起義計劃，並下令全國工農紅軍進攻中心城市。中央命令：紅三軍團攻打武漢；紅一軍團進攻南昌、九江，以奪取整個江西；紅二軍團配合進攻武漢和長沙；紅一軍切斷京漢路以進迫武漢；紅十軍進攻九江；紅七軍進攻柳州、桂林並最後奪取廣州。最終實現“會師武漢，飲馬長江”的冒險計劃。

同時，立三冒險主義還制定了白區各大城市的總罷工和武裝起義計劃。

對於持有不同意見的黨內同志，立三中央對他們扣上“調和派”、“取消派”、“右傾勢力”等帽子以行壓制。惲代英、何孟雄、林育南等同志因反對冒險主義而遭到壓制和打擊，乃至受到組織處理，被排斥出中央和撤銷、降低職務。這些作法，發展了黨内的宗派主義錯誤。

爲了切實保證貫徹立三冒險主義總策略的執行，黨中央還派了許多特派員，到各蘇區和紅軍去指揮和監督。

派往廣西紅七軍的代表，就是鄧崗。

31. 紅七軍的遭遇

這是1930年的秋天，七千多紅七軍健兒，在他們的總指揮李明瑞、總政委鄧斌、軍長張雲逸的帶領下，到達了廣西北部黔桂邊境的河池地區。

10月10日，紅七軍前委在河池召開了全軍黨員代表大會。

在會上，中共南方局代表鄧崗（拔奇），堅持遵照立三中央的指示，讓紅七軍首先攻打柳州。紅七軍的參謀長龔楚（鶴村）和政治部主任陳豪人也積極支持這一主張。

而父親，則明確表示了不同的意見。

父親說過，他這時的心理是，聽到中央代表傳達全國革命高潮到來的中央精神，的確很興奮，但他冷靜地考慮到，當時的廣西，已被桂系李宗仁、白崇禧重新恢復了統治，紅七軍雖在右江地區開闢了根據地、壯大了隊伍，但軍力只有幾千人，當時打百色都已十分艱難，要想打下桂林、柳州甚至廣州這樣的大城市，是沒有把握的。

但是，打柳州是中央的命令，又必須堅決執行。怎麼辦呢？

父親曾和一些同志交換過意見，發現大家的思想很不統一，有的認爲不行，有的不表示意見。最後，在會上，父親提出，由河池到東南的柳州，隔着一條大江，不好打，可以先打東北面的桂林，然後再打柳州。這一意見取得了多數代表的同意。

儘管父親和其他的同志表示了不同的意見，但是由鄧崗把持的河池會議，完全接受了立三路綫，確定了紅七軍的任務是："打到柳州去"、"打到桂林去"、"打到廣州去"，以完成南方革命。會議上還批評了七軍前委過去的"錯誤"，組織了一個由陳豪人爲書記的"兵委"，並錯誤地免除了廣西黨的特委書記和右江蘇維埃主席雷經天的職務，以後又開除了他的黨籍。

11月5日，紅七軍全體指戰員在河池舉行了閱兵典禮，七千多名紅軍將士情緒高昂，精神抖擻地接受了檢閱。

11月9日，紅七軍整裝出發，向東開進。

當這支革命隊伍滿懷豪情壯志奔赴戰場，去執行黨中央"左"傾決議之時，他們並不知道，就在他們出發的兩個月前，也就是在中共南方局代表鄧崗到達廣西推行中央"左"傾路綫不久，黨中央在上海於9月底即召開了黨的六屆三中全會。

在這次全會上，批評和糾正了李立三等人的"左"傾冒險主義錯誤。這次會議的召開，使得許多正在執行中的錯誤冒險行動得以停止，及時地減小了"左"傾冒險主義所造成的損失。

這次會議，對於中國革命不啻是一次至關重要的會議。

可是，由於山高路遠，消息隔絕，地處西南邊陲地區的紅七軍，對於這麼重要的一次黨的會議和黨中央方針政策的重要轉變卻毫不知曉，乃至在中央糾正"左"傾冒險主義錯誤兩個月後，他們仍然按照原"左"傾中央的指示方針，出發了。

他們身着軍裝，頭戴紅星，高舉紅旗，威武雄壯地出發了。

他們並不知道，擺在他們面前的，將是一系列不可能取得勝利的戰鬥。

他們並不知道，在他們未來的征途中，將要遭遇到多麼大的艱難困苦和成敗波折。

這並不是歷史有意的嘲弄，歷史就是歷史，任何人也改寫不了。

紅七軍出發了，一路向東開進。

第二天，紅七軍打下小鎮懷遠，敵人退至河南大鎮慶遠（今宜山縣城）。

這時，紅七軍前委內部產生了兩種意見，有人主張南下渡河打慶遠，而政委鄧小平和總指揮李明瑞則認爲，慶遠乃敵軍重鎮，不易攻打，應立即東進渡口。

部隊放棄攻打慶遠後，曾在四把與敵人接觸，又在天河附近與敵人相持三日之久。此時離開河池已有數日，卻才僅僅推進了五、六十公里，戰鬥且有勝有敗。七軍乃轉向北，到達三防。

三防在大苗山地區，没有敵軍困擾，又因雨而得休息數日。這時中央代表鄧崗和龔楚、陳豪人等指責鄧小平違反中央命令，堅持要先打柳州的方案。於是在三防召集營以上幹部會加以討論，會上爭論激烈，最後，大家表示服從中共南方局代表的指示。鄧小平深感在會上的孤立，便提出辭去前敵委員會書記一職，建議由中央代表或他人來擔任這一職務的請求，而鄧崗和龔楚、陳豪人又不同意，結果，鄧小平只能服從了大家的決定。

在這個漫長而又艱苦的軍旅途中，紅七軍前委內部，從未停止過爭論，從未消除過分歧。按父親的話說，就是一路上天天吵，吵了一路！

三防會議以後，紅七軍即向東南方向而下，準備攻打柳州。

行至中途，到了融江一岸的長安，發現敵人已有兩個師的重兵駐防。

12月15日，紅七軍以主力攻打長安鎮。李明瑞親自指揮，一再向敵人發起攻擊，但由於敵人工事堅固，火力密集，因此一直未能攻入鎮內。仗越打越激烈，越打越黏着。紅七軍在這場戰鬥中打出了“北伐老兵”的威風，打得敵人喪膽，只有退縮在城內死守。桂軍看到大事不妙，特派白崇禧親到長安督戰，而且斬斷後退的浮橋以令其部隊背水死守。同時，白崇禧向李宗仁要求增援，桂軍便趕緊調集一個師的兵力前往長安。此時，這場戰鬥已打了整整五天，紅七軍也已傷亡數百人，在這種情況下，七軍決定撤出戰鬥。由於紅七軍在戰場上顯示了的雄威，使得敵軍眼看紅七軍撤走而不敢追出一步。

從長安撤出後，紅七軍終於爲現實所迫放棄了攻打柳州的計劃。但是，以鄧崗爲首的人，既未放棄立三路綫，也未放棄攻打桂林的方針，只是因爲當時敵人已有佈防，所以紅七軍只好北上，想從湘南迂迴廣西繼續攻打桂林。

紅七軍於是直綫北進，越過崇山峻嶺，穿過苗鄉侗鄉，取道湖南通道縣，於 12 月 21 日佔領了湖南西南小鎮綏寧。

紅七軍進入湖南佔領綏寧的消息，很快爲敵人的報紙報道。我黨的機關報《紅旗報》對此也作了報道：“24 日長沙訊：紅軍第七軍由廣西義寧三江一帶，進攻湘南通道、綏寧各縣……由李明瑞指揮，約三千餘人，20 日攻綏寧，繼續向武岡、城步兩縣進攻，聲勢甚張。湖南軍閥何健得知消息，十分緊張，急令王家烈由靖州派兵三個團傾擊通道綏寧，令章亮基旅開赴武岡，與綏寧黔軍取得聯繫，令段珩由廣州派兵駐新寧，向武岡城步警戒，令湘鄉新化各縣團隊開寶慶集中，以資抵抗，觀此佈置，可見湘南白軍吃緊到如何形勢了。”

敵我雙方的報道，紅七軍並沒有看到，對於敵軍的各項軍事部署，紅七軍也全然不知，在綏寧稍事休息後，又揮軍向東北方向前進了。

從長安出發以來，經過二百餘公里的跋涉，紅七軍終於到達了湖南西南邊界重鎮武岡。

紅七軍到武岡地區，原本只想籌點錢款，沒有攻取武岡的意圖，後來聽說武岡城內只有民團駐守，並無正規軍隊，因此當即決定攻下武岡。結果不想，一連攻了數日，仍未攻下。到了第四日，部隊已有相當的傷亡，此時已經發覺不當，準備作出調整，不料湘軍陳光中師趕到增援，紅七軍只好撤下來，攻城失敗。

此次武岡一戰，紅七軍傷亡二百餘人，十九師五十五團團長何莽壯烈犧牲。部隊的士氣大受挫折，在撤退的途中部隊又跑散不少。紅七軍收集了部隊，決定立即繼續向東南方向轉移。途經湘桂交界之地的“八十山”時，又受到敵軍一個小的打擊。最後，紅七軍總算安全地回到了廣西，到達湘桂邊境城鎮全州。

到了全州後，紅七軍的領導幹部召開了一個會議，討論紅七軍的前途。

自從10月初紅七軍從河池出發以來，經過四把與敵遭遇，長安攻城失利，武岡作戰失敗，僅僅兩個月的時間，部隊已由七千多人鋭減到三、四千人。此時，部隊中士兵的失敗情緒很深，逃兵也很多，雖然時入冬季，部隊尚且衣食無着。而且，北有湘軍虎視眈眈，南有桂軍嚴陣以待，在這種困境下，再要打柳州、桂林，進而“飲馬長江”，真是談何容易！至此，紅七軍在嚴酷的現實和教訓下，終於徹底放棄了“立三”冒險主義，再也不提攻打柳州、桂林的計劃。

會後，中共南方局代表鄧崗要求回上海黨中央匯報工作，離開了紅七軍。而支持他的紅七軍政治部主任陳豪人，也隨後離開了紅七軍。父親説，陳豪人是在一次戰鬥後自己悄悄走了的，沒有告訴任何人，也沒有人知道他的去向。

他們走後，“立三”路綫對紅七軍的指揮也從此喪失。紅七軍的指揮權，又重新回到了鄧小平、李明瑞和張雲逸手中。

鄧崗和陳豪人，對於在紅七軍中推行“立三”冒險主義，對於紅七軍的一再失利具有不可推卸的責任，但是，他們不是錯誤路綫的制定者，只是堅定的推行者，因此，對於紅七軍的遭遇，他們要負責任，但主要責任在中央。

紅七軍在全州會議以後，深切地感到部隊急需休養和補充，他們在全州駐了三天，籌了點款，給全體官兵發了點零用錢。

這時得知桂系軍隊正在向全州進發，紅七軍便決定向東南越過桂湘邊界，往湘西南邊界道州地區開進。在途中經過與敵軍的一些小的接觸後，紅七軍又進入了湘南地界。

紅七軍佔領道州後，開了一個群衆大會，一方面爲了教育群衆，一方面鼓舞部隊士氣。

才駐兩日，七軍又得知湖南的湘軍已派兵從三個方面向道州襲來，因此七軍又不得不南下湖南邊界的江華。這時，一路上正遇隆冬，大雪紛飛，北風呼嘯，天氣奇寒。九十里雪地行軍，飢寒交迫。士兵缺衣少餉，有的身上還穿着單衣、草鞋，甚至只穿平膝的短褲，凍餓交加，凄苦不堪，一天之中，竟有多名紅軍戰士被嚴寒奪走了生命。

到了江華後，發現此地環境比道州還要惡劣，而且一點黨和群衆基礎都没有，紅七軍只能再度跋涉，先向廣東連州前進，再翻湘、桂、粵三省交界的老苗山，一路不斷地與地主武裝交火，最後於 1931 年元月中旬到達廣西邊界的桂嶺山區。

在桂嶺，紅七軍休整了四天。此時的紅七軍，兵力已不足四千。鄧小平和李明瑞、張雲逸商量後，決定將部隊進行整編，將原來兩個師的建制改編爲兩個團，爲提高部隊士氣，以主要官長兼任團長。原十九師縮編爲五十五團，龔楚爲團長，鄧小平兼政委，下轄兩個營，共一千二百餘人。原二十師縮編爲五十八團，總指揮李明瑞親兼團長，下轄兩個營，有一千三百多人。軍直屬隊還有八百多人。全軍還有六挺重機關槍和三門迫擊炮。

這樣改縮以後，組織比較嚴密，且軍首長親任團領導，原團長皆任營長，營長任連長，幹部較前充實，部隊的戰鬥力又得到了一些恢復，而且吃穿問題都得到了一些解決，官兵的情緒也有好轉。

桂嶺，地處桂、湘、粵三省交界之處的重要位置，其時正值廣東粵軍和雲南滇軍大舉向廣西桂系李宗仁、白崇禧進攻，在桂粵邊界上氣氛已很緊張。而且桂嶺一帶地主豪紳力量强大，民團也多，地方反動武裝還强迫老百姓集中在炮樓不許出來。這些，都給紅七軍帶來了不少的困難，因此，紅七軍決定離開桂嶺，向廣東方面的連州地區進發。

行不多久，即出了廣西地界，進入廣東，1 月 19 日到了距離連州城六十里的東陂後，七軍即討論是否攻打連州，經權衡利弊後，決定不打連州。根據龔楚的建議，決定還是北上湖南，到湖南的宜章一帶，因爲那裏原來就具有一定的群衆基礎，且地勢險要，利於生存。七軍乃向東北方向開進。

途中，在 1931 年的 1 月 17 日，七軍到達離連州八十里的星子，時聞前往湖南的途中已有湘軍千人佈防，因此七軍又折返連州。

紅七軍的到來，引起連州敵人萬分驚恐，乃放火燒城，企圖阻擋七軍。七軍聞訊，立即入城救火，使得連州城沒有全部燬於烈焰。紅軍救火的英勇行動，大大地感動和教育了連州市民。市民和商人們主動爲七軍籌款、籌糧，慰勞七軍，還接納了百名紅軍傷員。

到達連州後，紅七軍的總部署還是想北進到湘南地區，在那裏站穩腳跟，建立蘇維埃和開展土地革命，並補充紅軍。因此紅七軍再度掉頭北上。

1月底，紅七軍途經廣東星子，30日到達廣東乳源縣梅花村一帶。

其時，正是隆冬未過，臘梅正開的季節。

梅花村是湘粵邊界的大村，離七軍的目的地宜章已經很近。三年前，朱德、陳毅領導宜章起義，梅花村曾住過紅軍傷員，群衆基礎較好，因此，七軍前委便決定在這裏着手發動群衆，爲創建蘇維埃做好準備。經過數日的工作，發動群衆工作取得了相當的成績，並同時武裝了幾十個農民，發了六十枝槍。

在梅花，部隊剛住下，中共湖南省樂昌縣委派宣傳部長谷子元前來和紅七軍聯繫。谷子元帶來了黨的六屆三中全會緊急通告等文件。

看到這些文件，父親和紅七軍前委才知道，原來，早在去年的9月，也就是他們在河池之時，黨中央便已批判了“左”傾冒險主義，結束了立三路綫！①

1930年9月到1931年1月，這個時間上的差距，竟使紅七軍輾轉作戰數千里，不但丟失了革命根據地，而且兵力減少三分之二！

這麼大的責任，這麼大的損失，這麼大的差誤，回想起來，怎麼能不令人深感震撼！

逝者已逝，無可挽回，也没有時間去挽回。

紅七軍剛在梅花住下幾天，2月3日，他們即得報，説粵軍鄧輝一團從星子方向追來，七軍前委認爲，只有一個團的敵軍，正是一個殲滅敵人的大好機會，乃決定進行戰鬥的軍事部署。

仗一打響，敵我雙方一經接觸，才發現，敵人的兵力絕非一個團，而是三團之衆，其中兩個團是由樂昌方向過來的。

錯誤的情報導致了錯誤的決定，錯誤的決定導致了失敗。

經過五個小時的激烈而又殘酷的一場惡戰，紅七軍殲敵一千多人，但本身傷亡亦很大，最後於黃昏時撤退下來。

在這場惡戰中，七軍損失巨大，傷員不下二百，二十師師長李謙、五十五團團長章健等英勇犧牲，七軍參謀長龔楚、五十九團團長袁振武、五十八團營長李顯等負傷。全軍幹部損傷過半，部隊人數只剩二千多人。

對於梅花一仗，父親記憶深刻。1992 年他到廣東時，還曾感慨地提起他在廣東的這些戰鬥經歷。他萬分惋惜地說，在梅花一仗中，犧牲了許多重要的幹部，比如李謙!

1931 年 2 月 5 日，梅花村戰鬥結束，在掩埋好犧牲的戰友後，紅七軍退入山區。

經梅花一戰，七軍損失嚴重，兵力疲憊，部隊情緒不佳。

紅七軍前委決定，放棄在粵北湘南一帶建立根據地的計劃，速出樂昌，向江西前進，到中央蘇區與中央紅軍會合，在中央蘇區休整部隊，並任命張翼爲五十五團團長，馮達飛爲五十八團團長。

在安排好了二百多名傷員後，紅七軍在鄧小平、李明瑞、張雲逸的帶領下，向西開拔，強渡樂昌河（即武水)。

中午時分，鄧小平和李明瑞率五十五團先過樂昌河，不想此時敵人由樂昌、韶州兩處用汽車運來部隊，阻止我軍過河，張雲逸率領的五十八團僅過了一個連，便爲敵人炮火截斷而不能渡河。

經樂昌河一役，紅七軍又被割斷爲兩部，五十五團由鄧小平、李明瑞率領向江西進發；五十八團則由張雲逸率領繼續在湘粵邊界迂迴，最終渡過樂昌河，向江西方向前進。在此期間，紅七軍的兩部失去聯繫，全無音信，直到4月中旬，兩部方才在江西永新會師。

紅七軍第五十五團，在鄧小平政委、李明瑞總指揮的帶領下，突破了企圖阻止紅軍過河、並將紅七軍全殲於此的敵人的圍擊，一千多人的隊伍經過廣東北部仁化地區，向北直入江西。2月8日左右到達內良，在這裏，他們欣喜地遇到了中央湘贛邊特委領導的崇南游擊隊。

江西，畢竟是我黨第一個革命根據地的發祥之地。這裏，有黨的組織，有堅實的群衆基礎，有地方游擊武裝，有中央正規紅軍，比起廣西來，真是另是一番天地。所以，紅七軍一進江西，便遇到了自己人。自己人，哪怕只是一支小小的地方游擊隊，也足以令人倍感親切！

紅七軍雖然幾經挫折，幾損兵力，但仍不失爲威名遠揚、英勇能戰之師，因此，紅七軍一到江西，敵人的報紙立即登載消息：

"李明瑞率紅七軍入湘贛邊"；

"李明瑞率紅軍由小道趨樂昌仁化"；

"粵北民軍散兵及當地農匪聯合響應紅軍第七軍，牽制我軍攻擊紅軍"；

"紅軍第七軍分兩路入湘南攻贛"；

……

到了這個時候，敵人仍然密切注視着紅七軍，仍然不敢小視紅七軍！

紅七軍在游擊隊的安排下，安置了傷員，還聽取了情況介紹。

他們得知，這一帶尚屬游擊區，群衆基礎還比較薄弱，六十里外的崇義縣城還是敵佔區，但敵人兵力較弱。

紅七軍乃決定，北進六十里，拿下崇義!

紅七軍以較强的戰鬥力和兵力上的壓倒優勢，很快佔領了崇義縣城。

崇義，在江西西南部，此地地處湘鄂贛三省邊界地區，離井岡山約一百公里，已是我紅軍湘贛根據地的外圍地帶。2月 14日到達崇義後，即得知離城二十五里處有我紅軍三十五軍的一個獨立營，有蘇維埃政府。三日後，紅七軍與他們取得了聯繫，並會見了中共贛南行委的同志。

根據當時、當地的情況，紅七軍決定在崇義開展工作，以崇義爲中心創造一個鞏固的蘇維埃政權，進行深入的土地革命，同時加緊創造黨的工作及整頓發展紅軍，在粵贛大道上，實現擾敵後方的任務。

紅七軍在樂昌渡赤水河時雖被分割爲兩部，但後來東進途中一路無戰事，武裝没有大的損失。五十五團到崇義時，有人員千餘（其中黨員約佔四成），槍支近八百枝，迫擊炮一門，機關槍五挺。在崇義，爲了加强地方武裝，七軍把崇南游擊隊改編爲紅色獨立營，派出軍事幹部加强地方武裝，還特撥八十枝槍給蘇維埃政府和新建之獨立營。

在崇義二十幾日後，紅七軍迅速創造了幾個區蘇維埃政權，在全縣形成了一片紅色區域，與此同時，開始提出分配土地的問題，工作開展比較順利，部隊也有了暫短的休息，戰鬥力已大大恢復。

在此期間，恰逢1931年的舊曆新年。也就是在公曆2月17日那一天，崇義家家户户辭舊迎新，過了一個平平安安的新年。紅七軍全體指戰員，也在經歷了千難萬險之後，與民共樂，享受了一個歡樂的節日。

過了年後，七軍得知，敵軍對崇義之紅軍已不能安枕，在討論紅七軍的行動時，贛南行委書記等提出，崇義地區原本是游擊區域，群衆基礎薄弱，如敵大軍前來，恐不能立足。在崇義東南的信豐一帶，我三十五軍已經離開，紅色區域正逐漸失去，因此建議紅七軍開到信豐一帶，以便鞏固信豐的紅色政權。紅七軍前委書記鄧小平和前委委員李明瑞、許卓商議決定，採納行委的意見，將部隊轉移至信豐地區。

在崇義時，父親他們從行委的同志那裏得知，中央召開了六屆四中全會，王明佔據了中央的領導地位。

這一消息，使父親的心中有所震動。因爲，對於王明此人，他向無好感。他想到，自從1930年從中央回廣西後，一直没有和中央取得聯繫。現在，紅七軍終於到達江西，周圍敵情並不嚴重，而且當地行委有可靠的交通綫可達上海中央，因此父親考慮赴上海向黨中央匯報工作。他和李明瑞、許卓召開了前委會，會上一致同意鄧小平去上海匯報和請示工作。鄧小平指定，他走了以後，由許卓代理前委書記。鄧小平一再叮嚀，紅七軍不能獨立行動，必須在有群衆基礎的地區，與群衆會合起來，才能站穩腳跟完成任務，在必要時，可向井岡山革命根據地方向靠攏。

交待完工作後，父親告別了李明瑞，告別了這個與他共創紅七軍，共同開創左、右江革命根據地的戰友，離開了崇義。他當時絕對没有想到，他與李明瑞的這一別，竟成了永別。

父親和許卓一起，先到離崇義三、四十里的一個鎮子去，一是看望留在那裏的百餘傷員，二是和行委的同志討論和佈置了建立根據地的工作，並商定由行委的交通員送他去上海匯報工作。

在父親告別許卓時，聽見遠處有槍聲，他再度叮囑，必要時，部隊可向井岡山靠攏。

此後，父親化裝成一個買山貨的商人，由行委派一個交通員帶着，步行幾天經粵贛交界處的大庾，到了廣東的南雄。

南雄當時是我黨的一個主要的交通站，由一對姓李的夫婦主持。父親在交通站上住了一夜之後，即由他們派另一位廣東的交通，帶領步行到韶關，然後乘火車到廣州。在廣州的一個旅館住了半天後，又由交通代買了到香港和由香港到上海的船票，當晚由廣州到香港，並很快再由香港坐船到了上海。一路平安。

注：

① 吳西《老驥憶峰烟》，第73頁。

32. 紅七軍光輝永存

父親離開紅七軍回上海向黨中央匯報工作以後，李明瑞、許卓便準備出發東去信豐，在信豐保衛根據地的建設。

正在此時，不想國民黨在南昌坐鎮的江西“剿匪”總司令何應欽，令贛州的蔣光鼐及長沙的何健，兩面夾擊，想殲滅紅七軍於贛南。敵人的兩個團及一些民團很快接近了崇義城。

由於我方的情報偵查工作做得不好，因此等敵人到了城邊，我軍才得知敵人大軍三面來襲。當時天下濃霧，李明瑞巧佈疑陣，下令紅七軍迅速從城内撤出，他們一會兒向北打一陣，一會兒向南打一陣，邊打邊撤，結果，紅七軍很快地就像神兵一樣地消失在濃霧之中，而敵人的雙方則認認真真地自相殘殺了一場，到後來才發現是自己人打了自己人，後悔莫及。而紅七軍呢，早就向北開進，到達了井岡山附近的遂川。

1931年3月，李明瑞再率紅七軍北上，到達永新。在永新，他們見到了由滕代遠帶領的紅三軍團的一部，這是紅七軍屢經征戰以來，首次見到其他兄弟紅軍部隊。由此，紅七軍便與江西紅軍會師。在永新，他們一邊開展工作，一邊繼續打聽張雲逸軍長和五十八團的消息。

4月，那是一個春光明媚的一天，時間已是下午四時許，李明瑞和許卓帶領一支隊伍，打着紅旗，正在過橋，突見前面一支部隊迎面而來，原來就是紅七軍在樂昌河失散的五十八團！

李明瑞激動地握住張雲逸的手，兩個人都像孩子般地熱淚長流。紅七軍的五十五團和五十八團，終於在永新會合了！

兩個月以前，也就是 1931 年 2 月渡樂昌河時，紅七軍被攔腰斬爲兩段，留在河西未能過河的五十八團大部和軍教導隊、特務連及直屬隊的一些非戰鬥人員，在張雲逸軍長的帶領下，當機立斷，後撤並迂迴在崇山峻嶺之中。張軍長安排好了部隊的傷員，對部隊的行動作了周密的佈置，他們北上一百餘里，終於在樂昌地下黨和當地群衆的幫助下，在廣東坪石和湖南宜章之間的粵湘交界之處渡過了樂昌河（武水）。然後，張雲逸率部隊向湘贛邊區進軍。他們穿過粵湘贛邊的崇山峻嶺，衝破了敵人的圍追堵截，來到了湘贛革命根據地的湖南酃縣。

3 月底，這一部分紅七軍遇到了湘贛蘇區紅軍獨立一師第三團的紅軍戰友，見到了自己的同志，七軍這一部的全體人員都興奮得流下了激動的淚水。

4 月，部隊屢經苦戰後，到達江西永新。在一場戰鬥中，他們從敵人那裏繳獲了一張國民黨的《中央日報》，該報上一排大字赫然躍入眼中：

“共匪李明瑞殘部向遂川流竄。”

他們終於知道了紅七軍主力的方位！張雲逸及全體指戰員真是萬分高興，立即將部隊向遂川靠攏。

在遂川城東河口的一座小木橋上，紅七軍的五十五團和五十八團，李明瑞總指揮和張雲逸軍長，歷盡千辛萬苦，分別兩個多月，終於會合了。

在永新城頭，高高飄揚着“中國工農紅軍第七軍司令部”的大旗，全體紅七軍二千五百多名指戰員，在這裏召開勝利會師大會。

到處是歡聲笑語，到處是抑制不住喜悦的臉龐。

主席台上，李明瑞總指揮和張雲逸軍長面露喜色地端坐在上，此時鞭炮震天響，軍號直衝雲霄。

張軍長講話時，回顧了紅七軍在黨領導下所走過的艱難曲折的戰鬥歷程，他指出，經過殘酷的鬥爭考驗，紅七軍鍛煉得更加堅强了，紅七軍的勝利會師，證明紅七軍是經得起任何考驗的!

李明瑞總指揮和永新縣蘇維埃的負責同志也相繼講了話，整個會場就像一片歡騰的海洋。

不久，紅七軍接到中央紅軍毛澤東總政委、朱德總司令的命令：成立河西總指揮部，李明瑞任總指揮，直接指揮紅七軍、紅二十軍、湘贛蘇區紅軍獨立第一師三支部隊。

在永新休整數天之後，紅七軍精神抖擻，鬥志昂揚，投入了粉碎蔣介石第二次反革命“圍剿”的戰鬥。

1931年6月中旬，紅七軍奉中央紅軍的命令，主力東渡贛江，開到興國縣，與中央紅軍勝利會師。①

紅七軍老戰士們不無感慨地回憶道：“紅七軍自1930年9月離開右江，至1931年7月到達興國縣橋頭鎮與中央紅軍會合，在長達十個多月的時間裏，轉戰桂、湘、粵、贛四省，英勇地粉碎了敵人的圍、追、堵、截，戰勝了難以想像的各種困難，終於實現了‘匯合朱毛紅軍’的殷切願望。從此，紅七軍成爲中央紅軍的一部分，在毛主席、朱總司令直接指揮下，轉戰南北。”②

是啊，十個月的迂迴轉戰，七千里的戰鬥歷程，這就是紅七軍，這支中國工農紅軍的鋼鐵之師所走過的曲折而又光輝的道路。

1931年11月，在中央蘇區的“紅都”瑞金，召開了第一次中華蘇維埃共和國工農兵代表大會。紅七軍派出五名代表參加大會，其中張雲逸、韋拔群當選爲臨時中央政府執行委員。爲了表彰紅七軍的革命精神和卓著功績，臨時中央政府主席毛澤東在大會閉幕式上，親手授予紅七軍錦旗一面，上面書寫着“轉戰千里”四個大字。父親說，到了七十年代，毛澤東還幾次對他說：“紅七軍能打啊”!

紅七軍的歷史，是一部悲壯的歷史，是一部轟轟烈烈的革命戰鬥史。

其中，有光輝的篇章，有凱歌高奏的篇章，也有遭受失敗和悲慘壯烈的一頁。

紅七、紅八軍從無到有，左、右江革命根據地從小到大，使中國工農紅軍的聲威震撼廣西，其赫赫聲威和蓋世英名，將和其他中國工農紅軍兄弟部隊一起永載革命史册。

對於父親本人來說，紅七軍、紅八軍的革命歷程和戰鬥實踐，的確給予了他更多的錘煉。無論是經驗還是教訓，無論是勝仗還是敗仗，都爲他在今後更廣闊的領域内進行革命鬥爭實踐，積累了更加豐富的經驗，打下了更加堅實的基礎，使得他愈益成熟。

在紅七、紅八軍的隊伍中，多少革命戰士爲了革命事業，英勇戰鬥，前仆後繼，甚至獻出了自己的生命；又有多少紅七、八軍的革命者在後來的革命征途中，成長爲革命軍隊的高級將領。

李明瑞，北伐戰將，紅七、紅八軍總指揮，他放棄了優越的社會地位，拒絕了蔣介石要給予他的高官厚祿，毅然選擇了一條萬般艱難的革命之路。他參加了中國共産黨，在嚴酷的考驗面前毫不動搖，勇挑重擔。他有膽有謀，指揮有方，爲紅七、紅八軍創下了不可磨滅的功勳。

萬萬没有想到，就在1931年的10月，李明瑞在王明“左”傾機會主義路綫統治下，被執行王明路綫的人誣爲“改組派首要”，不幸慘遭槍殺，時年三十五歲。紅七軍的許多指戰員，也紛紛被扣上“改組派”和“AB團”的帽子。原右江蘇維埃主席雷經天，是在毛澤東的保護下才没有被殺，但第二次被開除了黨籍。紅七軍政治部主任許進、原紅七軍政治部秘書處長佘惠、魏伯剛、黎必誠等一些負責同志也含冤而死。直到1945年，在黨的第七次代表大會上，黨中央才爲李明瑞公開昭雪平反，恢復名譽，追認他爲革命烈士!

紅七軍的老戰士們，看到他們的總指揮終於可以在九泉瞑目了，心中真是欣喜夾雜着心酸。如果李明瑞不死，在今後的革命戰鬥歷程中，他還能榮立多少功勛呀! 那虎虎有生氣的勇將聲威，也將會得到黨和人民給予他應有的榮譽和地位!

1986年父親去廣西，他回憶起紅七、紅八軍的情形，特别回憶起李明瑞，他説：“我同李明瑞第一次見面是從百色到龍州的路上，李明瑞入黨是我到上海請中央批准的，我們兩人一路走向江西。李明瑞是紅七、紅八軍的總指揮，我是總政委，蘇維埃主席是雷經天。八軍被打垮了，七軍能打。俞作柏跑到香港去了，李明瑞是堅决的!”父親還訊問了李明瑞家屬後人的情况。

對於李明瑞，在長達幾十年的歲月中，父親一直是懷念他的。父親説過，七十年代的時候，他曾幾次對毛澤東説過：“李明瑞是錯殺的!”至今提起李明瑞，在父親的言辭之中，還總是閃露着激動難平之情。

李明瑞由一名舊民主主義革命的軍人，變成了一個矢志不渝的共産主義戰士，這條路是他自己選擇的，是一條光輝之路。雖然他被錯誤路綫迫害致死，但如果讓他再生一次，他一定還會選擇這條革命的道路!

韋拔群，廣西東蘭壯家人，十幾歲就自募鄉友護國討袁，後赴貴州講武堂學習，畢業後在黔軍任參謀。“五四”運動後受到進步思潮影響，參加孫中山領導的革命。1924 年進入廣州農民運動講習所學習。1929 年參加中國共產黨，並參加百色起義。1930 年紅七軍奉命北上後，他擔任第二十一師師長，告別了主力，擔負了留守右江革命根據地的艱巨任務。他領導右江人民和革命武裝力量，在極其艱難困苦的環境中堅持鬥爭。在殘酷的鬥爭中，桂系白崇禧採取“步步爲營”、“梳毛篦髮”、“縮網收魚”的戰術，實行燒光、殺光、搶光的政策，妄圖扼死紅軍。許多右江紅七軍戰士犧牲了，許多右江根據地的革命群衆被殺害了，韋拔群的弟弟、兒子犧牲了，連他的母親也被反動派驅趕到山上餓死了。敵人出一萬四千元大洋緝拿韋拔群，而韋拔群，則不僅堅持住了鬥爭，還先後率領紅軍粉碎了桂系軍閥對根據地發動的兩次“圍剿”。1932 年 10 月 19 日，在第三次反“圍剿”中，竟遭叛徒暗害，時年三十八歲。右江人民冒着生命危險，將他埋葬在廣西的土地之中。

廣西的山山水水，廣西的鬥爭經歷，紅七、紅八軍的革命戰友，父親永遠不會忘記。在廣西首府南寧的南湖公園，建立了李明瑞和韋拔群烈士的紀念碑，父親在碑上題寫道：

> “紀念李明瑞、韋拔群等同志，百色起義的革命先烈，永垂不朽!”

……

紅七、紅八軍是一支英雄的人民軍隊，在它的戰鬥歷程中，培育出了許許多多的優秀戰士，他們成爲在以後抗日戰爭、解放戰爭和建設新中國的各個時期的軍事將領和領導幹部。

原紅七軍軍長張雲逸曾說過："紅七軍出了不止五十個將領吧？一個將領是多少次戰鬥打出來的？五十個將領加起來有多少次?"③

1955年中國人民解放軍授銜時，原紅七軍、紅八軍共出了大將一名、上將二名，中將四名，少將十二名。

中國工農紅軍第七、八軍，雖然只有數年的革命歷程，但它們不愧是中國革命軍隊中的一支堅强隊伍，爲中國革命作出了卓著的貢獻。

百色起義、龍州起義，作爲中國共産黨在土地革命時期所領導舉行的許許多多次革命武裝起義中的一個組成部分，將永載史册。

注:

① 姜茂生《從樂昌河被截到永新會師》。《廣西革命鬥爭回憶錄》，第123頁。

② 袁任遠、韋國清等《紀念百色起義》。《廣西革命鬥爭回憶錄》，第1頁。

③ 覃國翰、黄超、譚慶榮《革命戰鬥友誼》。《廣西革命鬥爭回憶錄》，第162頁。

33. 三十年代初期的變遷

1931 年大約在 2 月間，父親從江西，通過黨的地下交通綫，回到了上海。

他按照交通站給他的地址，很快與中央的交通員接上了頭，向中央報了到。他先由交通安排在老惠中旅館住了幾天，又由交通代找了一個亭子間住了進去。

到上海後，父親當即通過交通請求向中央負責同志匯報紅七軍的工作。在等待向中央匯報的同時，他於 4 月 29 日寫完了一份《七軍工作報告》。

在這份工作報告中，父親十分詳盡地叙述了紅七軍、紅八軍的經過和戰鬥歷程，叙述了紅七軍在廣西右江，轉戰七千里的沿途以及在江西崇義開展地方黨的工作及土地革命工作的狀況。最後，他以十分誠懇的態度，認真分析和總結了紅七軍這一時期工作中的體會和教訓。

他認爲，首要的不足，是在七軍的工作中，處處以軍事爲中心，而没有以群衆爲中心來决定問題，結果常常處於被動地位，在右江攻滇軍之役，攻武岡之役，攻連州之役，均是如此。由於忽略了群衆的工作，一路處於被動地位，到處站不住脚，一直跑到贛南。

其次，七軍應更快地離開右江地區，因爲七軍在右江的作用很小；七軍到達廣東、湖南交界的乳源、宜章一帶的梅花村後，不應企圖在北江立足，而應迅速到江西，如果這樣決定，就不會發生在梅花村那場損失很大的戰鬥了。

第三，"左"傾路綫對七軍的指揮，導致了幾次集中攻堅的錯誤和挫折，因此向柳州、桂林、廣州進攻便成了純粹的空談。

另外，在戰役上，七軍偵察工作較差，常有輕敵的觀念，對於由舊部隊轉變而來的官兵的改造工作不夠，黨及政治工作仍有很多缺點，加之土地革命没有深入，工作推動不力。

七軍是由舊軍隊和一批新發展的農民組成的，基礎較差，加上立三路綫的貫徹執行，使得七軍碰了不少釘子。

《七軍工作報告》，洋洋一萬六千七百多字，這是父親從一個方面，作爲一個政治、軍事的主要負責人，對於工作的十分認真的總結，本應得到中央的重視。

但是，半年的時間過去了，黨中央竟然根本没有聽取父親的工作匯報。父親住在上海，只是每月從交通那裏領取一些生活費用，他同中央的聯繫，也就是交通隔些時候來看他一下，如此而已。

在上海，父親很快同幾個熟悉的同志見了面，有李維漢、賀昌、李富春、聶榮臻等。他還在李維漢和賀昌家裏搭過鋪。

父親逐漸了解到，1929年夏季他離開黨中央機關赴廣西工作後，時至今日，黨中央和黨的工作都已發生了相當大的變化。

1930年6月立三"左"傾冒險主義的推行，不只使紅七軍受到嚴重損害，而且使其他地區的黨的事業和武裝鬥爭也遭受損失。在白區，由於敵我力量過分懸殊，立三的各大城市的總同盟罷工和武裝起義計劃失敗，剛剛恢復的黨在白區的組織和革命力量遭到嚴重破壞，許多同志被捕犧牲。在蘇區和紅軍方面，紅三軍團由於誤攻長沙失敗，致使洪湖革命根據地受到嚴重破壞，部隊亦受損嚴重；閩浙贛的紅十軍，也因攻九江未成，造成很大損失。只有毛澤東、朱德率領的紅一軍團，在攻打南昌時，注意了發動群衆，見機行事，因而非但没有損兵折將，反而擴大了紅軍。1930 年 8 月，在贛南、閩西一帶中央蘇區的紅四軍團和湘贛邊的紅三軍團會師，成立了紅一方面軍，朱德任總司令，毛澤東任總政委，共轄四萬餘部隊。

立三“左”傾冒險主義的錯誤在黨内引起了廣大幹部黨員的反對和不滿，因此，爲時不長，僅僅三個月的時間，立三路綫便已宣告失敗。

1930 年 9 月，根據共産國際的指示，瞿秋白和周恩來主持召開了黨的六屆三中全會，批評了李立三等人的“左”傾錯誤，停止了其冒險計劃，改組了中共中央的領導機關。李立三本人承認了錯誤，離開了中央領導崗位。至此，立三“左”傾冒險主義結束。

李立三，原名李隆郅，湖南醴陵人。1919 年與湖南衆同學一起留法勤工儉學，曾與趙世炎等共組“勞動學會”，後又與蔡和森等共組“留法勤工儉學學生代表大會”，因參加“爭回里昂大學運動”而被法國當局押送回國。1921 年加入中國共産黨，長期從事工人運動，在 1927 年黨的“五大”上當選爲中國共産黨中央委員和中央政治局委員，同年 7 月中央改組後任臨時中央五名常委之一，曾參加南昌起義，在 1928 年黨的“六大”後任中央政治局常委，是當時黨的主要領導人之一。以他爲代表的立三“左”傾冒險主義曾給黨和革命武裝事業造成嚴重損失，他因此離開了黨中央的領導地位，並在以後的實際工作中認識和改正了錯誤。此後，他赴蘇聯學習，任中共駐共産國際代表，從事馬克思、列寧著作中文版的翻譯工作。解放後，任中央人民政府委員，政務院委員，勞動部部長等職。“文化大革命”中被林彪、江青反革命集團誣以“特務”等多種罪名並被關押，1967 年 6 月被迫害致死，終年六十八歲。1980 年，黨中央爲他昭雪平反，恢復名譽。

李立三也和瞿秋白一樣，都是爲中國革命作出過重大貢獻的人，都是由於他們的錯誤領導而使黨的事業遭受巨大損失的人，也都是知錯能改、胸襟磊落之人。李立三後來能從點滴小事作起，繼續爲黨和人民工作，在與林彪、江青鬥爭中，堅持了一個共産黨人的氣概，他的名字將與中國共産黨同在，雖死猶生。

中國共産黨在其發展的早期，的確是命運多舛。在它自身的發展成長過程中，一次、二次、三次地遭受到錯誤路綫的干擾和破壞。而且，年輕的中國共産黨，那時甚至尚不能完全把握自己的命運，既需要共産國際的支持，又屢遭共産國際的干涉和錯誤指揮。

1929 年 9 月，立三“左”傾盲動主義結束後，共産國際的米夫來了，直接插手指揮中國共産黨和中國革命。

米夫假手於王明，獨斷專行，橫加指點，由王明發展成了一條更爲有理論，氣焰更盛，形態更完備的“左”傾機會主義路綫。

王明，原名陳紹禹，安徽金寨人，1925 年加入中國共産黨，同年秋去蘇聯莫斯科中山大學學習，1926 年曾隨該校副校長米夫來華，任中央宣傳部秘書和黨的刊物《嚮導》的編輯，大革命失敗後又去蘇聯，在中山大學工作。王明在蘇期間，深受米夫器重，在中山大學任支部局負責人時，即在米夫支持下進行宗派活動，打擊迫害反對他的中國同志。1930 年，王明回國。他在中山大學回國學生中進行串連，積極反對三中全會和新的中央，他和博古（秦邦憲）兩人連續給中央寫信，批評中央，公開打出“擁護國際路綫”的旗號，要求徹底改造黨的領導。在這種情況下，周恩來在黨中央機關工作人員會議上指出了王明、博古等人的錯誤，但王明等人則毫無忌憚。中央對他們讓步，不行，分配工作，也不行，硬是鬧着要召開中央緊急會議。

爲什麼當時的中央奈何他們不得而任他們胡鬧呢？就是因爲他們有共産國際的米夫作後台。

中國共産黨在那個時候，還没有産生自己的堅强領導核心，還没有自己的領袖和中堅人物，所以，在許多問題上，不得不聽從和服從共産國際的意見。

1930 年 12 月，米夫來中國了，作爲共産國際的代表，直接來插手中國黨的内部事務了。

1931 年 1 月 7 日，中共六屆四中全會在上海秘密召開，會議的主持人仍是名義上的總書記向忠發，但實際上的操縱者卻是米夫。在會上，自始至終充滿着激烈的爭論。米夫等人在會上名義上是批判立三路綫，實際上是要達到改組中共領導的目的，扶植王明上台。在米夫把持下，會議認爲“目前黨内主要危險”是“右傾”，並改選了黨的中央委員會和政治局。

這個新的政治局的名單是由共産國際事先擬定的，總書記仍是不起作用的向忠發，王明進入政治局，實際上把持了中央領導權。

就這樣，一個“只有些小聰明”，“没有實際工作經驗”①的王明，在米夫的支持下，就這麽樣的當了中國共産黨的家！

王明自稱“百分之百的布爾什維克”，把馬克思主義教條化，把共産國際和蘇聯經驗神聖化；繼續强調全國性的“革命高潮”

和黨在全國範圍內的“進攻路綫”，不僅可以“一省數省首先勝利”，而且可以進而奪取全國的勝利；誇大“城市中心論”，輕視並否定農村革命根據地和紅軍戰士；在黨內打着“反右傾”的旗號，實行宗派主義並在黨內對持有不同意見者開展過火鬥爭，甚至進行殘酷鬥爭，無情打擊。

由於共産國際的支持，教條主義的唬人架式和黨內本身存在着“左”傾情緒，在中國共産黨内，很快形成了一條比立三“左”傾錯誤更加嚴重的，而且更加氣焰囂張的王明“左”傾冒險主義。

1931年4月，黨中央政治局委員顧順章被捕叛變。6月，黨的書記向忠發也被捕叛變。在上海的黨中央機關遭到極大破壞的情況下，成立了臨時黨中央，博古爲中央總負責人。王明去莫斯科任中共駐共産國際代表，實際通過博古操縱和掌握黨中央的領導權。

這條王明的“左”傾冒險主義，在中國共産黨内進行了長達四年的統治，給中國共産黨和中國革命的事業造成了極爲嚴重的損失。

與王明“左”傾冒險主義開始在中國共産黨内肆虐幾乎同時，也是在二十世紀三十年代初期，在中國的國土上發生了另一件事，把中華民族幾乎推向了亡國滅種的深淵，這就是中國東鄰，日本，對中國的侵略。

1929年下半年，資本主義世界爆發了一場空前規模和空前嚴重的經濟危機。這場危機起自美國，很快波及到整個資本主義世界。從1930年起，各主要資本主義國家工業總産量下降百分之四十四。1933年底，各主要資本主義國家的失業人數已近二千萬人。這場經濟危機，不但加深了資本主義國家國內的各種矛盾，而且由於資本家爲了把危機中的損失轉嫁給殖民地人民，因而激化了帝國主義和殖民地之間的矛盾。

1931年9月，趁英美等國正在措手不及地忙於内部事務之時，同時也趁中國的蔣介石正在全力以赴“圍剿”紅軍之時，日本軍國主義加快了侵略中國的步伐。

1931年9月18日，日本武裝進攻我國東北。蔣介石的南京政府竟然下令“不許衝突”，嚴禁張學良的東北軍進行抵抗，結果幾十萬東北軍一槍未發地退入了山海關以内，張學良落得個爲國人所誤罵的“不抵抗將軍”的惡名。不到五天的時間，日軍幾乎全部佔領遼寧、吉林兩省。

短短的三個月，中國東北遼寧、吉林、黑龍江三省，完全爲日軍佔領。

1932年1月，日軍不戰而得我東北後，更加肆無忌憚，悍然進攻上海，3月3日，日軍佔領上海。5月5日，蔣介石同日本簽定《淞滬停戰協定》，承認日本可以在上海駐軍，答應取締全國的抗日運動，並下令原本在上海抵抗日軍的第十九路軍撤離上海，赴閩“剿共”。

對於蔣介石來説，日本帝國主義不是首要的敵人，大片國土淪喪也不算什麼，他的心腹之敵，乃是共產黨和共產黨領導的紅軍！

1931年11月30日，正當國難當頭之日，蔣介石卻提出“攘外必先安内”，意思是説，不先除共產黨，就談不上抵禦外敵！這是什麼樣的一種奇怪的邏輯！

“九·一八”事變後，全國爲之大嘩，紛紛憤怒聲討。全國各地工人罷工，學生罷課，要求政府抗日。1931年9月28日，南京學生義憤填膺，搗毀了國民黨政府的外交部。同年底，北平、天津、上海、漢口、廣州等地學生在南京請願示威，被蔣介石派出的軍警鎮壓，當場有三十餘名學生被殺，一百多名受重傷。蔣介石的國民政府不抵抗外敵，卻血腥鎮壓學生的行爲，使得全國上下更爲憤怒。宋慶齡、蔡元培、魯迅、楊杏佛等發起"中國民權保障同盟"，要求蔣介石釋放政治犯，保障人民抗日的自由權利。

1932 年 9 月，中國共產黨臨時中央作出決議，號召全國人民武裝起來，抵抗日本帝國主義的侵略。在共產黨的領導和影響下，上海等地的要求抗日的人民群衆運動掀起了一個又一個高峰。

本來，在民族矛盾上升爲主要矛盾之際，中國共產黨應該把握時機，盡一切之可能，調動一切積極因素，團結一切可以團結的人，進行抗日鬥爭。但是，在王明把持下，以博古爲首的黨中央，卻極不恰當地錯誤估價了形勢，提出"武裝保衛蘇聯"的口號，在國內，則主張"打倒一切"，並認爲已具備了奪取中心城市的條件，提出了進攻城市和總罷工等冒險主張。由於這些錯誤主張和口號，使得中共喪失了機會，並脫離了各個階層的抗日群衆，使同盟者和同情者紛紛離開。

蔣介石趁此機會大肆鎮壓，大批共產黨員被逮捕殺害，黨的力量日益削弱。在白區，黨的組織幾乎百分之百地遭到破壞。到了 1933 年初，連爲"左"傾分子把持的黨的臨時中央，在上海也已難以容身，不得不遷往江西的中央蘇區。後來，由於電台遭到破壞，連黨中央和共產國際的聯繫都"不幸"中斷了。

在歷史的長卷中，二十世紀三十年代初期這一章，就是這樣翻開的，國有國恥，黨有黨誤。

父親是 1931 年初回到上海的，其時正碰上這國難、黨誤的最錯綜複雜之時。

他回上海半年，黨中央和中央軍委没有聽他一次匯報，没有見他一面。他也不知道，在他4月29日寫出《七軍工作報告》之前，同樣赴上海匯報工作的原七軍政治部主任陳豪人和一位名叫閻衡的原七軍人員，早已在3月9日和4月4日分别向中央寫出了關於紅七軍的報告，②他們除了詳述七軍的經歷之外，用許多“左”的觀點分析了七軍的成敗得失，特别是在閻衡的報告中，觀點尤爲激烈，例如指責七軍的階級性表現得非常模糊等等。

王明的中央，是一個比李立三的中央更加“左”傾的中央，他們一方面對前來匯報的紅七軍政委鄧小平不予理睬，另一方面則於5月14日發出了一封《中共中央給七軍前委信》，以高高在上和極其嚴厲的口吻，對紅七軍的工作横加批評。③

信是發往在江西的紅七軍的，身在上海的紅七軍政委鄧小平早已被“打入冷宫”，根本就不知道中央對七軍工作的如此嚴厲的批評和對他本人的不滿。

但是，王明中央對於他的那種明顯的冷淡，他是心中有數的。

父親曾談到，於是乎，在上海，他除了按時從中央領取生活費外，就是和幾個老友偶爾相聚，發發牢騷。

5月份的時候，我的二叔鄧墾到上海上學，找到了父親。父親帶着他，兩人一起去江灣公墓看了張錫瑗的墓地。

父親説過，這一個時期，可以説是他在政治上的一個很困難的時期。

作爲一個共産黨員，怎麽可以這樣終日閑住，無所事事呢？於是父親通過交通向中央要求，回七軍去工作。中央答覆，没有交通聯絡，未被批准。以後，父親又向中央請求，到蘇區去工作，大約在 1931 年 6 月間，得到了中央的批准。

在去蘇區之前，約在 5 月和 6 月之交，中央命父親去駐在蕪湖的安徽省委巡視工作。父親與一位安徽籍的交通一起趕赴安徽，到了蕪湖，上岸後，父親在一個飯館等候，由交通先去省委機關接頭。不久，交通便回來了，告訴父親說，安徽省委機關的暗號沒有了，機關已被破壞。鑒於情況十分危險，當天，他們即買船票回到了上海，向中央報告了情形。按父親的說法，就是“交了差”。

7 月中旬，父親從上海上船，經廣東赴江西。和他同行的，有一位女同志，名叫金維映，人們都稱她阿金。

金維映，原名金愛卿，浙江岱山人，與父親同歲，1904 年出生。阿金於 1919 年曾在縣立女子學校參加聲援北京“五四”運動的宣傳，畢業後任女校教員，1926 年組織女校師生響應“五卅”運動，1926 年加入中國共產黨，並從事工運工作，1927 年被選爲舟山總工會執行委員，“四·一二”反革命事變後被捕，經營救釋放後到上海中華全國總工會工作，從事秘密的工人運動，1929 年任中共江蘇省婦女運動委員會書記，開展婦女革命鬥爭和工人運動，1930 年任上海絲織業工會中共黨團書記和上海工會聯合行動委員會領導人。

父親和阿金是 1931 年在上海認識的，他們同被派往江西的中央蘇區工作，一路同行，後來結爲夫妻。

父親這次離開上海，是自他回國後第三次離開上海。

第一次，是 1929 年夏季，在他二十五歲時，躊躇滿志地受中央之命奔赴廣西組織武裝起義。

第二次，是 1930 年 1 月底，他匆匆而來，又匆匆而去。來是奉命匯報工作，去則是經歷了一番喪妻失女的悲痛，並十萬火急地趕回軍情日緊的前方。

第三次是1931年7月，也就是這一次。當他乘船再度南下之時，已又是一番春秋了，紅七軍的七千里轉戰仍在心頭縈繞，黨的前途命運又幾多疑問，中央蘇區的工作則令他嚮往。

兩年的時間，才僅僅兩年的時間，仿佛是轉眼般的短暫，又好似無比的漫長。

兩年的時間，又是軍旅，又是戰火，又是勝利，又是曲折。

這日月星辰，是一年一度照舊地過；而這人，卻是一年一變，歲歲成熟。

此時的鄧小平，已將滿二十七歲。在過去的革命歷程中，他又豐富了閱歷，正在日趨更加成熟和深沉。

而他的未來，則將是更加充滿戰鬥激情的，更加如火如荼的。

注:

① 李維漢《回憶與研究》，第323頁。

② 陳豪人《七軍工作總報告》，1931年3月9日。閻衡《關於第七軍的報告》，1931年4月4日。《左右江革命根據地》(上)，第358頁和第382頁。

③《中共中央給七軍前委信》，1931年5月14日。《左右江革命根據地》(上)，第412頁。

34. 瑞金與中央蘇區

1931年7月中旬，父親和阿金兩人由上海上船，到廣東汕頭上岸，找到了交通站，即由交通站派一廣東同志帶路，徑直北上，經廣東邊界大埔，順利地進入福建的永定，這裏已經進入中央蘇區的地界。然後，他們再向西北經上杭、汀州（長汀），最後向西，跨過閩贛邊界，到達江西的瑞金。

這時已是1931年8月間。

瑞金，是中央革命根據地的中心。

1927年8月南昌起義失敗後，9月，毛澤東在湖南領導了秋收起義。

秋收起義後，毛澤東認爲，目前攻打中心城市不可能取得勝利，應把部隊轉移到敵人統治力量比較薄弱的農村中去，保存力量，繼續堅持鬥爭，以發展革命力量，並決定向湘贛邊界的山區進軍，在湘贛交界之處的井岡山建立革命根據地。

毛澤東提出，共產黨和軍隊要把開展武裝鬥爭、深入土地革命和建立革命根據地三項任務結合起來。而井岡山地處江西、湘南之間，遠離敵人中心城市，且山勢險要，易於攻守。這個地區曾受第一次國內革命戰爭的影響，地方群衆基礎較好，還有中共的地方組織和地方群衆武裝，最宜作爲革命根據地。

井岡山革命根據地的開創，點燃了“工農武裝割據”的星星之火，成爲武裝奪取政權的一個偉大轉變的起點。

1927年底到1928年，由朱德率領的南昌起義部隊，廣州起義部隊和彭德懷率領的平江起義部隊相繼到達井岡山地區，與毛澤東率領的秋收起義部隊會師，成功地在井岡山開闢了一片革命的區域，並建立了紅色革命政權。

1928年4月，毛澤東、朱德、陳毅等經中央批准，決定建立中國工農紅軍第四軍，即紅四軍，朱德任軍長，毛澤東任黨代表，陳毅任政治部主任，全軍下轄三個師九個團，共一萬餘人。

井岡山革命根據地的創立和發展，引起了蔣介石的極大恐慌。1928年底，敵人成立了湘贛兩省"剿匪"總部，糾集了二十五個團，約二萬餘人的兵力，分五路向井岡山猛撲。

爲了打破敵人的"會剿"，1929年1月，在毛澤東、朱德率領下，紅四軍三千六百人的主力開始向贛南轉移，留彭德懷率紅五軍等留守井岡山。

2月，紅四軍攻佔贛東南的寧都，此後由於蔣桂戰爭爆發，蔣介石將湘粵贛三省軍隊抽調到武漢地區，閩贛境內空虛。乘此機會，紅四軍先進閩西，再轉贛南，連克閩西長汀，贛南瑞金、于都、興國、寧都等縣。到了6月，紅四軍在贛南、閩西邊境進行游擊戰，同時發動群衆，開展土地革命，擴大紅軍和地方武裝，相繼建立了十多個縣的紅色政權。

1930年，紅四軍打退了敵人的"會剿"，排除了"左"傾冒險主義的干擾，又打通了贛、閩、粵三省紅色區域的聯繫，解放了贛南大片土地，建立蘇維埃和土地革命等各項工作蓬勃開展。1930年初，閩西革命根據地已擴大爲擁有八十五萬人口、縱橫數百里的廣大地區。八十萬農民在土地革命中分到了土地，各縣普遍建立了蘇維埃紅色政權。

1930年6月，根據中央的指示精神，紅四軍前委將紅四軍、紅六軍等部隊整編，成立紅軍第一軍團，總指揮朱德，政治委員毛澤東。

在一年半的時間裏，紅軍在贛南、閩西開闢了新的根據地，形成了比較鞏固的中央革命根據地，又稱中央蘇區。

1930年10月，蔣介石與閻錫山、馮玉祥的中原大戰結束後，蔣介石掉轉頭來，集中兵力，“圍剿”他的心腹之患，紅軍。國民黨軍十萬部隊，於11月間開始向我中央蘇區進行第一次“圍剿”。

毛澤東、朱德採取了機智靈活的戰略戰術，先是誘敵深入，而後中間突破，接着各個擊破，到12月30日，全殲敵軍九千餘人，活捉敵前綫總指揮張輝瓚，取得了第一次反“圍剿”的勝利。

蔣介石經此慘敗，並未罷休，狂妄地叫囂要“三個月内消滅共軍”。1931年2月，蔣介石令何應欽帶隊，調軍二十萬，對中央蘇區發動第二次“圍剿”。

毛澤東制定了集中兵力，先打弱敵，在運動戰中各個殲滅敵人的作戰方針，紅軍三萬餘人，經過十五天的激戰，橫掃七百餘里，打了五個勝仗，繳槍二萬餘枝，痛快淋漓地粉碎了蔣介石的第二次“圍剿”。

蔣介石聞訊氣急敗壞，立即又於1931年7月，集中三十萬兵力，親任總司令，還帶着德國的、日本的和英國的軍事顧問，坐鎮江西省會南昌，向中央蘇區發起第三次“圍剿”。

針對這一嚴峻的形勢，毛澤東提出“避敵主力，打其虛弱”的作戰方針。採用盤旋式打圈子的方式殲滅敵人有生力量，聲東擊西，巧妙迴旋，使得敵人不知紅軍主力何在，成天疲於奔命地追跑，卻又屢遭紅軍主力和地方武裝的襲擊。經三個月的時間，敵軍最後撤退，而我軍則殲敵三萬餘人，繳槍二萬餘枝。

蔣介石親自出馬督陣指揮的第三次“圍剿”，就這麼的失敗了。

經過三次反“圍剿”的勝利，贛南、閩西及周圍革命根據地連成了一片，形成包括二十一個縣，二百五十萬人口的中央蘇區。

蔣介石不顧民心，不顧國耻，“先安内，後攘外”的如意算盤，在堅不可摧的紅軍面前，徹底破產。

父親到達江西瑞金是 1931 年 8 月，其時正是紅軍主力反擊敵人第三次“圍剿”的時刻。

瑞金是中央蘇區的後方，父親到那裏後，發現瑞金縣的黨政領導權，已被反革命分子篡奪，許多革命幹部和革命群衆被殺害，僅瑞金縣城對面的一個山上就有百餘人被殺害，群衆情緒很大，幹部情緒低落，全縣面貌死氣沉沉。這時，在紅軍工作的謝唯俊正在瑞金，由上海黨中央派到中央蘇區工作的余澤鴻也到了瑞金。當時他們與上級還没有建立聯繫，他們和鄧小平一起商議，推舉鄧小平擔任瑞金縣委書記。

在擔任瑞金縣委書記後，鄧小平和謝唯俊、余澤鴻二人，首先迅速地懲辦了反革命分子，爲被冤屈的革命幹部平了反，然後召開了縣的蘇維埃代表大會，建立了紅色革命政權，並着手發動群衆。不久，瑞金的幹部和群衆的積極性發揮起來了，特别是大多數本地的農民幹部情緒很高。有了大批的群衆和與群衆有着密切聯繫的本地幹部的支持，全縣局面大爲改觀。

在第三次“圍剿”被粉碎後，中華蘇維埃的政權中心遷到瑞金，瑞金由此成爲享譽全國的“紅都”。

爲了慶祝第三次反“圍剿”的輝煌勝利，“紅都”瑞金召開了五萬人的盛大祝捷大會。父親説過，由於當時條件十分艱苦，没有擴音設備，因此大會分設在四五個會場。父親是大會的主持人，他曾陪同毛澤東到各個會場講話。

那種慶祝勝利的場面，真是紅旗標語如海，口號歡呼聲鼎沸，整個瑞金沉浸在高漲的革命熱情之中。

有了在廣西革命根據地開展地方工作的經驗，使得父親在瑞金的工作進行得得心應手，十分順利。

對於在瑞金的這一段經歷，時間雖短，父親卻常常提起。1992年的一天，我們全家在吃飯，我弟弟六歲的兒子小弟餓極了，吃得狼吞虎嚥的。看着小孫子這麼能吃的樣子，爺爺笑了，他説：“我們在瑞金工作的時候，搞土地革命，制定分地的政策。有人説小孩子不應該分地，我就對他們講，四川俗話説，三歲小子，吃死老子！小孩子吃得也不少呀，因此也應該分地。後來他們接受了我的意見。你們看，小弟不就是三歲小子，吃死老子！”我們都笑了，我對父親説：“應該是六歲小子，吃死爺爺！”

父親肚子裏的故事一定還有很多，很多，就是他太不愛講述自己的過去了。如果他能像這次這樣多講點兒，我就可以“多撈點稻草”了，這本書也就可以更加生動一些了！

父親在瑞金擔任縣委書記不到一年的時間。1932 年 5 月，江西省委書記李富春，將鄧小平調離瑞金，到瑞金以南的會昌擔任縣委書記。

1972年秋天，父親因“文化大革命”的衝擊被打倒後謫居江西時，他和母親二人曾獲准在江西境内“調查研究”。他們從南昌南下，先到井岡山，憑弔了井岡山革命根據地的革命遺址，後向東南，到瑞金、會昌、尋烏等地。這次到瑞金，離他在瑞金當縣委書記，已時隔四十春秋有一之久。雖然他當時，還是全國第二號最大的"走資本主義道路的當權派"，還未復出工作，但江西老革命根據地的幹部和群衆給予了他熱情的接待。瑞金縣的同志對他說："你是我們瑞金的老縣委書記!"這句話曾令父親感動不已。在他蒙冤遭受打擊的時候，老區人民還惦念着他。

在中央蘇區進行第三次反"圍剿"的時候，王明的"左"傾冒險主義逐步推行到中央蘇區和其他各革命根據地。

1931年6月，"左"傾錯誤統治的黨中央給紅軍及各地方黨組織發出訓令，說由於反動統治的政治危機繼續增長，革命力量逐漸發展，當前黨的緊急任務是力爭在一省或數省的勝利，實現湘、鄂、贛三省打成一片的蘇區。這個訓令，就是要紅軍不顧現實狀况地去攻擊比我們力量强大得多的敵軍，把整個的湖南、湖北和江西都變成蘇區。

"九·一八"事變後，黨中央又錯誤地決定，革命時機正在全中國成熟，爭取革命在一省或數省首先勝利的前途在望，紅軍要不給敵人喘息機會，集中力量追擊敵人退卻部隊，取得一兩個中心的或次要的城市。王明中央還氣勢洶洶地指出，黨内兩條戰綫鬥爭的加深與組織上的鞏固，是實現上述任務的必要前提，目前主要危險還是右傾機會主義。

爲了推行"左"傾冒險主義，犯有"左"傾錯誤的領導者在組織上發展了宗派主義。對於那些對"左"傾政策懷疑、不滿或不積極擁護和堅決執行的人，一律扣上"右傾機會主義"、"富農路綫"、"調和路綫"、"兩面派"等大帽子，並對這些同志在組織上和人身上進行"殘酷鬥爭"、"無情打擊"，甚至使用對敵人的鬥爭方式來進行黨内鬥爭。

1931年4月，上海的黨中央派出中共中央代表團到達中央蘇區。中央代表一到中央蘇區，就像太上皇一樣發號施令，横加指責。他們劈頭就指責，紅一方面軍的前委和中央蘇區犯了許多嚴重錯誤！“最嚴重”的錯誤是：缺乏明確的階級鬥爭路綫與充分的群衆工作。在鞏固革命根據地、紅軍、土地、黨政關係、工人運動等問題上，中央都對中央蘇區和中央紅軍加以斥責。

1931年11月，在江西瑞金召開了中國共産黨中央蘇區第一次代表大會，會議在中央代表團的把持下，“完全同意”了中共中央對中央蘇區工作的“批評”。會議指責中央蘇區在根據地、紅軍、土地、政權、工會運動、反帝運動、共産黨與共青團、肅清一切反動派的鬥爭方面犯有“錯誤和缺點”，指責毛澤東制定的土地革命路綫是“富農路綫”，犯了“向地主豪紳及富農讓步的右傾機會主義錯誤”，指責毛澤東不去建立真正的工農紅軍，認爲紅軍還没有脱離“游擊主義的傳統”，攻擊中央蘇區的肅反工作“有很大的錯誤”，致使“群衆没有發動”，“反革命組織滿佈於蘇區”。會議還十分錯誤地要求在黨内開展兩條路綫的鬥爭，“集中火力，反對黨内目前的主要危險——右傾”。在紅軍的問題上，會議强調必須“建築在大規模的作戰基礎上。”會議最終排斥了毛澤東等在中央蘇區對黨和紅軍工作的正確領導。

與此同時，1931年11月，在瑞金召開了中華工農蘇維埃第一次全國代表大會，會上選舉毛澤東爲中華蘇維埃共和國臨時中央政府主席，項英、張國燾爲副主席。

本來，這是一次群英聚會、慶祝勝利的盛會，但在中央代表團的主持下，這次會議以錯誤的“階級路綫”爲原則，規定地主“没有分配任何土地的權利”，富農“可以分得較壞的勞動份地”等等過“左”的經濟政策和勞動政策。“左”的高壓氣氛，使這次大會蒙上了一層不可名狀的陰影。

一系列“左”傾錯誤政策的制定，給中央蘇區的各項工作帶來了極大的危害性。而這些錯誤的決定，從一開始，便遭到了毛澤東等人的抵制。

從此，中央蘇區的廣大紅軍指戰員和根據地的廣大幹部群衆，一方面要面對敵人的强大軍事進攻，另一方面又要與“左”傾錯誤路綫相抗爭。

中央蘇區和中央紅軍的命運，經受了一系列險象環生的重大考驗。

35. 第一任會昌中心縣委書記

1932年5月，父親奉江西省委之命，調往會昌擔任縣委書記。

會昌，在瑞金以南五十公里，與瑞金緊相毗鄰。1930年4月，毛澤東、朱德率領紅四軍來到會昌時，在這裏發展了黨的組織和建立了中共會昌縣委會。在粉碎了敵人第三次“圍剿”後，會昌縣農村許多地方已屬紅色區域，但會昌縣城則仍是一個白點。1931年11月，紅三軍團攻克了會昌縣城，12月，成立了中共會昌臨時縣委。1931年底，紅一方面軍總前委秘書長古柏任中共會昌縣委書記，這時，會昌全縣已有黨員六百六十人，區委十個，黨支部六十六個。1932年5月，古柏調任江西省裁判部長，父親由此到達會昌，領導會昌地方黨政軍工作。

父親一到會昌，幾天之內，首先處理了排除敵人“靖衛團”騷擾的事情。其時，由於會昌縣城剛剛解放才幾個月，城外一些小股的國民黨地方“靖衛團”和散兵游勇，經常向城内放冷槍，並四處騷擾群衆。父親主持召開了會昌各區委書記參加的縣委工作會議，決定加强巡邏和搜索，並派出赤衛隊繼續清剿“靖衛團”的殘餘，從而穩定了局面，保障了人民生命財産的安全。

鄧小平在和縣委組織部長羅屏漢等研究工作時提出，會昌是江西的重要門户，離“紅都”瑞金只有五十公里，又是一個大縣，有十四、五個區，應設立一個軍事部，以適應鬥爭的需要。經羅屏漢介紹，決定由原紅十一軍獨立團副團長鍾亞慶出任軍事部長。鍾亞慶擔心自己没有文化，怕不適應工作，在鄧小平幾次電話催促下，他才揹起背包，步行到會昌，

鍾亞慶回憶道：

"碰巧，當我走到會昌縣杉塘區蘇維埃住址時，突然遇到鄧小平同志，他一見我就問：'你這個同志，從哪裏來到哪裏去？姓什麼？'聲音很大。

"'從澄江來，叫鍾亞慶，到會昌去。'

"'你叫鍾亞慶，好啦，我是鄧小平，走，到杉塘區蘇維埃去坐坐。'

"我向鄧小平同志行了個禮，跟着他走到在大河排頂上的杉塘區蘇維埃。蘇維埃主席接待我們喝了茶。小平同志用帶有批評的口吻對我說："你好調皮，老羅打了好多電話給你，你還不來。我又打電話批評羅貴波主任，你現在才來。你看看！'他手指着牆壁上掛着的文件說：'你任會昌縣軍事部長，文件都發了，你還敢不來！'接着，鄧小平同志把話題一轉，說：'你不要走，今天我到羅塘區，你跟我去。'

"我跟着小平同志，一路步行，到了羅塘區蘇維埃。晚上，小平同志叫區委、區蘇維埃領導開會，佈置了擴大紅軍等任務。第二天早飯，區委領導款待我們吃豬肉，記得吃飯時，小平同志對區委書記說：'豬肉，好是好，就是少了一項。'區委書記問：'少什麼？'小平同志直率地說：'辣子！'區委書記即起身去尋找，很快就抓了一把新番椒回來。小平同志拿了一個放進嘴裏

咬了一口，說：'不太辣，也還可以。' 大家吃得非常愉快。

"在會昌，我們軍事部的同志經常要下到各區去組織赤衛隊。凡十八歲到二十五歲的為基幹赤衛隊，其他是普通赤衛隊。要分別造冊向小平同志匯報；還有擴大紅軍等任務都要同小平同志研究。小平同志對我的工作總是熱情指導，生活上平易近人。"①

鍾亞慶的回憶，生動地勾畫出了二十八歲的會昌縣委書記鄧小平的工作面貌和生活形象。

1932年，蔣介石仍然堅持對日本帝國主義的侵略絕不抵抗，而對抗日民主運動卻大肆鎮壓的政策，視中國共産黨人和紅色革命根據地爲心腹之患。在前三次對中央紅軍進行"圍剿"失敗以後，於6月又調集十餘萬大軍，向我湘鄂西蘇區發動進攻。由於"左"傾錯誤的指揮，令紅三軍向荆州、沙市進攻，致使我軍蒙受重大損失，丢失了湘鄂西根據地。

蔣介石一方得手，便又開始調集更大的兵力，向我中央蘇區開進，誓欲扼死中國工農紅軍而後快。在南路，廣東的陳濟棠部佔領了福建上杭和廣東梅縣一帶。

會昌，和它南面的尋烏、安遠兩縣，是我中央蘇區的邊沿地帶，三縣毗鄰，與福建、廣東相接壤，東是武夷山，南有九連山，山巒重叠，地勢險要，是江西的重要南邊門户，也是我中央蘇區的重要邊區。爲了適應戰爭形勢的需要，加强中央蘇區的邊區工作，更有效地粉碎敵人的南面進攻，中央和江西省委决定，將會昌、尋烏、安遠三縣聯成一個整體，在會昌的筠門嶺建立中共會昌中心縣委，也稱會尋安中心縣委，領導會昌、尋烏、安遠三縣的革命鬥爭。

筠門嶺，古稱軍門嶺，距會昌縣城五十五公里，係會昌、尋烏、安遠三縣的交界點，同時，它又是通往福建、廣東的咽喉重地，爲歷代兵家必爭之地。這裏離紅色首都瑞金僅一百公里之遥，實可稱爲守衛中央蘇區的南大門。

1932 年 7 月，在筠門嶺倒水灣召開了會、尋、安三縣黨的活動分子大會，三縣區以上的黨員幹部共一百多人參加，中央代表羅邁（李維漢）出席會議。會上，鄧小平、羅屏漢等講了話，正式成立了中共會昌中心縣委，鄧小平任中心縣委書記，縣委機關設在筠門嶺壩篤下。

8 月，以會昌邊防游擊隊爲主體的地方武裝，成立了江西省軍區第三分區，會昌縣軍事部長鍾亞慶調任三分區指揮員，會昌中心縣委書記鄧小平兼任三分區政委。三分區的任務，主要是配合主力部隊，在東留、桂坑一帶牽制閩西敵人。

擴大紅軍，無論在中央蘇區，還是在各個革命根據地，都是一件十分重要的工作。對於會昌中心縣委，“擴紅”同樣是一項重要的工作。

1932 年，根據中共中央和江西省委關於擴大紅軍的決議精神，會昌、尋烏、安遠三縣在中心縣委的領導下，對“擴紅”工作進行了詳細的研究佈置，把任務落實到各區。當時擴紅的對象主要是十六到二十五歲的農民和工人；方針是耐心進行政治動員，提高覺悟，反對强迫命令和欺騙、賄買；形式是幹部、黨員帶頭報名，親勸親，鄰勸鄰，父母勸兒子，妻子勸丈夫，轟轟烈烈，廣泛宣傳，在 9 月，還搞了一個擴紅競賽。由於工作深入，覺悟提高，廣大青年紛紛要求參加紅軍，在 1932 年 7 月到 9 月的三個月中，僅會昌一縣就擴大紅軍一千多名。

會昌中心縣委，在擴大紅軍的同時，十分注意發展黨員，壯大黨的組織，會昌縣還曾於 1932 年 10 月、11 月連續召開兩次黨的代表會議。其時，會昌發展到黨員二千五百多名，鄉黨支部八十二個，區委十三個；尋烏縣黨員二千多名，鄉黨支部四十五個，區委七個；安遠縣黨員一千四百多名，鄉黨支部十六個，區委五個。三縣共計黨員近六千多，鄉黨支部一百四十三個，區委二十五個。在會昌中心縣委的領導下，黨員人數迅速增加，黨的工作活躍，組織健全。

爲了鞏固和發展蘇維埃政權，由中心縣委書記鄧小平主持，召開了多次三縣蘇維埃主席和各部門負責人的會議。

地方蘇維埃的工作，主要是組織動員擴大紅軍，完成公債的推銷任務，徹底地分配土地，健全城鄉代表會議，反對貪污腐化、消極怠工，並根據中央人民政府頒佈的選舉條例，開始在一些地方進行正式的選舉活動。會、尋、安三縣都是中央蘇區的邊區，赤白對立很厲害，所以蘇維埃政權還加緊了肅反工作和赤色戒嚴，實行堅壁清野，打破敵人的經濟封鎖。

1932 年間正處於第四次反“圍剿”的戰爭時期，戰火時刻威脅着蘇區的生產。敵人對蘇區實行了經濟封鎖，給蘇區的經濟建設帶來了極大的困難。同時，原來的一些“左”的經濟政策，阻礙了經濟發展，使得許多商店關門，財政經濟十分困難。在會昌中心縣委的領導下，群衆的熱情很高，生產積極性也空前高漲。1932 年 5 月，會昌縣委成立了縣、區、鄉的各級春耕生產委員會，組織群衆積極投入春耕生產，當年，全縣的糧食即獲得了好收成。會昌中心縣委還有計劃地恢復和發展手工業，在會昌等地還辦了小型兵工廠。中心縣委爲了改善財政收入，在筠門嶺設立了“關税處”，取消苛捐雜税，實行統一累進税，並成立了“對外貿易局”，代表政府經營鹽、布、藥材、烟、紙、糧食等重要物品的進出口，利用各種方式衝破敵人封鎖，使物資源源不斷地進行交流。1932 年還推銷國家公債約十七萬九千元。

會昌中心縣委十分注意發展地方武裝組織。當時在會、尋、安活動的紅軍正規部隊主要是紅軍獨立三師，師長王雲橋，政委李井泉，政治部主任羅貴波，參謀長宋時輪，下轄兩個團，三千餘人，一千五百條槍。爲了更有力地保衛蘇維埃政權，會昌中心縣委積極發展地方的武裝組織，到了 1932 年 11 月，會昌共有赤衛軍四千九百七十人，模範師二千五百二十九人，其主要任務是鎮壓反革命，保衛蘇區，幫助紅軍運輸和抬傷病員。除此以外還建立了赤少隊，進行赤色戒嚴和站崗放哨。在各縣，還各有一個二、三百人的獨立團，各區還組織了游擊隊。

會昌中心縣委注意發展各種組織。

1932 年 7 月，召開了會昌縣第一次共産主義青年團的代表大會，中心縣委書記鄧小平出席並講了話。到了 1932 年 8 月，三縣共有團員一千二百一十人。1932 年 9 月，會昌縣舉辦爲期七天的縣、區團的幹部訓練班，有四十多人參加，中心縣委書記鄧小平親自爲訓練班學員作了報告。

1932 年下半年，會昌設立了職工運動委員會，同年 12 月，召開了全縣工人代表大會，會後成立了手工業、店員、木船等行業的工會組織。

1932 年，會昌成立了婦女指導委員會，還舉辦了婦女訓練班，發動婦女群衆，慰勞紅軍，支援前綫。

會昌中心縣委還十分重視文化建設，到了 1932 年 8 月，三縣共辦起了七十三所小學，百分之九十的兒童都入了學。各區縣還設有俱樂部和劇社，演出“送郎當紅軍”等深受群衆歡迎的節目。

1932年11月，尋烏縣城失守，根據這一情況，會昌中心縣委在筠門嶺召開了會、尋、安三縣縣委書記、縣蘇維埃主席、軍事部長聯席會議。鄧小平主持會議，研究部署了新的軍事行動和有關擴大地方武裝問題。②

會昌縣的中心縣委史稿上寫道："會昌中心縣委書記鄧小平經常深入會、尋、安三縣，調查研究，對各縣蘇維埃的工作進行具體的指導。1932年秋，鄧小平在安遠縣視察工作時，出席了縣委、縣蘇維埃在城南門壩舉行的萬人'提燈會'，慶祝安遠赤化一周年紀念，並在會上作了重要講話。他在講話中指出：要繼續擴大和鞏固赤色區域，加强自己的武裝力量，提高警惕，隨時打擊和消滅來犯之敵。會後不久，安遠縣委、縣蘇維埃根據鄧小平的指示，領導本縣獨立團、模範營等地方武裝，在正光一舉打退了敵僞四十四師王贊彬的兩次偷襲，並打退了僞民團匪的幾次搗亂，從而，進一步鞏固了蘇維埃赤色區域。"

有一次父親告訴我們，那時他在蘇區，一個人，一匹馬，一個警衛員兼馬夫，輕騎簡從，就這么在瑞金、會昌一帶那么大的一個區域内往來往去。他的那匹馬，長征過雪山前死了。他的警衛員，也在長征之前換掉了。父親這個人，最不講排場，反對煩瑣哲學。這種一人、一馬、一警衛的習慣，他一直保持到抗戰開始。在他就任更重要的職務後，他也是這樣崇尚簡樸。整個抗戰期間和解放戰爭期間，他没有私人秘書。解放後直到"文革"開始前的十七年中，他也只有一個秘書。對他來説，不在人多，重要的是效率要高。

父親是一個實幹的人，也是一個有魄力的人。凡是在他主持工作的地方，他都能夠迅速地打開局面，創造局面。在廣西左、右江，在江西的瑞金和會昌，他都是這樣，果斷、堅定、有組織、有計劃地進行工作。這種魄力和能力，不斷地因時日和經驗而增加。在幾十年後，當整個中國的命運掌握在他手中的時候，正是這種魄力和能力，加上那不同尋常的遠見卓識，使得他能夠爲整個的中國，開創一個全新的局面。

從1932年到1933年，父親在會昌這一區域的工作，不但徹底改變了會昌這一紅區邊沿地帶的面貌，而且在他的戰友們心中，留下了深刻的印象。

原在會昌的江西軍區第三作戰分區指揮員鍾亞慶回憶道：

"1932年9月，我在福建東留同福建鍾少奎部幾百人打了一仗。在戰鬥中，我又負了傷。部隊由參謀長帶，我被抬到桂坑。由於出血過多，連夜又抬到會昌的羅塘區。第二天，又轉到粵贛軍區筠門嶺收容所。鄧小平同志（其時任三分區政委）接了戰報，知道我受了重傷，親自打電話詢問。我不能起來接，收容所所長羅天觀接了電話說，小平同志再三叮囑，要我第二天坐船到會昌去醫治。我叫羅所長回話說，由於我傷勢重，一動就流血，暫時不能去，要聽候幾天。那時，小平同志天天都打電話來詢問我的傷情。我過意不去，在收容所住了四天，人比較精神了，就搭了一條小船到會昌去。次日下午，鄧小平、羅屏漢同志就到醫院看我。小平同志親切地安慰我：'你從前綫寫來的報告，我看過了。前綫的事已有人負責，不要惦記，好好休養！'說畢，拿給我五十元，作營養費。我接了錢，心裏久久不能平靜。小平同志工作繁忙，親自來看望我，經濟很困難，還給了我這麼多錢，不覺流下了眼淚。

"我在會昌醫院一直住到1933年3月。一出醫院，我就去會昌縣委，見到了羅屏漢同志，卻沒有見到鄧小平同志，心裏十分失望。一轉眼，五十年過去了，五十年的變化真大啊！羅屏漢同志早在戰鬥中壯烈犧牲了。鄧小平同志幸還健在，正帶領我們搞四化建設。每當我想起往事，想起鄧小平同志對革命事業深謀遠慮、兢兢業業的精神，對同志體貼入微的言行舉止，心裏就非常激動。”③

是的，當鍾亞慶於 1933 年 3 月出院時，他沒有見到會昌中心縣委書記鄧小平，因爲，鄧小平已被調離會昌，原因是，他已經受到了“左”傾路綫的批判。

注：

① 鍾亞慶《跟鄧小平同志在會昌工作的時候》。《二十八年間——從師政委到總書記》，第 256 頁。

② 本章内容參考了《中國共産黨會昌中心縣委史稿》。

③ 同注①。

36.“鄧、毛、謝、古”事件

王明“左”傾冒險主義和宗派主義來到了中央蘇區，來到了中央紅軍，並把它的觸角伸向各個革命根據地。

1932年10月，中共蘇區中央局在江西寧都召開會議，“左”傾冒險主義者認爲要堅決地攻打大城市，攻擊毛澤東“消極怠工”，“不尊重”他們的領導，犯有“等待敵人進攻”的右傾錯誤。毛澤東在會上同“左”傾錯誤進行了堅決的鬥爭，於是被撤銷了他所擔任的紅一方面軍總政委的軍事職務，調他“專做政府工作”，實際上是剝奪了他的軍權。

1933年1月，由於“左”傾冒險主義的錯誤政策，使我白區工作喪失幾乎百分之百，中共中央臨時政治局也不得不從上海遷入中央革命根據地的瑞金，這就使執行王明路綫的臨時中央，形成了對中央蘇區工作的更加直接的領導。

“九·一八”事變後，蔣介石的南京政府對日本帝國主義的侵略採取了一味的不抵抗政策，致使日本侵略者肆無忌憚地佔領了我國東北三省，並於1932年建立了日本操縱下的僞“滿州國”。日本軍隊對中國東北實行殘酷的殖民統治，瘋狂“討伐”抗日組織和抗日力量，殺害無辜平民，使我國東北人民淪於水深火熱的悲慘境地。1933年1月，日軍繼續擴大侵略，强行武裝佔領了我華北要衝山海關，大肆屠殺中國軍民，並把侵略矛頭直指我熱河省。3月初，日軍攻佔熱河省會承德，同時進抵長城各口，已經擺開大舉進犯我中原之勢。

在這國難當頭、强虜壓境之形勢下，蔣介石竟然不顧全國各界民衆的强烈反對，從1932年7月到1933年3月，調集了八十一個師、二十九個旅另三十九個團，共六十五萬兵力，對紅軍發動了第四次“圍剿”。蔣介石親自坐鎮武漢，自任“剿匪總部總司令”，兼豫鄂皖三省“剿匪”總司令。

1932年6月至10月，蔣介石首先調集十萬兵力，向湘鄂西洪湖和湘鄂贛三個革命根據地進攻，我各根據地均受到了重大損失，紅軍被迫撤離和轉移。在這種形勢下，張國燾等“左”傾錯誤的執行者，未經中央批准，擅自率領紅四方面軍主力兩萬餘人退出鄂豫皖蘇區，轉至川北。由此，紅軍對武漢所構成的威脅基本解除。

1933年2月至3月，蔣介石氣焰囂張地出動五十萬兵力，向我中央蘇區發動進攻。此時，毛澤東已被排擠離開了紅軍，周恩來、朱德抵制了中共蘇區中央局的“左”的干擾，堅持了正確的戰略戰術，經過黄陂、草台崗等戰鬥，巧計殲敵，粉碎了敵人第四次“圍剿”，共全殲敵人第一縱隊的三個師，生俘敵二十五師師長李明和五十九師師長陳時驥，繳槍萬餘，俘敵萬餘。

紅軍的第四次反“圍剿”的勝利，正如毛澤東所說的，是取得了“空前光榮偉大勝利”，而蔣介石則在至陳誠書信中哀嘆爲“有生以來的隱痛！”

經過第四次反“圍剿”的戰鬥，中央蘇區擴大到地跨湘贛閩粵四省，並和閩浙贛蘇區連成一片，中央紅軍發展到十萬人，全國紅軍三十萬人，全國共有中共黨員三十萬人。

第一、二、三、四次反“圍剿”的勝利，是由於紅軍採取了機動靈活、正確得當的戰略戰術，也是由於中央蘇區在建立紅色革命政權的同時，開展了土地革命，毛澤東等實行了正確的土地政策，廣大貧苦農民分到了土地，各階層人民群衆的生產積極性和革命積極性都空前高漲，在人民群衆的支持和配合下，革命根據地一天天鞏固，紅軍一天天壯大，紅軍的戰鬥取得了一次又一次的勝利。

但是，天下從來没有天生成就的大道坦途。有真理就有謬誤，二者就像正數和負數般的不可分割。真理，也只有在與謬誤的較量中，方可顯示其不朽的光輝。歷史的發展總是曲折的，總是有許許多多的跌蕩起伏。有時真理佔據主導，而有時，則是謬誤佔據主導。

1933 年初，中共臨時中央政治局遷入中央蘇區後，以博古爲代表的“左”傾冒險主義的一些人，反對毛澤東等在蘇區所施行的政策，他們不但將毛澤東排斥出對紅軍的領導，而且對於其他抵制“左”的政策的同志大加排擠和打擊，他們還派出代表到各蘇區，開展所謂的“反右傾”鬥爭和“改造各級黨的領導”，大行宗派主義。

1933 年 2 月，中共福建省委代理書記羅明，由於不贊成“左”傾錯誤政策，提出“黨在閩西上杭、永定等邊區的條件比較困難，黨的政策應當不同於根據地的鞏固地區”等建議，被“左”傾領導者斥爲犯了右傾機會主義和對革命悲觀失望的錯誤，即所謂的“羅明路綫”，並受到撤職處分等種種打擊。

3 月，中共臨時中央的鬥爭矛頭指向了江西。

3 月 12 日，中共江西省委給贛南會昌、尋烏、安遠三縣發出指示信，指責會、尋、安黨和團組織犯有“與羅明路綫及單純防禦路綫相同的機會主義”。

這個事情的起因是"尋烏事件"。

1932年，中央蘇區進行第四次反"圍剿"戰爭中，廣東軍閥向我蘇區南部步步緊逼，地處蘇區邊緣地區的會昌中心縣委，在敵强我弱的極端困難的鬥爭環境中，領導三縣群衆堅壁清野，以靈活的游擊戰術粉碎敵人的進攻。但是，王明"左"傾冒險主義者卻片面地强調擴大中央紅軍，把會、尋、安三縣的一部分地方武裝編入正規紅軍，大大削弱了蘇區南部邊緣地區的地方武裝力量，而後，又命令守衛在蘇區南部前綫的紅軍獨立三師離開筠門嶺一帶，開往北綫，這樣，在中央蘇區的南大門，就只剩下少數地方武裝力量，進一步造成了蘇區南部的兵力空虛。1932年11月，敵軍大舉進攻，由於敵我力量懸殊，地處最南端，位於贛粵閩交界處的尋烏縣城失守，被廣東軍閥佔領。

王明"左"傾錯誤的領導人抓住這個"尋烏事件"，誣諂會昌中心縣委"在敵人進攻面前驚惶失措，準備逃跑退卻，"執行的是"單純防禦路綫"。

從這裏開始，拉開了會尋安反對"江西羅明路綫"的序幕。

"尋烏事件" 僅是一個由頭， 這場鬥爭實際上是"左"傾政策和反對"左"傾政策的一場鬥爭的結果，是王明"左"傾領導向持有不同意見的黨內同志實行宗派主義打擊的一個戰略部署。

1931年11月中央蘇區黨的一大前後和1932年蘇區中央政治局寧都會議上，批判了毛澤東的"富農路綫"並排斥了毛澤東在紅軍的領導，但是，廣大中央蘇區和中央紅軍的黨員和幹部不贊成王明的"左"傾政策，並對它進行了堅決的抵制和鬥爭。在福建，就是羅明，而在中央蘇區，則以鄧小平等爲代表。

會昌縣的《中國共産黨會昌中心縣委史稿》中這樣記載着：

以鄧小平為書記的會昌中心縣委從它成立開始，就堅決擁護毛澤東提出的正確主張，反對和抵制王明的"左"傾錯誤。他們根據邊緣地區的實際情況出發，進行了卓有成效的工作，使會尋安三縣的革命鬥爭形勢大有改觀，在一段時期內比較穩定。在具體作法上，他們主要採取了如下幾個方面：

第一，在粉碎敵人"圍剿"的作戰方針問題上，面對強大敵人的進攻，不硬拼，不搞"堡壘對堡壘"和"拼消耗"。鄧小平質問堅持"左"傾錯誤的人：這樣的堡壘對堡壘、工事對工事、壕溝對壕溝、公路對公路，這種打法能行嗎？而仍然堅持過去幾次反"圍剿"的打法，採用游擊戰和游擊性的運動戰，把敵人引到群衆條件好的蘇區來消滅。不同意向中心城市交通要道發展蘇維埃，而主張向敵人力量弱的地方發展，鞏固農村根據地，積蓄力量和敵人作長期鬥爭。

第二，在擴大革命武裝的問題上，他們認為群衆武裝、地方部隊和中央紅軍都應不斷發展，並應注意質量，反對用削弱地方部隊與群衆武裝的辦法來擴大中央紅軍和不顧質量單求數量地要求"武裝一切工農群衆"的作法。他們認為，與其這樣，"不如擴大地方武裝"。

第三，在經濟政策問題上，他們不同意"動員一切經濟力量為了戰爭"的口號，認為蘇區地瘠民貧，加上連年作戰，"群衆負擔太重"，反對大量推銷公債的作法，並主張主力紅軍要把打土豪籌款當作自己的主要任務。

第四，在土地問題上，他們堅決執行按照人口平均分配和"抽多補少，抽肥補瘦"的正確政策，反對"地主不分田，富農分壞田"的錯誤主張。

在一系列問題上，以鄧小平為書記的會昌中心縣委，認真貫徹了毛澤東所主張的，也完全適應當時邊緣地區特點的正確路綫，在理論上和實際工作中堅決抵制了王明的教條主義錯誤，力圖減輕這一錯誤給黨造成的損失，這就成為王明"左"傾冒險主義者在中央蘇區全面推行"左"傾政策的嚴重障礙。

以上關於會昌中心縣委抵制"左"傾政策的這一段的記載，説明了以鄧小平爲書記的會昌中心縣委，是如何對王明"左"傾錯誤進行抵制和鬥爭的。

如果説，在紅七軍的時候，父親雖心存異議，但還被動地去執行"左"傾冒險主義錯誤的話，那麼，這一次，在中央蘇區，他則是毫不猶豫地、旗幟鮮明地對"左"傾錯誤身先士卒地進行抵制和鬥爭。

紅七軍的遭遇，黨的事業和革命事業所遭受到的損失，使得像父親這樣的一大批共產黨人對於"左"傾冒險主義錯誤有了十分清醒的認識，王明的教條主義的大帽子和宗派主義的逼人氣勢，並没有嚇倒他們，他們開始鬥爭了，自覺地進行鬥爭了。

在這場反對"左"傾政策的鬥爭中，站在前鋒的，除了鄧小平，還有毛澤覃、謝唯俊、古柏等人。

毛澤覃，乃毛澤東的弟弟，1923 年加入中國共産黨，曾在長沙地團委、黄埔軍校、中共廣東區委工作，從 1927 年開始在贛西南井岡山、寧岡等地擔任領導工作，參加了第一、二、三次反"圍剿"戰爭，任永豐、吉安、泰和中心縣委書記。

謝唯俊，湖南耒陽人，1924 年加入中國社會主義青年團，

1926年參加中國共產黨，長期從事工會和農會工作，參與領導耒陽的肥田暴動，1928年到井岡山後在紅軍工作，後曾任中共贛東特委書記、江西省蘇維埃政府委員、紅一方面軍總前委秘書，1932年時任江西第二軍分區司令兼紅軍獨立五師師長。

古柏，江西尋烏人，1925年加入中國共產黨，曾參加廣州起義，後從事農運工作，任中共尋烏縣委書記、尋烏蘇維埃主席、紅一方面軍總前委秘書長，1931年任江西省蘇維埃裁判部長兼內務部長、江西省黨團書記等職。

他們三人都是堅決抵制"左"傾政策，因而，與鄧小平一道，受到了王明宗派主義的殘酷鬥爭和無情打擊。

一場批判"鄧、毛、謝、古"的鬥爭就這樣緊鑼密鼓地開場了。

1933年2月，蘇區中央局機關報《鬥爭》上，以反對"羅明路綫"爲題，點了鄧小平、毛澤覃、謝唯俊、古柏四人的名，説他們是："江西羅明路綫"的"領袖"。

在另一篇《什麼是進攻路綫》的署名文章中，點名批判會昌中心縣委犯了"純粹防禦路綫"的錯誤，指責"永吉泰與會尋安長期陷在純粹防禦的泥坑口"，提出要"反對一切機會主義的動搖，反對機會主義逃跑和純粹防禦的路綫，反對對於這些路綫的調和"。

"左"傾領導人，責成江西省委一再向這四人工作的地區和單位發出指示，反覆發動基層幹部和黨員，開展對於鄧、毛、謝、古進行直接的批判和鬥爭。

3月12日，中共江西省委又根據中央局的意圖，向江西蘇區全黨公佈了有關會尋安的指示文件，指責鄧小平領導的會昌中心縣委在敵人大舉進攻時，"倉惶失措"、"退卻逃跑"，犯了"單純防禦的錯誤”，“是與羅明路綫同一來源”的“機會主義”。

3月下旬，會昌中心縣委書記鄧小平被派到萬泰、公略、永豐解決有關問題。

3月底，在筠門嶺召開了會尋安三縣黨的積極分子會議，由中央局代表洛甫（張聞天）主持會議並作了政治報告和結論。3月31日，會議通過了《會尋安三縣黨積極分子會議決議》，對鄧小平實行了圍攻，決定“加强和部分地改造中心縣委和會尋安縣委之常委”，“召集各級代表以及三縣黨各級領導保障三縣工作的徹底轉變，在中央局領導之下開展這一反機會主義路綫的鬥爭，使這一鬥爭深入到支部中去”。會後，鄧小平被調離會昌中心縣委，撤銷其中心縣委書記的職務，調任江西省委宣傳部長。

1933年4月，“左”傾宗派主義繼續對鄧、毛、謝、古四人不斷進行“殘酷鬥爭，無情打擊”，責令他們作出“申明”和“檢查”。鄧小平等四人並沒有屈服，在原則問題上未作絲毫讓步，旗幟鮮明地與“左”傾宗派主義者進行鬥爭。他們兩次寫出聲明書，在聲明書中陳述了自己所堅持的觀點和作法，並把强加於他們頭上的污衊、攻擊和不實之辭頂了回去。他們毫不妥協的立場，更加觸怒了“左”的領導，他們以更加兇猛之勢向鄧、毛、謝、古發起了大規模的圍攻。

5月5日，在臨時中央和中央局派員主持的江西省委工作總結會議上，江西省委通過了《江西省委對鄧小平、毛澤覃、謝唯俊、古柏四同志二次申明書的決議》，對他們作了組織處理，部分或全部地撤銷了他們的職務，還當衆繳了他們的槍，責成他們去基層改造，進一步“申明”和“揭發”自己的錯誤，作出新的檢查，“再不容許有任何的掩藏”。

鄧小平被撤銷了省委宣傳部長的職務，給予黨内“最後嚴重警告”處分；毛澤覃被撤銷軍内職務；謝唯俊被處分調離工作；古柏被撤銷職務並給予“最後嚴重警告”的處分。

這次人爲製造的反“江西羅明路綫”的鬥爭，不僅打擊和鬥爭了鄧、毛、謝、古四人，而且在“將反機會主義的鬥爭深入到下層去，深入到實際工作中去”的口號下，從上到下，把堅持正確意見的省、縣直至支部的各級幹部打成“羅明路綫”的代表人物。不僅在會尋安、永吉泰搞得烏烟瘴氣，而且中央蘇區的其他地區也不得安寧，宜樂崇中心縣委書記胡嘉賓、寧廣石中心縣委書記余澤鴻等都受到了打擊。各地還撤換了大批幹部，造成黨内人心惶惶。在會尋安三縣，宗派主義者們一邊排擠掉反對“左”傾政策的人，一邊輕率地提拔了一批新的各級領導幹部，而這些人，由於只能執行“左”的政策而謹小慎微地工作，致使蘇區南部形勢日趨嚴重，敵人步步深入，直接威脅中央蘇區的南大門，筠門嶺，給根據地的工作造成了嚴重的損失。①

鄧、毛、謝、古雖然受到批判、鬥爭，乃至撤職與處分，但他們都是堅定的共産主義者，都是久經錘煉的革命者，他們最終也没有屈服，而是始終堅持正確主張，始終堅持真理，甚至在相當一段時間内忍辱負重，繼續堅定地履行他們作爲一名中國共産黨員所應盡的義務，繼續在革命鬥爭崎嶇而又艱難的道路上奮進，直至生命的最後一息。

毛澤覃，在中央紅軍於 1934 年 10 月開始向湘西轉移並開始長征後，留在中央蘇區堅持游擊戰爭，任中央蘇區分局委員和紅軍獨立師師長。1935 年初，率獨立師一部前往福建長汀，任閩贛邊界軍區司令部領導成員。1935 年 4 月率領游擊隊進軍時，在江西瑞金紅林山區英勇犧牲，時年三十歲。

謝唯俊，在受到“左”的打擊後，曾任巡視員，做過籌糧和擴大紅軍的工作，在逆境中忍辱負重，努力工作，任勞任怨。1934年參加長征，1935年遵義會議後，曾任紅軍總政治部地方工作部秘書，到達陝北後任中共三邊特委書記。在率領部隊向保安挺進時，途遇土匪襲擊，在激戰中壯烈犧牲，時年二十七歲。

古柏，受到“左”的批判後，曾作過籌糧工作，1934年長征開始後，留任閩粵贛紅軍游擊縱隊司令，1935年春夏之交率部到達廣東龍川，由於叛徒告密，被反動民團包圍，在戰鬥中壯烈犧牲，時年二十九歲。

他們三人都是十幾歲參加革命，二十多歲經歷了“左”傾錯誤的打擊，不到三十歲便爲革命獻出了年輕的生命。

在任何一個人的人生道路上，挫折和困難總是難免的。有的人在挫折的面前畏懼了，有的人在困難的面前怯步了。而對於革命者來說，對於作爲一個革命者的鄧小平來說，在其漫長而又充滿傳奇色彩的革命生涯中，困難和挫折，早已成爲尋常之事，而每當他戰勝和克服了這些挫折和困難之後，他便又向前邁進了一步。

二千多年前，春秋時期著名思想家老子就曾說過：禍兮福所倚，福兮禍所伏。這就是說，禍福之間的關係是辯證的，甚至是可以轉化的。一件事情的發生，究竟是禍是福，並不是一個絕對的概念，這要因人而異，也會因時而異。

在中央蘇區遭受“左”傾錯誤打擊的這次事件，當時的確使父親在政治上蒙受了相當沉重的負擔，但是，在四十年後，這個在三十年代發生的事件，卻成爲決定父親政治生命的相當重要的因素之一，而且是好的因素，積極的因素。

事情是這樣的，1966年，“文化大革命”爆發，1967年，鄧小平被當做“全國第二號最大的走資本主義道路的當權派”而被打倒。1971 年，被毛澤東指定爲接班人的林彪妄圖早日篡權，陰謀謀害毛澤東未遂事泄，在逃跑時因飛機墜毀而自我滅亡。1972 年，鄧小平在他正在被軟禁的江西聽到了林彪罪行始末的傳達。他十分激動，提筆給毛澤東寫了一封信，敘述了對於林彪事件的自我看法。8 月 14 日，毛澤東對鄧小平的這封信作了批示：

> “鄧小平同志所犯的錯誤是嚴重的。但應與劉少奇加以區別。（一）他在中央蘇區是捱整的，即鄧、毛、謝、古四個罪人之一，是所謂毛派的頭子。整他的材料見兩條路綫，六大以來兩書。……（二）他沒歷史問題。即沒有投降過敵人。（三）他協助劉伯承同志打仗是得力的，有戰功。除此之外，進城以後，也不是一件好事都沒有作的，例如率領代表團到莫斯科談判，他沒有屈服於蘇修。這些事我過去講過多次，現在再說一遍。
>
> 毛澤東
>
> 七二年八月十四日”

這是毛澤東的批示，在當時就是神聖的最高指示。

從這個批示開始，父親遭受徹底批判的政治命運開始得到了轉機，並終於於 1973 年 3 月回到了北京，重新恢復了中華人民共和國國務院副總理的職務，協助周恩來總理主持國務院的日常工作。1975 年，父親再被任命爲中共中央軍事委員會副主席兼中國人民解放軍總參謀長，此後，他開始逆當時的“左”的瘋狂的潮流而動，開始了對於全國各個領域的全面的整頓。

父親在第二次倒台後之所以能受到毛澤東的起用，除了在毛澤東的批示中所談到的和毛澤東認爲鄧小平“人材難得”等因素以外，三十年代的“鄧、毛、謝、古”事件，的確是一個不可忽視的重要因素。這是因爲，鄧小平當時挨整的原因，就是鄧小平當時執行的是毛澤東所主張的政策和作法，也就是“毛派的頭子”。

“黨外無黨，帝王思想；黨內無派，千奇百怪。”

這是毛澤東的一句名言。

三十年代的這一場鬥爭，把鄧小平劃進了毛澤東這一派裏面。

對於這一點，毛澤東是記得的，而且記了整整四十年。

這，是當時挨整的鄧小平連想也没有想到的。

注:

① 本章的內容參考了中共江西省會昌縣黨史徵集小組辦公室 1984 年編寫的《中國共產黨會昌中心縣委史稿》。

37.《紅星報》的主編

1933年5月，父親遭受王明“左”傾冒險主義的宗派主義批判，撤銷了江西省委宣傳部長的職務後，被派到樂安縣屬的南村當巡視員。到了樂安不足十天，又令他回到省委，原因據說是，樂安是邊區，怕出問題。

不久，父親被調到總政治部任秘書長。

當時，總政治部主任是王稼祥，副主任是賀昌。王稼祥在戰鬥中負傷，身體不好，總政治部的工作實際上是賀昌負責。

賀昌在擔任中共南方局領導工作時，曾和父親一起去廣西籌備百色起義，後來他們兩人在上海時又常常在一起，父親還在賀昌住的地方搭過鋪，兩人非常熟悉。父親這次受到王明“左”傾冒險主義的打擊，非旦他本人不屈服，周圍的同志們也對此很是看不慣。賀昌就對父親的遭遇十分同情，於是把父親要到總政來當秘書長，以解脱他的困境。

當時在總政治部工作的有一個女同志，就是張月倩。

張月倩的丈夫霍步青曾經在上海時期的中央軍委工作。在上海時，霍步青夫婦、周恩來夫婦和父親、張錫瑗同在一個黨小組過支部生活。後來霍步青到江西中央蘇區後，和父親也時常見面，他們是四川老鄉，又都是縣委書記，關係比較密切。

張月倩告訴我說：“霍步青是四川齊江縣人，和你爸爸兩個人是老鄉。他們兩個人在江西，都是背駁克槍、穿草鞋、打綁腿。他們有時在瑞金見面，就一起去吃麵條。在那個時候，肉絲麵條就是好東西了，鷄呀、肉呀都吃不上。你父親雖然年輕，但很開朗。當時王明路綫，許多幹部受迫害，小平同志提出意見，反對王明的極'左'，王明就打擊你父親，給予最嚴重的黨内警告處分。霍步青也受到了黨内警告。可是你爸爸毫不在乎，還是又說又笑很開朗，從來没有愁眉苦臉。他們都是對黨負責，對人民負責。1933 年 9 月，霍步青得病去世了。福建省委書記陳潭秋把我調到總政治部工作。你爸爸是總政的秘書長，什麽事情都要管。那個時候，霍步青剛剛死了，我又懷着孩子，精神很不愉快，你爸爸常常勸我。由於有過張錫瑗的教訓，你爸爸讓我要生孩子時早點告訴他，好作準備。我臨産時，你爸爸派了一個擔架，三個人抬着，還把他的警衛員派了去送我，二十幾里路送到醫院。生下孩子後，我只有兩套衣服替換，孩子連一件衣服、一塊尿布都没有，只好用我自己的衣服包上。我寫了一個條子給小平同志，説小孩没有衣服和尿布，請幫我代領我這一份紅軍公田，讓我買幾件衣物。那時候，紅軍有公田，每個紅軍都有一份收成。你爸爸回了我一個條子，説，月倩同志，像我們這樣的幹部，不應該要紅軍公田這一份，應該讓給戰士。他給我領了十塊錢的生産費，四塊錢的保育費，叫警衛員送來，給我解決了問題。他既堅持原則，又關心下面的同志，而他對自己，卻並没有什麽照顧。你爸爸是一個很好的幹部。”

父親就是這麽一個人，工作上兢兢業業，原則上絶不讓步；對同志非常關心，爲他們作實事但不溢於言表；對自己十分嚴格，無論遇喜遇悲都不輕率地形於顏色。

其實，在那個時候，父親不僅僅在政治上受到打擊，生活上也有波折。

在他遭受批判以後，1933 年，阿金離開了他。

事業上的一沉一浮，生活上的一波一折，都讓父親趕上了。

生活上，他已是兩度失妻（當然，原因不同），而政治上，其實這才是他遇到的第一次磨難，而且是最小的一次磨難。三十三年以後，他還將要遭受兩次更大的政治上的打擊。

三次被打倒，又三次復出，而且復出得一次比一次光榮，一次比一次震撼人心，這種經歷，的確足以令人驚嘆不已！

世人評論，這三起三落，使得鄧小平的一生富有特別强烈的傳奇色彩，令人讚嘆。一位撰寫鄧小平傳記的德國作家烏利·弗朗茨（Uli Franz）寫道：鄧小平“用非凡的能力戰勝了政治上的三起三落和無數陰謀詭計，並且每次都向他生命的目標更接近一步。在我們的世紀裏，我在東方和西方都没有見過像鄧小平那樣走過如此崎嶇曲折的生活道路，卻又卓有成就的政治家。”①

經受磨難挫折，絶不是一件令人輕鬆的事情，但是，一輩子没有經歷過任何磨難挫折的人，他的一生，一定平淡無奇。

父親在 1933 年經歷政治和生活上的挫折時，已是年近三十的人了。

別人是三十而立，而年近三十春秋的鄧小平，卻早已經歷得太多、太多。連政治上的大風大浪都不畏懼的他，當然更不會爲個人生活中的不愉快而過分的在意。

阿金和父親一起到中央蘇區後，曾任過中共于都縣和勝利縣的縣委書記，領導兩縣黨政軍民開展經濟建設、擴大紅軍和支援前綫，是一位有能力的紅軍女幹部。和父親分離以後，她被調到中央組織部任組織科長，次年改任中央革命軍事委員會武裝動員部副部長。1933 年 10 月，阿金受命擔任瑞金縣擴紅突擊隊總隊長，出色地完成了任務，受到中央的好評。1934年，中央紅軍開始長征，阿金和紅一方面軍的二十幾位女戰士一起編入中央第二縱隊，也就是“紅章縱隊”，在地方工作部工作，任務是沿途發動群衆。後來，阿金被調到中央直屬的一個幹部休養連擔任黨支部書記。在這個休養連中，大都是身患疾病的女同志和年齡較大的老同志，有董必武、徐特立、謝覺哉、蔡暢、鄧穎超、康克清等老同志和老大姐。長征到達陝北後，阿金擔任過中央組織部組織科長、抗日軍政大學第四大隊女生區隊的區隊長、陝北公學生活指導委員會副主任等職。長期的戰爭生活和艱苦環境，使許多長征過來的女同志身患疾病，阿金也是如此。因此，1938年，組織上決定送她去蘇聯治病。1941年，蘇德戰爭爆發，戰火很快燃燒到莫斯科，其時阿金正在莫斯科郊區的一家醫院治病，不幸死於戰亂之中，時年三十有七。

……

父親在總政治部任秘書長的時間並不長。兩三個月後，因爲秘書長一職没什麼事作，父親要求另調工作，想多作一些實際工作，於是總政治部分配他到下屬的宣傳部當幹事，除作一般的宣傳工作外，還主編總政治部機關報《紅星》。父親作這個工作一直到長征途中遵義會議的前夕。

張聞天的夫人劉英媽媽對我説：“1933年我從莫斯科學習回來，在中央蘇區看到你的爸爸，那時候他犯了錯誤，被撤了職，在總政治部編《紅星報》。我被分配在少共（青年團）中央當宣傳部長。我們少共離總政治部非常近，中央局一座房子，總政治部一座房子，少共一座房子，都在一個村子裏，没幾步路，隔得很近。我們那時候是一幫子年輕人，在鄉下也没有什麼文化生活，吃完晚飯就串門子。我們這些人很喜歡到賀昌的屋裏玩，很喜歡和你爸爸天南地北地吹牛，因爲他知識多。他是很樂觀的。他怎麼挨整的，怎麼離婚的，都是賀昌告訴我們的。賀昌在總政治部實際上負責工作，他非常同情小平同志，説小平同志非常能幹，受了好多委屈。後來我當擴紅隊長，超額完成了任務，你爸爸還跟我開玩笑説：你不鳴則已，一鳴驚人，《紅星報》還登了你呢！”

《紅星報》，是第二次國内革命時期工農紅軍軍事委員會的機關報，由中國工農紅軍總政治部出版，創刊於 1931 年 12 月 11 日。

中央檔案館盡其可能，將現在所搜集到的《紅星報》匯集成册。雖不完整，但已是一份十分珍貴的歷史資料。

1931 年 12 月 11 日的創刊號上，莊重地寫着《紅星》二字，下方爲“中央革命軍事委員會，總政治部出版”，上方通欄爲“全世界無産者和被壓迫民族聯合起來！”《紅星報》頭期頭版頭條的“見面話”説得明白：

“他是一面大鏡子，凡是紅軍裏一切工作和一切生活的好處壞處都可以在他上面看得清清楚楚。

“他是一架大無綫電台，各個紅軍的戰鬥消息，地方群衆的戰鬥消息，全國全世界工人農民的生活情形，都可以傳到同志們的耳朵裏。

“他是一個政治工作指導員，可以告訴同志們一些群衆工作，本身訓練工作的方法，可以告訴哪些工作做的不對，應該怎樣去作。

“他是紅軍黨的工作指導員，把各種軍裏黨的工作經驗告訴同志，指出來哪一些地方做錯了，和糾正的方法。

“他要成為紅軍的政治工作的討論會。無論哪一個同志對於政治工作，文化教育工作，紅軍生活有意見，都可以提出在他上面來討論，要有問題他也可以答覆。

“他要是我們全體紅軍的俱樂部，他會講故事，會變把戲，會作遊戲給大家看。

“他是一個裁判員，紅軍裏有消極怠工，官僚腐化，和一切反革命的分子，都會受到他的處罰，並且使同志們能明白他們的罪惡。

“總之，他擔負很大的任務，來加強紅軍裏的一切政治工作（黨的，戰鬥員群衆的，地方工農的），提高紅軍的政治水平綫，文化水平綫，實現中國共產黨蘇區代表大會的決議，完成使紅軍成為鐵的任務。”

這份報紙面對的讀者，是中央蘇區的廣大紅軍指戰員和地方幹部群衆。在條件十分艱苦的情況下，這些從工農中來的紅軍戰士和指揮員的文化大都很低，甚至還有許多的文盲。那個時候，沒有其他的報紙、書刊，沒有廣播，當然更沒有電視了，因此，這份《紅星報》，自然地成爲了中央蘇區廣大紅軍指戰員的消息來源和學習材料，成爲傳播黨的思想和文化知識的一個很好的陣地。

從 1931 年 12 月到 1933 年 5 月，是《紅星報》的第一個階段，共出版三十五期。其中第一到第十二期，是鉛字排版；第十三至第三十期缺收；第三十一至第三十五期改爲手刻蠟板油印。

《紅星報》的第二個階段，是從 1933 年 8 月 6 日到 1934 年 9 月 25 日，期刊順序號重新開始從一排起，共出版六十七期。現搜集的集册中，缺第六十七期，其中有十期還是從國外搜集回來的。這六十七期爲鉛字排版。從 1934 年 10 月至 1935 年 1 月，

《紅星報》又出版了七、八期。由於紅軍開始了長征，所以改爲手刻蠟板油印。

這一個時期，也就是從1933年8月到1935年遵義會議召開之前的這七十多期《紅星報》，就是由父親主持編印的。

《紅星報》在“遵義會議”後又繼續出版了十多期，到1935年8月3日後停止。停止的原因可想而知，紅軍已踏上了更加艱苦的長征道路，繼續辦報已經不可能了。

父親並非文化中人，更非新聞報界人士，但是對於辦報，特別是辦革命報刊，他並不陌生。遙想十年前在法國的巴黎，他就與周恩來等一起辦過中共和青年團旅法組織的刊物《赤光》，還被美稱爲油印博士呢!

從那時起到現在，十年的時光過去了。在法國的那個二十來歲的青年共産黨員，已成長爲一個成熟的紅軍幹部。

這十年，是令人眼花繚亂的十年，多少事件，多少人物側身而過；多少體驗，多少思緒長駐心頭。這些經歷和經驗，特別是政治水平的提高和理論水平的提高，使得他辦起報來駕輕就熟，游刃有餘。

翻開《紅星報》，你就會到處發現父親的字迹。雖然是鉛字排版，但常常會有父親手寫體的標題。手寫標題，顯然是爲了醒目內容和活躍版面。父親那時的筆體，相當雋秀有力。

父親告訴過我們，他那時編《紅星報》，手下只有幾個人，很長時間只有兩個人，所以從選稿、編輯、印刷到各種新聞、文章的撰寫，都要他自己親力親爲。那些手寫的標題，是他寫下後，由別的同志在木頭上刻下字模，再印到報紙上去的。父親說，《紅星報》許許多多没有署名的消息、新聞、報道乃至許許多多重要的文章、社論，都出自他的筆下。我曾經把中央檔案館匯集的《紅星報》册拿給他看，請他辨認哪些文章是他寫的，他一揮手，説：“多着呢！誰還分得清楚！”

的確是的，一個“主編”，兩個手下，八開的報紙，每期至少四個版面，平均五天就要出一期，工作量可不算小。

《紅星報》是中央革命軍事委員會的喉舌，上面登載了許多黨中央、中央軍委的決議和命令，周恩來、朱德、博古、洛甫(張聞天)、王稼祥、李維漢、羅榮桓、聶榮臻、陳雲、陳毅、楊尚昆、賀昌、左權等黨政軍領導人都在上面發表過文章和社論，其中最多的當屬周恩來，因爲那時他是軍委的主要負責人之一。

在《紅星報》上發表的社論，署名的和不署名的各佔一半，不署名的據我分析大多爲父親所撰寫。這些社論的題目有：《猛烈擴大紅軍》、《與忽視政治教育的傾向作無情的鬥爭》、《五次戰役中我們的勝利》、《向着游擊赤衛軍突擊》、《五一勞動節的工作》、《加强鞏固部隊的工作，徹底消滅開小差與個别投敵的現象》、《把游擊戰爭提到政治的最高點》、《用我們的鐵拳消滅蔣介石主力爭取反攻的全部勝利！》等等。

拋開數不清的各類文章、報道不算，僅就這些社論來説，可以説，比起當年在法國時，父親無論在政治水平、理論水平和實踐水平上來説，都大大地跨上了一個台階。撰寫這些文章的這枝筆，政治思想成熟，充滿戰鬥性，法國時期的那些尚帶幼稚之氣，已一掃而光。

《紅星報》除了報道各種消息、戰況以外，還編寫了許多知識性的和生活常識一類的內容，例如軍事軍械知識，衛生防病知識，甚至還有趣味問答和謎語。從這些不顯眼的小的內容，可以看出，父親在編輯這份報紙時，真是把全身心的力量都使上去了。他是一字一句，一點一滴，十分認真地，全心全意地作好這份工作。

有的老前輩告訴我，你的爸爸總是很樂觀，能上能下。

我想，只要看看這些《紅星報》，你就會明白了。像他們這樣的共產黨員，的確是忘我的，是把個人的榮辱利害全都置之不顧的。他們能夠叱咤風雲地指揮千軍萬馬，也能在一個普通而又平凡的崗位上作好一點一滴的工作。

小的時候我們常常聽到一句話："爲了黨和人民的事業，我個人算得了什麼!"

現在聽起來，有人會認爲這可真是一句老話，一句套話了。但仔細想想，父親他們那一代人，那一代的革命者，那一代的紅軍戰士，真的就是這樣的。

在當時，面對艱難困苦而未喪志的，又豈止是父親一個人?千千萬萬的革命戰士，都是這樣頑强而又樂觀地戰鬥着和生活着的。

李維漢的一段回憶，可以使你更加詳盡而又形象地了解這些革命戰士。

> "中央蘇區的生活是很艱苦的，現在年青人不太清楚。當時中央蘇區提出的口號是：'一切為了前綫'。其實，前綫戰士的生活也不好，只比後方人員多給些鹽，飯能吃飽。那時還不知道自己搞生產，糧食運到瑞金，是用肩膀挑來的。因為糧食不夠，後方人員每天只能吃兩餐飯還吃不飽。吃飯前，每人把分給自己的米放在蒲包內拿到廚房去蒸，上面寫着自己的名字。如果當時不是分飯吃，那麼，吃得快的就多吃了，吃得慢的就少吃了。在飯不夠吃的情況下，吃大鍋飯是不行的。那時實行軍事共產主義， 搞供給制。每餐的菜都很少，菜是

沒有油的，盛菜的容器是鐵製的小盆，菜連盆底都蓋不住。每天上午十時到十二時，我們就餓得發慌。晚上也是如此。心中發慌，就在床上躺一躺，休息一下又起來工作。……當年紅軍的生活與現在解放軍相比，真是一個天上，一個地下。當時鹽運不進蘇區，就自己熬硝鹽。由於敵人封鎖，中央蘇區不但吃飯困難，穿衣也困難。衣服是藍色的，用白布染成，很易掉色。不管到哪裏，晚上都不脫衣服，和衣而睡，隨時準備行軍打仗。子彈更困難，打仗要留彈殼，用舊彈殼再去裝火藥。那時政治思想工作做得好，那樣艱苦的條件，毫無怨言，一心為革命。老百姓分到革命勝利果實，得到了利益，也積極擁護革命。我親眼看到擴大紅軍的情景，參加紅軍的，大多數是基幹民兵。到處出現父母送子、妻子送郎當紅軍的盛況。參加紅軍的人，背上還揹着布單子和草鞋。那時黨和紅軍與群衆關係十分密切，在群衆中威信很高。”②

是的，那時的生活是難以想像的艱苦的，那時的對敵鬥爭是無以言狀的殘酷的，如果不是有着軍爲民，民擁軍，軍民一致，官兵一致的優秀作風和傳統，那麼紅軍早就會被强敵打垮了。如果不是由於擁有這麼一批無比英勇、無比堅定的共産黨員，無論在什麼情況下都始終忠誠於人民，忠誠於革命，忠誠於黨的事業，那麼中國共産黨和中國革命也就不可能取得最終的勝利。

注：

① 烏利·弗朗茨《鄧小平——中國式的政治傳奇》。

② 李維漢《回憶與研究》(上)，第341—342頁。

38. 第五次反“圍剿”的失敗

1933 年和 1934 年，在中國共産黨和中國工農紅軍的歷史上，真是禍不單行的年月。

在一年多的時間裏，外，面臨着强大的敵人的更加瘋狂殘酷的“圍剿”；內，困擾着王明“左”傾錯誤的愈益嚴重的發展。

1933 年 3 月，北侵之敵寇日軍佔領了我熱河省會承德。駐長城内外的中國守軍，在全國抗日熱潮的推動下，自動奮起抵抗。宋哲元率領的第二十九軍在喜峰口、羅文嶺一綫，與日軍展開了浴血奮戰，獲得了重大勝利。

但是 3 月上旬，身爲國民黨政府軍事委員會委員長的蔣介石，卻下令“侈談抗日者殺無赦!”命令取締河北各地義勇軍、救國軍等抗日組織。在蔣介石的退讓下，到了 5 月，日軍輕取我察哈爾省的多倫、張北等七個縣。在佔領我長城各口後，又攻下玉田、通州等地，將北平、天津置於日軍强大軍事包圍之中，唾手可得。

在北平、天津危急的形勢下，5 月 31 日，國民政府竟派員與日本關東軍代表岡村寧次，在塘沽簽訂了《塘沽協定》，這個協定規定：

> 一、中國軍隊撤至延慶、昌平、高麗營、順義、通州、香河、寶坻、林亭口、寧河、蘆台所連之綫以西以

南之地區，“爾後不越該綫而前進，又不行一切挑戰擾亂之行為。”

二、“日本軍為確認第一項之實行情形，隨時用飛機及其他方法以行視察，中國方面對之應加保護與以各種便利。”

三、“日本軍如確認第一項所示規定，中國軍業已遵守時，即不再越過該綫追擊。且自動歸還於長城之綫。”

四、“長城綫以南，及第一項所示之綫，以北以東地域內之治安維持，以中國警察機關任之，有屬警察機關，不可用刺激日本感情之武力團體。”

根據這一協定，國民黨政府已把我中華山河的四個省，拱手送給了日本侵略者，並使我華北的門户洞開，爲貪得無厭的侵略者進一步擴大戰爭鋪平了道路。

塘沽協定的簽訂，是繼中英《南京條約》、中美《望廈條約》、中法《黄埔條約》、中英法美俄《天津條約》、中英法《北京條約》、中俄《伊犁條約》、中英《烟台條約》、中日《馬關條約》等喪權辱國的不平等條約之後，又一次出賣中國的可耻行徑。

據統計，自1840年以後至1949年，中國與外國侵略者共簽訂了一千一百多個喪權辱國的不平等條約。封建王朝在簽，民國政府也在簽；舊軍閥在簽，新軍閥還在簽。

中國這長達整整一個多世紀的歷史，猶如一支悲歌，猶如一首哀曲，其悲慘凄楚，令人不忍傾聽。

由於日本侵略者加緊侵略步伐所造成的民族危亡感和對國民黨政府賣國政策的義憤，全國人民又一次掀起了高漲而又激昂的抗日反蔣浪潮。北平、天津、南京、上海等地的人民群衆，紛紛集會，發出通電，要求國民政府對日宣戰。中華蘇維埃臨時中央政府和中國工農紅軍革命軍事委員會發表宣言，提出和一切武裝部隊訂立停戰協定，共同抗日。1933 年 5 月，身爲國民政府要員的馮玉祥將軍，聯合方振武、吉鴻昌，在張家口發出通電，組成抗日同盟軍，到 7 月份便把日僞軍完全驅逐出察哈爾省境外。同年 11 月，被從上海抗日前綫調往福建和紅軍作戰的國民黨第十九路軍，與福建省政府在福建發動了抗日反蔣事變，推舉李濟琛、陳銘樞、蔣光鼐、蔡廷鍇等組成福建人民政府，與蘇維埃中央政府簽訂了條約，共同反蔣抗日。

在這種抗日呼聲不斷高漲的形勢下，蔣介石仍舊絕無反悔之心，照樣堅持“先安內、後攘外”的方針。他一邊繼續對日妥協，制定了一個“不絕交、不宣戰、不講和、不訂約”的賣國外交方針，①大談“敦友睦鄰之道”，表示要“制裁一時衝動及反日行動，以示信義”②；一邊大肆彈壓抗日行動。他首先對馮玉祥的抗日同盟軍實行分化瓦解和武力鎮壓，調集十五萬軍隊對其“圍剿”，致使馮玉祥腹背受敵，忍痛去職，抗日名將吉鴻昌也終爲蔣介石所殺。11 月，蔣介石又調集十五萬兵力，對福建人民政府和抗日的十九路軍進行“圍剿”，到次年 1 月，終於將歷時兩個月的福建事變鎮壓下去，迫使李濟琛、蔣光鼐、蔡廷鍇等人相繼離閩。③

與此同時，蔣介石雖經四次對中央蘇區的“圍剿”失敗，但誓把共產黨斬盡殺絕之心不死。

1933 年 9 月，蔣介石調集一百萬軍隊，二百架飛機，向各個蘇區同時發起進攻，開始了第五次軍事“圍剿”，並一改過去“長驅直入”的作戰方式，採取“步步爲營，堡壘推進”的新方法，企圖逐步壓縮蘇區，消滅紅軍有生力量，以與紅軍主力進行決戰，最後消滅紅軍於蘇區。

第五次“圍剿”之前，經過四次反“圍剿”的勝利，在土地改革和發展經濟的强大推動力下，紅軍迅速發展，已擴大到三十萬人之多。④ 蘇區廣大農民群衆分到了土地，革命情緒和戰鬥熱情也空前高漲。在這種情況下，是完全有可能戰勝敵人第五次“圍剿”的。

但是，由於佔據中央領導地位的博古等人，仍舊推行王明的“左”傾錯誤路綫，把毛澤東等排斥在中央和軍事領導之外，致使中央革命根據地的軍民經過一年的艱苦鬥爭，卻終於沒有能夠粉碎國民黨的第五次“圍剿”，於 1934 年 10 月，被迫轉移。

王明他們爲什麼要反對和排斥毛澤東呢?

第一，因爲毛澤東在許多大的方針政策方面不贊成“左”傾冒險主義，特別是在軍事路綫和土地政策等方面。

第二，因爲中央紅軍和中央蘇區是在毛澤東等一手領導下建立起來的，毛澤東在蘇區的黨、政府、軍隊裏享有很高的威信。

“左”傾錯誤的領導要徹底推行他們的冒險主義，就必先排除思想上的和組織上的障礙。俗話説，打蛇要打頭，於是他們便首先奪去了毛澤東在黨内和紅軍内的權，把他架空，然後逐步控制了中央蘇區的黨政軍權。

1933 年 9 月末，正當第五次“圍剿”開始之際，中央蘇區裏來了一個人。

這個人是共産國際派來的軍事顧問，是一個德國人，名字叫李德。

李德（Li Teh），本名叫奥托·布勞恩（Otto Braun），德國慕尼黑人。早年參加德國共産黨，1928 年赴蘇聯進入莫斯科伏龍芝軍事學院學習。1932 年，受共產國際派遣，到達中國上海，在中共中央機關任軍事顧問。1933 年，李德從北京經上海、汕頭轉福建，於 9 月末進入中央蘇區。到達瑞金後，任中華蘇維埃共和國中央政府革命軍事委員會顧問。

從此，中共臨時中央依靠李德主管軍事領導工作。

就這樣，李德，這樣一個只在蘇聯的軍事學校中學過幾年軍事，不了解中國的情況，更不了解中央蘇區的情況的外國人，獨攬了中國工農紅軍的指揮大權，掌握了中國工農紅軍的命運。

李德一來，就提出反對"游擊主義"，不適當地要求紅軍部隊要"正規化"，要求進行陣地戰和單純依靠軍隊的"正規"戰，要求進行戰略的速決戰和戰役的持久戰，要求固定的作戰綫和絕對的集中指揮。這些軍事原則，既排斥了我軍在多次戰爭中運用自如的游擊戰和帶游擊性的運動戰，又完全忽視敵強我弱的現實狀況，一味地照搬軍事教科書，是十足的軍事上的教條主義!

教條主義從來在中國就沒有行之有效過，在政治上不能，在軍事上同樣不能。

當教條主義掌握了黨權後，帶來的只會是革命事業遭受巨大挫折。當教條主義掌握了軍權以後，帶來的也只會是軍事戰爭的重大失利。

中國共產黨，中國工農紅軍，中國人民啊，什麼時候，你們才能夠正確而又獨立地主導自己的命運啊!

1933 年 9 月，蔣介石調用五十萬兵力，開始了對中央蘇區的第五次"圍剿"。9 月下旬，敵人首先佔領了中央蘇區北部的黎川，一下子擺開向南直搗的陣式。

李德等人首先採取了進攻中的冒險主義，指揮紅軍實行"全綫出擊"，去攻打敵人的堅固陣地，並提出收復黎川，"禦敵於國鬥之外”。他們令紅軍攻打敵陣地硝石，不勝；再攻打資溪橋，又不勝，從此完全陷入戰略戰術上的被動地位。

此時，毛澤東提出，可聯合福建的蔡廷鍇、蔣光鼐的第十九路軍，突破敵人的圍困，出奇制勝地突進到以浙江爲中心的蘇浙皖贛的敵人心臟地區，追敵回援，以粉碎“圍剿”。這一大膽用兵的建議，被置之不理，因而紅軍只得在黎川一帶的堡壘間轉戰，完全形成不了戰鬥力。

1934年1月，由博古等人爲主的中共臨時中央召開了六屆五中全會。這次全會的召開，真是好比是雪上加霜，使得“左”傾錯誤發展到了頂點。

他們視嚴重的內敵外患於不見，盲目地認爲“中國的革命危機已到了新的尖銳的階段”，錯誤地將第五次反“圍剿”的險惡局勢說成是“爭取蘇維埃中國完全勝利的鬥爭”，號稱共產黨現階段的任務是實現“社會主義革命”，認爲主要的危險是“右傾機會主義”，要反對“對右傾機會主義的調和態度”，繼續實行其宗派主義的對黨內不同意見的過火打擊和鬥爭。

五中全會的召開，鞏固了“左”傾的錯誤領導，而“左”傾的錯誤領導，則最終造成了第五次反“圍剿”的失敗。

1934年春，敵軍以十一個師兵力的强大進攻，佔領了我中央蘇區的北大門，廣昌。這時，李德等人，卻“畏敵如虎，處處設防，節節抵禦，不敢舉行本來有利的向敵人後方打擊的進攻，也不敢大膽放手誘敵深入，聚而殲之”，⑤將原先進攻中的冒險主義，一改而爲防禦中的保守主義，實行“短促突擊”，和敵人打陣地戰，拼消耗。這些極端錯誤的軍事指揮，使得紅軍節節敗退，傷亡慘重。

敵軍在佔領廣昌後，再佔興國、寧都、石城等地。中央蘇區的地域日漸縮小，紅軍力量嚴重削弱。

仗，越打越被動。損失，越來越慘重。而“左”傾錯誤則“主張分兵把口，因而完全處於被動，東堵西擊，窮於應付，以至兵日少而地日蹙。”⑥

此時，毛澤東再提出，紅軍主力應立即向湖南中部挺進，調動敵人至湖南而殲滅之，但此建議又爲李德等人拒絕。

經過一年的戰爭，第五次反“圍剿”，終告失敗。

“打破第五次‘圍剿’的希望就最後斷絕，剩下長征一條路了。”這是劉伯承元帥對當時局面的感嘆。⑦

1934年10月，以王明爲代表的“左”傾中央，事前未在廣大幹部和群衆中作深入的思想動員，猝然改變依靠根據地的政策，下令紅軍離開中央革命根據地。

李維漢當時任中央組織局主任，他回憶道：“當中央紅軍在廣昌保衛戰失利後，各路敵軍開始向中央蘇區的中心區全面進攻，形勢已對我十分不利。紅軍在內綫破敵的可能性已經不存在的時候，1934年7、8月間，博古把我找去，指着地圖對我說：現在中央紅軍要轉移了，到湘西洪江建立新的根據地。你到江西省、粵贛省委去傳達這個精神，讓省委作好轉移的準備，提出帶走和留下的幹部名單，報中央組織局。……聽了博古的話，我才知道中央紅軍要轉移了。……

“長征的所有準備工作，不管中央的、地方的、軍事的、非軍事的都是秘密進行的，只有少數領導人知道，我只知道其中的個別環節，群衆一般是不知道的。當時我雖然是中央組織局主任，但對紅軍轉移的具體計劃根本不了解。第五次反“圍剿”的軍事情況，他們也没有告訴過我。據我所知，長征前中央政治局對這個關係革命成敗的重大戰略問題没有提出討論。中央紅軍爲什麼要退出中央蘇區？當前任務是什麼？要到何處去？始終沒有在幹部和廣大指戰員中進行解釋。這些問題雖屬軍事秘密，應當保密，但必要的宣傳動員是應該的。”⑧

當時任紅一方面軍一軍團政治委員的聶榮臻也回憶道：“長征之前，一軍團在福建打了溫坊，奉命回到瑞金待命。我和林彪(一軍團總指揮）提前一天趕到瑞金。周恩來同志找我們單獨談話，說明中央決定紅軍要作戰略轉移，要我們秘密做好準備，但目前又不能向下透露，也沒有說明轉移方向。當時保密紀律很嚴，所以我們也沒有多問。”⑨

要進行戰略大轉移，誰走，誰不走，是一個很重要的問題。

李維漢回憶：“我回到瑞金後，開始進行長征的編隊工作。

“按照中央指示，將中央機關編成兩個縱隊。第一縱隊，又名‘紅星縱隊’，是首腦機關，也是總指揮部。博古、洛甫、周恩來、毛澤東、朱德、王稼祥、李德，還有其他負責同志，都編在這個縱隊。⑩鄧穎超、康克清以及電台、幹部團也編在這個縱隊。……幹部團人數雖不多，但戰鬥力强，實際上是首腦機關的警衛部隊，在長征中起過很大的作用。……

“第二縱隊，又名‘紅章縱隊’，由黨中央機關、政府機關、後勤部隊、衛生部門、總工會、青年團、擔架隊等組成，約有一萬多人。中央任命我爲第二縱隊司令員兼政委，鄧發爲副司令員兼副政委。……李富春是總政治部代主任，也在第二縱隊。第二縱隊司令部有四個女同志隨軍行動，她們是蔡暢、陳惠清（鄧發夫人)、劉群先（博古夫人)、阿金（金維映）⑪。司令部下面還有幾個單位：一、幹部團，或幹部連（也叫工作隊)，約有一百多人，李堅貞是指導員。這個幹部團不是打仗的，是做地方工作和安排傷病員的。二、幹部休養隊，也有一百多人，徐老（特立)、謝老（覺哉）等都在休養隊。他們不擔任工作，只要身體好，能隨軍走就行。三、警衛營（營長姚喆)。四、教導師（師長張建武)，擔任後衛，約五千人。……配屬第二縱隊領導的還有一百多名地方幹部，他們對政權建設有經驗，準備去新區建立政權。……此外，還有運輸隊，挑夫很多，任務很重。黨中央機關的文件、資料之類的東西不多，但中央政府機關的東西很多。如中央銀行攜帶很多銀元，財政部有大量蘇維埃鈔票，還有銀元，都要挑着走。……印票子的石印機也抬着走。軍委後勤部把製造軍火的機器也帶上了，要七、八個人才抬得動。每個部幾乎都要抬着機器走。衛生部帶的罎罎罐罐也很多。真是大搬家。……

"長征前，幹部的去留問題，不是由組織局決定的。屬於省委管的幹部，由省委決定報中央；黨中央機關、政府、部隊、共青團、總工會等，由各單位的黨團負責人和行政領導決定報中央。……中央政府黨團書記是洛甫，總工會委員長是劉少奇，黨團書記是陳雲，這些單位的留人名單，是分別由他們決定的。……部隊留人由總政治部決定，如鄧小平隨軍長征就是由總政治部決定的。

"中央政治局常委決定留下一個領導機關，堅持鬥爭，叫中央分局。成員有項英、陳毅、瞿秋白等同志，由項英負責。"

毛澤覃、賀昌、原江西省蘇維埃主席陳正人等人因博古不同意而未隨隊長征，留下了。⑫

這個賀昌，就是曾和父親一起赴廣西籌備百色起義，在父親遭受錯誤路綫打擊時，他又主動把父親調到總政治部工作的那個人。他生於1906年，山西離石縣人，1921年加入社會主義青年團，1923年轉爲中共黨員，曾在安源、北京、天津、上海等地從事青年工作和工人運動。1927年參與組織發動上海工人第三次武裝起義，同年被選爲中共中央委員。參加過南昌起義和參與研究組織廣州起義。1930年任中共中央北方局書記。1931年到中央革命根據地。1932年任紅軍總政治部副主任、代主任等職務。五次反“圍剿”時負了傷。中央紅軍主力長征後，留在贛南堅持游擊戰爭，1935年3月率所部紅軍兩個營向粵贛邊突圍，在江西會昌與國民黨作戰時英勇犧牲，時年二十九歲。

……

1934年10月，那時蘇區的軍民正在忙着對敵作戰，忙着整點人馬，　忙着準備進行戰略轉移。

他們怎麼也沒有想到，這個時間，將成爲一個永載史册的舉世無雙的壯舉的起點。

秋風，已開始蕭瑟；山川，也似乎變得肅穆。風捲長雲，在低空中飛逝而過。在雲之外，便是那蔚藍而又廣漠的天空，沒有邊，沒有底。

古歌有雲，風蕭蕭兮易水寒，壯士一去兮不復還。

兩千多年過去了，同是一個寒秋，同是壯士即將遠行，但是，這歌已不再是悲歌，壯士們則更非此去無回。

蘇區的鄉親們含淚送別着親人，淚花中閃爍着呼喚：紅軍，你們可要回來呀!

整裝待發的紅軍戰士，眼眶也早已濕潤，他們在心底裏發誓：瑞金，我們一定要回來!

1934年10月10日，中共中央、紅軍總部從“紅都”瑞金出發。

中央紅軍第一、第三、第五、第八、第九共五個軍團八萬餘人，從福建的長汀、寧化和江西南部的瑞金、于都地區分頭啓程。

一個將永載史册的戰略轉移——長征，就這樣開始了。

注:

① 《總裁關於外交方針之訓示》。《革命文獻》，第 72 輯，第 136 頁。
② 《華北事變資料選輯》，第 83—86 頁。
③ 《中華民國史綱》，第 402—408 頁。
④ 《中國共産黨歷史》，第一册，第 461 頁。
⑤ 毛澤東《中國革命戰爭的戰略問題》。《毛澤東選集》，第一卷。
⑥ 同注⑤。
⑦ 劉伯承《回顧長征》。《回顧長征》，第 3—4 頁。
⑧ 李維漢《回憶與研究》(上)，第 343—344 頁。
⑨ 聶榮臻《突破敵人第一、二、三道封鎖綫》。《回顧長征》，第 72 頁。
⑩ 第一縱隊司令員是葉劍英。
⑪ 李維漢《回憶與研究》，第 344—346 頁。洛甫即張聞天。鄧穎超係周恩來的夫人。康克清係朱德的夫人。蔡暢係李富春的夫人。阿金即金維映，係李維漢的夫人。
⑫ 同注⑪。

39. 長征序曲與“遵義會議”

長征，中國工農紅軍的二萬五千里長征，開始了。

而在一開始，它卻不是叫長征，而是叫作轉移。

它的路程，也並非從一開始就預定了要走二萬五千里。當時想的，只是要先轉移到湘西，到那裏和紅軍的另一支部隊，即紅二、六軍團會師，然后再作計議。①

長征開始的時候，中央的領導是這樣組成的：博古（秦邦憲）任黨的中央總負責人，李維漢任中央組織部長，張聞天（洛甫）任中央宣傳部長。中華蘇維埃共和國中央政府主席是毛澤東，中華蘇維埃中央人民委員會主席是張聞天。中央革命軍事委員會主席和中國工農紅軍總司令是朱德，總政委是周恩來，總參謀長是劉伯承，總政治部主任是王稼祥（由李富春代）。中國工農紅軍的軍事顧問是李德。

毛澤東是早已被架空了，黨中央的領導權，掌握在執行王明路綫和受王明控制的博古手中。軍事指揮大權，掌握在軍事顧問李德手中。而王明，則早已跑到萬里之遙的蘇聯首都莫斯科，依仗着共産國際作爲後台，遥控着中國的黨和軍隊，掌握着中國革命的命運。

中央紅軍開始出發了。

聶榮臻是這樣回憶的：“一軍團的部隊，是10月16日以後，先後離開瑞金以西的寬田、嶺背等地，告別了根據地群衆，跨過于都河走向了長征之途。過于都河，正當夕陽西下，我像許多紅軍指戰員一樣，心情非常激動，不斷地回頭，凝望中央根據地的山山水水，告別在河邊送別的戰友和鄉親們。這是我戰鬥了兩年十個月的地方，親眼看到中央根據地人民爲中國革命作出了重大的犧牲和貢獻，他們向紅軍輸送了大批優秀兒女，紅軍戰士大多來自江西和福建，根據地人民給了紅軍最大限度的物質上和精神上的鼓勵和支持。想到這些，我不勝留戀。主力紅軍離開了，根據地人民和留下來的同志，一定會遭受敵人殘酷的鎮壓和蹂躪，我又爲他們的前途擔憂。依依惜別，使我放慢了腳步，但'緊跟上！緊跟上！'由前面傳來的這些低聲呼喚，又使我迅速地走上新的征程。"②

隨着主力轉移的紅軍戰士，是去迎接新的戰鬥，是去開闢新的天地；而留下來的，卻將要面臨難以想像的艱苦卓絶的敵後鬥爭。他們中間的許多的人，堅持住了鬥爭，最後衝出敵人的重圍去進行新的革命鬥爭。但是，還有更多的人，則在和敵人的激戰中，壯烈犧牲，長眠於中央蘇區的青山綠水之中。

父親，隨總政治部機關一道，被編在"紅章縱隊"中，隨着紅軍主力，開始了長征。

設想一下，如果當時父親被留在了中央蘇區，那他的革命生涯，將會走出另外一條道路來。這兩條路，雖然終點只有一個，但是，結局則可能是截然不同的。

秋風乍起，關山肅穆，中央紅軍大部隊靜悄悄地，但卻是急速地向西行進。

這個關係到紅軍生死存亡的重大戰略行動，是由李德，這個共産國際派來的軍事顧問指揮的。

有那麼多久經沙場、具有豐富戰鬥和指揮經驗的中國紅軍將領不用，卻把整個工農紅軍的前途命運交給了這麼一個毫無經驗，又根本不了解中國的外國指揮官。這，真不能不說是中國工農紅軍史上的一頁悲劇。

李維漢深有感觸地回憶：

“長征初期，整個中央紅軍的部署是錯誤的，可以說是個笑話。

“中央的兩個縱隊在中間，一縱隊在前，二縱隊在後。中央縱隊的兩邊是一、三軍團，他們是戰鬥隊，作戰的主力。五軍團搞後衛，任務是保衛這兩個縱隊的。此外，還有二十二師、九軍團，都是新兵組成，把他們放在離兩個縱隊更遠一些的地方，也是做後衛的，任務是箝制敵人。幾個主力軍團主要起保衛中央縱隊的作用，這實際上是保衛大搬家，還談得上什麼運動戰？怎麼能機動靈活地打擊敵人？這樣的部署把自己的手腳完全束縛起來了，因而處處被動挨打。”③

聶榮臻回憶：

“開始出發時，紅星縱隊真像大搬家的樣子，把印刷票子和宣傳品的機器，以及印就的宣傳品、紙張和兵工機器等等‘罎罎罐罐’都帶上了。這就形成了一個很龐大很累贅的隊伍。以後進入五嶺山區小道，擁擠不堪，就更走不動了。有時每天才走十幾里或二三十里。”④

劉伯承回憶：

“開始長征，由於‘左’傾路綫在軍事行動中的逃跑主義錯誤，繼續使紅軍受到重大損失。當時中央紅軍第五軍團，自離開中央根據地起，長期成為掩護全軍的後衛，保護着騾馬、輜重，沿粵桂湘邊境向西轉移。全軍八萬多人馬在山間羊腸小道行進，擁擠不堪，常常是一夜只翻一個山坳，非常疲勞。而敵人走的是大道，速度很快，我們怎麼也擺脫不掉追敵。”⑤

李維漢在回憶錄中寫道：

“為了避開敵人，我們的辦法一是夜行軍，二是爬大山。實在避不開，就硬拼。我這個二縱隊司令不了解軍事情況，只是按命令走。軍委把命令傳給二縱隊參謀長，參謀長再把命令傳給我。我根據命令內容，分析行軍的方向。有時，我想今天可能要爬山了，因為大路會遇到敵人不能走，後來果然是爬山。

“由於長征前沒有進行動員解釋工作，行軍情況很不好，隊伍稀稀拉拉，有時先頭部隊出發了，後衛才到達宿營地。幾乎天天都被敵人尾追，掉隊的很多，收容隊裏的人員大量增加，部隊人員大量減少。我所在的‘紅章縱隊’，也是稀稀拉拉的，實在走不動了，才慢慢地把東西扔掉，把一捆捆蘇維埃銀行的紙幣燒掉，把機器也打爛了。我看到年輕的戰士犧牲在路旁，心裏很難過。後來‘紅章縱隊’因大量減員而縮編為三個梯隊，教導師補充到前綫作戰去了，我也由縱隊司令兼政委改任梯隊長。

“由於天天夜行軍很疲倦，經常邊走邊打瞌睡。我們走了將近一個月，才到湖南汝城附近的文明司，只走了一千多里路，平均每天才走四十多里。”⑥

第五次反“圍剿”失敗，紅軍主力要轉移，蔣介石正當一着得勝、躊躇滿志之時，豈能坐視紅軍從他的手下溜走，於是在紅軍一開始向西挺進時，便佈下了三道封鎖綫，欲把紅軍全殲於西進途中。

當紅軍剛剛離開瑞金，還未走出江西地界，就在贛南的贛州、信豐、安西一綫，遇上了敵軍從北向南一字排開的第一道封鎖綫。10 月 21 日，一軍團與敵接觸，打響長征的第一仗。經過兩日的激烈交戰，敵軍敗退，紅軍共殲敵約一個團，俘敵三百多人。紅軍一、三軍團分兵護衛，　中央縱隊和後續部隊安全通過。紅軍繼續西進。

敵軍的第二道封鎖綫，設在湘贛邊界湖南一側的桂東、汝城和廣東的城口一綫，也是由北向南一字排開，單等把紅軍一刀斬盡。11 月 2 日前後，紅軍運用奇襲包抄之術，巧殲敵軍，全隊人馬繞道迂迴，順利地突破了第二道封鎖綫，再往西進。

敵軍的第三道封鎖綫設在湘南要道郴縣、宜章一綫。此綫敵人佈防嚴密，且有重兵正從江西、福建追來，大有非在此地全殲紅軍不可的架勢。在聶榮臻等有力指揮下，11 月上旬，一軍團在左翼先敵人一步，佔領九峰山旁的陣地，三軍團則在右翼佔領宜章、良田等鎮，掩護隊伍安全通過了第三道封鎖綫。

敵軍吹噓爲“鋼鐵封鎖綫”的三道防綫，被紅軍突破了。

在紅軍主力突破敵人三道封鎖綫後，蔣介石急調四十萬大軍，分成三路，前堵後截，誓把紅軍消滅於湘江之畔。

面臨敵人重兵佈下的第四道封鎖綫，“‘左’傾路綫的領導更是一籌莫展，只是命令部隊硬攻硬打，企圖奪路突圍，把希望寄託在與二、六軍團會合上。在廣西全縣以南湘江東岸激戰達一星期，竟使用大軍作甬道式的兩側掩護，雖然突破了敵人第四道封鎖綫，渡過湘江，卻付出了慘重的代價，人員損失過半。”⑦

過了湘江，中央紅軍的人數已從長征開始時的八萬六千多人，銳減至三萬餘人。⑧

從10月中旬出發，到12月1日過湘江，僅僅一個半月的時間，中央紅軍一路被追、被圍、被堵、被截，一路被動，一路損失。這嚴酷的現實，不但使人員損失一半有多，而且使部隊中日益明顯地滋長了懷疑不滿情緒。

逃跑主義只會造成全軍覆没！廣大紅軍指戰員已開始急切地要求改變錯誤的領導。

12月11日，紅軍主力進至湘西南邊境的道通縣，準備北上湘西地區，這時敵人已在通向紅二、六軍團的路上佈下重兵準備堵截，同時用桂軍在紅軍後側跟追。在這萬分危急的形勢下，博古等人一意孤行，仍堅持北上湘西，與紅二、六兵團會合。

面對紅軍有可能全軍覆没這一極其嚴峻的形勢，毛澤東提出放棄會合二、六兵團，改向敵人力量薄弱的貴州前進，以爭取主動。這一主張頓時得到周恩來、朱德、洛甫、王稼祥等人的支持。

由此，紅軍改變了北上的作法，轉向貴州，並於12月15日攻佔貴州黎平。

12月18日，中央政治局在黎平召開會議。

這次會議是由周恩來主持的，討論紅軍前進方向的問題。由於博古、李德仍主張北上與紅二、六軍團會合，會上發生了激烈的爭論。最後，絶大多數人贊成毛澤東的主張，會議遂決定放棄北進湘西與紅二、六軍團會合的計劃，改向敵人統治力量比較薄弱的貴州前進，決定在以遵義爲中心的川黔邊境建立根據地。

從近六十年後的今天回望當年，真是不由人不感嘆萬分。如果不是毛澤東及時地提出將長征改道的主張，如果不是這一主張得到廣大紅軍指揮員的强烈支持，那麼，中央紅軍的主力，將會遭到全軍覆没的滅頂之災。

所以，凡人皆云：毛澤東挽救了紅軍。

對於王明中央的“左”傾錯誤領導，早在蘇區時，就有許多的幹部頗存疑慮。五次反“圍剿”的失敗、長征以來的迭次失利、紅軍隊伍的巨大減損，這一系列令人痛心的損失，使得越來越多的指戰員對“左”傾中央及其錯誤領導產生了疑問和不滿。要求改變現狀，擺脱錯誤領導的呼聲也越來越高。

在長征的一路上，毛澤東患結核病，是被擔架抬着走的。王稼祥、張聞天因身患重病，也是在擔架上抬着走的。這一路，毛澤東和王稼祥、張聞天走在一起。這一路，毛澤東向王稼祥、張聞天反覆細緻地做工作，向他們分析中央在第五次反“圍剿”和長征中在軍事領導上的錯誤。漸漸地，王稼祥、張聞天接受了毛澤東的看法。

中央的一些其他的領導人，在行軍途中同博古、李德等人的分歧也越來越大。“從老山界到黎平，從黎平到猴場，一路展開爭論。”⑨

黎平會議後，部隊進行了整編，進行了精簡輕裝。

1935年1月，紅軍强渡烏江，1月7日，打下了貴州古城遵義。

這期間，部隊作戰順利，情緒也逐漸振奮，此後，在遵義休整了十二天。

1935年1月15日至17日，中共中央在遵義召開了政治局擴大會議，就是著名的“遵義會議”。

出席會議的有：政治局委員博古、張聞天、周恩來、毛澤東、朱德、陳雲，政治局候補委員王稼祥、劉少奇、鄧發、何克全，紅軍總部和各軍團負責人劉伯承、李富春、林彪、聶榮臻、彭德懷、楊尚昆、李卓然，中央秘書長鄧小平。共產國際駐中國的軍事顧問李德及擔任翻譯工作的伍修權也參加了會議。

“遵義會議”是一次極其重要的歷史性會議。

這次會議的結果有兩個。

第一，形成了著名的“遵義會議”決議，即《反對敵人五次“圍剿”的總結決議》。這個決議明確指出，博古、李德在軍事上的“單純防禦路綫”，使得紅軍在第五次反“圍剿”中失利，在戰略轉變與實行突圍時實行戰略退卻。決議在軍事路綫上徹底結束了王明“左”傾錯誤指揮。

第二，改組了中央領導機構，選舉毛澤東爲中央政治局常委，軍事指揮主要由周恩來、朱德負責。

“遵義會議”，是在中國革命處於十分危急的歷史關頭召開的，它對於中國共產黨，對於中國工農紅軍，乃至對於整個中國革命的前途和命運，都具有非同尋常的重要意義。

“遵義會議”，在軍事上結束了“左”傾錯誤的指揮。

“遵義會議”，在組織上結束了“左”傾教條主義在中國共產黨內的統治。

“遵義會議”，在沒有外來干預的情況下，中國共產黨，根據本國本黨本軍的實際情況，獨立自主地處理自己的事情。

最重要的，在“遵義會議”以後，形成了一個中國共產黨黨內的領導核心，這個核心中的擎天支柱，就是毛澤東。

父親多次説過，在我們黨的歷史上，直到“遵義會議”，才真正形成了一個領導核心。這個領導核心，是中國共產黨的第一代領導核心。在此以前，沒有形成過真正的領導核心。

父親高度評價這個核心的建立。

毛澤東的這個核心領導地位，不是他自封的，更不是外國人賜予的，是在中國革命經歷了近十四個春秋的革命實踐活動中湧現出來的，是中國共産黨人在經歷了千般曲折萬種困擾後選擇出來的。

毛澤東是一個領袖，是一個偉人。他的核心地位一經確立，就確立了整整四十一年。

毛澤東集政治家、軍事家、思想家、詩人於一身，才華横溢，文武雙全，既具有偉人領袖之宏才大略，又兼備文人雅士之洒脱浪漫。他的一生充滿了傳奇色彩，他的作爲功過皆有。

對毛澤東的一生和他個人功過的評論已多得數不清。有人認爲他是一個理想化的共産主義者，有人認爲他是一個曠世奇才和政治偉人，有人把他奉爲神明，有人則把他斥爲東方式的君主人物。要讓我説，毛澤東，是馬克思主義加理想主義；是共産主義，民族主義，再加點封建色彩；是中國歷史所造就的一個最富有時代氣息和民族特色的偉大的革命領袖人物……

不管怎樣評價毛澤東，反正在“遵義會議”後，當他掌握了中國革命航船的航向後，中國革命事業才由被動轉向主動，才從徬徨走向勝利！

所以，“遵義會議”，的確可以稱之爲中國共産黨歷史上“一個生死攸關的轉折點”。⑩

“遵義會議”，使中國共産黨基本上擺脱了王明“左”傾冒險主義、“左”傾教條主義和“左”傾宗派主義長達四年之久的危害，也擺脱了受制於外來干預的被動地位。

這一次時間最長、危害最重的“左”傾錯誤的主要人物王明（又名陳紹禹），當時遠在蘇聯的莫斯科，他既沒有參加長征，和同志們共度甘苦，更没有接受中國共産黨對他的錯誤的批評。

1937年11月，他回到了中國，突然一改“左”的面孔而變成了右，提出了右傾投降主義的主張。當然，這時，不管他的主張是“左”還是右，黨中央和黨的幹部都已没有那麼多的人再來附和他了。1956年王明去蘇聯後，一直滯留蘇聯，一直在蘇聯的庇護下寫文章反對中國共產黨和他自己的祖國。1974年，王明死於蘇聯。對於他的死，十億中國人民和數千萬中國共產黨人，絶大多數既不知道，也不關心。

一個想假外國勢力左右中國命運的人，就這樣最終爲中國人民所拋棄了。

三十年代在中國執行王明路綫的主要領導人博古（又名秦邦憲），在“遵義會議”上被取消了中共中央總負責人的職務，後歷任紅軍總政治部代理主任、中共對國民黨談判代表、新華社社長等職。博古不但在思想上誠懇地接受了黨對他的批評和真誠地作了自我批評，在工作上也一如既往地保持了一個共產黨員應有的奉獻精神。1945年，他當選爲黨的第七屆中央委員。博古雖有錯誤，給革命事業造成過巨大損失，但是他爲人磊落真誠，知過能改，因此在黨内仍享有良好的聲譽。1946年他與王若飛等黨的高級領導人空難殉職。延安的黨中央和各屆人士爲他們舉行了悲痛而又隆重的追悼會，以兹悼念。

至於那個共產國際派來的軍事顧問，李德，這個曾一度被尊爲“太上皇”的洋顧問，在“遵義會議”上神情沮喪，坐在門口。此後，他一路隨紅軍長征到陝北，1939年回蘇聯去了。對於中國共產黨對他的批評，他一直耿耿於懷，發表了一系列的反華文章，到了七十年代，還著書爲自己在中國革命史上扮演的不光彩的角色辯護和攻擊中國。

一個外國人，凡是到中國來參加和支持中國革命事業的，都受到了中國人民的真誠歡迎和紀念。像加拿大醫生白求恩，印度醫生柯棣華，美國醫生馬海德，德國醫生米勒，美國記者史沫特萊，美國記者斯特朗……，他們同情中國革命，支持中國革命，甚至於把自己的一生和生命都奉獻給了中國人民和中國革命事業。中國人民熱愛他們，永遠、永遠地追念他們。但是，像李德這樣的人，今天中國的年輕人，大概已經没有幾個知道他的名字了。在中國革命的大潮中，他已被無情地淘汰。

“遵義會議”後，紅軍主力擺脱了軍事上的教條主義，一掃沉悶之氣，展開了靈活機動的大踏步運動戰。

此時，蔣介石已調其嫡系部隊和川、黔、湘、滇、桂五省地方部隊數十萬兵力，從四面進逼遵義，企圖消滅紅軍於黔西地區。

在毛澤東等人的指揮下，紅軍主力於1935年1月至3月間，四渡川黔邊境地帶的赤水河，由貴州先入川南扎西，又轉入貴，二入川南後，再折回貴，隨即南渡烏江，佯逼貴州首府貴陽，誘敵入貴。當敵兵滇軍拉向貴州時，紅軍主力突然飛速向雲南疾進，虛晃一槍，最後神速地轉向西北方向挺進。5月初，紅軍主力在川滇交界處渡過了水流湍急的金沙江，一下子跳出了重敵圍追堵截的圈子，把敵人追兵拋在了金沙江南岸，在戰略轉移中最終取得了主動權。

紅軍主力這種忽東忽西、忽南忽北的大跨度運動戰，在古今中外戰爭史中恐怕也是少見的妙算。這樣的戰法，打破了自詡爲軍事家的蔣介石圍殲紅軍主力的如意算盤。

蔣介石以中央正統之名，挾精鋭百萬之師，憑藉着他那功於心計、善弄權術的本領，翻手雲，覆手雨，把各路擁兵割據的封建軍閥玩弄於股掌之上，可以説如反掌之易。但是，要對付共産黨，要對付毛澤東，單憑他的那些本事，可就不足成事了。

共產黨和國民黨之較量，毛澤東和蔣介石之較量，這才是開頭，真正的大的較量，還在後頭呢！

注：

① 聶榮臻《突破敵人第一、二、三道封鎖綫》。《回顧長征》，第72—73頁。

② 聶榮臻《突破敵人第一、二、三道封鎖綫》。《回顧長征》，第72頁。

③ 李維漢《回憶與研究》(上)，第347頁。

④ 聶榮臻《突破敵人第一、二、三道封鎖綫》。《回顧長征》，第75頁。

⑤ 劉伯承《回顧長征》。《回顧長征》，第4頁。

⑥ 李維漢《回憶與研究》(上)，第348頁。

⑦ 劉伯承《回顧長征》。《回顧長征》，第1頁。

⑧ 張廷貴、袁偉《中國工農紅軍史略》，第118頁。

⑨ 中共中央黨史研究室《中國共產黨歷史》(上)，第384頁。

⑩ 中共中央黨史研究室《中國共產黨歷史》(上)，第388頁。

40. 紅軍不怕遠征難

我問過父親："長征的時候你都幹了些什麼工作?"

父親用他那一貫的簡明方式回答我："跟到走!"

每一個經歷過舉世聞名的二萬五千里長征的老紅軍，都有許許多多的關於長征的回憶，都有說不完的關於長征的故事。

可是，父親卻只有這麼三個字!

不過，父親講的倒是大實話。長征開始，他那頂"右傾錯誤"的帽子還沒摘，後來一直又沒有任軍事要職。再說長征嘛，二萬五千里，本來就是走過來的嘛。

父親自己不說，我只好又去東打聽西打聽，最後總算掌握了他在長征過程中的一些輪廓。

1934 年 10 月，父親隨總政治部機關一道，開始了長征。他主編的《紅星報》，因爲行軍的關係，改成手寫油印。

父親隨着中央縱隊，過了敵人的四道封鎖綫。過了湘江，到了貴州的黎平，到了烏江南岸的猴場，1935 年 1 月上旬隨中央進駐了貴州遵義。

在這兩個多月的時間內，父親是"跟到走"的。

跟着走的同時，在緊張的行軍戰鬥中間，從 10 月 20 日至 1 月 7 日攻佔遵義，他克服種種困難，編印了七、八期《紅星報》。①

到“遵義會議”前，1935 年 1 月初，父親被任命爲中央秘書長，並以中央秘書長的身份，參加了著名的“遵義會議”。

父親之所以被任命爲中央秘書長，是因爲在到達遵義前，絶大多數軍内和黨内的高級幹部已對“左”傾錯誤領導强烈不滿，毛澤東被排斥領導的狀況開始轉變。那時，有很多的高級幹部頻繁地到毛澤東那裏，向他反映情況，與他交換意見。毛澤東在黨内、軍内的影響已日益增大。

毛澤東開始有了發言權後，在他的影響下，中央任命了鄧小平爲中央秘書長。

這是鄧小平第二次擔任中央秘書長的職務。

第一次是在大革命失敗後的險境之中。

第二次是在長征面臨重大轉折之前。

就任中央秘書長不久，父親旋即參加了“遵義會議”。

在會上，博古首先作了總結第五次反“圍剿”的主要報告，其次由周恩來作了關於第五次反“圍剿”軍事問題的副報告。接着，毛澤東作了重要長篇發言，對“左”傾冒險主義的“消極防禦”方針等錯誤作了尖鋭的批評。會上，張聞天、王稼祥、朱德、周恩來、李富春、聶榮臻、彭德懷等相繼發言，支持毛澤東的觀點，對博古和李德的“左”傾錯誤進行了批評。父親没有在會上發言，但他毫無疑問地是毛澤東的堅定的支持者。

“遵義會議”後，父親隨部隊四渡赤水，再渡烏江。

有一次，父親對我説，那種和敵軍兜圈子、打奇襲的運動戰方式，好比“貓捉老鼠、老鼠捉貓”！

父親的意思是説，强大的敵人欲“捉”紅軍，不想卻被紅軍引得昏頭轉向地團團打轉，結果反倒被紅軍一再重創。大貓想捉小老鼠，反倒被小老鼠着實地捉弄了一番！

聽完父親的比喻，我大笑了一番。

這笑，一是因爲，父親的比喻生動而又形象；二是因爲，父親的這點“靈感”，應該歸功於他的孫兒孫女們。因爲我的女兒羊羊和我弟弟的兒子小弟，總喜歡在爺爺的屋子裏看動畫片“貓和老鼠”！

1935年5月初，紅軍主力從雲南準備北渡金沙江入川。

> “金沙江穿行在川滇邊界的深山狹谷間，江面寬闊水流湍急，形勢非常險要。如果我軍不能北渡，則有被敵人壓在深谷殲滅的危險。”②

當時，前有激流惡水，後有敵人追兵，紅軍想方設法，在皎平渡搜來七隻小船，三萬五千人經九天九夜，全部渡過江去。

當時的一軍團一師師長李聚奎率部在龍街渡幾番設法渡江不成，遂奉命率部到一百二十里外的皎平渡渡江。他回憶道：

> “我走在隊伍的前頭，一到皎平渡，首先見到了鄧小平同志，他一見到我就問：
>
> “‘隊伍來了没有’？
>
> “我說：‘來是來了，就是走得稀稀拉拉的。’
>
> “鄧小平同志說：‘趕快派人去督促，隊伍來得快一點，馬上過江。’並說，‘隊伍由劉伯承同志指揮，騾馬和行李擔子由我指揮。’
>
> “我們抵達對岸時，見到毛澤東、周恩來、朱德等中央領導同志在渡口一個崖洞裏瞭望渡江部隊。聽說部隊渡了幾天，他們就在這個洞裏瞭望了幾天，一直到紅軍全部渡完才離開。”③

1991年初冬，我去北京西郊李老將軍的駐地探望他時，他高興地拉着我的手，告訴我：“我以前只是聽説過你的爸爸，知道紅七軍。這次過金沙江是第一次認識你爸爸，以後，我們就熟了。我以後在他領導下打了好多年的仗!”八十七歲的李老將軍頭髮白了，眉毛也白了，他笑得非常非常的慈祥。

過了金沙江後，紅軍繼續向北。先經彝族地區，再過天險大渡河。

大渡河，乃是清末太平天國名將石達開渡河不成導致敗降之地。整整七十二年後，英勇的紅軍先以十七勇士憑一葉小舟强渡大渡河，再以二十二勇士飛奪瀘定橋，三萬餘紅軍神兵般地從鐵索橋上飛渡而過，粉碎了蔣介石要讓紅軍成爲石達開第二的夢想。

父親説過，在“遵義會議”後的這一段時間裏，他以中央秘書長的身份參加了多次重要的政治局會議。許多次會議各軍團的軍事首長都來參加了。他記得最清楚的一次會議就是5月過金沙江後在會理召開的一次會議，那次會議開了兩天，主要是批評林彪。

父親告訴我，“遵義會議”時，他和毛主席住在一起。“遵義會議”後，他和毛主席、張聞天一起長征。那時候他們白天行軍，疲勞得很，晚上到一個地方，趕快找個地方就睡覺。一路都走在一起，住在一起。

紅軍長征的路途上，過了危險，還是危險，一路險象環生。當然，如果不是有着這些非人所想的艱難困苦，長征，也就不會最終成爲一首壯烈的史詩而永載史册。

才過大渡河不久，紅軍又遇上了千年雪山。

這是長征路上的第一座大雪山，名叫夾金山。

夾金山山勢巍峨，終年積雪。人行舉步艱難，馬行山陡無路。山頂空氣稀薄，以至於不能坐下休息。因爲只要一坐下，就可能再也站不起來了。我們的紅軍戰士，長期征戰，人不能飽食，衣僅可蔽體，要爬過這高聳入雲的大雪山，體力和禦寒能力都相當的差。一些紅軍戰士，就從此一坐不起，長眠在夾金山的千年白雪之中了。

父親說，在過雪山之前，他的馬死了，所以，過雪山時，別人還有馬尾巴可以拉着借勁而行，而他，卻是真正地一步一步地爬過這千年雪山的。

現在，在夾金山上，人們爲紀念當年紅軍的這一壯舉，豎立了一座金色的紀念碑。這座金碑，頭頂藍天白雲，下踩千年積雪，在陽光的照射下，那金色的反光竟可以照射幾十里之遙，成爲一大奇觀。今天，當人們看到這座金碑，仿佛就能看見當年紅軍戰士在皚皚白雪上踩出的那條曲曲彎彎而又綿延無際的道路……

過了雪山之後，紅軍到達了當時四川最西邊的懋功。

6月14日，紅一方面軍和從川陝根據地而來的紅四方面軍會師了。

紅四方面軍原在湖北、河南、安徽交界地區開闢了鄂豫皖革命根據地。由於蔣介石的重兵"圍剿"，紅四方面軍被迫離開鄂豫皖根據地。經過千辛萬苦，浴血奮戰，歷時兩個多月，行程三千多里，於1932年開創了位於陝西南部和四川北部交界地帶的川陝根據地。後來經過對敵激戰，形成了一個約有二三百里的廣大新區，部隊也發展到八萬餘人之衆。正當此時，中央紅軍第五次反"圍剿"失敗，退出江西中央蘇區開始西征。四方面軍的主要領導人張國燾由於害怕蔣介石大兵入川，因此決定放棄川陝根據地，開始轉移，並於6月間與紅一方面軍在懋功地區會師。

在懋功，一、四方面軍會師後，父親遇到了與他一起在法國勤工儉學和從事革命活動的傅鐘。他們兩個人一起在法國，又一起在蘇聯學習，交情可不算淺。四方面軍從川陝根據地出來，兵强馬壯，實力雄厚。傅鐘那時候在四方面軍任政治部主任，頗有點權，他看見他的老戰友的馬死了，便立即慷慨解囊。

父親説："過了雪山後，傅鐘送了我三件寶，一匹馬，一件狐皮大衣，一包牛肉乾。這三樣東西可真是頂了大事呀!"

一方面軍和四方面軍會師後，擺在中國共産黨和紅軍面前的一個急迫的任務，就是要確定紅軍發展的戰略方針。

當時紅軍所在的川西北地區，是少數民族聚居的地區。雖然遠離敵人控制的中心腹地，但人口稀少，地貧人窮，交通給養都很困難，十多萬人的大軍根本不可能在此久駐。同時，此時的全國抗日民主形勢也發展到了一個新的高潮，華北已成爲抗日鬥爭的前綫陣地。

基於對内外形勢的分析，中共中央主張紅軍繼續北上，到陝西、甘肅一帶建立根據地。這是因爲，陝甘地區地域寬闊，物産豐富，又是敵人統治薄弱的地區，易於生存和發展。同時，在那裏建立根據地，可以在北方建立抗日的前進基地，使紅軍加入到抗日民主運動的前哨陣地。

中央的這一主張，遭到了張國燾的反對。

6月26日，中共中央在懋功北部的兩河口召開政治局會議，經過討論，張國燾勉强同意了中央關於北上的意見。此後，中共中央率領紅一方面軍繼續北上。

7月10日，先頭部隊抵達松潘附近的毛兒蓋。

這時，張國燾依仗着自己下轄八萬餘人，兵力倍於紅一方面軍，竟然擁兵自重，要挾中央，提出改組中央軍委和總司令部，並要讓張國燾擔任軍委主席，給以"獨斷决行"之大權。此舉，實際上是要篡奪中央的軍事大權。

中共中央一方面堅決拒絕了張國燾的無理要求，批評了他的錯誤，一方面爲了避免分裂，任命張國燾爲紅軍總政委。

8月3日，紅軍總部決定把原一、四方面軍混合編成左路軍和右路軍。左路軍由朱德、張國燾、劉伯承率領；右路軍由毛澤東、周恩來率領。

8月4日，中共中央政治局在毛兒蓋附近的沙窩召開會議，討論當時的形勢和任務。會議重申北上戰略方針和創建川陝甘根據地，指出要進一步加强黨對紅軍的絶對領導和維護團結，必須糾正對革命前途悲觀失望的右傾錯誤。

8月20日，中共中央政治局在毛兒蓋召開會議，再次重申北上方針，批評了張國燾想拉紅軍西渡黄河的錯誤。

會後，左、右兩路軍分兵北進，開始進入了渺無人烟的茫茫草地。

爬雪山、過草地，歷來被同引爲長征艱難的象徵。殊不知，過草地，比爬雪山還要艱難。

川西北的大草地，上面是野草無邊，下面是黑水瀰漫。這裏没有村落，没有人烟，連可以供人吃的東西都幾乎没有。這裏氣候變化無常，時而細雨霏霏，時而晴空萬里，瞬息萬變。

紅軍戰士們没有吃的，馬死了就吃馬肉，後面的部隊没有了馬肉，就啃骨頭，連骨頭也吃不到時，就吃草根、吃樹皮，甚至吃皮帶。宿營的時候地上挖個坑，頭頂上支個棚，權避風雨。

過草地整整走了七天七夜。

許多長征過的老前輩都感嘆地告訴我，長征中最艱難的是過草地。過草地時，犧牲的戰友也最多。

這些紅軍戰士，是死於飢，死於病，死於錯食毒草，死於誤入沼澤……

父親說過，過草地時，周恩來得了很重的病，非常危險，他是被人用擔架抬着過草地的。當時，抬擔架的人力不夠，連解放後擔任中國人民解放軍財務部長的老紅軍楊立三，都抬過周恩來的擔架。

過草地時，父親没有和周恩來在一起，因爲他已經調離中央，離開中央縱隊了。

那是在 1935 年的 6、7 月間，父親由中央秘書長任上，調到紅一軍團政治部當宣傳部長。

老紅軍劉道生回憶，6 月 26 日兩河口會議後不久，他被調到一軍團組織部工作，和他一起去一軍團的，還有鄧小平。

當時在一軍團政治部任指導員的梁必業告訴我，“7 月間，在毛兒蓋，你爸爸來到一軍團政治部任宣傳部長。一直到長征結束，他都在一軍團。”

我問過父親，爲什麽從中央秘書長調任一軍團宣傳部長。

父親說，那時候天天行軍，没有事情幹。

當時在中央縱隊的劉英媽媽告訴我：“我調到中央縱隊工作時你爸爸已經走了，我還整理過他留下來的一個鐵皮箱子，裏面都是一些書籍和文件。我原來在後梯隊，是毛主席把我調到中央縱隊工作的，他說後梯隊很苦，又没有東西吃，女同志在那裏會拖垮的。那時候機關小，凡是精幹的同志都送到前方去，充實戰鬥隊伍。王稼祥告訴我，現在中央的工作不重，就把小平同志送到前方去了。我也問過毛主席，小平同志爲什麽調走。毛主席說，前方需要。你爸爸在中央當秘書長的時候，管中央首長的生活，開會作記錄，還要管警衛工作。”

我去看望劉英媽媽時，她身着一套熨得平平的深藍色西服，繫着一條美麗的色彩絢麗的紗巾，身材矮小，卻精神煥發。說起長征，她的話可多了！

她告訴我："長征剛剛開始時，我和你爸爸他們常常在一起。只要有半天休息，我們大家就常常湊在一起，沒事幹，就吹牛。大家開玩笑，成立了一個牛皮公司，陳雲是總經理，你爸爸是副總經理。沒有吃的，就吹吃的，精神會餐。你爸爸老講四川菜好吃。到了四川邊界，那裏窮得要死，我就對他說：'四川有什麼，只有滂糟！'他就說：'這裏是邊區！'反正是四川菜好。你爸爸很開朗，很風趣。那時候大家都是年輕人，都是樂樂觀觀的。"

8月初到了毛兒蓋以後，一、四方面軍開了個聯歡會，在會上，李聚奎再次遇見了鄧小平，這回他們可是熟人了。

李老將軍說："聯歡會上，在河壩裏搭了個台子，請張國燾講話。我們有幾個人在下面講笑話，其中就有小平同志。那時候我們一師剛剛得了點烟絲，小平同志對我說：'你給我烟，我就告訴你一個好消息。'我問他：'什麼好消息？'他說：'你不給我烟，我就不告訴你。'我說：'那個簡單！'就從衣袋裏摸出個洋鐵盒子遞給他說：'抽吧！'小平同志笑着說：'告訴你個好消息，你升官了！'他告訴我：'軍委決定調你到紅四方面軍去擔任三十一軍參謀長，命令已經下來了。'那時候一方面軍幹部多，四方面軍兵多幹部少，所以向一方面軍要幹部。我聽你爸爸說了以後又去問聶老總，聶老總也證實了這個消息。"

在北京的一條小巷——雨兒胡同裏，我去看望了羅榮桓元帥的夫人林月琴媽媽。我們和羅家兩家人相互很熟，大人們是多年的老戰友，來往親密，孩子們之間也是好朋友。林媽媽知道我是來了解長征的情況後，一點兒也沒客套，她告訴我說："你爸爸過草地是和羅伯伯在一起的。"

羅榮桓，1902年出生於湖南衡山，青年時代即從事愛國學生運動，1927年加入中國共產黨，參加過鄂南暴動和秋收起義，在毛澤東和朱德領導的紅四軍中歷任要職，後擔任紅四軍政治委員和紅一軍團政治部主任。長征時受“左”傾錯誤的打擊，被撤職改任巡視員，直到1935年9月，才又被任命爲一軍團政治部副主任。

林月琴媽媽臉龐圓圓的，笑得眼睛彎彎的，她一邊喝着茶水，一邊對我說：“羅伯伯和你爸爸兩個人，一個人一匹馬，1935年長征一直在一起。那時候天天就是行軍，羅伯伯這個人不愛說話，而你爸爸就經常說笑，哈哈地笑。他們這些人在一起就經常一塊兒吹牛，吹牛吹什麼呢？就是說什麼好吃。說辣椒好吃，一說辣椒就直流口水。說回鍋肉好吃，一個說四川的回鍋肉好，一個說湖南的回鍋肉好。反正没有吃的，就精神會餐嘛！那時候他們没有烟抽，就沿路找點破紙，找點乾樹葉子，拿破紙包上樹葉子當烟抽。你爸爸還說：‘我是香烟廠製烟的！’過草地的時候，他們兩個人還在河溝裏洗澡，四川人、湖南人都愛乾淨。”

從過草地，到俄界，過岷山，到哈達埔，再過渭河，翻越六盤山，最後到達陝北吳起鎮，父親和羅榮桓一直在一起。

他們一起行軍，一起工作，一起下棋，一起找烟抽。他們一個是一軍團政治部副主任兼地方工作部長，一個是一軍團宣傳部長，年齡只差兩歲，遭遇也很相同。在長征路上，他們“行軍時並轡而行，休息時促膝談心，宿營時抵足而眠，經常在一起議論‘左’傾冒險主義給革命事業造成的危害。”④

父親曾說過，“我們是無話不談。”⑤

林媽媽也說：“你爸爸和羅伯伯，性格上一個主動，一個被動，他們長征時行軍在一起，宿營在一起，非常合得來！”

是的，父親和羅帥十分合得來。戰爭年代，他們各在一條戰綫上並肩戰鬥，解放後，他們經常往來。羅伯伯得了病，爸爸和媽媽經常去看他。五十年代在北京東郊民巷蓋了四幢房子，本來分給父親一幢，父親說："我不去住，讓羅帥去住！"羅伯伯不肯去，父親就限期讓羅伯伯搬了進去。有一次，父親母親去看羅伯伯，還送給羅伯伯一個從蘇聯帶回來的淋浴用的噴頭。1955年授元帥銜時，羅伯伯請客吃飯，父親母親去了，聶榮臻伯伯和張瑞華媽媽也去了。父親和他的這些老戰友們真是親密極了！林彪雖曾長時期和羅帥一起工作過，但兩人的私交並不好。父親曾說過："連羅帥這樣的人，林彪都不能團結！"父親對羅帥的評價是：爲人樸實、誠懇和厚道，在幹部中很有威信。父親對他十分尊敬。1963年羅伯伯逝世時，我們全家都很悲痛，媽媽還讓我到羅家，陪羅伯伯的女兒巧巧一起住了幾天。現在，我們兩家人依然十分親密，媽媽和林月琴媽媽兩個老太太，還不時地相互探望呢。

話又扯遠了！没辦法，每每想到這些事情，總會令我心懷悵望，不能自已。

剛才寫到哪裏了？

噢，對了，寫到紅軍經過七天七夜的艱難跋涉，終於過了那漫無邊際的大草地。

過了草地，紅軍左、右路軍十萬餘人之衆，本應士氣振作，大展宏圖。

可是，人世間的劫難實在是何其多哉！

唐僧要去西天取得真經，還需渡過九九八十一難。共産黨人，要實現對真理的追求，征途上遇到的磨難，更是一個接着一個，數不勝數。

紅軍剛過了草地，就發生了張國燾公開分裂黨和紅軍的危急狀態。

過草地後，張國燾一再遲滯，拒絕與中央和右路軍會合，同時無視中央的一再勸告，密電在右路軍當政委的陳昌浩把右路軍拉出來南下，陰謀分裂和危害中央。這封密電，幸被右路軍參謀長葉劍英看到，立即報告了毛澤東。

毛澤東、周恩來、博古等緊急磋商後，在十萬火急的情況下，決定將右路軍中的紅一、三軍和軍委縱隊迅速拉出轉移，先行北上。方才脫離了危險。

這時，中央和右路軍只剩下七、八千人的隊伍。⑥他們於 9 月 10 日出發後，⑦到達甘肅迭部縣俄界。

9 月 12 日，中共中央政治局在俄界召開擴大會議，作出了《關於張國燾錯誤的決定》，指出張國燾反對北上方針的錯誤，其實質是由於對政治形勢的分析與敵我力量較量上存在着原則分歧，號召紅四方面軍的同志團結在中央周圍，同張國燾的錯誤作鬥爭，並促其執行北上方針。

俄界會議之後，中央率紅一、三軍團和軍委縱隊繼續北上。相繼攻克了“一夫擋關，萬夫莫開”的天險臘子口，越過了橫斷川陝的岷山，到達了甘肅岷縣以南的哈達埔。在這裏，部隊改番號爲中國工農紅軍陝甘支隊，彭德懷任司令員，毛澤東任政委。

在獲悉陝北紅軍和陝北根據地仍然存在的情況下，中央和陝甘支隊繼續北進，越過了甘肅西北部的六盤山，於 10 月 19 日終於到達陝甘根據地的吳起鎮。

10 月 22 日，中共中央政治局召開擴大會議，指出歷時一年的長征到此完成，今後的任務是在西北建立革命根據地，進而領導全國革命。

從 1934 年 10 月，到 1935 年 10 月，整整一年的時間，中央紅軍從江西中央蘇區出發，經過湖南、貴州、雲南、四川、甘肅等十一個省，最後到中國西北的陝西北部。途中戰勝了難以想像的無數艱難險阻，戰勝了敵軍數十萬人的圍追堵截，實現了史無前例的偉大的歷史性轉移，勝利完成了震驚中外的壯舉——長征。

毛澤東說，長征是歷史紀錄上的第一次，長征是宣言書，長征是宣傳隊，長征是播種機。長征是以我們勝利，敵人失敗而告終。⑧

長征之所以舉世聞名，並非僅僅因其路之漫長，而是由於，中國共產黨人和中國工農紅軍，以天下無雙的英雄氣概，戰勝了强敵，戰勝了天險，戰勝了自身的謬誤，完成了從被動到主動，從失敗到勝利的更新過程，並以此作爲基礎，開始了一個全新的革命局面，直至奪取全國勝利。

長征的魅力，吸引了無數人的興趣，有中國人，有外國人。有的人爲長征作著，有的人，還沿着當年紅軍的足迹，去體味長征的意境。

這魅力，這意境，這在歷史上永遠留傳的英名，正是中國共產黨人的光榮寫照。

二十世紀三十年代的長征，是中國五千年歷史上的第一次，但並不是最後一次。

在四十多年後的今天，中國，又開始了一個新的長征。

第一次的長征，是爲了奪取政權進行的人民革命鬥爭。

這第二次的長征，這新的長征，卻是爲了爲中華民族創造一個更加輝煌燦爛的前途而進行社會主義建設事業的一個全新的長征。

第一個長征，只用了一年的時間。而這個新的長征，卻將要用十幾年、幾十年，甚至幾百年的時間。

但是，憑着第一次長征所具有的那種大無畏的豪邁氣概，中國人民和中國共産黨人，一定能夠，一定有能力完成這一新的歷史使命。令他們的國家更强盛，令他們的人民更幸福，令他們的後人不停止地去承繼他們所開創的事業，直至子孫萬代、千秋萬世!

注:

① 現存《紅星報》本階段第八期缺，因此長征開始後，從10月20日的第一期到“遵義會議”前，不能確定是七期還是八期。第九期是2月10日“遵義會議”以後出版的，肯定已不是出於父親之手。

② 劉伯承《回顧長征》。《回顧長征》，第1頁。

③ 李聚奎《李聚奎回憶錄》，第143—144頁。

④ 《羅榮桓傳》，第130—132頁。

⑤ 同注④。

⑥ 劉伯承《回顧長征》。《回顧長征》，第1頁。

⑦ 張廷貴、袁偉《中國工農紅軍史略》，第129頁。

⑧ 毛澤東《論反對日本帝國主義的策略》，1935年12月27日。《毛澤東選集》，第一卷。

41. 在大西北的黃土高原上

1935 年 10 月，由毛澤東率領的中國工農紅軍陝甘支隊到達陝北。

11 月，中共中央決定，恢復中國工農紅軍紅一方面軍番號，下轄第一軍團、第十五軍團等，共一萬一千多人。

11 月 7 日，中共中央機關到達陝甘根據地安定縣瓦窰堡。

對於紅一方面軍在陝北的動向，國民黨已不能安枕，即調駐陝西的東北軍五個師的兵力，分兵兩路，對紅一方面軍進行“圍剿”。

11 月 21 日到 24 日，紅一方面軍英勇迎擊國民黨軍的“圍剿”，打響了直羅鎮戰役，最後取得了以殲敵一個師又一個團共八千三百人的重大勝利，爲中共中央把全國革命大本營放在西北舉行了奠基禮。

父親說，直羅鎮戰役打響了以後，他和羅榮桓等人在一個山頭上“觀戰”，突遭敵人一股部隊來襲。敵人火力密集，十分危急。他身上穿的那件傅鐘送給他的狐皮大衣，給子彈打了好幾個洞，萬幸的是人没有負傷。正在危急之時，原紅七軍的一個連衝了上來，解了圍。

父親常說，他作地下工作没有被捕過，打了幾十年的仗没有負過傷，很不容易。

直羅鎮一仗打完後，在陝北的紅一方面軍獲得了休養生息的好機會，這一段行軍不多，仗也打得少。

那時候，在一軍團政治部工作的梁必業，對這一段時間擔任政治部宣傳部長的鄧小平了解最多。

他說："我們宣傳部的作用，行軍打仗時，要保證部隊吃飽走好，保證不要生病，保證戰士不要掉隊，保證不要減少戰鬥人員。我們主要是進行宣傳，最困難的時候，也要宣傳革命一定會勝利的堅定理想，宣傳北上抗日的思想。宣傳部在長征沿途和長征後，還管編印一份《戰士報》，是油印的。宣傳部和政治部其他的幹部，還要經常去師、團傳達重要精神，研究工作。過了草地後，幹部們經常下到部隊去。那時候隊伍不多，早上去，晚上就回來。過了草地以後，宣傳工作的內容也多了起來，主要是教育幹部戰士，講形勢，講英雄事迹。到了吳起鎮後，一軍團組織了一個參觀團，由李富春、黃克誠帶隊，去十五軍團參觀（十五軍團由從鄂豫皖長征過來的紅二十五軍和原陝甘紅軍組成），還組織了一個戰士劇社去慰問演出。小平同志没有去，但對我們交待了注意事項，還專門從中央請了一個藝術家來教我們排演節目。"

梁必業是江西陂頭人，1930 年當毛澤東、朱德率領的紅四軍到他家鄉時，十四歲的梁必業便參加了革命，當上了兒童團長，加入了共青團，並於同年參加了紅軍。在紅軍隊伍中，像梁必業這樣少年從戎的"娃娃兵"並不鮮見。解放後曾任中共中央總書記的胡耀邦和曾任中共中央政治局委員的陳丕顯，都是"娃娃兵"出身。

1936 年 1 月，二十歲的梁必業養病歸隊，在臨真鎮看見宣傳隊在演戲，遇到好多熟人。戲散了以後，大家會餐，一軍團政治部主任朱瑞，副主任羅榮桓，宣傳部長鄧小平都參加了。當時，決定梁必業到宣傳隊當隊長。

梁必業說："這以後我就在小平同志直接領導下工作了。小平同志很注意宣傳隊。他說，'宣傳隊不只是作宣傳工作，還是準備幹部、培養幹部的地方'。宣傳隊要作群衆工作，要作部隊工作，還要作敵軍工作。鄧總是說：'宣傳隊是培養幹部最好的地方'。那時宣傳隊的成員大部分是幹部。有一次演出，三個團級幹部唱歌，張國華、譚冠三、陳雄，唱大路歌，唱蘇聯歌曲和馬賽曲。在宣傳隊，我們經常進行政治學習，還要測驗考試。東征以後政治教育就更多了。我們辦宣傳隊需要人，記得有一次有一個新兵入伍，有點文化，可年齡較大，有三十歲了。鄧叫警衛員：'把他分到宣傳隊'。我一看，是個老頭兒，就不要。警衛員告訴鄧，梁隊長不要。鄧就說：'要也得要，不要也得要。'鄧處理問題就是這麼簡明扼要。結果這個人很不錯，演老太太很像，工作勤勤懇懇，宣傳隊裏的小娃娃也全靠他照顧。我們宣傳隊演宣傳抗日的節目，還編了一首《中央紅軍長征歌》。"

講到這裏，梁必業將軍眼裏閃着光，揮起拳頭唱了起來：

"中央紅軍出發自江西，十二月長征歷盡險山和惡水，戰勝白軍與團匪，行程兩萬五千里，大小五百餘仗，都打垮敵人，計算起來，潰敵四百一十團。英勇的、紅色的英雄無堅不摧，終於到陝北。會合紅十五軍團，粉碎敵人的'圍剿'，勝利向前進！"

我是 1991 年秋冬去梁將軍那裏採訪他的，這首歌是他和他的戰友們五十六年前編寫的，至今，他還一字不忘，唱起來依然氣宇軒昂，實在不能不令人肅然起敬。

在紅軍東征之前，紅一方面軍一軍團政治部一直在陝北道通一帶。

1935年，形勢不斷變化，日本帝國主義在侵佔了中國東北三省後，加緊了對華北的侵略，把吞併河北、山東、山西、察哈爾、綏遠華北五省作爲直接目的。

在日本的壓力下，國民黨南京政府於1935年6月、7月，相繼與日本方面簽定了《秦土協定》和達成了《何梅協定》。這兩個協定屈從日本的擴張要求，撤退駐河北省的中國軍隊，禁止全國抗日活動，實際上把包括北平、天津在內的河北、察哈爾兩省的大部分主權拱手相讓。

日本侵略者一方面加緊對華北地區進行經濟控制和掠奪，一方面加緊製造"華北自治"。

日本帝國主義侵略華北的行動和國民黨政府喪權辱國的政策，使中國人民更加强烈地感到民族危機的嚴重，各階層人士要求國民黨政府改變屈辱的對日政策的呼聲也日益高漲。

在這民族危亡的緊急時刻，中國共產黨連續發表了《爲抗日救國告全體同胞書》（8月）、《爲日本帝國主義併吞華北及蔣介石出賣華北出賣中國宣言》（11月）和《抗日救國宣言》（11月），鄭重呼籲全國各黨派、各軍隊、各界同胞，不論過去和現在有任何政見和利害的不同，有任何敵對行動，都應當停止內戰，集中一切國力去爲抗日而奮鬥，共同救國。建議一切願意參加抗日救國的黨派、團體、名流學者、政治家和地方軍政機構進行談判，共同成立國防政府，組成統一的抗日聯軍。聲明中國共產黨人願首先加入抗日聯軍，以盡抗日救國的天職。

中國共產黨的呼籲，在全國引起了强烈的反響。

1935年12月9日，北平爆發了"一二·九"運動。

長期被壓抑的怒火和愛國熱情，像火山噴發般地爆發出來。

深感淪亡危機的數千名北平青年學生，打起標語，走上街頭，舉行了群情激昂、聲勢浩大的抗日救國遊行，向國民黨北平當局請願。遊行隊伍遭到了國民黨軍隊和武裝警察的殘酷鎮壓，三十多名學生被捕，數百人受傷。

翌日，北平學生宣佈舉行全市總罷課。12月16日，北平的愛國學生再次衝上街頭，與廣大愛國市民一起，萬人之衆，舉行了更加聲勢浩大的示威遊行。國民政府又一次實施鎮壓，學生被捕數十人，受傷者達三百餘人。

在“一二·九”、“一二·一六”北平學生愛國鬥爭的影響下，天津、保定、太原、杭州、上海、武昌、成都、重慶、廣州、南寧等地的學生先後舉行抗日集會和示威遊行。廣州、上海工人召開大會，發表通電，要求抗日。上海文化名人沈鈞儒等組織成立救國聯合會……。一時之間，憤怒的呼聲、愛國的呼聲、抗日的呼聲，遍及中國的大江南北和黃河上下，形成了一股勢不可擋的抗日救國群衆運動高潮。

1935年12月17日，中共中央在陝北瓦窰堡召開政治局會議。“瓦窰堡會議”決議指出，當時中國國內政治形勢的基本特點是，日本帝國主義“正準備併吞全中國，把全中國從各帝國主義的半殖民地變爲日本的殖民地”，一切不願當亡國奴、不願當漢奸的中國人的唯一出路，就是“向着日本帝國主義及其走狗賣國賊展開神聖的民族革命戰爭”。決議呼籲結成最廣泛的抗日民族統一戰綫。

駐在陝北的中國共產黨和紅軍，出於建立統一戰綫的目的，加强了對駐紮在陝西的東北軍的工作，毛澤東和周恩來特別加强了對張學良的工作。1936年2月，紅軍與東北軍達成了互不侵犯的口頭協定。此後，周恩來與張學良秘密會談，商定雙方互不侵犯，互派代表，張學良還提出要爭取蔣介石抗日。

與此同時，中國共產黨還加强了與駐在陝西的西北軍楊虎城將軍的聯繫，雙方停止了敵對狀態，互派代表，聯合抗日。

與張學良、楊虎城的協作關係的建立，爲中共中央和中國工農紅軍在陝北建立穩固的根據地，提供了有利的外部條件。

在舉國上下抗日呼聲日益高漲的形勢下，蔣介石也開始秘密與共產黨談判。

爲了以實際行動表示紅軍抗日的決心，1936 年 2 月 20 日，紅一方面軍以中國人民抗日先鋒軍的名義，在毛澤東、彭德懷等人的親自率領下，實行東征。

紅軍抗日先鋒軍衝破山西軍閥閻錫山的防綫，勝利渡過黄河。

蔣介石與共產黨談判是假，企圖通過談判達到“溶共”的目的是真。一見到共產黨真的過黄河來抗日了，蔣介石趕緊調集二十萬大軍，增援山西的閻錫山，意欲消滅紅軍於黄河以東。

紅軍東征隊伍過黄河後，僅用三天的時間便控制了黄河東岸南北五十餘公里、東西三十五公里的地區，並在關上村之戰中殲滅閻錫山一個團的兵力。到 3 月底，紅軍左、中、右三路軍分頭作戰，迅速擴大戰果。

梁必業將軍説：“在東征途中，我們宣傳部在小平同志的帶領下，一路宣傳，宣傳共產黨的主張，宣傳抗日。我們還要作敵軍工作和俘虜工作。小平同志在東征途中還親自編寫宣傳提綱和教材。”

到了 1936 年 5 月，爲了避免内戰，中共中央決定紅軍撤回黄河以西的陝北地區，結束了歷時二個多月的東征。

東征回來以後不久，一軍團政治部副主任羅榮桓奉調到紅軍大學學習。父親被任命爲一軍團政治部副主任，接替羅榮桓的工作。那時一軍團政治部的駐地是陝北的雨珠。

這期間，中央在大相寺召開了一次會議，總結工作和糾正作風，父親和一軍團、十五軍團其他的高級幹部出席了這次會議。

這期間，父親還領受了一個任務，和羅瑞卿一起，受中央直接派遣，在一軍團的一些部隊作調查研究、考察幹部。

王平老將軍就是在這次第一次認識父親的，那時候他是在第四師當團政委。

王平將軍告訴我："中央派中央保衛局長羅瑞卿和你爸爸來了解情況，你爸爸找我們大部分幹部談了話。我有什麼就說什麼，你爸爸說我講話坦率。後來羅和他還給我們講了話。那次我對你爸爸的印象是，他很冷靜，嚴肅認真，講話不多，但簡明扼要。他講話句子短，好記錄，而且觀點明確，講的都是有用的話。"

中央直接派鄧小平去執行調查研究的任務，這是第一次。調查完以後，羅瑞卿和鄧小平二人向中央作了匯報。

紅軍回師陝北後，蔣介石又調集十六個師另三個旅的兵力，準備對紅軍陝甘根據地發動新的"圍剿"。在這種形勢下，中共中央決定紅軍向陝西、甘肅、寧夏三省交界之國民黨軍事力量薄弱的地區實行西征。

從 1935 年 5 月出發至 7 月底，紅軍在陝甘寧交界地帶迅速開闢了縱橫四百餘里的新的根據地，並與陝甘老根據地連成一片，紅軍和地方武裝力量都得到了相應的發展。

此後一段時間，局面相對穩定，前方基本無戰事。利用這個機會，部隊進行了訓練和教育工作。

據梁必業將軍回憶："東征回來以後，我們籌了款，籌了糧，還從山西帶回不少的騾子。西征以後，仗打得少了，張學良和楊虎城的部隊已開始與我們搞統一戰綫。這段時間裏，小平同志任一軍團政治部副主任，主任是朱瑞。鄧管黨的組織工作、宣傳工作和教育工作，特別是抓幹部教育。我們這些人，從小參軍，要講比較系統地學政治常識，就是在這個時候。學習班的課，從政黨、領袖、群衆講起，講社會發展史。我們聽課，討論，還測驗、打分數。朱瑞、小平同志都講課。許多部隊的同志在這裏把參加革命的樸素的階級覺悟，逐漸向理性上升，建立了理性覺悟。我們辦學習班的地點在寧夏七營川一帶。”

當時在一軍團作偵察工作的蘇靜將軍說：“1936 年小平同志組織我們學習，辦了一個多月的學習班。學世界知識，學社會發展史和馬列主義。小平同志給我們講課，給我們發學習材料，出卷子考試，還打分數。有時開討論會，我們問問題，他解答問題。以前我們大多數時間都是打仗走路，這次小平同志組織的學習，使我們學到了不少的東西。”

梁必業將軍告訴我，政治部除了抓學習教育工作以外，還要管敵軍工作和對東北軍的統一戰綫工作。同時，寧夏是回民居住比較稠密的地區，因此，政治工作還要面對民族問題，開展對回民的工作。另外當地哥老會的勢力很大，也要注意對他們的工作。這些工作大部分是由鄧管的。

梁將軍還記得，1936 年 8 月到 9 月間，軍團政治部駐在寧夏的豫旺地區的五里洞， 這時中央軍委託鄧小平帶一個檢查團到十五軍團檢查工作。

梁將軍說：“鄧帶了我、唐亮和蔡元興三個人，由一個十二人組成的精幹的警衛班掩護，到駐陝北的十五軍團的八十一和七十五兩個師去檢查工作。鄧主要是和師團幹部談話，我們是和下面的幹部戰士談話。這個任務不是一軍團派鄧去的，而是中央和中央軍委派鄧去的，這是一項很重要的任務。回來後，鄧向中央作了匯報。”

這是中央第二次派鄧小平去作調查研究工作。可見，毛澤東、周恩來等中央和中央軍委的領導人，對鄧小平是十分信任的。

據梁必業和蘇靜說，這個時期，許多一軍團的重要材料和《戰士報》的社論，都是由鄧親自編寫的。

梁必業將軍說：“小平同志寫東西快，大家形容他寫東西是‘倚馬可待’。有一次朱瑞主任催他寫一個連隊講話材料，他說：‘這個好辦’。馬上找來一張紙，用一枝鉛筆，沒有桌子，就在膝蓋上寫，很快就寫好了。這也是他的特點。”

就在紅一方面軍駐紮在陝甘寧根據地的時候，發生了紅軍史上的一件重要大事。

1936年10月間，紅軍第二、四方面軍，經過極其艱難的跋涉，戰勝了張國燾的分裂主義，終於長征到達陝甘寧，與紅一方面軍勝利會師!

張國燾自從在長征途中和黨中央分裂後，把紅四方面軍拉入川西和西康地區。在那裏，他自恃人多槍多，竟然另立“中央”，自封爲黨中央“主席”。由於國民黨大兵“圍剿”，川西不能立足，紅四方面軍被迫不斷西撤，到達甘孜地區後，部隊僅餘四萬餘人，客觀形勢迫使張國燾宣佈取消了他的第二“中央”。1935年7月，紅四方面軍與賀龍率領的紅二方面軍會師。在朱德、劉伯承、任弼時、賀龍、關向應等人力爭下，張國燾被迫同意北上同中央會合。

經過三個月的征戰，紅二、四方面軍克服了種種難以想像的艱難困苦，終於北上陝甘寧，與紅一方面軍實現了會師。

會師以後，紅四方面軍主力在甘肅寧夏一帶西渡黃河，進入人烟稀少的甘肅河西走廊地區。在這裏，紅四方面軍受到了馬步芳地方國民黨軍隊的重創，西進失敗，許多指戰員和著名紅軍將領英勇犧牲。其中數百人在李先念帶領下到達甘肅西部，由陳雲接至新疆。其餘失散人員數千人東返，受到援西軍接待，陸續回到陝甘寧地區。

鑒於張國燾分裂中央、分裂紅軍的嚴重錯誤，1937 年 3 月，中共中央召開擴大會議，作出了《關於張國燾同志錯誤的決定》。

張國燾先表示認錯，但實際上拒絕黨對他的挽救。1938 年 4 月，他偷偷摸摸，隻身逃離陝甘寧革命根據地，從此投靠國民黨，充當了一名爲人不齒的反共走卒。同年 4 月 18 日，中共中央宣佈開除張國燾黨籍，將他從革命隊伍中除名。

中國共產黨在其發展過程中，先後糾正了陳獨秀右傾投降主義、瞿秋白“左”傾盲動主義、李立三“左”傾冒險主義、王明“左”傾教條主義和宗派主義，最後戰勝了張國燾的分裂主義。這時，中國共產黨由其誕生之日起，才經歷了短短十六年的歲月。這十六個春秋，是何等的短暫，又是何等的漫長!

父親多次說過，在我們黨的歷史上，隨時都會有“左”的或右的東西影響我們，但是，除了陳獨秀一次右傾投降主義以外，根深蒂固的還是“左”的東西。他說:“‘左’的東西在我們黨的歷史上可怕呀! 一個好好的東西，一下子被他搞掉了。”他說，右，可以葬送我們的事業，“左”，也可以葬送我們的事業。他說，對於這一類的問題，我們必須保持清醒的頭腦，這樣就不會犯大的錯誤，出現問題也容易糾正和改正。

這，就是辯證唯物主義的思想和哲學。

中國共産黨和中國共産黨人，一次又一次戰勝了挫折和謬誤，一步又一步在尋求真理的道路上前進。他們之所以有如此强大的生命力，以絶對弱小的劣勢去最終赢得巨大的勝利成果，就在於他們能夠正視自身，能夠清醒地正視自身的謬誤，並能夠糾正謬誤，從謬誤中走出，繼續向着真理前進。

二十世紀三十年代中期，中國工農紅軍一、二、四方面軍會師以後，戰勝了張國燾的分裂主義和國民黨軍隊的大舉進攻，在陝甘寧根據地站穩了腳跟，以這塊中國大西北的黄土高原爲起點，開始跨入一個新的歷史階段。

中國共産黨人，將更高地舉起抗日民族解放的旗幟，去開闢一個全新的局面。

而父親，和他的戰友們，也將隨之走向那如火如荼的抗日戰場。

42.“西安事變”前後

1936年中國的政治形勢，真可謂狂瀾迭起，風雲變幻。

由於日本帝國主義加緊對中國的侵略，中國廣大民衆的民族危亡感更趨緊迫，抗日呼聲日益高漲。

一方面，抗日救亡運動此起彼伏，不斷高漲。在西北，建立了張學良的東北軍、楊虎城的西北軍與共産黨的紅軍三支抗日力量的聯合；在東北，共産黨領導創立的抗日聯軍七個軍和其他的抗日力量，在白山黑水之間大力開展游擊戰爭，英勇地抗擊日本侵略軍；在華南，廣東的陳濟棠和廣西的李宗仁、白崇禧宣佈要聯合出兵，北上抗日；在華東，上海各界救國聯合會宣告成立，選舉著名人士宋慶齡、何香凝、鄒韜奮等四十餘人爲執行委員，該會發表宣言，呼籲全國各黨各派停止軍事衝突，制定共同的救國綱領；在綏遠，傅作義將軍率領所轄部隊，在綏東和綏北地區擊潰了日僞敵軍的進犯，大長了抗日的聲威。與此同時，日本勢力在華急遽擴張，也引起了英美勢力的忐忑不安，國民黨內部親英美派和親日派的矛盾不斷加大。

另一方面，蔣介石對外，仍堅持對日妥協以換取偏安的幻想，聲言“和平未到完全絶望時期，決不放棄和平，犧牲未到最後關頭，亦不輕言犧牲”；對内，大力彈壓抗日行動，陰謀瓦解了廣西、廣東的抗日聯合，拒絶了西北張學良、楊虎城停止内戰的要求，製造了逮捕沈鈞儒、鄒韜奮、李公僕、沙千里、史良、章乃器、王造時等愛國人士的“七君子事件”。對於共産黨和紅軍，仍視之爲“心腹之患者”，誓“鏟絶殘餘之赤匪”而後快，[①]並逼迫張學良、楊虎城率部立即“剿共”。

在這種民族危亡夾帶着内患當頭的危急時刻，爆發了震驚中外的“西安事變”。

事情是這樣開始的。

在西北地區率部駐紮的張學良、楊虎城，基於民族大義，實行聯共抗日的主張，引起了蔣介石極大的恐慌。爲制止這一事態的發展，防止“演成叛亂”，[②]1936年12月4日，蔣介石御駕親征，親自到西安，迫令張學良、楊虎城立即把他們的部隊全部開往陝北“剿共”，並威脅，如不從命，就要將張、楊的部隊從陝西調走。張、楊反覆以國家民族命運的大義勸説未果，反倒遭蔣申斥。

12月9日，西安一萬名愛國學生，爆發了請願遊行，要求停止内戰一致抗日。由於國民黨特務開槍打傷學生，群情激憤的學生衝出西安城去，準備前往臨潼華清池向蔣介石請願。張學良將軍深爲愛國學生的熱忱所感動，答應用事實回答學生們的要求。

10日、11日，張、楊二將軍再兩次向蔣介石進諫，竟被蔣斥爲犯上作亂。

到了此時，張、楊二將軍感到，要避免内戰，要抗日，已别無選擇，毅然決定發動“兵諫”！

1936年12月12日，張、楊發動“西安事變”，在華清池將蔣介石拘拿扣留。此後通電全國，説明在國難當頭的形勢下，發動“西安事變”是迫於敦促蔣介石進行抗戰，並提出了停止内戰、釋放上海愛國領袖、釋放一切政治犯、開放民衆愛國運動、立即召開救國會議等八項主張。

“西安事變”的發生，傾刻之間震撼了中華大地。

南京國民政府内部陷入一片混亂，社會輿論也爲之嘩然。蔣派人物要求以和平方式解決，以保全蔣介石的性命；一些别有用心的國府官員則主張轟炸西安，並電邀親日派頭子汪精衛回國；英美爲維護蔣介石統治，認爲不妨與共産黨採取某種形式的合作以共同對日；蘇聯希望事件和平解決，但卻誤認爲張、楊二將軍與親日派關係密切；而日本則明確宣稱張、楊已經赤化，極力挑動中國内戰的爆發……

“西安事變”到底何去何從，張、楊二將軍到底何取何捨，一時之間衆議紛紛，成爲全中國、乃至世界上的一個關注的焦點。

在陝北的中國共産黨中央經過反覆分析研究，認爲“西安事變”是爲了要抗日救國而産生的，是完全正義的。但是，張、楊所採取的方式，把南京置於西安的敵對地位，有可能造成新的大規模内戰，這是爲日本所期望的結果。於是，中共中央確定了和平解決“西安事變”的基本方針。

中國共産黨是這樣決定的，也是這樣去作的。

12月15日，中共方面公開致電張、楊，表示支持八項主張，反對親日派借機發動内戰。

12月17日，中共代表周恩來飛抵西安，向張、楊説明了中共關於要推動抗日，避免釀成更大的内戰的主張，得到張、楊的贊同。

12月19日，中共中央政治局正式提出和平解決的方針。

12月22日，南京方面代表蔣介石夫人宋美齡和其兄宋子文到達西安。張學良、楊虎城、中共代表周恩來，與宋美齡和宋子文進行了兩天的談判，達成了六項條件：

一、改組國民黨，驅逐親日派，容納抗日分子；

二、釋放上海愛國領袖，釋放一切政治犯，保證人民的自由權利；

三、停止“剿共”政策，聯合紅軍抗日；

四、召集各黨各派各界各軍的救國會議，決定抗日救亡方針；

五、與同情中國抗日的國家建立合作關係；

六、實行其他具體救國辦法。

12月24日晚，周恩來面見蔣介石，向他闡明主張，曉以利害。最後，蔣介石終於表示接受停止“剿共”、聯共抗日等項條件。

12月25日，蔣介石乘飛機返回南京。張學良突然決定隻身陪蔣赴南京“以謝國人”。

爲時十三天的“西安事變”至此得以結束。

“西安事變”的和平解決，粉碎了日本的陰謀，在全國人民的關注和支持下，迫使蔣介石接受了停止內戰、共同抗日的方針，從而在一致對外、一致抗日的大前提下，實現了中國共產黨和中國國民黨自孫中山的國民革命以來的第二次合作。

第二次國共合作和抗日的新局面即將到來，而張學良將軍卻從此失去了自由。

張學良，憑着那一腔的報國熱血，憑着那堅決不打內戰的凜然正氣，和楊虎城一起，毅然抓蔣，逼蔣抗日。當事件結束後，又是憑着那一股子執着的赤誠之心和少帥的那種特有的俠義之情，頭也不回地踏上了蔣介石的飛機。

他可能萬萬也没有想到，他是以大量大義度人，而蔣介石卻絕不會坦誠相待，以仁回報。

蔣介石記恨人，就會記恨一輩子。

張學良將軍此番一去，便是有去無回。

他抓蔣關蔣，僅僅十三天。

而蔣介石抓張關張，卻關了五十餘年。

直到1975年，蔣介石病逝於台灣，張學良仍舊關在那裏。

如今的張學良，已過耆耋之年，不再是當年那英姿勃發的少帥。

但是，他知道否，他的十億同胞，幾十年來一直一如既往地惦念着他。他的故鄉的土地，幾十年來，一直殷殷地期待着他的歸來。那風景如畫的臨潼華清池，以其潺潺澮澮長流不斷的碧水清泉，一直在向遊人們叙説着這個當年震撼人心而又悲壯動人的故事。

一個“西安事變”，一個張學良將軍，一個楊虎城將軍。

張學良將軍被蔣介石囚禁了幾十年，而楊虎城將軍，卻在被蔣介石捕捉囚禁了十二年後，於蔣介石逃往台灣的前夕被蔣殺害。蔣介石不但殺了楊虎城將軍本人，還殺了楊將軍的十七歲的兒子，九歲的小女兒，他的秘書夫婦及其不足十歲的孩子。連同在此以前病死在獄中的楊將軍夫人和兩位副官，楊將軍及其隨行人員，共九口人，死於蔣介石之手。

在“西安事變”中，爲張、楊所捉的這一口惡氣，蔣介石是用這種方式出了的。

儘管張、楊二位將軍一個被關，一個被殺，但由他們的英勇行爲所促成的第二次國共合作和全國抗日新局面的到來，卻成爲全國時局轉變的關鍵。“西安事變”的爆發，張、楊二將軍之壯舉，功不可沒，德在千秋。

12月12日“西安事變”的爆發，父親是在重病昏迷的狀態下聽説的。

那是因爲，1936年底，父親得了一場非常嚴重的副傷寒。

1991年的一天，我去看望楊尚昆爸爸。因爲我從小就是他的半個女兒，説起話來也隨便，於是我就問他知不知道我父親得病的事。楊爸爸説：“怎麼不知道！”

他告訴我：“那是在甘肅慶陽一帶，你爸爸得了傷寒，非常厲害。他已經是昏迷不醒了，什麼東西都沒法吃，吃一點東西就會把腸子戳破，只好煮點米湯餵他。正好那時候張學良和我們搞統戰，派他的副官來慰問紅軍，送來兩車慰問品，有吃的，還有香烟和一些其他物資。其中有一些罐裝的煉乳，聶伯伯（聶榮臻）決定，把這些煉乳全部給小平。全靠這些牛奶，救了你爸爸的命。我們這些抽烟的人，見到有好烟，就幾個人輪流抽一根。我們在烟上面劃上道道，大家看着，誰多抽了都不行。那是雙十二事變以前。”

蕭克老將軍在我去採訪他時告訴我：“我和你爸爸是1931年在中央蘇區黨代表大會後認識的，我們兩個人都會刻蠟板，所以很快就熟了。我們喜歡在一起講笑話，你爸爸還開我的玩笑，説我連上海都沒到過！1936年11月、12月間，我們的部隊走在一塊兒，聽説你爸爸病了，我就去看他。那時候他病得很重，用擔架抬着他，不醒人事，很危險。”

父親自己也説，那次他病得很重，差點死掉了。“西安事變”爆發，他在昏迷中隱隱約約聽到幾句，就又昏迷過去了。他説他一生得過兩次傷寒，一次是在法國，一次是這一次，兩次都差點死掉了。

“西安事變”爆發後，我紅軍主力於12月底先南下至甘肅慶陽地區，再進至西安以北的三原一帶。

梁必業將軍記得，一軍團於1937年1月8日進至東里堡，2月22日到達甘肅宮河鎮一帶，軍團政治部駐王家樓。

爲了爲進一步開赴抗日戰場作好準備，紅軍開展了較爲集中的軍政訓練。

1937年1月，因朱瑞調往紅二方面軍任政治部主任，鄧小平接替朱瑞任一軍團政治部主任。

父親身爲一軍團政治部主任，主管一軍團的政訓工作。

軍團政治部辦了政訓班，軍團直屬機關的幹部在這個學習班裏，有計劃地學習馬克思主義哲學、政治經濟學和社會發展史。

梁必業將軍對那段生活記憶猶新，他說：“我們進行軍事和政治訓練，學習中央瓦窰堡會議決議，學習統一戰綫的方針政策。學員們每天早上起來出操、跑步，學軍事、武器、運動戰，還搞比武活動。政治課是小平同志給我們講。他每天早晨起來看書、備課。他備課的時候，不讓我們吵。他給我們講課，講政治經濟學，從商品的兩重性講起。他給我們講什麼是勞動，勞動創造價值，給我們講社會主義必然會代替資本主義。我們一禮拜上一堂課，課堂是自己搭的。在院子裏，我們用蓆子搭了一個棚子作教室，一個黑板，向老鄉借了二十幾個長條板櫈。鄧每次都是一到時間就講課。有一次供給部部長鄺任農的人遲到了，鄧一開課，拿起筆就在黑板上寫下：‘供給部遲到。寫在黑板上。’寫完就開始講課。供給部的人來了，一看這幾個字，趕快悄悄坐下。鄧没有批評人，但是以後再没有人遲到了。小平同志給我們講的都是基本道理，很樸素的道理。許多工農出身的幹部，都是第一次接受這樣的系統教育。他還教我們唱國際歌，因爲國際歌是外國歌，許多人不會唱或唱不準。我學會唱國際歌的音調，就是從鄧那裏學會的。”

梁將軍說：“在王家樓，我們住一個小院子，兩個窰洞，小平同志和我住北面的一個，警衛班住南邊的一個。周圍有一個小圍牆，東面有一個小菜園，我們租來修了個‘克拉克’球場。我們每月發五元錢，鄧的錢由我管。他喜歡喝可可粉，我有機會去三原時就給他買點。吃飯政治部一個鍋，很簡單，有時有肉。我們軍團政治部有一個炊事員是從江西來的，會作紅燒肉，來軍團開會的幹部都喜歡來政治部吃紅燒肉。鄧的生活很簡單，但很規律。吃完晚飯後，他常去散散步，然後又看書，疲勞了就打打克拉克球，或者看看戰士們打籃球。鄧同總部聯繫多，特別與當時的總政副主任楊尚昆聯繫多，楊每次來信都是鼓鼓的一大信封。鄧幾乎每天都要去駐在宮河鎮的軍團司令部看電報，或者和聶榮臻、左權同志他們去談事情。鄧對幹部要求很嚴，他說：‘我這個主任，是要管師長的！’一軍團的師長、政委們，不管誰到司令部來，都要到政治部來請示鄧主任。我那時當總務處處長，機關的一些同志想買點好的東西，買好一點的信封信紙，連漿糊也不想自己作了，想買香糊用，鄧批評了，以後就不敢了。1937 年上半年，劉伯承、蕭克他們率領的援西軍經過宮河鎮時，他們都來王家樓看了小平同志。小平同志還對他們說：‘你們的任務艱巨呀！’西路軍失敗後，援西軍停在慶陽一帶，後撤回陝北。中央召開了一個一、四方面軍團以上幹部會，批判張國燾的錯誤，中央委託楊尚昆、羅瑞卿和小平同志三個人負責。開會的地點就在我們王家樓。尚昆同志來後，和小平同志、我三個人住一間房子，羅瑞卿個子高，一個人住那間警衛班的房子。這次會議的組織工作由我們政治部負責，要管組織會議、生活和安全保障。這是一次很重要的會議。”

梁將軍沉思地說：“我們一軍團前後一共有過五位政治部主任，羅榮桓兩任，時間最長。小平同志兩年，在他的那個時期軍團政治工作主要由政治部主任來抓。朱瑞任過一段，李卓然時間最短。我學習做政治工作，第一是向羅帥學習，第二是向小平同志學習。小平同志有理論水平，寫作能力强，有用不完的精力。對問題抓得住，放得下。原則問題抓得很緊，其他問題放得開。”

梁將軍介紹，一軍團政治部共有一百多人，其中幹部七、八十人。政治部下設組織部、宣傳部、保衛部、民運部、破壞部和總務處。其中設有一個幹部巡視團，是儲備幹部的地方，這裏的幹部可高可低，人數可多可少。

1937 年 6 月底 7 月初的一天，鄧小平對梁必業說：

“我要調工作了。”

梁問：“到哪裏呀?”

鄧答：“到總部。”

梁：“誰來接替你?”

鄧：“羅榮桓。”

梁：“什麼時候走?”

鄧：“很快就走。”

梁：“你的伙食費還剩下幾塊錢怎麼辦?”

鄧：“你怎麼這樣認真!”

梁必業後來用這幾塊錢買了幾條火腿讓鄧帶走了。梁說，鄧與羅沒有接上頭，鄧走後羅才來的（《羅榮桓傳》中說羅是七七事變後的第三天被任命爲一軍團政治部主任的）。後來一軍團移至安吳堡，8 月 22 日出發前，鄧還專門從三原趕來，看望羅榮桓。

1937年6月、7月交替的時候，鄧小平接替傅鐘，被任命爲中國工農紅軍前敵總政治部副主任，也同時任中國工農紅軍總政治部副主任。

前敵總指揮部組成如下：

彭德懷任總指揮，任弼時任總政委兼政治部主任，左權任參謀長，鄧小平任政治部副主任。

“西安事變”以後，中國共產黨面臨的主要任務，是動員全黨和全國人民鞏固和平，爭取民主，早日實現抗戰。

1937年1月13日，中共中央機關由保安遷往延安。

從此，延安，這一陝北古城，變成了全國革命的心臟，成爲一切愛國進步青年嚮往的革命聖地。

1937年上半年，國共第二次合作的形勢有所發展，以周恩來爲代表的共產黨和以顧祝同爲代表的國民黨，進行了三次談判。國民黨派中央考察團十八人赴延安考察。6月上中旬，蔣介石在廬山與周恩來談判。雖然國民黨方面對於談判誠意不夠，百般出題刁難，甚至提出要求毛澤東、朱德“出洋”的荒謬要求，使得談判不能取得實質性突破，但國共合作的形勢已漸趨明朗化，成爲不可逆轉之事。

這一時期，紅軍和全國各類革命武裝已發展到十萬人左右。全國的共產黨員已有四萬餘人。③陝甘寧根據地發展到東瀕黄河，北至長城，西起固原，南到淳化，共三十六個縣，總面積達十三萬平方公里，人口二百萬。④

革命根據地的鞏固擴大，革命軍事力量的繼續壯大，國共合作形勢的不斷發展，特別是中國共產黨内堅定而又正確的領導核心的建立，使得中國共產黨和中國工農紅軍精神振奮，鬥志旺盛，業已作好準備，奔向全國的抗日戰場。

注:

① 張憲文主編《中華民國史綱》, 第 440 頁。

② 蔣介石《蘇俄在中國》, 第 74 頁。

③ 中共中央黨史研究室著《中國共產黨歷史》, 第 449—450 頁。

④ 張廷貴、袁偉《中國工農紅軍史略》, 第 152 頁。

43. 走上抗日戰場

1937年7月7日，在日本侵略軍的陰謀策劃下，爆發了“盧溝橋事變”。

此後，日本侵略者向華北增兵，發動了對中國的全面的侵略戰爭。

7月下旬，日軍向北平、天津發動大規模進攻並佔領了北平、天津。隨後，再向華北腹地大舉進攻。

8月13日，日軍猖狂已極，把戰火燃燒到華東地區，向我華東最重要的城市上海進攻，構成了對南京國民黨政府的直接威脅。

在這種敵軍大舉入侵，國難當頭的危急時刻，蔣介石迫不得已，最後下定了進行抗日戰爭的決心。

“盧溝橋事變”發生後，中國共產黨於次日即通電聲明，“只有全民族實行抗戰，才是我們的出路”。同月，共產黨再次呼籲，實行“全國海陸空總動員”，“全國人民總動員”，進行“統一的積極的抵抗，立刻集中抗戰的軍事領導，建立各個戰綫上的統一指揮，決定採用攻勢防禦的戰略方針，大規模地在日寇周圍及後方發動抗日的游擊戰爭，以配合主力軍作戰”。

迫於華北、華東的緊張形勢，國民黨政府開始認真地對待國共合作這一重大問題。

8月間，國民黨在南京召開國防會議。共産黨應邀派遣周恩來、朱德、葉劍英率團赴南京參加軍政部談話會，並同國民黨進行談判。

父親也隨團赴南京參加了這次會議。他説，他們這些人是在台後工作的，前台的是周恩來、朱德、葉劍英等人。梁必業將軍説，他聽説，當時會議要起草一個抗戰中的政治工作這麼個文件，國民黨方面没有人寫，後來據説由鄧主筆寫成，這個文件爲國民黨方面接受了。梁將軍還聽説，代表團在南京時，常遇日軍飛機轟炸，飛機一來，國民黨的人都跑去躲飛機了，只有共産黨的人不怕，因爲紅軍早就被國民黨的飛機炸慣了！

這次會談最終達成協議，將陝甘寧地區的紅軍主力改編爲國民黨革命軍第八路軍，下轄三個師。

8月22日，南京國民黨政府軍事委員會正式發佈命令，將紅軍改編爲國民革命軍第八路軍，任命朱德、彭德懷爲正、副總指揮。

8月22日至25日，中共中央在陝北洛川召開政治局擴大會議。會議指出，中國的政治形勢已經開始了一個新的階段，就是實行全國抗戰的階段。這一階段的最中心的任務是：動員一切力量爭取抗戰的勝利，並在爭取抗戰勝利的過程中，完成爭取民主的任務。

洛川會議還通過了《抗日救國十大綱領》。其主要內容是：打倒日本帝國主義，全國軍事總動員，全國人民總動員，改革政治機構，改良人民生活，肅清漢奸賣國賊親日派，抗日的民族團結、抗日的外交政策、抗日的財經政策等。

8月25日，中共中央革命軍事委員會發出改編命令，宣佈中國工農紅軍第一、第二、第四方面軍和陝北紅軍改編爲國民革命軍第八路軍。紅軍前敵指揮部改爲第八路軍總指揮部，朱德爲總指揮，彭德懷爲副總指揮，葉劍英爲參謀長，左權爲副參謀長，任弼時爲政治部主任，鄧小平爲副主任。八路軍下轄第一一五、一二O、一二九三個師。1937 年12月，南方的紅軍游擊隊改編爲新四軍。

國共兩黨的第二次合作，是建立在神聖抗戰的基礎之上。這一合作，受到了全國人民和各界各階層愛國人士的熱烈歡迎。

國民黨左派領袖、孫中山的遺孀宋慶齡女士聞訊之後，興奮地說："我聽到這消息，感動得幾乎要掉淚"。①

7月31日，上海的"七君子"被釋放出獄，他們立即表示擁護以國共合作爲基礎的全國的抗戰團結。

中國的各政黨、各社會團體紛紛表示擁護國共合作和政府抗戰，對抗日救亡運動表現出很高的熱忱。

中國的民族工商業界人士，踴躍認購救國公債，爲前綫將士捐贈物資，用實際行動支持長期抗戰。

千百萬海外華僑，以拳拳愛國之心，在遠離祖國的異國他鄉，在天涯，在海角，有錢出錢，有力出力，以各種方式支援祖國抗戰。

……

大西北的紅軍戰士們，摘下了紅星八角帽，換上了八路軍的新裝。數萬人的隊伍精神抖擻，整裝待發，只待一聲令下，即刻可以奔向抗日戰場。

當時，毛澤東、朱德、周恩來和黨中央是在革命的心臟延安。八路軍總部位於陝西三原的雲陽鎮。

紅軍接受改編爲八路軍後，一方面全軍認真學習洛川會議精神，爲走上抗日戰場作好準備；另一方面，廣大指戰員對於改編、換裝的確存在一些情緒。

要讓這些紅軍戰士摘下他們心愛的、佩帶了十年的紅星八角帽，要讓他們穿上原來對他們進行過瘋狂剿殺的國民黨軍隊的軍服，他們的心裏，怎麼能夠平靜！

這個時候，八路軍政治工作的一個很重要的內容，就是認真學習和領會中共中央關於國共合作和抗日統一戰綫的方針政策。

王平老將軍，當時就在八路軍總部的政治部中當組織部長。這個時候，他和鄧小平的接觸就很多了。爲了了解父親在八路軍總部的情況，我特地去採訪他。

王平老將軍和我們家拐了好幾個彎，帶點親戚關係，因此他對我很親切。他老人家喜歡喝酒，素有"酒仙"之稱，我去看他時，特地帶了一瓶好酒送給他。王老將軍看見我，高興地笑了，看見好酒，笑得更開心了，故事，也就越講越多了。

他說："那時，中央在延安，我們前方總指揮部在三原的雲陽鎮。我們司令部一個單位，政治部一個單位，住在一起，吃大鍋飯。我們政治部有一百多人，設有組織部、民運部、敵工部、總務處。任弼時同志在延安，所以政治部的工作主要由鄧管。"

他告訴我："有一次，那是我們出發前的半個月，你爸爸找我去，說：'離出發還有半個月，你可以到部隊了解一下情況，特別是部隊接受改編後的思想狀況，看看有什麼問題。'我去了三十軍，見到蕭克、李聚奎他們。在那裏了解到，我們的部隊對於改編成八路軍，把紅軍的帽子換成國民黨軍隊的帽子不滿意，情緒還沒有轉過來，許多人把紅星八角帽摘下來，悄悄藏起來。他們說：我們外面是白的，裏面卻永遠是紅的！回總部後，我把情況向鄧匯報了，鄧說我了解的情況很真實，很好。"

王老將軍一邊回憶着，一邊對我說："延安是後方，我們這裏是前方，那時候正好是抗戰一開始，我們的工作可真忙啊！我們要管人員的調動和分配，要管理幹部，要對部隊進行思想教育，要作統一戰綫工作，還要負責對日本人的敵軍工作，工作非常忙。受抗戰的影響，在共產黨號召一致抗戰的感召下，全國各地許許多多青年學生都到陝北來，要求參軍。來的學生可真多呀，所以我們組織部門特別的忙。我們政治部裏，上面也來人，外面也來人，一天到晚人來人往，忙個不停。八路軍還辦報紙，社論都要經過鄧主任批准。我們這些人，一天到晚就是工作，連休息一下打樸克的時間都沒有。我們的目標，就是要在思想上，在組織上，在一切方面，爲奔赴抗日戰場作好準備！”

聽着王老將軍的話，看着他那微微泛紅的臉龐，我的心，也禁不住爲那高昂的抗日激情所感染。

王老將軍頓了一下，繼續說：“有一次，我們的軍隊和國民黨的軍隊開聯歡會。國民黨的軍隊衣服穿得很整齊，而我們的部隊則衣服破舊。可是，我們的戰士們又是唱歌，又是喊口號，一派士氣高漲。相比之下，周圍觀看的老百姓都說：‘國民黨的軍隊好看，不好吃；共產黨的軍隊不好看，好吃！’那時候，老百姓害怕國民黨的軍隊，因爲他們對群衆是盛氣凌人，又搶東西又搶人，所以老百姓一看見他們就跑。八路軍改編後，雖然穿着國民黨的軍裝，但老百姓看見我們卻不跑，因爲他們一看，就知道這是紅軍。”

共產黨的軍隊和國民黨的軍隊，在氣質上，在風格上，特別是在對待人民的態度上，就是這樣的截然不同，差之千里，讓人一看即知。

一樣的軍帽之下，同一個戰場之上，本應共同浴血奮戰，本應共同對抗强敵，然而，最後， 這兩支隊伍，卻走出了結果完全相反的道路。

這是爲什麼呢?

因爲他們的立足點不同，因爲他們最終的宗旨不同，因爲領導他們的黨不同。

當時，有誰能夠預料，中國工農紅軍，這支來自貧苦大衆、衣冠破舊而又裝備極差的工農隊伍，居然戰勝了日本侵略者，戰勝了國民黨軍隊，在人民大衆的支持下，最後登堂入室，奪取了天下!

1937年8月下旬，八路軍一派士氣高昂，開始出發。他們向着東方，向着黄河，向着被日本侵略者蹂躪的華北大地，開始挺進。

9月初，八路軍總部出發東進。

父親説，他們在朱總司令率領下，從三原出發，先是騎馬，在風陵渡東渡黄河，再到達山西的侯馬。

在侯馬，據王平將軍講，鄧曾派他去部隊了解情況，鄧和他還在一個特務團召集的積極分子會上講了話。鄧講的是形勢，講的是統一戰綫思想，講爲什麼由紅軍改編成八路軍，講黨的洛川會議精神。

9月21日，朱德、彭德懷、任弼時、左權、鄧小平等乘火車到達太原。

太原的八路軍辦事處設在成成中學内。這時，朱德、彭德懷、周恩來、任弼時、劉少奇、鄧小平、徐向前等八路軍和中共北方局的高級領導都已先後到達太原。在那裏，真可謂濟濟人傑，雲集一堂了。②

在太原，八路軍總部和中共北方局主要領導人召開會議，討論華北抗戰形勢和八路軍的行動方針。會議指出，華北有全部淪陷的危險，我黨我軍要準備廣泛發展游擊戰爭，擴大八路軍到擁有數十萬人的強大集團軍，建立起很多根據地，這樣才能擔負起獨立堅持華北抗戰的重大任務。

9月23日，朱德總司令率八路軍總部抵達山西五台縣南茹村。從此時開始，八路軍總部即設在五台縣。父親他們的政治部，設在臨近的東茹村。

從此，共產黨領導的八路軍，正式進入抗擊日本侵略者的最前綫，投身於抗日戰場的熊熊戰火之中。

7月，日本侵略軍佔領華北大城市北平、天津以後，依仗其咄咄逼人的軍事優勢，對中國開始進行大規模侵略戰爭。

爲了抗擊日軍的侵略，中國軍隊在各條戰綫展開了全面抗戰。

戰火，一天比一天擴大蔓延。戰爭，一刻比一刻殘酷激烈。一場將持續了八年之久的抗日戰爭，全面展開了。

9月，日軍分兵幾路南下：沿津浦綫佔領了河北古城滄州；沿平漢綫佔領了河北重鎮保定；沿平綏路西進山西，佔領了山西名城大同，並向大同東南方向的平型關進犯。

9月23日，日軍在平型關與中國守軍發生激戰。25日，前來增援的八路軍第一一五師主力利用有利地形，突然向敵人發起猛烈攻擊，運用我軍善長近戰和山地戰的特長，重創敵軍，最終殲敵一千餘人，擊毀汽車一百餘輛，繳獲一批輜重和武器。

平型關大捷，是華北戰場上的中國軍隊主動尋殲敵軍所取得的重大勝利。它粉碎了日軍不可戰勝的神話，大長了中國軍隊，特別是八路軍的聲威。

長城，乃是古代中國勇士抵禦强敵之軍事屏障。今天，在長城腳下，中國軍人，英勇的八路軍將士，又一次予入侵之敵以沉重打擊，爲保衛中華民族再立戰功!

10月2日，晉北要塞雁門關失守。

爲了禦敵南犯，中國軍隊決定保衛太原，在太原以北地區組織忻口會戰。

忻口會戰歷時二十一天，是華北戰場上規模最大，戰事最激烈的一次戰役。

經過國共雙方密切配合，中國軍隊與日軍廝殺於晉北大地之上。

在晉東北，在晉西北，在娘子關下，國共雙方的軍隊相互支援，與敵奮戰。國民黨軍隊衛立煌部予日軍坂垣師團以很大殺傷；八路軍一一五師和一二O師在敵人側翼和後方頻頻出擊，多次截斷敵人後方交通綫，擊毀大量軍車，襲擊敵人部隊；八路軍一二九師夜襲敵軍陽明堡機場，毀傷敵機二十餘架；八路軍多次在平定、昔陽、榆次對日軍實施伏擊。

由於日軍攻勢强大，到11月8日，日軍攻克太原。忻口會戰結束。

至此，日軍北佔歸綏、包頭，東逼濟南、青島，南抵太原、石家莊、德州一綫。華北廣大地區已爲日軍所佔，戰爭的重心，逐漸移至華中戰場。

在危急的戰爭形勢下，爲了抵抗日軍繼續南進，蔣介石決定集七十萬兵力，以上海爲主戰場，進行淞滬會戰，並親任作戰總指揮。

在歷時三個月的淞滬會戰中，中國軍隊浴血奮戰，頑强禦敵。

11月12日，日軍佔領上海，淞滬會戰結束。

在這次大戰中，日軍傷亡四萬餘人，中國將士傷亡二十餘萬人!

12 月 13 日，日軍佔領國民政府首都——南京。慘無人道的日本侵略者在金陵古城屠城六周，中國的無辜平民百姓被集體槍殺、被焚燒、被活埋處死者達三十餘萬!

死難中國軍民的鮮血，染紅了黄浦江，染紅了滔滔長江，染紅了華東大地。

用鮮血染紅的這一頁歷史，中華民族的子孫萬代，永遠不能忘記!

八路軍入晉到達五台縣以後，在與日軍進行面對面的武裝鬥爭的同時，着手開展全方位的抗日活動。

9 月 20 日，由周恩來、彭德懷向第二戰區司令閻錫山提出，在太原成立了一個統一戰綫組織——第二戰區民族革命戰爭戰地總動員委員會。這個委員會是帶有戰時政權性質的組織，其動員區域包括綏遠、察哈爾、晉西北、雁北和晉東北等地，主任委員爲國民黨愛國將領續範亭，八路軍代表爲鄧小平。

各級戰地動員委員會是發動群衆支援和參加抗戰的領導機關。

關於如何適應抗戰新形勢發動群衆，父親在一一五、一二O兩個師政治部門領導會議上，詳細指示，要結合戰爭形勢，迅速建立戰動會，大刀闊斧地開展群衆工作。父親還對我黨派駐河北地方臨時省委的王平等人作出具體指示，佈置工作。戰地動員委員會在宣傳抗日、組織武裝群衆、培養幹部、開展游擊戰、創建根據地等方面，做了大量工作。

據父親的老戰友傅鐘回憶，當時八路軍政治部的日常工作是由鄧小平主持的。

傅鐘寫道：小平剛過“而立之年，風華正茂，不論軍隊工作、地方工作都有豐富經驗。他作風幹練、穩健，待人熱誠，關懷部屬，深得同志們信賴。”“小平同志對於凡是關係到黨的政策和策略的問題，一貫要求嚴格，指示我們在實際工作中務必十分注意。”

在戰動會的組織工作上，鄧小平强調，應十分注意區、村兩級的組織工作，强調要吸收各界各階層代表人物參加，又要大力扶助維護群衆利益的積極分子參加選舉並成爲骨幹，爲逐步改造舊政權，建立抗日民主政府準備條件。

依靠群衆，組織群衆，動員群衆，歷來是紅軍的優良傳統。閻錫山原料定，發動群衆的工作怎麼樣也要三個月才能搞起來。結果不想，八路軍只用了短短二十天，就把群衆組織和武裝起來了。閻錫山及其手下只好自嘆弗如：“八路軍做事太快了！”

在東茹村，父親還曾接待過好多批來訪的記者、愛國人士和從遠道而來參加抗日的熱血青年，同時，完成了大量的黨中央和北方局交辦的工作。

平型關大捷以前，我軍在山西五台一帶已難以立足，毛澤東指出，應分爲晉西北、晉東北、晉東南、晉西南四塊開闢局面，以互爲犄角，密切協同，站穩脚根。

10月12日，由八路軍總部派遣，父親率傅鐘、陸定一、黄鎮等幹部共五六百人，遠離主力，到晉西南開闢工作。

傅鐘回憶：我們經太原往南走，隊伍走到哪裏，宣傳到哪裏，沿途受到群衆的熱誠接待，所以隊伍雖小，卻有聲有色地擴大了紅軍的影響，以致我們在太原等地一貼出隨營學院的招生佈告，立即就有青年知識分子報名參加我們的行列，隊伍最後由三個隊擴大成四個隊。到汾陽縣三泉鎮後，當地犧盟會的負責人和山西省委的同志不斷找小平同志匯報情況，聽取指示。不幾天，從忻口前綫退下來的國民黨部隊，漫山遍野而來。閻錫山也離開了太原，跑進了呂梁山區。11 月 8 日太原失守。從太原地區退下來的各路國民黨軍隊大路跑，小路跑，惶惶不可終日。周恩來到達汾陽時對戰動總會的同志說：要想辦法不讓敗軍騷擾老百姓，閻錫山撤走他的幹部，你們必須守住崗位，他拆台，我們幹，和華北人民生死在一起。小平也異常鎮定地鼓勵大家，他說：國民黨扔掉國土，丟下老百姓，抗日的責任在我們肩上，我們要當仁不讓，鼓起最高的決心和勇氣，站在最前綫和日寇拼命，同山西人民一道抗戰到底！國民黨、閻錫山的幾萬敗軍過後，只有小平同志率領的我們這支八路軍和戰動總會的幹部，挺立在太原西南方向的大道上。

傅鐘回憶：小平同志和我們離開三泉鎮，到了孝義縣的下堡鎮。這裏地處呂梁山下，是晉西南的大門。這時日軍一股竄到平遙縣，閻錫山的平遙縣長如驚弓之鳥，帶着文武官員和物資，逃出本縣。小平同志得知後，一面對我方人員佈置：在民族危急關頭，反對逃亡，要理直氣壯，要敢於領導群衆進行反逃亡鬥爭。一面把那個縣長叫來，曉以大義，勸其返回平遙，開展游擊鬥爭，否則就是不盡“守土抗戰”之責。小平同志嚴厲地說：“日軍打來，如果丟下老百姓逃跑，老百姓是不會答應的！每枝槍，每粒子彈，每文錢，都是老百姓的血汗，不用到抗戰上，老百姓有權利說話！”那個縣長不聽勸告，仍要亡命逃跑，但最後在我方的壓力下，交出了槍彈物資和人員。此後，小平同志給留下的部隊派去了幾名八路軍幹部，整訓了部隊。這支部隊，在平遙，在戰鬥中，迅速擴展成一支五六百人的抗日游擊武裝力量，取得了反逃亡鬥爭的勝利。此後，小平同志又在孝義的下堡實施戒嚴，收繳了想要逃跑的縣長、警察的槍支彈藥，派去了八路軍幹部，在孝義也形成了一支抗日的游擊武裝力量。隨後，小平同志動手起草了一份給閻錫山的電報，揭露平遙、孝義等縣長擅離職守，棄地逃跑的行爲，並聲明：日寇入境，我們“有必死之決心，無逃跑之餘地”。八路軍的抗日決心和果斷行動，很快在廣大群衆中流傳開了，人們盛讚：“八路軍的幹部是鐵打的鋼鑄的，閻錫山的官兒是泥捏的木頭刻的。”

在晉西南，父親還進一步部署，團結各界各階層愛國人士，擴大統一戰綫，動員青年參軍，發展黨員，建立黨的組織。他對於軍風軍紀和群衆紀律要求十分嚴格，指出：群衆越是熱愛八路軍，我們越要嚴格要求自己。他親自到一些村子巡視檢查工作，進行新兵動員。由於工作深入，當地群衆抗日熱情高漲，擴軍工作搞得熱火朝天，僅孝義縣，在不到兩個月的時間內，就有三千多青年走進了八路軍的行列。

直到1937年底，八路軍一一五師的部隊到達孝義縣，父親才離開晉西南地區，回到八路軍總部。③

這時，八路軍總部已南遷至晉中東部的和順縣。

在10月底至11月初的戰鬥中，八路軍在山西的各處戰場上，主動出擊，英勇抗戰，共殲敵軍二千餘人，並繳獲了一批武器、馬匹和物資。

11月8日太原失守以後，八路軍根據中央關於在晉西北、晉東北、晉東南、晉西南開闢局面的指示迅速行動：

第一一五師一部在聶榮臻司令員率領下以阜平、五台爲中心成立了晉察冀軍區，粉碎了日軍二萬人的圍攻，斃傷日僞二千餘人；

第一二O師在師長賀龍、政委關向應的率領下，進入晉西北廣大山區和鄉村開展游擊戰爭，進行開創晉西北根據地的工作；

第一二九師在師長劉伯承、政委張浩的率領下，根據中央關於創建以太行、太岳山脈爲依托的晉冀豫根據地的指示，在晉東地區開展廣泛的游擊戰爭，建立抗日民主政權，並於 12 月下旬在壽陽、昔陽地區打退日軍騎兵五千餘人的六路圍攻；

第一一五師一部在師長林彪的率領下，南下呂梁山脈，準備開闢晉西南抗日根據地。

截止 1937 年年底，八路軍在中央的統一指揮下，初上抗日戰場，開創了抗日新局面，成爲中華民族抗擊日本侵略者的一支堅强的武裝力量。

注：

① 宋慶齡《國共統一運動感言》。《抵抗》三日刊第 12 號，1937 年 9 月 26 日。

② 中共中央黨史研究室著《中國共産黨歷史》（上卷），第 479 頁。

③ 本章内容參考了傅鐘所著《初上抗日戰場》。《二十八年間——從師政委到總書記》（續編），第 1 頁。

44. 第一二九師政治委員

1938年1月，八路軍總部任命鄧小平接替張浩，任第一二九師政治委員。時年三十四歲不到。

1月18日，父親到了一二九師師部駐地，山西省遼縣西河頭村。

遼縣，地處太行山脈的東南段，在山西省的東部偏南。

西河頭，乃是一個名不見經傳，連地圖上都找不到的小小村落。

八路軍一二九師師部就在這裏。

此時隆冬未過，天寒地凍，滴水成冰。

一二九師的師長劉伯承頭天去洛陽開會去了，會議是第二戰區師長以上的高級將領會議，由蔣委員長召開。

次日，父親便到了這個小小山村。

當時在機要科工作的楊國宇在那一天的日記中是這樣記載的：

> "一月十八日　晴　西河頭
>
> "十八集團軍（注：即八路軍）總政鄧主任小平到了司令部，個子不高，見了我們總是笑，大家議論說什麼劉師長剛走，他就來了。不住政治部，住在司令部與劉一起，大概是代替劉。奇怪，我們的政委張浩什麼時

候走的，誰也不知道。”

過了兩天，楊國宇又記道：

“20日，在遼縣開政治工作會議，全師營以上幹部均出席，我因工作未參加，後來聽說是鄧主任作的報告。”

“21日，前方打得很激烈，政治工作會議照樣開。”

“24日，政工會議完畢，西河頭河灘上的人馬，紛紛回隊。看來師長不在家，就是鄧主任主攬一切。”①

1月27日，劉伯承師長回到西河頭，和新到的政委見了面。

劉伯承和鄧小平原本就認識，並不是陌生人。但從這一天起，他們正式在一起工作，一個師長，一個政委；一個軍事主官，一個政治主官，就這麼着，一搭檔就搭檔了十三年。

劉伯伯生於1892年，長我父親十二歲，他們兩個人都是四川人，兩個人都屬龍。

説起劉伯伯，故事可就長了。

1911年，劉伯伯就在四川的萬縣參加了辛亥革命的學生軍，1912年考入重慶軍政府將校學堂，1915年參加討袁護國戰爭以後，二十年代初期已是川中名將。1926年，劉伯伯加入了中國共產黨，參加了四川的瀘順起義。1927年參加南昌起義。他曾赴蘇聯留學，畢業於伏龍芝軍事學院。回國後在中央軍委工作，1932年任中央革命軍事委員會總參謀長。他在長征中指揮部隊强渡烏江，智取遵義，搶佔皎平渡，勇過大渡河。一、四方面軍會合後，他被分配到左路軍，與張國燾的分裂主義進行了堅決的鬥爭。這位紅軍名將，在抗日戰爭爆發後即被任命爲八路軍第一二九師師長，統帥一支部隊，馳騁在抗日戰場之上。抗戰伊始，他便運用機動靈活的戰略戰術，組織所部夜襲陽明堡機場，伏擊七亘村日軍，並在正太鐵路南側殲敵一千餘人。1937 年 10 月，劉伯承奉毛澤東和中央之命，率一二九師挺進太行，以創建晉冀豫邊抗日根據地。

劉伯伯因在早年戰事中失去右眼，被稱爲獨目將軍；因其用兵如神被譽爲常勝將軍；又因其智謀過人而被比作明朝名臣劉伯溫。不管怎樣稱謂，總之，他是紅軍、八路軍中聲名赫赫的一員大將，是人民軍隊中的一名不可多得的大軍事家。

父親是 1931 年在中央蘇區認識劉伯伯的。父親說過："初次見面，他就給我留下忠厚、誠摯、和藹的深刻印象。"也是事有巧合，抗日戰爭開始不久，父親就開始了與劉伯伯長達十三年的共事。

父親形容，他們二人"感情非常融洽，工作非常協調"。

父親後來說過："我比他小十多歲，性格愛好也不盡相同，但合作得很好。人們習慣地把'劉鄧'連在一起，在我們兩人心裏，也覺得彼此難以分開。同伯承一起共事，一起打仗，我的心情是非常愉快的。"②

父親和劉帥二人之間的深厚友情，一直持續了幾十個春秋。

1986 年劉伯承病逝後，父親曾撰寫悼文一篇，文中說到他和伯承長期共事，相知甚深；文中說到伯承乃我軍的大知識分子、大軍事家；文中說到伯承從少年時代起即立志"拯民於火"，而最終達到忘我的境界；文中說到伯承之辭世，令他至爲悲痛……

在父親的一生中，嚴肅多而言笑少，堅强彌足而情感流露甚寡。他悼劉帥一文，這樣的深情，這樣的追念悲痛之心畢現，實不多見。可見父親與劉帥二人之間戰鬥友情之篤切。

1938 年 1 月，父親到一二九師後，即與劉師長伯承一起，立即投入了繁忙緊張而又艱苦卓絕的抗日戰爭。

1月28日，遼縣召開軍民大會，紀念淞滬抗戰六周年，有講演，有遊行。

2月3日，一二九師召開幹部會。此時是“後方開會議大事，前方打小仗。”③

2月5日、6日，一二九師召開高級幹部會議，政委鄧小平主持。劉伯承師長講戰術，徐向前副師長講戰鬥，鄧小平政委傳達中央政治局會議精神。會議總結了太原失守以來的工作和部署實行戰略展開、開展游擊戰爭和開闢根據地的工作。

2月15日，一二九師師部開始北移。從此，在1938年的半年之中，開始了一系列與日本軍隊的激烈而艱苦的作戰。

以太行山爲依托的晉冀豫地區，在太行山脈的南端，主要區域在山西的太行山中；東北是河北，緊鄰邢台、邯鄲；東南是河南，近接安陽、林縣。

其時，該地區已處在日軍三面包圍之中，其西面之平遙、汾陽，東面之安陽、新鄉，及北面地區，均已被日軍佔領。

1938年2月中旬，日軍三萬餘人向晉南晉西發動進攻，同時向潼關、西安及陝北發起戰事。

蔣介石下令反攻太原，八路軍的任務是切斷敵人後方交通，以配合友軍的行動。

一二九師奉命適當集中主力，協同一一五師一部，向正太鐵路陽泉至井陘地區的敵人進擊。

一二九師師部在劉鄧率領下向北進發，在凄凄寒風中日夜兼程，翻山越嶺。他們時而行進在羊腸小道，時而渡過石壩荒灘，一路上看到平民百姓的村莊，被日軍焚燒殆盡，男女老幼無家可歸，其慘狀實在令人不忍目睹。

2月21日，打響了長生口戰鬥。

我軍先襲擊舊關，吸引駐井陘敵軍來援，然後在長生口設下埋伏。當敵人二百援兵乘汽車八輛到來之時，我伏擊部隊突然出擊。經過五個小時的激烈戰鬥，我軍殲敵一百三十餘人，擊毀汽車五輛，繳獲武器一批。

長生口戰鬥，戰果顯著。

2月27日，一二九師師部勝利返回遼縣西河頭。

3月4日，一二九師再次出發，此次南進，準備在邯長大道以北地區尋機殲敵。

河北邯鄲至山西長治的公路，乃是日軍一條重要交通綫，其沿綫各縣城均有敵軍守備。其間，遼縣以南的黎城縣是敵軍重要兵站基地，駐有步騎兵千餘。其南側潞城縣更有敵軍二千。一二九師領導決心在此尋戰，計劃先攻黎城，引出潞城之敵出援，然後利用途中神頭嶺複雜的地形，設伏擊敵。

3月16日凌晨四時，戰鬥打響。戰事進展，一切均如我軍部署。我軍先襲黎城，潞城之敵一千五百餘人即行出援。此時我已切斷神頭嶺與黎城之間的交通，敵人一到，我即毀橋斷路，待敵進入我三面設伏、如口袋狀的伏擊地區後，我軍三面出擊，與敵人展開白刃搏鬥。經二小時激戰，殲敵一千五百餘人，繳獲槍支騾馬數百。

神頭嶺伏擊戰以取得輝煌戰果而告結束。

神頭嶺戰鬥打過之後，緊接着，劉伯承、鄧小平和徐向前又決定在邯長大道上再打一仗。

3月31日，響堂鋪戰鬥打響。

日軍爲了支援晉南、晉西之敵向黃河各渡口進犯，運用邯長大道加緊運輸，每日汽車不斷。我一二九師決定設伏於涉縣響堂鋪一帶，利用山勢地形，襲擊日軍運輸部隊。30日夜，伏擊圈業已設好，31日上午，日軍兩個汽車中隊一百八十輛汽車由部隊掩護從黎城方向而來。當敵人進入伏擊圈之際，戰鬥打響，我軍以猛烈火力壓制殺傷敵人，遂即發起衝擊，與敵人白刃格鬥。兩小時後，戰鬥結束，我軍殲敵四百餘人，焚燬軍車一百八十輛，並繳獲了許多武器裝備。與此同時，擊退從黎城、涉縣來援之敵軍共千餘人。

劉伯承認爲，響堂鋪戰鬥，是伏擊戰鬥的範例。

在短短一個半月的時間裏，一二九師連續取得了長生口、神頭嶺、響堂鋪三次戰鬥的勝利，靈活運用游擊戰、運動戰的戰略戰術，集中絕對優勢兵力對敵發起攻擊。仗，打得漂亮，人，打得英勇！

一二九師在晉冀豫的戰鬥，既有力地打擊了日軍侵略者，又進一步爲創建和鞏固敵後抗日根據地提供了保障。同時，八路軍在晉東南地區的勝利，也使日本軍隊惶恐不安。爲了解除後方的威脅，日軍決定於4月初對晉東南地區進行圍攻。

3月底，八路軍總司令朱德、副總司令彭德懷召集東路軍將領會議，研究和部署了反圍攻的作戰方針。

4月4日，日軍以十餘個聯隊三萬餘兵力，分九路向晉東南地區之八路軍和國民黨軍隊大舉圍攻。10日前後，從東、西、北三面進犯之敵相繼侵入我根據地。在八路軍總部和東路軍總部的部署下，中國軍隊先後將六路進犯之敵阻滯。有三路敵軍進入我根據地腹地，並相繼佔領了沁縣、武鄉、遼縣等城，但是，這些進犯之敵已孤立突出，且遭我軍部隊和游擊隊的不斷阻擊和襲抗，陷入了飢餓疲憊和恐慌不安的境地。

在這種情況下，一二九師決定尋機打一個殲滅戰。

4 月 16 日，我軍在武鄉以東的長樂村地區，將敵夾擊，經過反覆、激烈、艱苦的戰鬥，殲敵二千二百餘人，我軍亦傷亡八百餘人。

長樂村戰鬥，是粉碎日軍九路圍攻中具有決定意義的一仗。此後，敵人銳氣全無，我軍乘敵人調整部署之際，先後收復了遼縣、黎城、潞城、襄垣、屯留、沁縣、高平、晉城、涉縣、長治等縣城。

經過二十三天的反圍攻作戰，我軍打破了日軍企圖消滅我軍於晉東南的計劃，消滅日軍四千餘人，收復縣城十八座，將日軍全部驅逐出晉東南地區。晉冀豫地區北部（太北）已基本上爲我控制，八路軍的威信空前提高，廣大人民群衆飽受日軍殘殺蹂躪之後，抗日信心更加堅定。這些，都爲建立晉冀豫抗日根據地創造了極爲有利的條件。

4 月 22 日，一二九師師部回到了他們的"首都"遼縣西河頭。

遼縣人民歡欣鼓舞，各界人士紛紛來到司令部，向劉伯承、鄧小平、徐向前致敬。

父親自 1 月份來到一二九師，一晃三個月的時間過去了。這三個月，軍旅倥偬，戰事緊張，閑暇全無。

4 月 25 日，一二九師政委鄧小平召集一二九師軍政委員會，決定成立晉冀豫軍區，本師主力組成平漢路東、路西兩個縱隊。路東縱隊由徐向前副師長率領開赴冀南，路西縱隊由陳賡旅長率領向冀西發展。劉伯承、鄧小平指揮前梯隊指揮機關和第三八六旅前出到河北邢台以西地區，組織指揮山地和平原的對敵鬥爭。

4 月下旬，在師部的指揮下，三八六旅進至（北）平漢（口）鐵路西側的冀西邢台地區，由此向南横掃邢台、沙河、武安、磁縣以西的僞軍。到 5 月底，基本上改變了日軍侵佔武(安) 涉 (縣) 大道以來的混亂局面。

1938 年 6 月 12 日，一二九師麾下成立新的三八五旅，該旅由陳錫聯爲旅長，謝富治爲政委。

一二九師原下轄三八五、三八六兩個旅，共一萬三千餘人。

第三八五旅由原紅四方面軍第四軍改編，旅長王宏坤，副旅長王維舟，參謀長耿飈，政治委員蘇精誠。

第三八六旅由第三十一軍改編，旅長陳賡，副旅長陳再道，參謀長李聚奎，政治委員王新亭。

4 月，整編主力組成路東、路西兩個縱隊後，6 月，重建三八五旅。三八五旅成立後，便活動在冀西一帶，消滅了大量僞軍，打退敵人多次進攻。

到了這時，一二九師經過近一年的發展，下轄三八五旅，三八六旅，晉冀豫軍區，冀南游擊區（後稱冀南軍區），東進縱隊，青年抗日縱隊等，並代行指揮第一一五師第三四四旅和八路軍第五支隊。

一大批八路軍高級著名將領，人材濟濟，雲集於太行山與晉冀豫的抗日戰場上。他們之中有：一二九師參謀長李達，政治部副主任蔡樹藩，高級將領陳錫聯、謝富治、陳賡、陳再道、宋任窮、段海洲、李聚奎、倪志亮、黃鎮、王宏坤、王維舟、耿飈、蘇精成、許世友、王新亭、周希漢、徐立清、劉志堅、錢信忠、王近山、張南生、吳富善、王樹聲、賴際發、秦基偉、桂幹生、張貽祥、張賢約、唐天際……，以及徐海東、楊得志、黃克誠、韓先楚、劉震、崔田民、譚甫仁、韋杰、覃健、曾國華、劉賢權等。

這些一二九師和其他部隊的高級將領，幾乎都是久經沙場的紅軍將領，大部分還未到而立之年，正是英姿勃發之時。在毛澤東、黨中央和八路軍總部的領導下，在劉鄧首長的直接指揮下，他們馳騁疆場，勇不可擋。憑着大好的年華和豐富的經驗，華北的抗日戰場，正是他們一展身手的大好地點。在未來的戰事中，在解放全中國的進軍中，在建設新中國人民軍隊的事業中，你們還會許多次許多次看到他們的英姿，還會許多次許多次聽到他們的威名。

1938年6月間，父親從遼縣出發，向東北方向的冀西地區出發，視察冀西軍分區的工作。

冀西地區位於河北石家莊至邢台之間，有元氏、贊皇、高邑、臨城、內丘等縣。1938年3月，劉鄧曾派張貽祥等人赴冀西開闢抗日根據地，時隔二個月，父親親赴冀西，指導工作。

到冀西軍區後，父親首先聽取了張貽祥等人的匯報。他指示要進一步組織游擊隊武裝和發動群衆，以戰勝敵人。接着，他又去了在石家莊南尖山林的三八五旅視察工作。在冀西，父親共住了個把星期，便又匆匆趕回山西遼縣一二九師師部。④

爲了破壞敵人的運輸動脈，一二九師各部在師部統一指揮下，對平漢、正太、道清等鐵路先後進行了十次大破擊和無數次小破擊。在總長五百餘公里的鐵路上，破擊作戰此起彼伏，廣大群衆踴躍參加，使日軍的交通運輸時續時斷，修不勝修，處於半癱瘓狀態。

一二九師各主力，繼續在各地積極活動，有力地打擊日軍，同時在地方黨組織的幫助下，廣泛發動群衆，順利進行擴軍工作。到了9月，三八五和三八六兩個旅，都已發展到七千人左右的規模，部隊的軍事、政治素質，也大大提高。

1938年7月5日，父親由太行南下，到達冀南抗日根據地視察。

冀南抗日根據地，是於1937年，由陳再道率領的一二九師挺進支隊開赴冀南創建的。1938年5月，一二九師副師長徐向前親赴冀南領導抗日鬥爭。冀南根據地以邢台地區的南宮縣爲中心，得到了迅速的發展，短短幾個月裏，建立了二十多個縣的抗日政權，部隊由五百多人發展到一萬餘人，東進縱隊由原來的五個連，發展到三個團，近七千人。⑤

1991年秋天，我到陳再道老將軍的家，去採訪他。

金秋時節，菊花盛開。陳老將軍一把拉住我的手，高興地搖了又搖，開口就問："你爸爸好不好?"

對於這個享有盛名的紅軍猛將"陳大將軍"，我久仰大名，但卻是第一次有機會拜見。只見他白髮白眉，黑黑的臉膛上，笑起來佈滿了笑紋，竟然連那著名的麻子也看不見了。

陳老將軍把雙腳一蹺，高高地搭在椅子上，他說："我是在抗日開始，過黃河的時候認識你爸爸的。"他的眼睛看着天花板，聲音宏亮。

"1938年7月你爸爸去冀南視察，我們開了個特委和部隊團以上幹部會。鄧政委作了報告，分析了形勢。他指出，蔣介石的抗戰，有可能轉向妥協投降、或者片面抗戰與妥協投降並存的極大危險。目前，日軍正忙於進攻武漢，華北敵人兵力減少，是我發展敵後游擊戰爭的大好機會。他還講到，在與河北省主席鹿鍾麟的關係中，要團結他共同抗戰，但也要提高警惕，堅持統一戰綫中的獨立自主原則，發展壯大我軍力量。鄧政委會後還和我們一起吃了飯，很簡單。他這個人，講話一句是一句！後來劉鄧又來過我們冀南，劉鄧要我的四個團，我們冀南還支援了太行山好多東西，有衣服，布匹、被褥。我們自己也很困難哪！我們在平原，風大，土大，一颳風，一件土布衣服吹上沙子就有一斤多重。可是我們還是盡量地支援太行山，他們那裏更艱苦。”

陳老將軍的夫人病在醫院，他只有一個人在家，因此，我去看他，他特別高興。他是一個有名的“酒罐子”，他拉着我，悄悄地告訴我：“我這裏到處都有好酒!”真是的，連床邊上放的都是大酒罎。陳老將軍指着一個玻璃缶，説：“這裏面有三條最毒的蛇，這個蛇酒可好了，你在我這裏吃飯，我請你喝酒!”

看着陳老將軍那麼熱情的樣子，作爲晚輩，我本不應該走，但是，一看見那裝有三條毒蛇的的酒缶，我就連連道歉，連連告辭。最後，陳老將軍一直把我送到房門外，院子裏，還連聲讓我以後再來。

我知道，他這麼高興，並不是因爲看見了我，而是因爲我是鄧小平的女兒，是因爲他與鄧小平有着幾十年的戰鬥情誼。

……

到1938年中期，由於我八路軍一二九師一系列有效作戰，在晉東南，在冀西，在冀南，不斷取得戰果，不斷開創局面，殲敵數千人，在大片地區建立了抗日民主政權，以太行山爲依托的晉冀豫抗日根據地進一步鞏固和發展。在此基礎上，8月下旬到9月上旬，一二九師陳再道部爲牽制日軍進攻潼關、洛陽，在豫北進行了漳南戰役，消滅僞軍四千餘人，俘敵一千五百餘人，在豫北建立了安陽、內黃、湯陰等縣的抗日民主政權，在衛河以西的豫北地區開闢了南北近五十公里的新區，在冀南豫北交界處三十餘縣建立了抗日民主政權，並加强了冀南抗日根據地與冀魯豫和太行的聯繫。

與晉冀豫抗日根據地發展的同時，我八路軍其他各部也積極尋機與敵作戰，在不同的地區開創了抗日局面。

一二O師，在敵人側後的晉西北的廣大地區開展游擊戰爭，打破了日僞軍萬餘人的圍攻，奪回了七座縣城，殲敵一千五百餘人，部隊由八千餘人發展到二萬五千餘人，在晉西北和雁北地區建立了抗日根據地。

一一五師，挺進晉西南的呂梁地區，積極發動群衆，開展游擊戰爭，殲敵千餘，並反覆伏擊敵人運輸部隊，爲開闢晉西南根據地創造了條件。

抗日的戰火，已在山西、河南、河北的大地上四處燃燒，勢不可遏。

與此同時，在山東，成立了八路軍東進抗日挺進縱隊，開闢了平原游擊根據地；在華中，由葉挺、項英、陳毅等領導的新四軍，粉碎日軍多次掃蕩，主動出擊，予敵重創，初步打開了這一地區的抗日局面。

在進一步發展抗日局面，進一步鞏固統一戰綫的形勢下，1938年9月29日至11月6日，中國共產黨在延安召開擴大的第六屆中央委員會第六次會議。

參加這次會議的有中央委員和候補中央委員十七人，中央各部門和各地區的領導幹部三十餘人。

8月25日，父親從太行出發，赴延安參加六中全會。

在六中全會上，毛澤東作了《論新階段》的政治報告，指出，目前的抗戰正處於由防禦轉入敵我相持的過渡階段。日軍佔領武漢、廣州等地以後，其兵力不足和兵力分散的根本弱點將更形暴露，其在國際和國內的種種矛盾也會隨之加深，敵人的戰略進攻不可避免地將達到一個頂點。對我國軍民來說，要有計劃地部署正面戰場的防禦抵抗和廣泛開展敵後游擊戰爭，抓住敵的弱點，給其以更多的消耗，使戰爭轉入敵我相持的新階段。這是全國當前的緊急任務，要準備進行艱苦的戰鬥。同時，要不斷鞏固和擴大抗日民族統一戰綫，用長期合作來支持長期戰爭。

在會上，彭德懷、秦邦憲（博古)、賀龍、楊尚昆、關向應、鄧小平、羅榮桓、彭真等圍繞着十五個月的經驗作了發言。

全會通過了政治決議，批准了以毛澤東爲核心的黨中央政治局的路綫。

12 月中旬，一二九師師長劉伯承率一二九師師部到達冀南，直接領導冀南和魯西北的鬥爭。

12 月底，鄧小平政委從延安返回，到達冀南地區。

12 月 30 日，一二九師在冀南南宮縣的落户張莊召開軍政幹部會議。鄧小平政委傳達了黨的六中全會決議。會議根據冀南的鬥爭形勢，確定了依靠工農群衆、依托廣大鄉村、堅持冀南平原游擊鬥爭、鞏固抗日民主陣地的鬥爭方針。

從 1937 年 11 月到 1938 年年底，一二九師在山西、河北、河南、山東四省交錯的華北廣大地區獲得了很大的發展，在東至津浦路，西至同蒲路，北起正太、滄石路，南迄黄河的廣大區域內，開闢了晉冀魯豫抗日根據地。其人口達二千三百萬，部隊人數發展到十三個團，基幹武裝近三萬人。

從 1938 年 10 月開始，由於中國軍民的奮力抵抗，侵華日軍傷亡四十餘萬，軍用物資大量消耗，兵力日益分散。日本侵略者曾經囂張地提出的“兩個月就可以結束戰爭”，“三個月滅亡中國”的痴心夢想宣告破産，不得不停止了正面戰場的戰略進攻。

正如毛澤東所預言，中國的抗日戰爭，由戰略防禦階段進入了戰略相持階段。

歷史的時針，已經指向公元 1939 年。

抗日戰爭，進入了第三個年頭。

一二九師師部的駐紮地點在冀南威縣七級的張家莊。

1月1日，冬雪飄飄，寒沁肌骨。

劉鄧帶領一二九師師部在冀南指導工作，命令要在元旦給敵人以大的打擊。⑥

爲了貫徹統一戰綫的方針政策，爲了團結一切可以團結的力量進行抗戰，爲了避免內戰磨擦，在冀南，劉鄧親自與國民黨河北省主席鹿鍾麟和國民黨軍第十軍團司令石友三會談，爭取他們一致抗日。

在劉伯承多次與鹿鍾麟會談的同時，鄧小平於1月16日和25日兩次與石友三晤談，向其曉以民族大義，表明八路軍堅持團結與友軍共同抗日的願望，以及八路軍絕不撤離抗日根據地的嚴正立場。鄧小平的工作，使得石友三暫時保持了中立的立場，孤立了鹿鍾麟等頑固派的反共行爲。

1939年新年剛過，春節未到，日軍便集中兵力，開始了對我抗日根據地的大規模的掃蕩。

日軍的掃蕩，一次比一次瘋狂，一次比一次更爲兇殘。

整個的1939年，我抗日根據地的軍民，一直在掃蕩與反掃蕩的戰鬥中，英勇頑強地與日本強敵抗爭。

1月7日，日軍三萬餘人分八路向冀南大規模掃蕩。

1月21日，日軍六千人對太行腹地和順、遼縣進行掃蕩。

2月12日，日軍二千人向冀南威縣香城固地區掃蕩。

2月21日，日軍以快速部隊向冀南南宮、威縣、清河間地區掃蕩。

3月10日，日軍對魯西南巨野地區進行掃蕩。

4月1日，日軍二千人掃蕩晉中南平遙以南、沁源以北地區。

4月10日，日軍三千人掃蕩山西白晉公路南側地區。

4月20日，日軍華北派遣軍司令部發佈“治安肅正”計劃，加緊掃蕩步驟。

4月23日，日軍一千人四路合擊魯西北高唐、禹城地區。

5月2日，日軍一千人掃蕩冀南南宮地區。

6月1日，日僞軍三千人掃蕩冀南路羅等地區。

7月1日，日軍萬餘分七路掃蕩魯西南。

7月3日，日軍五萬人向晉冀豫地區實行大掃蕩，佔據了我根據地大部縣城，控制了白晉路北段和邯長、平遼等路。

面對敵人密集而又瘋狂的掃蕩，晉冀魯豫根據地和一二九師，加强部署，迂迴抗爭，尋機予敵以堅決的打擊。

1月12日，針對敵三萬人向冀南掃蕩，劉鄧在冀南召開幹部會，佈置反掃蕩工作，以後並發佈反掃蕩作戰令。從1月到3月，在劉鄧直接指揮下，冀南軍民進行了較大戰鬥一百餘次，斃傷敵僞三千餘人，粉碎了日軍控制冀南平原的計劃。

3月以後，敵我鬥爭重點逐漸轉向山地，劉鄧率一二九師主力於3月7日返回太行。

3月18日，一二九師進行整軍。

4月3日，一二九師直屬隊等在黎城縣上趙棧村進行檢閱，朱德總司令參加並檢閱了部隊。

7月，針對日軍對晉冀豫根據地實施的大規模掃蕩，劉鄧決定組織廣大地方武裝和民兵游擊隊，以分散的持久的游擊戰疲憊消耗敵人，並以主力適當集中，相機殲敵。敵人來犯之前，我軍民進行了戰鬥轉移和空舍清野；敵人來犯之後，組織民兵游擊隊進行不間斷地伏擊、阻擊以疲憊敵人；在時機適當的時候，我主力對敵實施伏擊和攻擊，並在被敵人佔領的交通綫上展開襲擊戰和圍困戰，給予敵人沉重打擊。日軍進入根據地後，四處尋找我軍主力不着，又屢屢遭受打擊，被迫於 8 月下旬撤出，敵人掃蕩至此結束。在此期間，一二九師積極尋戰擊敵，進行大小戰鬥七十八次，殲敵二千餘人，收復許多重要縣城，粉碎了日軍這次來勢兇猛的大規模掃蕩。

與此同時，一二九師在不間歇的反掃蕩戰鬥中，還於 1 月到 8 月，對敵人佔領之鐵路、公路交通要道不斷地進行了破襲，使敵人的交通運輸始終不得暢通無阻。

從 1938 年 1 月到一二九師任政治委員以來，在一年多的時間裏，父親不是指揮作戰，就是行軍打仗，軍務繁忙，戰事不斷。前綫的戰鬥生活，既緊張，又匆忙，又充實。

如果追尋着父親的足迹，在晉冀魯豫的大地上行進，你就會發現，父親和他的戰友們，忽而大跨度地踏進平原，忽而軍情如火地急行在崇山峻嶺的山道之間，在戎馬倥偬之中，他們是那樣的不畏强敵，是那樣的膽略過人，是那樣的懷着必勝的決心。

他們知道，要戰勝日本强敵，絶不是輕而易舉之事，絶不是一朝一夕之事。但是，中國共産黨人，就是具有無可比擬的英雄氣概，定要，也定能夠，拯救中國人民於强敵惡寇之手。對此，他們從未有過絲毫的動搖和疑惑。

1939 年大約是 8 月份，父親再次暫别了太行山和他親密的師長劉伯承，去延安參加政治局擴大會議。

到了延安以後，父親和他的老戰友鄧發住在一個窰洞裏。鄧發是一個十分活躍的人，他和父親私交甚篤，因此在工作開會之餘，便熱腸古道地一心一意要幫助父親找一個妻子。

劉英媽媽告訴我：“那時候，在延安，鄧發帶着你爸爸，兩個人一天高高興興地到處轉，人們都説他們活像兩個遊神一樣!”

1939年9月初，父親在衆朋友、衆戰友們的熱心幫助下，真的結婚了。

新娘子的名字叫卓琳。

她，就是我那最最親愛的媽媽。

注：

① 楊國宇《劉鄧麾下十三年》，第36—37頁。
② 鄧小平《悼伯承》。《劉伯承回憶錄》（第三集），第5頁。
③ 楊國宇《劉鄧麾下十三年》，第39頁。
④ 張貽祥《太行十年的幾次接觸》。《二十八年間——從師政委到總書記》，第14—17頁。
⑤ 陳再道《陳再道回憶錄》，第362、376頁。
⑥ 楊國宇《劉鄧麾下十三年》，第93頁。

45. 我的外公浦在廷

我的媽媽，大家都知道，她的名字叫卓琳。但是，她本不姓卓，她的本名叫浦瓊英，生於一個雲南著名實業家的家庭。

提起我的媽媽，要講述她的生活道路，就一定要從她的家庭開始講起，從她的父親——浦在廷，開始講起。

現在，知道浦在廷的人一定不多了，可是，提起雲南火腿罐頭，則人人皆知，特別是在東南亞一帶的華人中間，雲南火腿可謂是名聞遐邇。

火腿，是自古以來雲南人就會腌製的，可把火腿做成罐頭，發展成一種工業，製成一種商品在海內外進行商業銷售，卻是浦在廷開創的事業。

我從未見過我的外祖父，我的媽媽少小離家，對家裏的事情知道得也不多。我東拼西湊地搜集了一些材料，大致上算是對我的外祖父有了一些了解。

推算起來，浦在廷大約應該是生於 1870 年前後，乃是雲南省宣威縣人氏，漢族——因爲雲南是一個多民族的地區，所以有必要注明一下。

據説，外祖父家的祖籍乃是江蘇常熟。在明朝洪武年間，他們家的一個祖先被朝廷封爲武略將軍，又被明太祖朱元璋派赴滇緬征南，到了宣威後，就安家於此。在以後的幾百年中，這一支在雲南宣威的浦氏家族繁衍了好多好多代。有人說，按大的氏族算起來，到了現在，總共也有幾千人了。

按照浦家後人的說法，浦在廷的父親，在清朝曾考取過鄉貢，後來就在本鎮開學館授業。照現在的說法，就是一個教書先生。

這位老先生生有四個兒子，其他三個兒子都能夠繼承父業，讀書習文，埋頭八股。唯獨浦在廷生性矯野，自幼便不喜文墨，十四歲那年，竟然偷偷地跑出去，參加了一個親朋的趕馬隊，去學販商。浦家乃世代書香門弟，兒子如此行爲，實在有辱家門。浦在廷被父親抓了回來，挨了一頓訓斥。但是，浦在廷志向已立，任憑什麼樣的壓力也改變不了。不久，他再一次出逃，又去參加了趕馬隊。

雲南，地處中國的西南邊陲。那裏，山明水秀，滿目蒼翠；那裏，民族衆多，多彩多姿；那裏，緊鄰越南、老撾、緬甸，與外界的通商往來絡繹不絕。同時，雲南遠離中原，經濟落後，文化落後，封建色彩更爲濃厚。

清朝末年的時候，雲南沒有公路，省內省外的貿易貨品往來主要靠馬幫隊溝通。在雲南境內那山巒重叠和丘陵起伏的大路小道之上，一隊隊的馬幫馬隊，在單調而又悦耳的馬鈴聲中來往穿梭，不絕於道。

浦在廷先是趕着馬在本縣境内販商，賺得一些銀錢後，他便自己買了一些馬匹，與他人結伴到東南亞地區經商。那時候，要從滇西北的宣威南下印度支那，實在並非易事，要穿越西雙版納那莽莽蒼蒼的亞熱帶原始森林，走幾百甚至上千公里的路程，途中還會遇到毒蛇猛獸和土匪强盜。浦在廷其時正在年輕氣盛之時，心高膽大，倔强精明，因此，馬幫越來越大，生意也越作越成功。在宣威，浦在廷也越來越有名氣，還擔任過兩屆宣威縣商會的會長。

浦在廷走南闖北，膽量增加了，見識也增加了。他看到宣威盛產火腿，且味美而淳香，但這種原始的農家食品，一支整腿，體積碩大，又不易保存，很難販賣。浦在廷心萌一念，如果能夠把這些火腿加工成罐頭，那樣，就既可以儲存，又適於作爲成品販賣。

浦在廷邀請宣威的一些人士共同商議，集資辦廠。在得到衆人支持之後，他專門派人到廣州學習生產罐頭製品的技術。資金籌足之後，他便從香港買回了一套生產罐頭的機器。

1920 年，宣和公司正式成立，浦在廷任董事長兼總經理。第一批宣威火腿罐頭由此問世。

從此，浦在廷由一個單純的商人，發展爲一個工商業家。而這個貧困落後的宣威，也有了自古以來的第一個用機器進行生產的工廠。

雲南地處西南，與泰緬相鄰，而這一個地區，恰恰是鴉片種植和販賣最爲活躍的地區。在雲南，從東南亞販運鴉片進行買賣乃是尋常便事，也是商人一大發財的好途徑。宣和火腿罐頭公司成立後，本來，應該好好地經營火腿業務，但是，也許是發財心切，鬼使神差地，他們竟用罐頭裝起鴉片來了，並冒充火腿販到東南亞去行銷。有道是，人間不如意事十常八九。當時這一帶東南亞地區是法屬殖民地，雲南，也是法國的勢力範圍。宣和公司的這些冒充的火腿罐頭，被法方警察一舉查獲，不但鴉片烟給收繳了，連公司也開不下去了。因此，不久，宣和公司就倒閉了。那些入股的股東，真是賠了夫人又折兵，落得個人財兩空。那些辛辛苦苦從廣東運來的做罐頭的機器，也變成了一堆廢鐵。

浦在廷這個人，可能的確是有一番事業心的，也有一股子倔強的脾氣。這次公司的倒閉，對他打擊很大，但卻沒有令他氣餒。他要開工廠，要辦實業的心還未死。

浦在廷對原公司股東們說，公司倒閉了，這些機器没人要，也没用了，與其這樣，還不如把這些機器全部交給他，讓他自己一個人重起爐竈，再辦一個火腿罐頭廠。如果失敗了，不賺錢，大家就只當没有這回事；如果工廠辦成功了，賺了錢，將來就把各股東入宣和公司的股金如數奉還。

股東們看見，如不這樣做，這些機器反正也只是廢鐵一堆，於是就一致同意讓浦在廷把機器拿去，由他去試一試。

浦在廷在宣威再次開辦了一個宣威浦在廷兄弟食品罐頭公司，又名大有恒雙豬火腿罐頭公司。

浦在廷此時已年過五十，第一次辦廠失敗也使他積累了一些經驗，而且這次辦公司，是他個人的公司，他可以一個人說了算。這第二次辦公司，他一辦就辦成功了。

從此，那種原始的宣威火腿，變成了一聽一聽的馬口鐵罐頭食品，而且一經銷售，反響甚好。

浦在廷在行商販賣的商賈生涯中，走南闖北，見識甚廣，他知道，要打開商品的銷路，就要擴大市場，應把宣威火腿罐頭推向東南亞，並進一步推向更大的國際市場。

浦在廷到了廣州，在廣州擴大了公司的業務，同時，將公司的產品送出國去，促使其很快地打入了國內和國際市場。宣威火腿罐頭，從此行銷香港、澳門、新加坡、緬甸、海防、巴拿馬、日本、德國、法國等地。大有恒公司業務迅速拓展，在國內外設立了二十六個子公司。這些子公司在東南亞，甚至在西方大都會巴黎，都經營活躍，生意興隆。1923 年，在廣州舉行的全國食品賽會上，宣威火腿罐頭獲得了好評。

在浦在廷的帶頭作用下，宣威相繼建立了數家火腿罐頭工廠。火腿罐頭工業的興起，帶動了火腿腌製業、採煤業、釀酒工業的發展，宣威縣的民族工業的地位逐步上升，到了 1939 年，全縣工商業户人口已佔總人口的百分之四十五之多。

對於宣威火腿罐頭，我從小就知道，因爲常聽我媽媽提到。這種火腿，吃起來也的確好吃，特别是用它來和冬瓜一起炖湯，的確味香，不同凡響。後來，我才知道，宣威火腿是和浙江的金華火腿同樣享有盛名的中國兩大火腿品種。直到八十年代初，我到美國的中國駐美國大使館工作的時候，接觸到許多的海外僑胞，才從他們嘴裏知道，雲南火腿，也就是宣威火腿，在海外，主要在海外的華人中間，名聲的確不小，特别是老一代的華僑和華人，都很喜歡這種道地的中國食品。

浦在廷從青年時就致力於經商、作買賣，見多識廣，思想也比較開通。同時，身爲民族資産階級的一員，他很容易地接受了資産階級民主革命的政治主張。當孫中山的資産階級革命主張一提出來，浦在廷便表示擁護。有的傳説説他還參加過孫中山的同盟會。對此，他本人早已去世，因而無考，但他支持辛亥革命和支持孫中山的國民革命倒是真的。

資産階級民主革命的先鋒蔡鍔將軍在昆明舉兵起義，掀起反對竊國大盜袁世凱陰謀復闢帝制的護國運動，浦在廷欣然支持，帶頭捐助，並在宣威商會内設兵站爲蔡鍔將軍的護國軍籌集糧款。

當護國軍從重慶凱旋歸來時，護國軍滇軍大將唐繼堯到達宣威，爲表彰開明商人的進步行動，特授予浦在廷銀質梅花獎章一枚。唐繼堯還親自書寫了“急公好義”四字匾額贈給浦在廷。

在聲援護國討袁的行動中，浦在廷逐漸結識了在雲南的許多軍政人士，其中與滇軍將領范石生的關係尤爲密切，並開始參與軍政界的活動。

1917年，孫中山進行護法運動，反對北洋軍閥政府，滇軍內部發生分裂。雲南督軍唐繼堯明裏支持孫中山，暗則倒向北洋軍閥。1921年，顧品珍回滇，聯合范石生倒唐，並將唐繼堯逐出雲南，顧品珍自任滇軍總司令，總攬雲南軍政大權。

不久，孫中山號召進行北伐，以推翻北洋軍閥。顧品珍響應，任命范石生爲滇軍北伐先遣軍司令。孫中山遂任命顧品珍爲北伐軍滇軍總司令。

正在此時，不料唐繼堯回滇復闢，顧品珍戰死。

形勢突變，迫使雲南的北伐軍撤出雲南。其中滇軍副司令張開儒率一部退至宣威等地區，然後進入貴州盤縣一帶。張開儒一邊整軍，一邊電告孫中山，表示願爲北伐前驅。

浦在廷在顧品珍殉職後，與范石生一道，隨張開儒撤入貴州，並參加了滇軍中的這一支北伐軍隊伍。張開儒任命范石生爲第八旅旅長，任命浦在廷爲旅粵滇軍軍需總局及烟酒公賣局局長。從此，浦在廷開始正式進入軍界效力。

北伐軍滇軍部隊得知廣東粵軍軍閥陳炯明叛變革命後，便急赴廣州討陳。滇軍素來驍勇能戰，入粵以後，勢如破竹，直下廣州，陳炯明倉惶潰逃。

1923年，孫中山到達廣州，設立大元帥府，下令嘉獎滇、桂、粵軍及海軍共討陳炯明之功，並對有功將領頒授軍銜，浦在廷也被授予少將軍銜。

此後，孫中山雖然進入廣州，但情勢多變，政局不穩。孫中山率軍奮力擊敗了廣東的叛軍，擊退了北洋軍閥吳佩孚的軍隊，打退了陳炯明的進犯，取得了保衛廣州的勝利。滇軍在這些戰事中表現突出，深受孫中山的倚重。

1924 年 1 月，中國國民黨在廣州召開代表大會，孫中山提出了聯俄、聯共、扶助農工的三大政策，改組了國民黨，並在廣州創辦了黃埔軍校。

浦在廷隨滇軍在廣州期間，一方面將長子叫到廣州開拓公司業務，一方面參與軍務，並將第二個兒子送入新成立的黃埔軍校第一期學員班學習。

在這個時候，孫中山爲了鼓勵浦在廷發展民族工業的成就，爲浦在廷親筆題字：

“飲和食德”

據母親家的人說，外祖父一家人把孫中山的題字視爲至寶，做成巨形匾額，一直懸掛在堂。

浦在廷先是經商，後辦實業，最後追隨孫中山參加北伐軍，到了此時，可以說達到了他人生的最高點。在這以後，他的事業，受到了重大打擊，並從此元氣喪失。

1925 年 3 月 12 日，孫中山病逝北京。

5 月，雲南軍閥唐繼堯陰謀推翻廣州革命政府，駐粵滇軍總指揮楊希閔與之串通，叛變革命。

就在這個時候，浦在廷被拘捕軟禁。

關於他被軟禁的原因，有不同的說法。有人說，是因爲他支持北伐軍，爲楊希閔所不容，故意陷其下獄。也有人說，他的罪名是，任軍需總局和烟酒公賣局局長時，有貪污行爲。

在舊軍隊中，軍需總局和烟酒公賣局局長之職可是一個道地的肥缺，有職有權，而有權便可有錢。要說浦在廷有貪污行爲，我一點兒也不奇怪。儘管他致力於發展實業，儘管他支持和參加國民革命，但他畢竟是舊社會中的一個舊式人物。要設想讓這些舊軍人、舊商人出污泥而不染，恐怕就太天真了。但是，他被軟禁，與滇軍內部的矛盾，與擁護還是背叛國民革命，肯定是有關的。因爲他後來被釋放出來，還是在范石生北伐歸來之後，救了他的。

外祖父在廣州期間，一度曾發了財，作了官，因此寫信回家，讓我的外祖母也到廣州，共享榮華。於是，我的外祖母從雲南出發，赴廣州去找外祖父。她千里尋夫，身邊帶的是他們最小的女兒，也就是我的母親。

媽媽說，那時她才四、五歲，跟着她的母親，從雲南先到現在的越南，再從越南乘船到香港，最後才從香港到了廣州。那時媽媽年紀還小，別的事兒記不得了，但到了香港，那裏的房子又高，巷子又黑又窄，給她留下了深刻的印象。

到了廣州後，外祖母、我的母親和外祖父住在一起，直到1925年外祖父被軟禁。

後來，范石生保我外祖父出來後，外祖父母帶着我的母親，一家三口人，從香港經越南，又才回到了雲南的首府昆明。

浦在廷參加國民革命軍，在外闖蕩一番，不僅爲人所陷，脱離了軍界，而且在廣州的財產也損失殆盡。至此以後，他不再外出，主要就在雲南的昆明和宣威從事工商業活動。

俗話說，禍不單行。浦在廷在廣州蒙難才過，在昆明又遇一險。

大家一定還記得，在前面我介紹過，浦在廷辦大有恒公司，是把原宣和公司倒閉後留下的機器拿來作爲辦廠基礎的。他有言在先，等到發達了，要歸還宣和公司原股東們的本金。可是到了後來，一是因爲浦在廷一路在擴大生產，資金總嫌不夠；二是因爲中途受挫，傷了元氣；三是他本人可能也根本不想將這些陳年舊帳還掉，所以，他一直没有全部歸還完這些錢。於是乎，那些原來宣和公司的股東們便不予甘休了，他們共同起事，告了浦在廷。雲南當局斷案，判將浦在廷下獄抵債。眼見得就要遭受囹圄之苦，浦家趕緊買通官府，讓浦家一個老管家代替浦在廷坐牢了事。

到了三十年代中期，抗日戰爭爆發以後，形勢日益惡化。特別是在日本侵入了東南亞和佔領了中國的上海、廣州等對外通商口岸後，雲南火腿罐頭的外銷全部停止了，內銷的範圍也大大下降。同時，做罐頭所需用的馬口鐵，原來全部依靠進口，海路斷了，原料也斷了，罐頭就做不成了。著名的雲南火腿罐頭工業，受到極大的打擊，從此再不復昔日的光彩。

浦家是一個大家庭，浦在廷這一代是兄弟四人。浦在廷本人有三個兒子，四個女兒。

他的長子一直作爲其父的左膀右臂，幫助經營大有恒公司的生意。

次子被其父送入黃浦軍校一期，畢業後參加國民革命軍北伐，還擔任過連長之職。浦在廷乃是一個有雄心的人，在那個軍閥當道的社會裏，他深知，要想發達，必須在軍界有人，他殷切地期望兒子能夠在軍界發展。但是，他的這個兒子卻不爭氣，實在過不慣軍旅生活，脱離軍隊回了家，此後也就在雲南隨父經營產業。

三子由其父於 1927 年送赴日本留學，在日本，受進步思潮的影響，參加了一些進步組織，從事愛國活動。回國後，在 1928 年，由我國著名學者、雲南同鄉鄭易里介紹加入了中國共產黨，爲黨的地下工作做過一些事情。後來他消極脱黨，回到家鄉，在其父的名下當了一個小老闆。

四個女兒中，除大女兒早年即嫁人外，其他三個女兒，也就是浦代英、浦石英、浦瓊英，後來都相繼離開家庭，到北方求學，並參加了中國共產黨，成爲終身的革命者。

到了解放前夕，浦在廷早已年邁退休，從昆明搬回宣威養老，浦家的產業，分由三個兒子經管。那時候，浦家的火腿罐頭生意還照常在作，但賺錢不多，要養活二十來口人的大家庭，支付不小的日常開銷，實在入不敷出。幸虧家中還有田產，還開了一個煤礦，每年靠這些進款，也才僅夠維持家用。

1950 年，浦在廷病逝，終年八十。

那時候，中國人民解放軍已橫掃中國的南邊大陸，我的母親隨劉鄧大軍挺進大西南，到了四川的重慶。

聽到浦在廷病危的消息，我的母親帶着我的二姐，回了一趟宣威，趕在她的父親臨終前見了一面。

解放後，宣威火腿工業由政府接收，經過幾十年的曲折，現已擴大成爲一個具有一定規模的縣級工業企業，其產品行銷海內外，供不應求，目前正在謀求不斷擴大生產，擴大銷售。這樣的事情，正是浦在廷所夢寐以求的，也是他奮鬥了終生，而未能實現的。

縱觀浦在廷的一生，的確是一部生動的個人奮鬥史，是一個中國民族工業的開拓者的奮鬥史。他有雄心，有壯志，有膽略，有經營之道。他傾向革命，有反對封建帝制的進步性，但同時又是一個封建性相當强的舊式人物。他勇於開創一個事業的先河，但同時又受到那個半封建半殖民地的社會的限制。他一方面發展工商業，一方面又想躋身軍界，但卻同時受到軍閥官僚勢力的雙重傾軋。與沿海地區，與中心城市的那些頗有成就的中國民族資產階級代表人物和優秀實業家相比，他不能夠與之相提並論。但是，每一個中國民族資本主義的開拓者，或多或少，都經歷過與浦在廷相類似的遭遇和命運。

46. 浦瓊英到卓琳的道路

自從我長成一個梳着兩條小辮子，開始懂點事兒的小姑娘開始，我就知道，世界上最愛我的人，一個是爸爸，一個是媽媽。

爸爸老在忙工作，不大管我們，因此，對於我們來說，媽媽，自然就比爸爸更爲親近。

我的哥哥姐姐們生在戰爭環境，因爲爸爸媽媽要行軍打仗不能帶着他們，所以都是生下來不久便送到農村的奶娘家去哺養。我們五個孩子中，只有我和我的弟弟，是解放後出生的，因此也是由媽媽自己餵養長大的。大概是因爲這個原因吧，所以媽媽可能對我和我的弟弟兩個人就照顧得更多一點兒。從小兒，別人總是說我嬌氣，說都是因爲媽媽寵的。其實，媽媽是有點寵我，可是我不聽話的時候，挨打也是挨得最多的，這點，別人就不知道了。所以，對於別人的這種說法，我從小打心眼兒裏，一直就不怎麼服氣。

不管怎麼說，在我們這個家庭裏，爸爸當然是核心了，但媽媽卻是中心，我們這一群孩子，是圍繞在媽媽的身邊兒長大的。

爸爸忙，教育孩子的工作主要是媽媽的。除了生活上的照顧以外，媽媽因爲自己是個知識分子，所以特別注意從小給我們灌輸科學知識。哥哥姐姐們平時上學，住校，每到周末回家，吃完飯後，我們全家總是圍坐在餐桌前，聽媽媽“講授”各種各樣的知識，諸如什麼核裂變呀，連鎖反應呀什麼的。對於我們這些小的，不管你聽得懂聽不懂，反正都得坐在那兒聽！孩子們一邊聽，一邊插嘴議論，有時還會爭論不休。因此，這張餐廳裏的餐桌，幾十年來，就成了我們家的一個"自由論壇"。直到現在，在我們家，依然如此，只不過參與七嘴八舌的人，又多了幾個孫子輩的健將。

我是要告訴大家，我們的媽媽，不僅在生活上照料我們，在思想上，乃至在人生道路的選擇上，對於我們來說，媽媽的影響力都是非同尋常的。媽媽是北京大學物理系的學生，結果，我的哥哥，二姐和弟弟三個人，也都相繼選擇了物理這門專業，而且考上的也都是北大物理系。僅這一個例子，就足以證明，在潛移默化之中，媽媽對我們的影響力之巨大。

媽媽的經歷，不像爸爸那樣波瀾壯闊、震撼人心，但卻同樣充滿曲折而耐人尋味。這是一種完全不同的，但在那個時代卻同樣具有相當大的代表性的人生道路。

有這麼一個小女孩兒，她的名字叫作浦瓊英。1916 年 4 月，她生於雲南省宣威縣的一個工商業家的家庭。她是家中的第七個孩子，也是最小的一個孩子。

她的家，雖說不上是那種"鐘鳴鼎食之家、翰墨詩書之族"，卻也是一方名紳，富甲鄉里。

她的爸爸，是雲南著名的"火腿大王"浦在廷，她有三個哥和三個姐姐。

她是最小的女兒，自然得些便宜，從小就是父母的掌上明珠。

浦瓊英長得可能多幾分像她的爸爸，健康的膚色中，臉蛋紅紅的，好像陽光下的蘋果。兩條又黑又濃的長眉，像兩道拱門彎在頷下。一雙眼睛大大的，眼皮雙雙的，睫毛長長的。笑起來，又開心，又無拘無束，很是討人喜歡。

自打生下來的那一天起，她便吃得飽，穿得暖，萬事不用操心。因爲，上，有父親的庇蔭和母親的偏愛；下，有兄長們的呵護和姐姐們的陪伴。這種優裕的生活，使她從小養成了一種開朗，活潑，凡事不用計較，又不善盤算的性格。唯一美中不足的是，受寵的人嘛，總不免有點嬌蠻。她的二姐浦代英看不慣，有時也會背着父母"整"她一下。

到了該讀書的年齡，她和姐姐們一道，請私塾先生授業，學背三字經、百家姓、四書、五經和女兒經。說來也怪，她們的先生教書，只教背書，不教認字。所以，她們讀的竟是"白字書"！

再長大一點兒，她的父親因爲生意的關係，搬到省會昆明長住，她們全家也就都到了昆明。在昆明，浦家三個女兒：浦代英、浦石英、浦瓊英，一起上了小學。小學畢業後，她們又一起考入昆明女中，在那兒接受中學教育。

她們的生活，雖然平穩無憂，但也並不是靜水一潭。生活中形形色色的波濤，同樣衝擊着她們那少女的心靈。

雲南，地處西南，遠離中華腹地，古時爲蠻夷之地，到了近代，仍是文化落後，生產極不發達。在那裏，人們的思想雖也受過新思潮和資產階級民主革命的衝擊，但總體來說，相對沿海地區，還是大大地落後和保守。封建主義的勢力，在那裏，也更爲頑固和强大。浦在廷雖參加過國民革命，但其家庭，仍是一個典型的封建的舊式家庭。

諸位一定看過名著《家》、《春》、《秋》吧，巴金筆下的周公館，即是一個典型的四川的封建家庭。可能因爲都在西南地區，因此，雲南的浦家所發生的故事，和巨匠文豪所塑造的典型竟有這麼多的相似!

在浦家，有不止一個人參加過國民革命，但當他們回到家鄉後，回到舊式的生活環境中爲舊式的生活所包圍後，都迅速地消失了革命的熱情，逐漸落爲平凡而毫無光彩的人。老二北伐回來後，當了個開小煤礦的小老闆；老三脱離共産黨後，在家鄉並無什麼成就，還和妻子一起雙雙抽起了鴉片烟。浦在廷在回鄉之後，事業中落，也再没有恢復到往日的鼎盛。

浦家是一個大家庭，到了浦瓊英這一輩，光是叔伯姐妹，女孩子就有十三個，浦瓊英排行十三，是最小的。在她的上面，有數不清的姑姑嬸嬸姨姨姐姐。

這些浦家的婦女，生活在更爲封閉的封建囚籠之中。她們中間的一些人，更是這個大的生活體系的最低層。這些舊式家庭中的婦女，生活不能自立，婚姻不能自主，就是終日享受榮華富貴，也不過是父親、丈夫、兒子的依附品。她們中間，有的受到繼母的虐待，落下終身殘疾；有的因丈夫討小，精神鬱悶；有的嫁出門去，遭到夫家欺凌，最後吞金自殺……

浦瓊英和她的兩個姐姐，從小親眼目睹這些周圍事情的發生，從小就爲這人世間身爲女性的不平等遭遇而憤憤不平。在先生那裏，在長輩那裏，她們學的是女兒經和三從四德。在生活中，她們學到的是，在這個環境中，她們家族中那些年長女性們的不幸的悲劇，就是她們未來的命運。

在她們小小的心靈中，常常萌發出反抗的意識，但是，究竟怎樣反抗，她們卻並不知道。

只有時代的浪潮，才可以滌蕩社會的沉悶之氣。

浦家小姐妹的哥哥，從日本歸國，帶回了許多革命書籍和宣傳共産主義的小册子，三姐妹拿在手裏，十分新奇。那些革命的道理，那些真理的揭示，她們並不全懂，但讀了之後，卻如沐春風，使人耳目頓新。從此，她們開始接受了一些革命思想的啓迪。

到昆明上學以後，比起宣威來，她們感受到了更多的新鮮事物。

在中學裏，有一個音樂女教員，在課堂上，經常向學生們宣講革命，宣講共産主義，宣講耕者有其田的基本道理。浦家三姐妹，受她的感染尤爲深刻。有一天，這個教員突然被捕了。在押赴刑場的道路上，銬着手銬腳鐐的女教員，一路慷慨悲歌，一路高喊共産主義的口號。她那大義凜然、英勇赴義的場面，震撼着每一個學生的心。從此以後，共産黨人的形象，便深深銘刻在浦家姐妹的心底。

對比她們老家那些封建女性的命運，這個共産黨員女教師的形象，要高大得多，光輝得多!

追求自由，追求婦女解放，追求個性解放，追求革命的概念，逐漸在浦家姐妹的心底明確。

1931年，在北平要舉辦一個全國運動會，各省挑選代表選手參加。浦瓊英，被選爲少年組六十米短跑的代表參加了雲南省代表隊。

他們的代表隊從雲南出發了，但當他們剛剛到達香港時，“九·一八”事變爆發了。日本帝國主義大規模入侵，迅速佔領了我國的東北三省。這時，國難當頭，運動會開不成了，雲南隊只好折返。

參加運動會，固然很令人興奮，但是浦瓊英心中的目的，則是想通過參加運動會，走出家門，走出雲南，到北平去唸書。没想到剛走到香港就要返回，她實在心不甘，情不願。

這時，浦瓊英是一個十五歲的少女了，已經很有主意。她下定了決心，不回雲南。她寫信給她的哥哥，要求去北平讀書，並表示了不回雲南的決心。

她的決心，終於獲得了家裏的同意。

浦瓊英高興極了！她坐船到了上海，找到鄭易里。鄭易里是她哥哥的留日同學，是他哥哥的入黨介紹人，又和浦家有生意往來。因此，鄭易里從此便負責起來，從上海往北平，每月給浦瓊英寄生活費用。

在鄭易里的安排下，浦瓊英到了北平。

在北平，她先是投靠一個表姐，不久，便搬到基督教女青年會的宿舍去住。由於雲南文化水平和北京有一定的差距，浦瓊英在一個補習班學習了幾個月，1932 年，她考入了北京第一女子中學。

女一中是北京一所著名女校，校風淳正，思想活躍，成績優良。浦瓊英在這個新環境中，很快地就適應了，而且生活得十分愉快。

她人生來聰明穎慧，活潑開朗。學習起來，輕鬆有餘，學習之外，又結交了一些同鄉好友。許多著名人士都當過她的同學，比如著名電影演員張瑞芳，陳雲的夫人于若木，胡喬木的夫人谷雨等等。她還和張瑞芳在學校同台演過戲呢！張瑞芳演丫頭，浦瓊英演小姐。

學習之外，她和幾個雲南的老鄉一起，經常出去郊遊，去泡茶館，去戲園子聽戲，生活得自由自在，無拘無束，在家鄉的那種沉悶之氣一掃而光。

在北京，她愛上了京戲，她的一個年長的同鄉還請了人教唱。可惜浦瓊英的五音不全，不能學唱，但她年齡小，記憶好，跟在别人後面，把那些名戲名段子，全都背下來了，以後幾十年都没有忘記！

在上中學的一年間， 浦瓊英得了肺病。她到南京去住醫院，還去了一趟上海。這些，都是由鄭易里照顧的。

家裏每個月給浦瓊英五十塊大洋的生活費，這錢可不少呀！那時候，一塊大洋能買一袋麵粉。浦瓊英年齡不大，又好玩，錢是不少，可每個月也不知道怎麽地，就都花光了。她從小養成的這種大而化之，不善理財的性格，影響了終生。解放後，我們家的生活從軍事共産主義式的供給制改爲工資制，面對八口人的大家庭，一時之間，她簡直都不知道應該如何頒派是好了。

對於浦瓊英來説，擺脱了封建家庭束縛的陰影，在北平高高興興地上學，痛痛快快地生活，又不愁吃穿，生活應該是完美無缺的了。但是，那個年代，正值國難當頭，時局萬變。民族危亡感，衝擊着每一個青年學生的心，對於浦瓊英，也不例外。

東北淪陷後，許許多多的東北流亡學生聚集在北平， 他們失去了家園， 失去了親人。一曲低沉激忿的“我的家在東北松花江上”，飄蕩在這古城的大街小巷，飄蕩在大學中學的校園之中，震撼着人們的心田。

在抗日救亡運動的呼聲不斷高漲的形勢下，中國社會的各界、各階層人士均紛紛響應，以各種形式開展募捐，支援抗日軍隊，並紛紛抵制日貨以抗議日本的侵略。

要求停止内戰，要求對日本進行神聖抗戰，已成爲絶大多數中國人的心聲。

1935年，日本侵略者對南京國民政府不斷脅迫，憑藉着《何梅協定》和《秦土協定》，把侵略的魔爪伸向華北五省，加緊製造所謂的“華北自治”。

在日本侵略者昭然若揭的侵略野心面前，在馬上就要淪爲殖民地的危機面前，北平的學生，再也不能沉默了。

1935年12月9日，北平數千名學生，走上街頭，用不可遏制的憤怒，高喊“不當亡國奴”的口號。

十九歲的浦瓊英和她的同學們，也一起加入了抗議的洪流。她們走進示威遊行的行列，打着抗日的標語，高喊愛國的口號，憤怒聲討日本帝國主義的侵略暴行和南京國民政府的賣國行徑。

學生們手挽着手，肩並着肩，愛國的激情在他們的胸中沸騰；要民主、要自由、不當亡國奴的熱血在他們的身上奔流。

北平當局張惶失措，趕來鎮壓了。軍警們用高壓水龍頭向學生隊伍衝去，用警棍向愛國青年的頭上揮去。

學生的隊伍被衝散了，三十多人被逮捕了，數百人被打傷了，但他們的抗議鬥爭，卻喚起了舉國上下更加聲勢浩大的抗日救國群衆運動的浪潮。

浦瓊英和她的同學們，在“一二·九”的示威遊行中，被北平當局軍警的高壓水龍衝散了。

不久，12月16日，她們再次走出校門，要去參加更大規模的抗議活動。但是，軍警封鎖了城市，她們無法接近學生隊伍。於是乎，她們便爬上城牆，爲她們的示威同學遙遙吶喊鼓勁。

在“一二·九”、“一二·一六”兩次學生運動的激勵下，許許多多的北平學生的鬥爭覺悟和水平得到了相當程度的提高，他們之中的一大批人，從此便走上了抗日的戰場，從此便踏上了革命的道路。

參加“一二·九”學生運動，對浦瓊英來說，產生了一個思想上的質的飛躍，她那顆純潔的心，從單單追求擺脱封建主義的束縛，從單單追求婚姻自由和個性解放，上升到更開闊的政治和思想的領域，爲她在不久的將來走上革命道路，奠定了基礎。

1936年，浦瓊英中學畢業，並以優異的成績考上了北京大學物理系。

一個女孩子，在那個年代，爲什麼要報考北京大學物理系？

這是因爲，北京大學，是中國著名的高等學府，是“五四”運動和“一二·九”運動的發祥地，是中國新思潮、新文化的活躍之地，也是各種著名學者和新人物風雲際會之地。

這是因爲，學習理工科，實業救國，科學救國，仍是進步青年的理想之所在。

浦瓊英聰明好學，也比較用功，考取全國著名的大學，對她來說，意義不淺。她，乃是全雲南省，第一個能夠考上北平名牌大學的人。

說來也有意思，這個北大物理系，也實在是和她有緣。幾十年後，她的三個子女，也都相繼步她的後塵，考上了北大物理系！

當時的北京大學，分爲文學院和理學院，理學院在東城區的沙灘附近。

當浦瓊英手夾書本，進入北大學習時，她發現，這裏，又是一種新的，與中學大不相同的，但卻更爲吸引人的生活空間。在這裏，除了學習生活之外，政治氣氛也極爲濃厚。在校園裏，活躍着一個叫作抗日民族解放先鋒隊的組織，浦瓊英受進步思想的影響，參加了“民先”的外圍活動。但她當時的想法，還是要好好讀書，準備將來學成之後以興科技和辦實業來報效國家。

在這一年，浦瓊英的兩個姐姐，浦代英和浦石英終於爭得家庭的同意，也到北平來讀書。三姐妹又歡聚一堂，其興奮的心情可想而知。

但是，時局的急轉直下，打破了她們，打破了所有人的美好願望。

1937年7月7日，日本侵略軍在北平附近的盧溝橋發動了事變。

7月下旬，日本侵略軍的鐵蹄，長趨直入地踏進了古城北平。

北平陷入日本侵略軍刺刀的統治之下！

北平陷入一片恐惶和混亂！

擠擠攘攘的人流開始湧出北平。

這裏，再也不能呆下去了！

滿城上下，是一派張惶恐怖；人們的心裏，是一片亡國亡家的陰鬱。浦家三姐妹圍坐在陰暗的屋裏，抱頭痛哭！

三姐妹中的大姐浦代英，從小就意志堅決，勇於反抗，在日本的侵略日緊之時，她在北平立即加入了共產黨的外圍“民族解放先鋒隊”的組織，隨即堅定地選擇了走向革命的道路，奔赴當時中國青年嚮往的革命聖地——延安。

剩下的浦石英和浦瓊英，先被一個同鄉藏了起來，然後幫助她們化裝成普通的老百姓的模樣，在日本兵嚴格地檢查下，在寒光閃閃的刺刀之中，躲過了日軍兇神惡煞的視綫，逃出了北平。

那種日本大兵手持刺刀，荷槍實彈搜查學生和進步人士的森嚴危險局面，令浦瓊英永遠難以忘記！

逃出了北京，到哪兒去呢？青年學生的前途，究竟在哪裏呢？

出路只有一條，去延安，去投奔八路軍，去投奔革命。

浦石英患有先天性的心臟病，心臟擴大，行動已十分困難。

浦瓊英勸她：“你不要去延安了！”

浦石英説：“我就是爬，也要爬到延安去；就是死，也要死在延安!”

路不通了，她們只好從北平先到天津，從天津坐船到青島，再從青島坐火車到濟南。在濟南，好不容易在逃難的混亂人流中買到了火車票，最後到達了西安，找到了駐西安的八路軍辦事處。

通過考試，在民先組織的介紹下，浦家兩姐妹考上了在延安開辦的陝北公學。

她們興奮極了，高興極了。幾千里的行程，千難萬難，總算找到歸宿了!

她們與一隊青年學生一起，步行去延安。

在路上，他們揹着隨身的小包，走過了陝北黃土高原那特有的塬和溝；在路上，他們日夜兼程，越走近延安心情越感激動；在路上，他們擺脱了日本侵略軍刺刀的恐怖陰影，四處看到的都是抗日根據地那種异常鮮明的輕新之感；在路上，浦石英心臟病犯了，一步路也不能走了，大家幫忙，僱了匹陝北的小毛驢，馱着她。她，真是連命也不要了，硬是走了七天七夜，到達了延安。

陝北，延安，八路軍，革命、抗日……

新的天地，新的人寰。

比起那沒家沒國的日軍鐵蹄下的北平，比起那一路之上亡國逃命的瘋狂的人群，這裏，是天青月朗，人心光明。

到了陝北的聖地延安了。

那是 1937 年 11 月，冬天還未來臨，秋日依然暖人。

寶塔，在山頂豎立；延河，在青石板的河床中流淌。黃土山中，一孔一孔的窰洞成排成行；馬車道上，放牧的老倌趕着一群群的牛羊，高唱着陝北那雄渾豪放的山歌；山坡之上，山坡之下，到處可以看見身着八路軍軍服的革命軍人在行走，在交談。

在這裏，浦家兩姐妹耳目一新，精神振作。更令她們高興萬分的是，她們的姐姐浦代英也在這裏，她已經從抗日軍政大學畢業，加入了中國共產黨，還結了婚。她的丈夫，就是中國著名的工人運動家、老紅軍戰士樂少華。

三姐妹見面，真是高興極了，回想起她們在北平時那種心情極端壓抑的情景，面對即將開始的一種全新的生活，她們真是有一肚子的話，千言萬語，説也説不完！

浦石英和浦瓊英雙雙進入陝北公學。

陝北公學，是爲了培養幹部，在延安建立的一所學校，1937年9月剛剛成立，專門招收來自全國各地的進步青年。在這裏，學員們要接受馬克思主義哲學、政治經濟學、群衆運動等課程的教育。婦女運動這門課，是由著名婦女領袖蔡暢親自講授的。

三、四個月後，浦家姐妹畢業了。浦瓊英被分配在陝北公學的圖書館工作。浦石英因身體不好，暫時分在小賣部工作。

1938年初，浦家姐妹雙雙加入了中國共產黨。

浦瓊英在陝北公學擔任了一期女生一大隊隊長之後，被調到陝甘寧特區政府保安處的一個特別訓練班學習。

大概是因爲浦瓊英天性活潑，聰明好學，所以，上級領導認爲她有進行敵後秘密工作所需要的各種長處，因此把她調到特訓班加以培訓，準備以後派到日本佔領區，也就是敵後，去從事抗日工作。

這時，因工作需要，浦瓊英改名爲卓琳。

時間過得真快呀！　一晃，兩年的時光眼看着就快要過去了。

那些從全國各地投奔延安，投奔革命的進步青年，很快就都習慣了延安那種既艱苦，又充滿生機和戰鬥性的生活。很快，他們就都與神聖的抗戰事業和革命事業融爲一體。

這些革命青年和知識青年的參與和加入，使得中國共産黨和八路軍的隊伍中增添了不少的新鮮活力，極大地壯大和豐富了革命和抗日的隊伍。

而那個原來的浦瓊英，也已從一個活潑樂天，不知愁苦的青年大學生，轉變爲一個把自己的終生奉獻給革命事業的共産主義戰士和一名矢志不渝的革命工作者。

從浦瓊英到卓琳的道路，比起許許多多老革命家來説，也許不那麼富於傳奇色彩，不那麼激動人心。但是，這條既平凡而又不平坦的道路，卻是千百萬個進步青年爲了追求光明，爲了投身抗日，爲了走向革命而走過的一條共同的道路。

這條路不如井岡山之路那麼輝煌，不如長征之路那樣壯烈，但它是延安之路，是另一個時代的通向真理和革命的光明大道。

這條道路所匯集起來的，是青春的力量，是沸騰的熱血，是萬衆一心的蓬勃向上的强大精神。

1939 年夏末時光，經人介紹，卓琳認識了一個人，名字叫作鄧小平。

她也是有點不諳世故，也是有點糊裏糊塗的，她只知道他是一個老紅軍戰士，是一位前綫的抗日將領，但是，這個人到底是幹什麼工作的，到底他擔負着什麼樣的責任，她卻一點兒也没有搞清楚。其實，她對於世事實在還是涉足不深，你就是從頭到尾、一五一十地告訴她，她可能也還是弄不明白。

反正，是革命的共同理想，是對生活的共同追求，把他們聯繫到了一起。

1939 年 9 月初的一個傍晚，在延安，在楊家嶺，在毛澤東的窰洞前，舉行了一個聚餐。當時在延安的中央的高級領導人，能來的都來了。毛澤東和夫人江青，劉少奇，張聞天和夫人劉英，博古，李富春和夫人蔡暢，等等，都來了。

在斯時斯夜，有兩對新婚夫婦結婚。一對是鄧小平和卓琳，一對是孔原和許明。

孔原，是1924年參加革命的老共産黨員，其時在中共中央特别委員會任副主任。解放後，他歷任海關總署署長、對外貿易部副部長、中共中央調查部部長等職，是一位著名的革命活動家。他的新婚妻子許明，是一位有才華有能力的婦女幹部，解放後曾擔任中華人民共和國國務院副秘書長。這兩個人，性格人緣都很好，都是延安的活躍分子。

在這個延安特有的聚餐加婚宴上，没有什麼山珍海味，没有奢華的場面。在黄土窰洞外面，木板搭成的桌子，上面同樣是平時吃的延安特有的金黄色的小米飯。就餐者，雖都係延安的顯赫人物，但都同着土布做的八路軍軍服，腳踏布履，膝上補丁。

兩對新郎和新娘一起照了一張像，由於照像技術不高，相片有點模糊。在相片上，他們四個人並肩而站，没有婚紗，没有禮服。一件土布的八路軍軍服，襯托出簡樸的情操；明朗的笑容，表現出了革命者那幸福而崇高的心境。

這，也的確是延安才特有的聚餐和婚宴，來客都是未來中華人民共和國的中流砥柱。他們都是叱咤風雲的偉人，都是久經戰場的勇士，都是親如手足的戰友。借着這兩對新人的結婚喜慶，大家簡簡樸樸地，卻是歡歡喜喜地，親親熱熱地聚會一堂。

在那歡樂的氣氛中，席間，也不乏好事之人，那些革命老戰士，居然也童心大發，也像一個普通老百姓一樣地樂於捉弄新郎官兒。孔原被灌醉了，害得新婚之夜就挨了許明的數落。鄧小平是幸運的，他有敬就飲，竟然未醉。

事後，劉英問張聞天："小平的酒量真大呀！"張聞天笑着說："裏面有假！"原來，還是李富春和鄧發念着友情的份上，弄了一瓶白水權充作酒，才使得他們的老友鄧小平免於一醉！

微風陣陣徐來，夜深月涼如水。

延安城內已漸人寂，軍號之聲在遠山上悠遠迴蕩。

酒已酣然，人也暢然。

在延安楊家嶺毛澤東的土窰前，中國共産黨和八路軍的這些老戰士們，以淳情樸素的方式，爲他們的老戰友操辦了婚事，爲將要奔赴前綫的戰友舉杯送行。

周恩來和鄧穎超没有來。因爲周恩來在騎馬時正碰上江青不顧他人地揮鞭疾駛，周的馬驚了，周因此落馬摔傷。此時，他已赴蘇聯去治手臂的傷。若非如此，他一定會來的，也一定會爲他的親密戰友而開懷暢飲幾杯的。

幾天以後，夏末的晨光剛剛照在延安的黄土山上，天上地下一片金黄。卓琳，和她新婚的丈夫一起啓程，奔赴前方，奔向太行。

此時，鄧小平三十五歲，卓琳二十三歲。

47. 在太行山上

紅日照遍了東方，
自由之神在縱情歌唱。
看吧，
千山萬壑，銅壁鐵牆，
抗日的烽火，燃燒在太行山上，
氣焰千萬丈，
聽吧，
母親叫兒打東洋，
妻子送郎上戰場。
我們在太行山上，
我們在太行山上，
山高林又密，
兵強馬又壯，
敵人從哪裏進攻，
我們就叫他在哪裏滅亡！
……

這是太行山人，唱出的一首氣勢磅礴的抗日之歌。

這首歌，直到今天，仍爲充滿愛國激情的中國人所高聲詠唱。

太行山，由北向南，綿沿七百多公里，巍峨矗立在華北大地之上。它，一般海拔一千五百到二千米，像一道天然屏障，把華北大地一分爲二。

在它的西面，是山西那山丘縱橫的高原山地；在它的東面，便是河北、河南那一望無際的廣袤而豐饒的華北大平原。

在華北，在太行山上，由朱德、彭德懷率領的八路軍總部，在抗日前綫，堅强地領導着八路軍的抗戰鬥爭。

在華北，在太行山上，由劉伯承、鄧小平率領的八路軍第一二九師，在中共中央、毛澤東和八路軍總部的指揮下，正在與日本侵略軍刺刀相接地開展着艱苦卓絶的，但卻是英勇頑强的正義之戰。

太行山，在華北地區，就像一道堅强的民族抗戰的脊梁，傲然挺立。

二十世紀三十年代末葉的最後幾頁，是在一種極其錯綜複雜的形勢和危機四伏、險象環生的氣氛中翻了過去的。

在中國，武漢、廣州先後失守以後，日軍長趨直入，進入了華北和華中腹地。控制了我河北、山西、山東、江蘇全部，河南、安徽、湖北、江西、浙江、廣東一部，及海南全島。

日本侵略軍雖然佔領了我東北、華北、華中、華東及華南的大片領土，但是，其戰綫拉長，兵力不足，人力物力消耗巨大的弱點日漸顯露。到了 1939 年，我八路軍、新四軍已在華北、華中的廣大敵後戰場，開闢了十數個抗日根據地，活躍在敵後的各條戰綫上，形成了與日軍犬牙交錯的戰爭形態，主動出擊，與敵抗戰，消耗和牽制了日軍大量兵力，使得日本侵略者不得不停止了進一步向前延伸的侵略步伐。

中日戰爭，轉入了戰略相持階段。

在日本侵略軍進行瘋狂的侵華戰爭的同時，歐洲的法西斯德國，也正在加緊對外擴張。當時整個世界的局勢，真可謂烏雲滿天，暴風雨即來。主要西方國家的領導人，都在睜大了眼睛，頻繁交道，緊密磋商，想要找出辦法扼制希特勒瘋狂畢露的擴張野心。

西方的局勢變幻，勢必影響到東方戰爭格局的變化；國際上的陰謀與妥協，也必然會波及中國而影響到中國國內各派勢力的消長。

1939年9月1日，德國法西斯侵入了受英、法保護的波蘭。3日，英、法對德宣戰。

第二次世界大戰在歐洲開始。

爲了專心對付德國和意大利法西斯，英、美、法等西方國家採取了在東方極力避免與日本直接衝突的方針，對日本推行綏靖主義政策，積極策劃"東方慕尼黑"陰謀。①

日本正面大規模侵略的停止，英、美等國的陰謀活動，對中國的抗戰形勢產生了嚴重的影響。

日本一改過去"不以國民政府爲對手"的立場，轉而對國民黨採取以政治誘降爲主、軍事打擊爲輔的策略，並鼓勵國民黨反共，以達到"以華制華"的目的。與此同時，日軍確立了以保守佔領區爲主的方針，逐步將其主力用以打擊八路軍和新四軍，並將其攻擊重點置於華北地區。

在這種錯綜複雜的形勢之下，中國的抗日戰爭開始出現妥協投降和分裂倒退的危險。

1938年12月，國民黨副總裁汪精衛潛至河內，公開投敵叛國，由親日派蛻變爲可恥的漢奸賣國賊，並在以後在南京公然成立了與重慶對立的汪僞政權。

由蔣介石爲代表的親英美派，在背後多種勢力的影響下，逐漸轉爲消極抗戰、積極反共，並於 1939 年 1 月在國民黨五屆五中全會上確定了“溶共、防共、限共、反共”的方針，此後便密令國民黨軍隊進攻八路軍、新四軍。同年 12 月，國民黨胡宗南部悍然大舉進攻中共中央所在地陝甘寧邊區，閻錫山部在山西全境進攻共産黨領導的新軍，由此掀起了第一次反共高潮。

針對國民黨頑固派的所作所爲，中共中央提出了“堅持抗戰，反對投降，堅持團結、反對分裂，堅持進步、反對倒退”的政治主張，號召全國人民向反共頑固派作鬥爭。

與此同時，中共中央發出指示：“我黨我軍對於局部武裝衝突的立場是明確的自衛原則，人不犯我，我不犯人；人若犯我，我必犯人”!

一邊是日本侵略者大規模“清剿”“掃蕩”的開始，一邊是國民黨頑固派滋事挑釁的進犯。當鄧小平在延安參加完政治局會議回到太行前綫之時，他所面臨的，正是這樣一種險惡的戰爭局面。

父親一行於 1939 年 9 月份回到太行山。

母親留在了八路軍總部，擔任婦女訓練班的隊長。父親則没有停留，馬上趕回了一二九師師部，遼縣的桐峪村。

一到師部，父親立即投入了緊張的工作。

10 月初，父親在一二九師幹部會議上作了報告，傳達中央政治局會議精神及佈置工作。

父親在報告中，首先，開宗明義地就講目前形勢的特點，指出投降的傾向已成爲目前時局中最大的危險，而反共思想，則是爲投降所作的準備步驟。他詳盡地從中方、日方、國際、國内等各方面分析了形成這種局面的原因。接着，他闡述了抗戰相持階

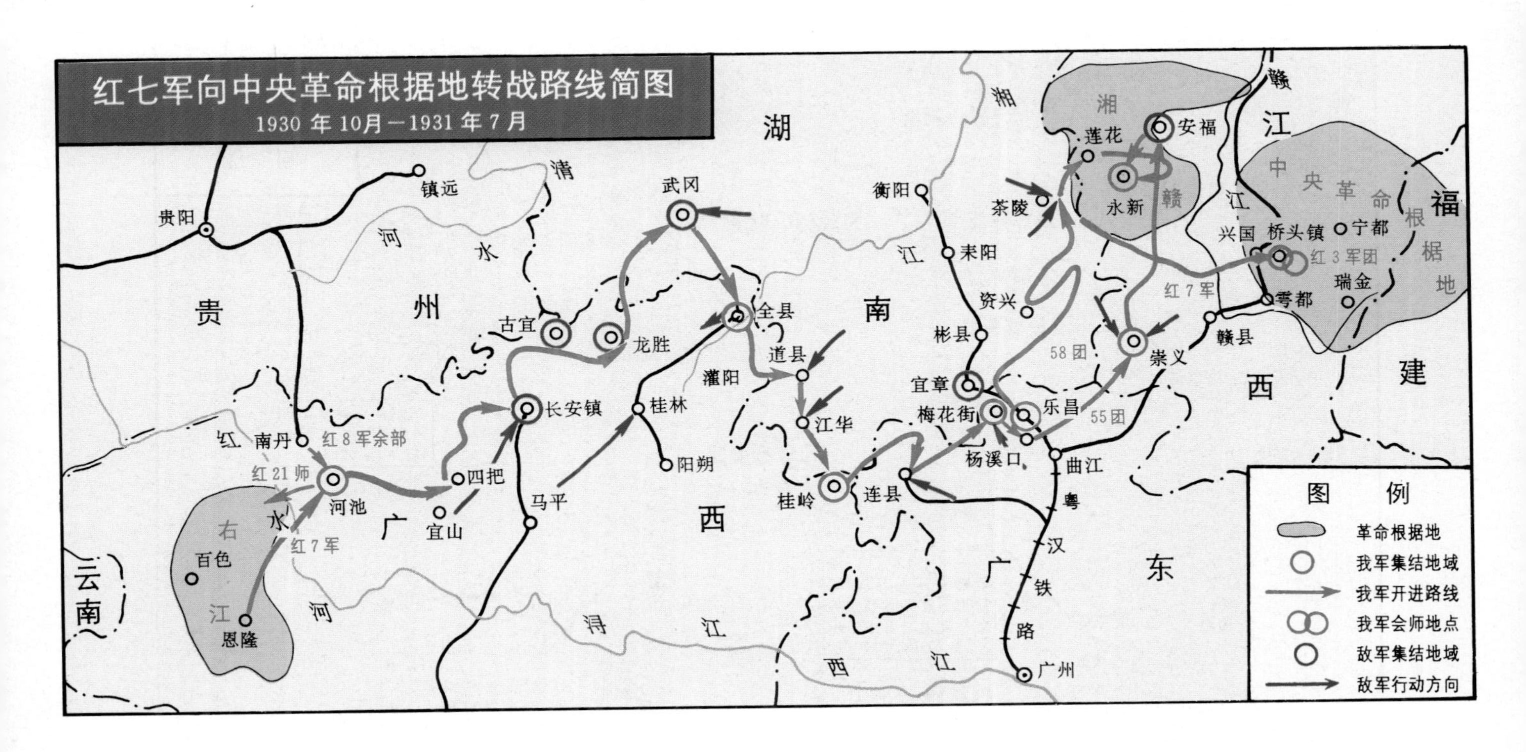

红七军向中央革命根据地转战路线简图
1930年10月—1931年7月
图例
革命根据地
我军集结地域
我军开进路线
我军会师地点
敌军集结地域
敌军行动方向
贵阳
镇远
武冈
古宜
龙胜
全县
道县
灌阳
长安镇
桂林
阳朔
江华
桂岭
连县
南丹
红8军余部
红21师
河池
四把
宜山
马平
红7军
百色
恩隆
衡阳
耒阳
资兴
彬县
宜章
梅花街
乐昌
杨溪口
曲江
广州
茶陵
莲花
安福
永新
58团
55团
崇义
赣县
雩都
兴国
桥头镇
宁都
红3军团
瑞金

中国工农红军第一方面军长征路线简图(1934年10月—1936年10月)

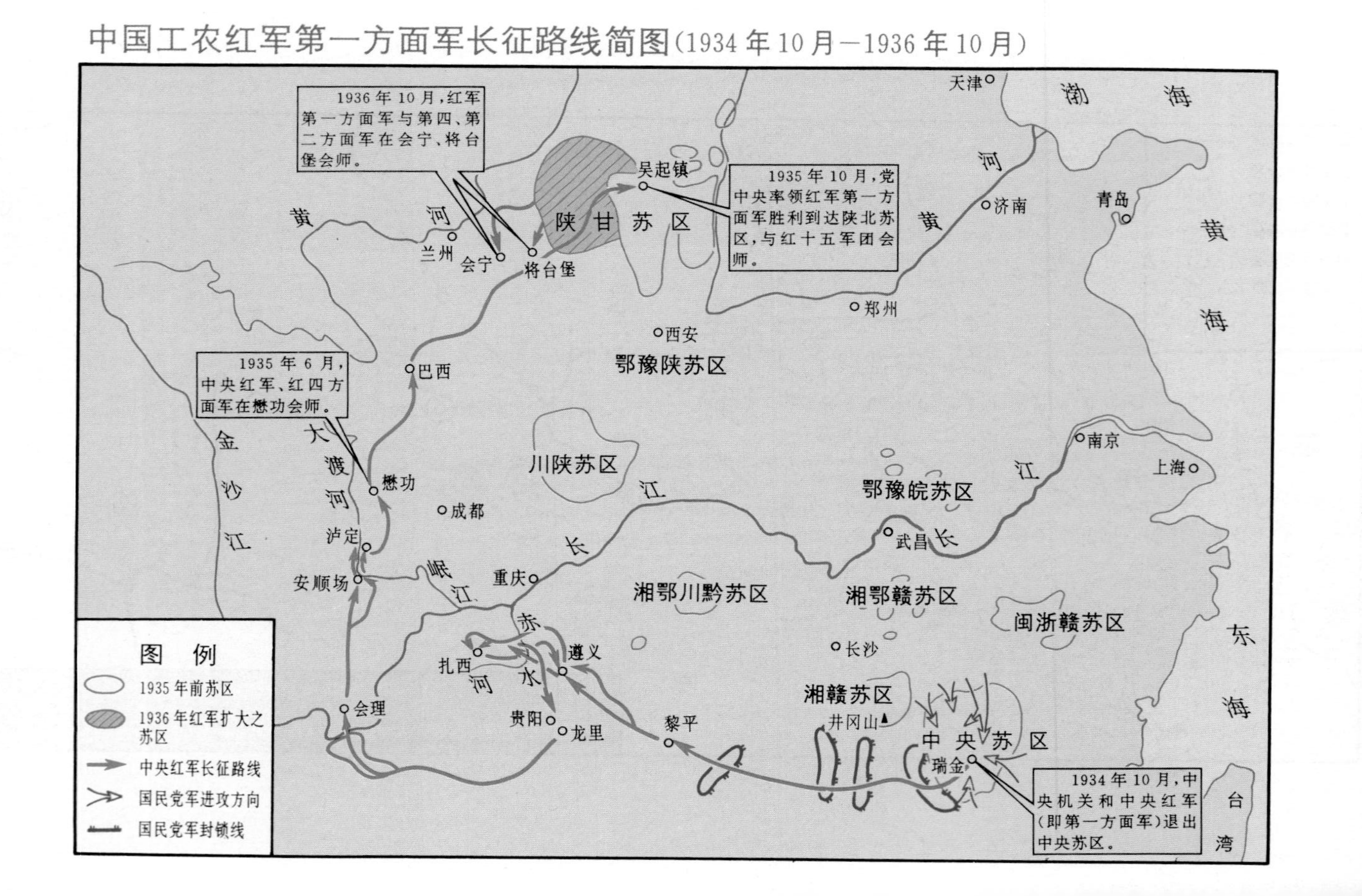

晋冀鲁豫解放区军事地理简图
石家庄
晋察冀解放区
晋西北解放区
太原
榆次
平定
太行山
和顺
西河头
辽县
榆社
桐峪镇
汾阳
平遥
石清山
涉县
邯郸
峰峰
磁县
长治
林县
临汾
陵川
沁水
晋城
辉县
新乡
闻喜
王屋山
济源
焦作
永济
潼关
洛阳
郑州
开封
许昌
漯河
上蔡
高邑
南宫
邢台
冀南军区
馆陶
德州
禹城
胶济路
济南
聊城
昆山
寿张
济宁
濮阳
滑县
长垣
荷泽
金乡
定陶
兖州
微山湖
杞县
商丘
夏邑
徐州
华中解放区
山东解放区
冀鲁豫军区
太行军区
太岳军区
中原解放区
正太路
同蒲路
白晋路
平汉路
德石路
津浦路
陇海路
中条山
黄河

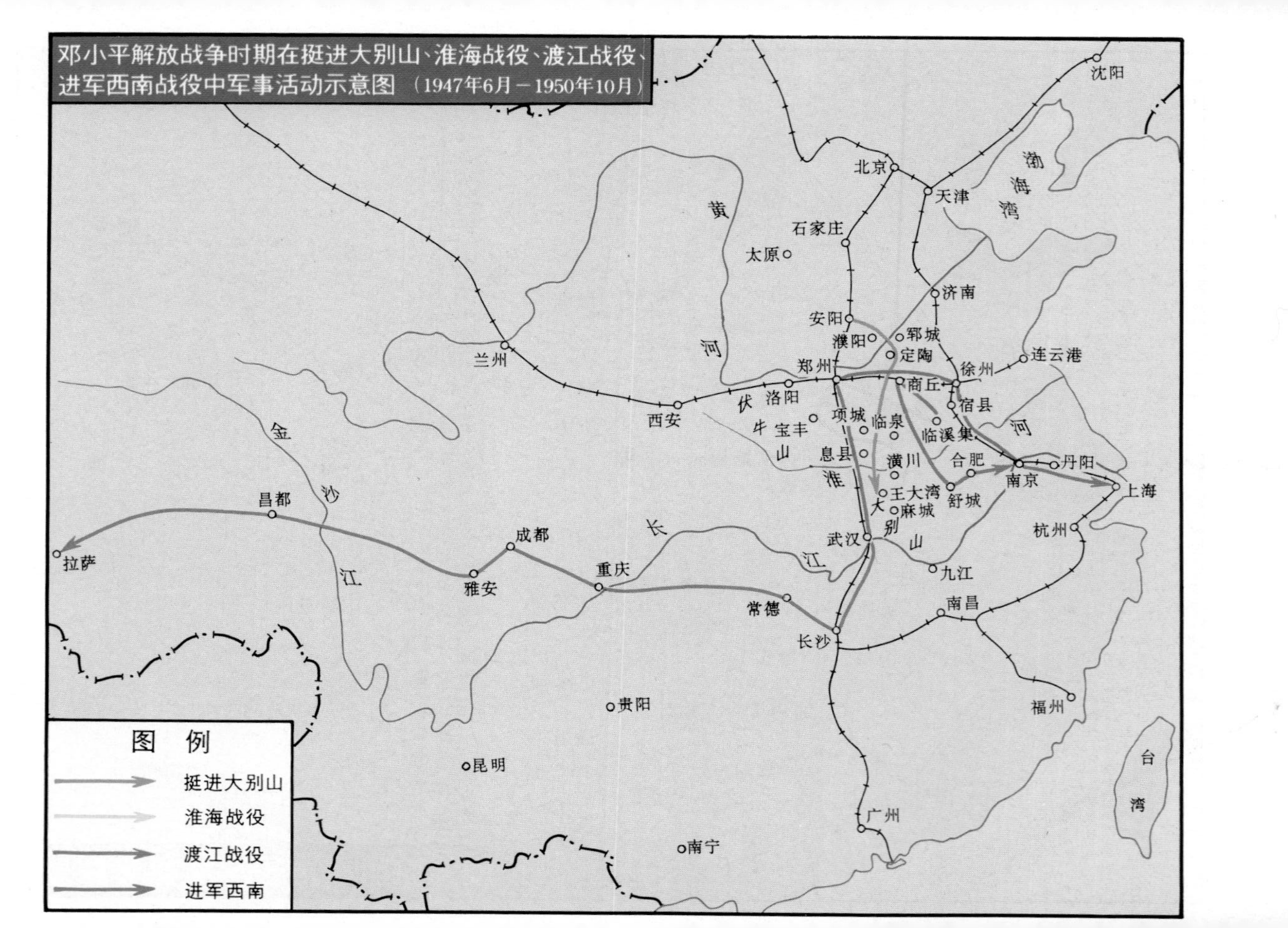

邓小平解放战争时期在挺进大别山、淮海战役、渡江战役、进军西南战役中军事活动示意图（1947年6月－1950年10月）

段的特點，以及國際國內條件的演變對中國抗戰的有利的和不利的諸多影響。他在報告中着重指出，在這一階段，黨和全民族面臨三大任務，一是動員一切愛國力量，開展反對投降的鬥爭，爭取最後的勝利；二是中國共產黨要加强自身的建設，隨時準備應付一切意外事變；三是無論發生何種情況，黨的基本任務將仍是鞏固和擴大抗日統一戰綫，堅持國共合作，堅持抗戰。最後，他指出了堅持華北敵後抗戰的重要性，分析了能夠繼續在廣大人民群衆支持下堅持華北抗戰的各種有利條件，並詳細地在政治、軍事、組織、紀律、經濟等方面佈署了今後的工作。

這篇詳盡的報告記錄稿，是由當時在一二九師擔任組織部長的老紅軍張南生記錄下來的。今天，我們能夠看到這篇報告的記錄，還有一個感人的故事。

張南生是福建連城人，青年時期便參加革命，在艱苦的軍旅生涯中，他有一個愛好，就是記日記。從紅軍時期開始，他就不間斷地記日記，一記，就記了幾十年。1989 年，他病逝於北京。他的夫人林紉籬，雖身患重病，但爲了完成張南生的未了心願，七十多歲的大林阿姨，把劉伯承和鄧小平，這兩位他們所崇敬的老首長的講話，也就是張南生在長達十年的時間中所記錄下來的劉鄧的講話，硬是從張南生那幾十本日記的瀚海之中，一篇一篇地尋找出來，又一筆一字地抄錄了下來。她這一抄，就抄了整整幾年。她這一抄，就抄了十幾萬字。抄好以後，她還編了目錄，編了頁碼，工工整整地裝幀完畢。

1992 年 5 月的一個春暖花開的日子，大林阿姨和原一二九師政治部副主任、我國著名外交家黄鎮的夫人朱琳阿姨，一齊來看我的媽媽。卓琳、朱琳和大林，是太行山有名的“三林”。當年的老朋友又聚在了一起，三個老太太，個子差不多，胖瘦差不多，頭髮都已灰白，但說說笑笑的那股子高興勁兒，還像她們在太行山的時候一樣兒!

大林阿姨從包裹拿出了她抄正的鄧政委的講話，送給了我的媽媽。當我手捧這沉甸甸的厚厚的一大本，長達七萬多字的手錄之時，我的眼睛都潮濕了。

我的感動，一爲難得張南生這細心的十年的記錄，二爲大林阿姨那認真的一筆一劃的抄正，三爲一二九師的老戰友們對劉鄧首長的那一片真摯的戰鬥情感和崇敬之心。

大林阿姨抄正的劉帥的講話，她已經送給了劉帥的遺孀汪榮華阿姨。

鄧政委的這七萬多字的講話記錄，的確十分珍貴。它填補了我父親在抗日戰爭和解放戰爭這十年中許多歷史的資料空白。這些原始的講話記錄，我正在請專家予以整理，希望將來能爲鄧小平的文選增添一分內容。

話，還是說回來吧。

父親和他的司令劉伯承，一面積極貫徹中央政治局會議的精神，一面緊張地工作，準備迎戰日僞敵軍的進犯和國民黨頑固派的挑釁。

在廣大敵佔區不甘當亡國奴的人民群衆的支持和直接參與下，一二九師各部隊，主動向侵略者出擊，以求在長期作戰中，不間斷地打擊敵人，積小勝爲大勝。

從8月下旬到12月初，在1939年的下半年的三個多月之中，一二九師共進行大小戰鬥二百餘次，斃傷日僞軍二千八百餘人，擊落敵機一架。這些打擊，使得日軍侵佔的公路、鐵路不斷遭到破壞，運輸不時中斷，敵軍的行動更加被動。

12月，八路軍總部命令一二九師在邯長大道上，利用日軍換防後兵力減少的機會，發起邯長戰役。

戰役 12 月 8 日開始，連續進行了幾十次激烈的戰鬥，至 12 月 26 日結束時，共斃傷日僞軍七百餘人，收復據點二十三處。更爲重要的是，我軍勝利地收復了太行山區的黎城和涉縣兩城。

公元 1940 年元旦來臨了。

還是在那個太行山遼縣的小山村桐峪鎮中，一二九師直屬隊全體在大操場集合，進行團拜。當時由劉鄧首長訓話。

在歡樂的氣氛中，劉鄧與全體直屬隊一起會餐，之後，劉鄧又講了話。

鄧政委的講話，提出了一二九師在 1940 年的工作綱領，即在政治、軍事、衛生、供給等等各方面進行建設，要求提高幹部的政治責任心。他指出，1940 年將是鬥爭最殘酷的一年。他說，今天是新年，應萬象更新，革除舊弊。②

是啊，新年伊始，二十世紀四十年代的第一年來臨了，無論從什麽角度來說，這一年都應該是全面抗戰取得更大成績的起點。但是，國民黨卻故態復萌，偏偏認爲，日軍停止了大規模進攻，又可以騰出手來打共產黨了！

時局，對於共産黨八路軍來說，變得更加險惡了。

1940 年 1 月，蔣介石下令逼迫八路軍撤至白晉鐵路以東、邯長大道以北。國民黨軍隊隨即分兵幾路，向我根據地軍民壓迫和進攻。

爲了粉碎蔣介石和閻錫山的進攻，一二九師研究局勢，決定利用國民黨軍隊内部的矛盾，先打最反共的孫楚，鞏固太岳。在三八六旅旅長、一二九師名將陳賡的指揮下，一二九師部隊給予蔣軍以堅決而又沉重的打擊，鞏固了太岳根據地，並恢復了太南部分地區，與此同時，還壯大了我軍的有生力量。

閻錫山也是一方霸主，素來與中央正統的蔣介石相互嫌隙，這次他打擊共產黨的陰謀未能實現，自身力量卻被削弱，又讓蔣介石乘隙而入，真是“偷鷄不成反折把米”。最後，於2月下旬，閻錫山與毛澤東派來的代表達成了和解協議。

這，是1940年國共磨擦的一個回合。

國民黨的另一支由朱懷冰率領的部隊，與鹿鍾麟等會合，於1939年底向我太行山北部抗日根據地發動了進攻，殺害抗日群衆，摧殘抗日民主政權。劉伯承曾親赴冀西，向朱懷冰、鹿鍾麟等人進行工作，曉以民族大義，但爲朱、鹿等人所拒。在反共頑軍大舉武裝進攻的局勢下，八路軍被迫反擊，於1940年1月，將頑軍一部八千餘人的大部消滅。慘重的失敗，使得朱、鹿率部於2月一起南撤。

這，是又一個回合的磨擦。

1940年2月初，國民黨軍石友三部向冀南八路軍大舉進攻，並公開勾結日本侵略軍，配合日軍“掃蕩”。毛澤東命令：一二九師堅決徹底消滅之。一二九師組織了冀南反頑戰役。從2月9日到16日，激戰之後，石友三主力遭到重創，在日軍掩護下倉惶撤退。冀南反頑戰役，以逐石友三出冀南而告勝利結束。

這，是第三個回合磨擦的結局。

毛澤東說：“在抗日統一戰綫時期中，鬥爭是團結的手段，團結是鬥爭的目的”。

爲了徹底打破頑軍的反共進攻勢態，八路軍總部決定進行衛東戰役和磁武涉林戰役。

2月22日，衛東戰役開始。

我一二九師十七個團，經過連續英勇作戰，至4月8日，在平漢路以東，消滅石友三等國民黨頑軍六千餘人，將其驅逐至冀魯豫區邊沿，一改冀南嚴重的形勢，堅持了冀南和冀魯豫抗日根據地。指揮和參加這次戰鬥的有程子華、宋任窮、楊得志、李聚奎、陳再道、劉志堅等重要將領。

3月5日，磁武涉林戰役開始。

一二九師政委鄧小平親赴前綫指揮。磁縣、武安、涉縣、林縣地區駐有國民黨頑軍二萬二千人，其中朱懷冰部二個師共八千餘人。鄧政委說："朱懷冰是進攻我們的急先鋒，根據目前頑軍的態度，我們的作戰意圖應該是集中主力殲滅朱懷冰部。"一二九師用兵十三個團，憑着有利的時機和正確的判斷，利用頑軍內部矛盾，打擊最反動者，爭取中間，採取了迅雷不及掩耳的包抄穿插戰術，僅用了五天的時間，共殲頑軍一萬餘人。反共先鋒朱懷冰幾乎全軍覆没。磁武涉林戰役，正如毛澤東所說："不鬥則已，鬥則必勝"！參加此役的有李達、桂幹生、周希漢、王樹聲等高級將領。

磁武涉林戰役取得的重大勝利，標誌着一二九師和晉冀魯豫根據地人民反對國民黨頑固派的第一次反共高潮取得了決定性的勝利。

這時，毛澤東及時指示鬥爭"適可而止"，並決定向國民黨作出重大讓步，使得緊張局勢得以緩和。

這樣做，最終的目的，還是爲了鞏固來之不易的抗日民族統一戰綫，團結一切可以團結的力量，以共同抗擊中華民族的共同敵人，日本侵略者。

在一系列與反共頑軍鬥爭中，劉鄧領導下的晉冀魯豫根據地進一步得到了鞏固，全區武裝力量擴大到十一萬人，部隊軍事政治素質也大爲提高。一二九師完全控制了冀南全部、太行北部、太岳北部共七十一個縣，約八百萬人口的廣大地區。

1940年4月11日，爲了統一太行、太岳、冀南三個區的領導，成立了太行軍政委員會，鄧小平爲書記。

4月11日，中共中央北方局在太行山黎城召開了太行、太岳、冀南地區的高級幹部會議。北方局書記楊尚昆作了關於形勢和統一戰綫中的策略問題的報告。會議總結了抗戰三年以來華北敵後抗戰的經驗，提出了建黨、建軍、建政三大方針，提出積極打擊日本侵略軍的“囚籠政策”的任務。

與國民黨反共頑固派的鬥爭休兵未幾，一二九師在劉鄧首長的率領下，馬上又投入了對日本侵略者的戰鬥之中。

日本侵略軍爲了摧毀抗日根據地，以鐵路爲柱，公路爲鏈，碉堡爲鎖，輔以封鎖溝和封鎖牆，對抗日民主根據地實行包圍及網狀分割。這種方式，被劉伯承將軍稱之爲“囚籠政策”。

爲了破壞敵人鐵路、公路等交通命脈，打破“囚籠政策”，劉鄧號召全區軍民“面向交通綫”，部署了大規模破擊鐵路、公路的作戰行動，實施對平漢綫、白晉綫、德石綫的破擊。

隨後，由劉鄧親自指揮，於5月進行了白晉戰役。該役在一天兩夜之間，徹底破壞白晉鐵路五十公里，毀橋五十餘座，炸毀敵軍火車一列，斃傷敵人三百五十餘人。此役之後，一二九師於三個月中，連續進行大小破擊戰四十餘次。

在實行破擊戰的同時，一二九師一面堅決打擊僞軍的囂張氣焰，一面反擊了日軍數次的“掃蕩”。在這些戰鬥中，英勇的太行山人，有效地打擊了日軍的“囚籠政策”。

1940年夏秋，國際時局向着惡性的方向變化，德國、意大利法西斯在歐洲大陸取得了令人瞠目的戰爭成果。9月，日本與德國、意大利結成了三國軍事同盟，並加緊了對中國的侵略和控制。中國的國民黨，在日本强大的政治、軍事壓力下，更加動搖，妥協的危險空前嚴重。

毛澤東指出："我們應該估計到最困難最危險最黑暗的可能性"。③

爲了粉碎日軍對華北我軍的全面進攻，打擊其"囚籠政策"，克服國民黨投降的危險，從1940年8月開始，我八路軍在總司令朱德，副總司令彭德懷的指揮下，向華北敵佔交通綫和各據點發動了大規模進攻戰役，即震驚中外的"百團大戰"。

在長達三個半月的時間裏，經過兩個戰役階段和反擊日軍報復"掃蕩"的作戰，我軍使用兵力一百零五個團，二十餘萬人，作戰一千八百二十四次，斃傷日軍二萬餘人、僞軍五千餘人，破壞鐵路四百七十四公里、公路一千五百餘公里、橋梁隧道二百六十多處。我軍傷亡一萬七千餘人。

百團大戰，是抗日戰爭中我軍在華北地區發動的一次規模最大、時間最長的帶戰略性的進攻戰役。我華北軍民，幾十萬人之衆，與日本强敵進行了殊死的浴血奮戰，其規模之壯，其聲勢之大，震撼了中華大地。

一二九師在百團大戰中，與其他兄弟部隊並肩戰鬥，在破擊和反"掃蕩"作戰中，取得了輝煌的勝利，總計破壞鐵路二百四十餘公里、公路五百餘公里，進行了大小戰鬥五百二十九次，一度收復縣城九座，斃傷日僞軍七千五百餘名。

在三個月的時間中，劉鄧親臨戰鬥的第一綫，親自實施戰場指揮。他們時而翻越太行山，時而行軍數十里。有一天，頭上敵人的飛機炮彈打到了他們所住的山洞門口，劉鄧出來看了看，冒着敵人密集的炮火，起程又走。危情一過，安營紮寨，鄧政委就又召集開會，作報告，講局勢，講政策。

那是11月，在宋家莊，"滿地的穀子黄得似金子，被風和太陽弄得憔悴如柴。包穀倒栽在地裏，滿地未收的黄豆被雨淋後爬在地下。許多村莊不見一個房子，連土地廟也被炸彈炸壞了。敵人的燒殺摧殘根據地，傷悲慘狀難以形容。鄧政委立即動員各部隊，幫助群衆收拾家屋和搶收莊稼，無論什麼人都得到，不能偷懶。”④

1940 年的秋冬時光很快就過去了。

時間過得快，是因爲戰事匆匆，是因爲“掃蕩”和反“掃蕩”的鬥爭進行得那麼樣的頻繁。

在這一年之中，在戰爭之外，還有幾件事值得一記。

一件事是拍電影。

2月 23 日，在桐峪，楊國宇“同劉師長、鄧政委、李達參謀長等，到村外去拍電影片，大多没參加過，有的還没見過電影。攝影師是從延安來的，有人説是蘇聯派來的。一會兒叫我們坐下，一會兒又叫躺下，一會兒又叫起來用筆在紙上寫字，弄得我們煩了，板起面孔像個木頭人。攝影師越叫我們自然一點，我們越不自然，結果拍不下去。劉師長對攝影師小徐説了句‘自然而然，然而不然’，説得鄧政委也同大家一起笑起來而自然了。”⑤

這大概是父親第一次拍電影，這段片子也不知今在何方。不過，父親平時連像都不願意照，更別説拍電影了。要讓他作到自然而然，也的確夠不容易的!

一件事是有關安家。

9月份，我的媽媽從八路軍總部調到一二九師師部，在秘書科工作。從此，她和父親一起，行軍、打仗、跑“掃蕩”。雖然他們因戰事而時而匯合，時而分離，但對於父親來説，總算有個家了。儘管這個家，乃是一個居無定所之家，乃是一個前綫戰地之家。

1940年12月4日，一二九師師部到達山西境内太行山涉縣的赤岸村。

從此，赤岸，這個在峰巒重叠的太行山區之中的小山村，這個清漳河畔的連地圖上都找不到的無名之地，便成爲一二九師師部的所在地，在此以後長達五年的時間裏，成爲晉冀魯豫根據地的心臟和首府。

劉伯承和鄧小平，就在這個小村莊的一個很小的廟宇小院之中，駐紮了下來。

劉鄧在這個簡陋樸素的駐紮之地，將指揮太行山人去進行更多的戰鬥，將與太行山人共同渡過更加艱苦卓絶的戰鬥生活。

注:

① "慕尼黑"陰謀，指1938年，英、法等國爲了謀求同德、意法西斯的妥協，並把法西斯侵略的矛頭引向蘇聯，於9月30日與德、意法西斯簽訂了出賣捷克民族的慕尼黑協定。

② 楊國宇《劉鄧麾下十三年》，第139—141頁。

③ 毛澤東《關於形勢的估計及對國民黨可能進攻的對策》，1940年10月25日。

④ 楊國宇《劉鄧麾下十三年》，第181—182頁。

⑤ 楊國宇《劉鄧麾下十三年》，第153頁。

48. 艱苦歲月

從1937年“七·七”事變的爆發，到1940年底，中華民族對日本侵略者的戰爭，已經經歷三年多的時間了。

中國國內錯綜複雜的政治形勢，使得抗戰局面也變得異常複雜。而這幾年中國際上所發生的形勢巨變，又使得中國的抗戰形勢變得更加前途不清。

但是，不管是日本侵略者的野蠻侵略，還是國民黨頑固派消極抗戰、積極反共的卑劣行徑，都沒有，也不能夠阻擋共產黨軍隊的抗戰決心。

共產黨的軍隊，經過英勇卓絕的艱苦奮戰，不僅鞏固了華北敵後的抗戰，而且發展了華中和華南的抗戰，在兩年之中，以並不強大的武裝力量和簡陋的武器裝備，抗擊了百分之六十左右的侵華日軍以及全部僞軍，粉碎了敵人千人以上至五萬人的“掃蕩”近百次，作戰萬餘次，殲滅大量日僞軍。

在正面對日軍作戰的同時，共產黨的軍隊，還要對付從背後襲來的國民黨頑固派的戰爭挑釁，打退了國民黨頑固派發動的第一次反共高潮。

共產黨的武裝，在廣大愛國、愛土、愛家的抗日群衆的直接支援和參加下，在左右開戰的同時，建立、鞏固和發展了抗日民主根據地。到1940年底，我軍部隊發展到五十萬人，根據地人口達一億之多。在華北，在華東，我各根據地相繼建立了抗日民主政權，並及時地在農村實行了減租減息政策。這些政策的實施，受到人民群衆，特別是廣大貧苦農民的衷心擁護，而人民的擁護和支持，又進一步增强了我軍敵後的抗日力量。

但是，在中華大地上，民族抗戰的力量仍然不夠强大，敵强我弱的基本形勢仍未改變。

在華北戰場上，日軍所制定的方針仍然以“剿共”爲重點。日軍調兵遣將，使其在華北地區的兵力達到三十萬人，僞軍十萬人，準備對我各抗日根據地進行連續的和更爲殘酷的“掃蕩”和“蠶食”，並推行“治安强化運動”，要把共產黨的抗日力量置於死地。

在華北戰場上，國民黨軍隊有差不多五十萬人，多於日軍。但是，國民黨頑固派不但不與共產黨聯手抗日，反倒把共產黨作爲心腹之敵，不斷對共產黨的抗日民主根據地進行軍事進攻和經濟封鎖。一些厚顏無恥之人，竟然提出什麼“曲綫救國”，爲投敵叛國找下藉口。於是，在不長的時間中，憑着這個無恥的藉口，又有三萬餘國民黨軍隊公開投敵，並肆無忌憚地向共產黨的抗日民主根據地發動進攻。

日本侵略中國，中國人不打日本人，卻打中國人，這人世間，難道還有什麼公理可言嗎!

1941年，在日軍和國民黨頑固派的夾擊下，共產黨的華北敵後抗戰，進入了抗戰八年中最艱苦、最困難的時期。

1941年元旦剛過，在安徽南部堅持抗戰的共產黨新四軍，按照蔣介石提出的遷至長江以北的命令，向江蘇南部轉移。共產黨萬萬想不到，國民黨蔣介石早已密令部署，三面包圍，突然向新四軍大舉圍殲。雙方激戰一周，至1月14日，我新四軍六千餘抗日將士，被國民黨頑軍殺害。抗日名將葉挺將軍，也被國民黨扣押。

這就是震驚全國的“皖南事變”。

這就是國民黨掀起的第二次反共高潮中最爲駭人聽聞的事件。

這就是中華民族抗日戰爭史上極其慘痛的一頁。

殺共産黨， 蔣介石從來也不手軟。不管在什麼時候，也不管以何種方式，他從來都不會手軟。

1941 年 2 月，日軍下達了《肅正建設計劃》，從此，日本侵略軍開始了對我魯西、冀魯豫邊、冀東、冀中等平原抗日根據地分期分區地進行爲期半年的春、夏季“掃蕩”，力圖捕捉我軍主力和領導機關。

在晉冀魯豫地區，從 1 月開始，日軍就開始行動了。

1 月 10 日至 15 日，日軍五千人“掃蕩”榆社、遼縣、和順、昔陽地區。

1 月 15 日至 2 月 6 日，日軍七千餘人“掃蕩”魯西地區。

1 月 24 日至 2 月 4 日，日軍四千餘人“掃蕩”太行。

3 月 3 日，日軍一千餘人“掃蕩”濮陽東南地區。

3 月 21 日，昔陽日軍進犯太行地區。

3 月 29 日，日軍在華北實施第一次“治安强化運動”。

4 月 3 日，日僞軍一千四百餘人“掃蕩”南宮以南、廣宗以東、武城以西、邢濟路以北地區。

4 月 10 日至 20 日，日僞軍萬餘人，汽車坦克一百輛，對冀魯豫邊沙區根據地進行毁滅性“掃蕩”。

5 月 7 日至 25 日，日軍六個師團約五萬人進攻中條山的國民黨軍，中條山地區淪陷。

5月27日，日軍二千餘人進犯壽張、範縣地區。

5月29日，日軍一千餘人“掃蕩”太岳地區。

5月，日軍在平漢路西側修起了第二道封鎖綫。

6月18日，日僞軍五千餘人“清剿”泰西地區。

6月19日，日軍一千餘人“掃蕩”太行地區。

6月28日，日軍二千人“掃蕩”冀南地區。

……

在春、夏季“掃蕩”中，日本侵略軍對華北各抗日民主根據地進行反覆“清剿”，實行了燒光、殺光、搶光的慘絶人寰的“三光政策”。僅在沙區一百四十多個村莊，即屠殺中國群衆三千四百餘人，在十五個村莊把村民們賴以生活的五萬株棗樹砍伐殆盡，燒毀村民住房無以數計……

日軍爲了推行“治安强化運動”，將華北地區分等級化爲不同的“治安區”，大力修築鐵路、公路，並在兩側挖掘封鎖溝和構築封鎖牆。日軍在平漢路北側修築了長達五百公里的封鎖溝，以切斷北岳、太行山區根據地與冀中、冀南平原根據地的聯繫，斷絶山區根據地的經濟來源。在平原上，日軍三里一個崗樓，五里一個據點，將平原根據地分割成“格子網”狀小塊，嚴加封鎖。

由於日軍的“掃蕩”、封鎖和“蠶食”，我華北抗日民主根據地出現退縮局面。

面對困難局面，中共中央號召進行以政治攻勢和軍事進攻相結合的反“蠶食”鬥爭。

4月28日，一二九師政委鄧小平發表了《反對麻木，打開太行山的嚴重局面》一文。

鄧政委指出：必須克服右傾情緒，反對麻木不仁和張皇失措，要團結一致，正視困難，面向敵人，面向交通綫，展開頑强的對敵鬥爭。以堅强的意志，奮勇的精神，不疲倦的工作，克服當前的嚴重局面。

5月底，一二九師連續下達命令，要求健全和强化游擊集團，積極開展游擊戰爭，鞏固根據地。同時，主動開展了多次對敵軍的破擊戰。

……

在中國進行艱苦抗戰的同時，世界局勢迅速變化，狂瀾又起。6月22日，法西斯德國在二千多公里的戰綫上，突然對蘇聯發起了閃電式的大規模進攻。

蘇德戰爭爆發。

在國際法西斯侵略行動猖獗到頂峰的時刻，侵華日軍的氣焰更加囂張。6月，日軍制定了堅持建設“大東亞共榮圈”的方針。一方面將關東軍增至七十萬人，一方面進兵進佔了法屬印度支那的南部。

爲了穩定南進的後方，建立鞏固的“大東亞戰爭的兵站基地”，日軍加緊了對中國佔領區的“治安肅正”作戰，開始了瘋狂殘酷的秋、冬季“掃蕩”。

此次“掃蕩”的重點，從華北的平原移至山區，把刺刀和槍炮的瞄向直指共産黨華北抗日根據地的腹地。

在1941年的下半年中，侵華日軍採取了“鐵壁合圍”、“梳篦清剿”的殘酷作戰方式，長時間地、更大規模地對共産黨華北抗日民主根據地進行瘋狂“掃蕩”。

8月12日，日軍四萬餘人對晉察冀邊區進行“鐵壁合圍”大掃蕩。

9月22日，日軍二萬餘人對岳南地區進行“鐵桶完壁之包圍陣”與“電擊反轉之機略作戰”的大“掃蕩”。

10月6日，日軍三萬餘人對岳北地區進行“鐵壁合圍”大“掃蕩”。

10月17日，日軍一千五百餘人“掃蕩”冀南地區。

10月25日，日僞軍三千餘人“掃蕩”冀魯豫地區。

10月31日，日軍七千餘人對太行實行“捕捉奇襲”的“掃蕩”，妄圖捕殲我八路軍總部及第一二九師師部機關，夜襲一二九師師部駐地。

11月1日，華北日軍開始實施第三次“治安强化運動”。

11月25日，日軍四千餘人“掃蕩”冀南。

12月9日，日軍六千餘人“掃蕩”冀南南宫、威縣地區。

12月26日，日軍三千餘人“清剿”冀南地區。

面對日本侵略軍瘋狂而又頻繁的大規模“掃蕩”，八路軍一二九師在劉鄧率領下，一面領導群衆進行堅壁清野，堅持内綫游擊戰，一方面組織主力部隊和地方武裝，對敵進行大小破擊戰和反“掃蕩”作戰。在前所未有的敵人强大殘暴的“掃蕩”下，保存了主力，堅持了抗日根據地，同時還數次地反擊了國民黨頑固派閻錫山從另一個方面的進犯。

1941年，是華北敵後抗戰鬥爭最嚴酷的一年。

在這一年中，戰爭緊張殘酷，部隊轉戰行動頻繁。同時，敵人封鎖嚴密，根據地又遭受自然災害，抗日軍民的生活都艱苦異常。

在這一年的9月，我的大姐鄧林在赤岸出生了。因爲戰事緊張，軍隊轉戰，因此母親在生下孩子七天後，便忍痛將她的第一個孩子寄放在黎城縣的一個老百姓家中去哺養。放下孩子，母親頭也未回，馬上隨部隊轉移而去了。

1941年，我華北敵後軍民，共粉碎敵人千人以上的“掃蕩”六十九次，萬人至七萬人的大“掃蕩”九次，以及三次“治安强化運動”，初步打破了日軍對我抗日根據地的“蠶食”和分割封鎖。但是，在日軍的强大攻勢下，我抗日根據地的面積縮小，八路軍的兵力下降，財政經濟極端困難。就是在這樣一種異常艱難困苦的情況下，我抗日軍民，仍然以高昂的戰鬥士氣，仍然以保衛家鄉、保衛國家的英雄氣概，準備去迎接1942年的到來。

就在1942年即將到來之際，國際戰爭形勢又發生了令人瞠目的巨變。

1941年12月8日，狂妄已極的日本軍國主義，突然襲擊了美國在太平洋上的海軍基地——珍珠港。

太平洋戰爭爆發了!

1941年12月9日，在日本侵華整整六年多之後，中國的國民黨政府終於對日本宣戰（當然，也同時對德國和意大利宣戰)。

太平洋戰爭爆發後，中共中央分析了形勢，指出，太平洋戰爭的爆發，無疑的對我國抗戰是有利的，日本現在與二十餘國爲敵，因此其對中國的侵略力量不能不有所減弱。但日軍爲供應太平洋戰爭，榨取在華資源，鞏固佔領地之心必更加迫切，對敵後抗日根據地的“掃蕩”和經濟封鎖必更加强化和殘酷。我抗日軍民，一方面要有在敵後長期堅持抗戰爭取勝利的信心，一方面又要對日益增加的嚴重困難有充分的認識。總的方針，應當仍舊是長期堅持游擊戰爭，準備將來的反攻。全黨全軍要“咬緊牙關，渡過今後兩年最困難的鬥爭”。①

那是1941年的最後幾天。

敵人“掃蕩”之後，一二九師師部已回到了涉縣赤岸。

冬天的太行山，天寒地凍，北風凜冽。

劉鄧忙碌了整整的一年。年末，無戰事，於是和司令部的工作人員一起會餐。“四方塊的肥肉，四川式的蔬菜，桌上擺上十幾碗。有鄧的愛人卓琳同志，有我們全體人員”。楊國宇在日記中記道，他和大家一起飽餐了一頓。

12月31日，這是1941年的最後一天，“司政請客，各界有名人士偕夫人到赤岸，拜見劉鄧，大家一塊共餐，四川菜，管夠”。②

1942年來臨了。

1月1日，在赤岸。“今年過年不如去年，去年唱歌、團拜、殺豬會餐。今年羊肉煮稀飯，紅蘿蔔加地瓜，算可以”。③

1942年的新年，比1941年的艱苦。

但1942年的新年，過得與1941年一樣的忙碌。

1月3日，一二九師頒發1942年軍事工作實施綱要。

1月7日，劉師長作關於“精兵簡政”的報告。

精兵簡政，是我抗日根據地實行的一項極其重要的措施。針對敵軍日益瘋狂的“掃蕩”和“蠶食”，針對根據地日益困難的經濟狀況，爲了適應新的戰爭形勢，中共中央指示各根據地實行“精兵簡政”。

毛澤東說：“目前我們須得變一變，把我們的身體變得小些，但是變得更加扎實些，我們就會變成無敵的了”。④

精兵，就是縮編主力部隊和指揮機關，充實連隊。主力軍部分實行地方化，加强地方武裝和民兵，加强整訓，提高戰鬥力。

簡政，就是整頓機構和組織，緊縮機關和人員編制，加强基層，提高效能，節約人力物力，反對官僚主義。

精兵簡政，解決了機構龐大和受到戰爭破壞的社會經濟缺乏足夠承受力之間的矛盾，減輕了人民的負擔，是使我各抗日根據地能夠渡過極端困難的一項重大措施。

一二九師開始進行精兵簡政。

鄧小平政委告誡一二九師全體指戰員：由於長年不斷的戰爭和日本强盜的掠奪，天災人禍，生活困難。但是，我們是人民的軍隊，就應該特別關心民間疾苦，厲行精兵簡政，減輕人民負擔，人民才能更好地支援我們打敗日本侵略者。⑤

1月15日，劉鄧指示，下發實施精兵簡政的命令。

軍令如山倒!

> “鄧小平政委身先士卒，其他領導尤其機關誰敢不動。因此組織了機關人員分頭下到軍分區、旅，進行深入動員。今明兩日分頭出動，小平同志臨行前作了四條規定：其一，調整編制緊縮機關，減少人員馬匹，充實戰鬥連隊，並規定了比例；其二，調一批相當有才能的本地幹部，到地方武委會去，加强地方武裝，開展游擊戰爭；其三，以安置老弱戰士，榮譽軍人，從事學藝生產，半工半讀。別看只有四條，這四條是關係抗戰能否持久與軍民生活的大事。”⑥

1月中旬，鄧政委到清漳河西畔的七原村向太行區文化界作了重要講話，結合形勢講了精兵簡政的重要性。

1月25日，他又帶領一個極其精幹的小組，從赤岸出發，到武安、沙河一帶的太行軍區第六分區具體指導精簡工作。

一二九師和晉冀魯豫邊區共進行了三次大的精簡，由於劉鄧的重視和親自抓緊，精簡工作順利完成，部隊加强了戰鬥力，基層領導工作的力量得到了充實，節約了人力和財力，減輕了人民負擔，同時，精簡了機關，提高了工作效率，克服了官僚主義。這些，都爲適應新的、更加艱苦的作戰形勢做好了準備。

毛澤東表揚了晉冀魯豫邊區的精兵簡政工作。他說：“晉冀魯豫邊區的領導同志，對這項工作抓得很緊，做出了精兵簡政的模範例子”。⑦

對於精兵簡政工作，乃至於對於建國以後的精簡問題，父親一貫非常重視。在工作中，他曾不止一次地强調和推動精簡工作。直到1992年5月，他退休了，還十分關注國務院體制改革中的精簡問題。他説：“精簡工作，對於我們來説，始終是一個問題。”

新年伊始，劉鄧親自抓精兵簡政，抓了整整一年。

新年伊始，劉鄧親自抓生産自救，也抓了整整一年。

1942年1月13日，八路軍總部命令太行、太岳兩軍區所屬部隊努力生産，克服困難。

這是抗日根據地人民最困難的時期，上一年中敵人對根據地連續地、大規模地進行了名目繁多、手段殘酷的大“掃蕩”，不斷“蠶食”根據地和掠奪根據地人民，在推行强化治安和“掃蕩”中，實行“三光”政策，甚至採用在井水和鍋裏下毒的兇殘作法，對根據地軍民實行封鎖。

地下有敵人，天上也有敵人。在這一年中，水、旱、蟲、雹等自然災害也助桀爲虐，連續發生。

1942年的春天，被人稱爲“前所未有的春滅”！

日本侵略軍到處燒殺搶掠，激起了根據地人民對敵人的無比憤怒，也喚起了人民群衆對八路軍無比的熱愛。在太行山，有的軍隊幹部，每餐只得五根缺鹽的蘿蔔條，連帶殼的小米飯也吃不飽。老百姓看着心疼，提着小籃子送來了他們唯一的儲存：柿子皮，還有玉米饃。這些，已是老百姓們僅剩的最好的東西了。老百姓，也什麼都没有了。

父親曾對我説，1942年9月，劉少奇由華中回延安的途中經太行時，在赤岸的一二九師師部，劉鄧請少奇吃飯，吃的東西只有乾羊肉。

父親說："那是當時最好的東西了，我們很久沒吃肉了！"

當年的晉冀魯豫邊區政府副主席戎子和記憶："在最困難的時候，幹部的口糧從每天一斤半小米減少到七兩，我的體重從一百二十五斤減到一百斤。一次小平同志約邊府楊秀峰、我和李一清同志談工作，我和李一清由於精力不足，就打起了瞌睡。小平同志看到眼裏，觸動心情，當面就告訴楊秀峰同志，邊區政府廳一級的幹部一個月的津貼增加到十元。"⑧

一個廳級幹部的津貼增加到十元錢，也解決不了根本問題呀！

怎麼辦？總不能活活被敵人困死吧！

在延安，早在1940年，在旅長王震"王鬍子"的帶領下，八路軍三五九旅開赴南泥灣，實行"屯田政策"，開荒大生產。

在太行山上，劉鄧號召晉冀魯豫邊區各根據地開展大生產運動。鄧政委親自作了動員報告。

當時根據地軍民的抗日情緒十分高漲，一動員開展大生產，各根據地便紛紛響應，連一二九師師部的幹部都爭先恐後地要求參加開荒隊，以反擊敵人的"三光"政策。

劉的夫人汪榮華和鄧的夫人卓琳，負責女同志的報名，汪榮華和卓琳，帶着女同志們，和男同志們一起上山開荒。這一年，師部機關的收成還真不錯，一個大蘿蔔，有六斤重，鄧政委看了，高興地說："這叫蘿蔔大王啦！"⑨

開展經濟生產，既改善了軍隊生活，又減輕了人民的負擔。

就這樣，扛槍的八路軍，又扛起了鋤頭。

在這個世界上，你能找到任何一支與之相同的軍隊嗎？

要知道，紅軍、八路軍，本來就是農民的兒子，是中國農民的兒子。

更應該讓人驚嘆不已的是，直到今天，在中國實現四個現代化的進程中，在九十年代的現代生活中，中國人民解放軍，還是一手拿着槍，一手拿着鋤。一邊保衛祖國，一邊開展生產。

保衛祖國，是中國軍人的神聖天職；開展生產，是減輕人民負擔的愛民傳統。

這是中國人民與中國人民解放軍保有親密無間的魚水關係的原因之一。這是世界上任何國家任何軍隊也沒有的特殊事務。

……

1942年，在太行山上，由於及時有效地採取了精兵簡政和生產運動兩項大措施，晉冀魯豫邊區軍民，堅決地戰勝了日本侵略軍更加瘋狂的無數次大小"掃蕩"。

2月初到3月初，日軍進行了春季"掃蕩"，一萬二千餘人到太行，七千餘人到太岳。

"掃蕩"中，日軍採取了"捕捉奇襲"、"鐵環合圍"、"縱橫掃蕩"、"輾轉抉剔"、"反轉電擊"、"夜行曉襲"等名目繁多、手段殘酷的戰法，並對八路軍總部遼縣的麻田進行了"鐵環合擊"和"反轉電擊"。在歷時三十天的掃蕩中燒燬房屋，殘殺百姓，强姦婦女，搶奪物資，極盡兇殘之能事。

春季掃蕩之後，日軍在平漢綫西側，修築了第三道封鎖綫。

5月，日本侵略軍開始了對太行、太岳的夏季大"掃蕩"。

在三十八天的掃蕩中，日軍把戰事分爲三期，出動了更多的兵力。僅對太行，一次即使用了二萬五千餘人。日軍採用了"集中兵力輾轉掃蕩"的狠毒戰法，奔襲我八路軍總部和一二九師首腦機關，並再次採用"鐵壁合圍"、"輾轉清剿"、"抉剔清剿"等激烈殘暴的戰法，四處殘殺中國軍民，大肆掠奪人民資財，對根據地進行了野蠻的破壞。

此次行動，就是臭名昭著的“五月”大“掃蕩”。

在對太行、太岳進行瘋狂“掃蕩”的同時，日軍對冀南在半年中進行了特別頻繁的“掃蕩”和“清鄉”。對冀魯豫進行了不斷地“蠶食”和“掃蕩”。

1942年夏季和秋季，日軍推行了第四次和第五次“治安强化運動”，其手段更爲殘酷，氣焰更爲囂張。日本華北方面軍曾下令：“凡是敵人區域内的人，不問男女老幼，應全部殺死，所有房屋，應一律燒燬，所有糧秣，其不能搬運的，亦一律燒燬，鍋碗要一律打碎，井要一律埋死或投下毒藥。……”⑩在華北地區，竟然製造了駭人聽聞的“無人區”！

秋季到來了，秋季“掃蕩”又開始了。

9月27日，日僞軍一萬餘人，對冀魯豫進行了大規模“掃蕩”和“清剿”。

10月20日，日軍一萬六千餘人，同時對太行、太岳出兵“掃蕩”。

1942年日軍對華北敵後抗日根據地的“掃蕩”，時間之長，手段之殘酷，均是前所未有的。那些離奇古怪的戰法，名稱越起越多，越起越怪。這些戰法，你從馳名中外的孫子兵法上是找不到的。中國人，自亘古以來，就没有這樣怪異的軍法，更没有如此殘暴的殺性。

八路軍没有被嚇倒，更没有退卻。

劉鄧説：“不要只看到敵人氣勢洶洶，其實是外强中乾，黄泥巴菩薩過河。”⑪

由於精兵簡政的實行，我軍“身體小了”，靈活機動了，於是大膽採用“敵進我進”的作戰方式（即敵向我根據地進攻，我則向敵後方進攻），在一年的艱苦卓絶的反“掃蕩”戰鬥中，堅決地打擊日軍，採用靈活多樣的游擊戰術打擊日軍，並積極開展了一系列的對敵政治攻勢，用主力軍、地方軍和民兵的三結合武裝力量體制，有效地粉碎了日軍的反覆“掃蕩”。

在反“掃蕩”的殘酷戰事中，當然也不乏驚險場面。

6月“掃蕩”中，一次敵軍一部突然襲來，包圍了我一二九師師部，險情頓生。劉伯承鎮定自若，從容指揮，利用熟知地形和敵情，趁着入夜時分，一下子跳出敵人包圍圈，接着連續突圍，最後化險爲夷，安全撤出。跟着突擊出去的，有劉的夫人汪榮華，鄧的夫人卓琳，李達的夫人，黃鎮的夫人朱琳等等，等等。

在這戰事倥傯的一年中，一二九師鄧小平政委曾於3月份赴太岳，在那裏親自指揮三八五旅等部隊，於4月15、16兩日，對侵犯我軍的閻錫山頑軍，勝利地進行了浮翼自衛反擊戰役。隨後，他通過我秘密交通綫，過白晉鐵路，赴我新開闢的中條山根據地視察工作。

在並肩戰鬥中，劉鄧二人更加親密無間，更加密不可分。

鄧去中條山，劉留在太行山。

劉鄧分手後，“劉師長無親密戰友一起議事，故每天只有李達、蔡樹藩同他一起商談”。⑫鄧3月底過敵佔區白晉綫，劉坐在作戰科等電報，電報一到，他一個字一個字地看，知鄧安全，才放心回去睡覺。⑬

劉鄧分開後，一二九師師部下發的電報仍就聯署“劉鄧”之名。

楊國宇寫道：“由於他們對工作如此嚴肅認真，也由於他們親密無間地團結一致，以身作則地爲人表率，所以用他們二人名義發出的‘訓令’、‘號令’或者‘命令’，部隊無不堅決執行。這怎麼不叫人敬重！敵人怕劉伯承，也怕鄧小平，曾把鄧小平的像片，印發給部隊……”

1942年年末來到了，這最最艱苦困難的一年就要過去了。

太行山人，依然屹立在太行山上！

12月16日，一二九師爲他們的師長劉伯承慶祝五十大壽。

赤岸舉行了慶祝大會，中共中央發來了賀電，朱德、彭德懷寫了祝賀詩。各地各處送來了賀電賀信，涉縣的群衆代表也送來了壽禮。

一二九師政委鄧小平、參謀長李達、政治部主任蔡樹藩、政治部副主任黄鎮出席了大會。

在這喜慶的祝壽大會上，鄧小平發表了熱情洋溢、感情深厚的長篇祝壽詞。

他說，熱愛國家，熱愛人民，熱愛自己的黨，是一個共產黨員必須具備的優良品質。我們的伯承同志不但具備了這些品質，而且把他的全部精力獻給了國家、人民和自己的黨。在整個革命過程中，他樹立了不可磨滅的功績。

他說，在伯承同志五十壽辰的時候，我祝福他健康，祝福我們共同努力的事業勝利！⑭

……

1941年和1942年，對於堅持在華北敵後堅持抗戰的八路軍來說，是八年抗戰中最爲艱苦卓絕的兩年。至今，太行山人回憶起來，對於這兩年間那殘酷的戰爭和非同尋常的艱苦，仍然記憶猶新，深刻難忘。

但是，他們說，我們挺過來了！

太行山人終於渡過了這最爲艱苦的時期。

黑暗過了，即是光明。

太行山人懂得，要走向光明，路，並不平坦；鬥爭，仍將繼續。

但是，畢竟，一條直向勝利的通天大道，已經開始展現在人們的眼前……

注：

① 中共中央《關於太平洋戰爭爆發後敵後抗日根據地工作的指示》，1941年12月17日。《中國人民解放軍戰史》，第二卷（抗日戰爭時期），第309—310頁。

② 楊國宇《劉鄧麾下十三年》，第195—196頁。

③ 同注②。

④ 毛澤東《一個極其重要的政策》。《毛澤東選集》第一卷。

⑤ 《中國人民解放軍第二野戰軍戰史》，第一卷（抗日戰爭時期），第221—222頁。

⑥ 楊國宇《劉鄧麾下十三年》，第197頁。此段說做了四條規定，但原文中僅寫了三條。特此注明。

⑦ 毛澤東《一個極其重要的政策》。《毛澤東選集》第一卷。

⑧ 陳東《鄧小平同志與晉冀魯豫邊區建設》。《二十八年間——從師政委到總書記》（續編），第19頁。

⑨ 張貽祥《太行十年的幾次接觸》。《二十八年間——從師政委到總書記》，第14頁。

⑩ 轉引自《太行革命根據地史稿》（1937—1949年），第118頁。

⑪ 《中國人民解放軍第二野戰軍戰史》，第一卷（抗日戰爭時期），第228頁。

⑫ 楊國宇《劉鄧麾下十三年》，第207頁。

⑬ 楊國宇《威嚴的山》。《二十八年間——從師政委到總書記》，第44頁。

⑭ 《劉伯承回憶錄》（第三集），第107頁。

49. 走向恢復和發展

那最爲艱苦困難的 1941 年和 1942 年，終於過去了。

歷史的時針，指向了公元 1943 年。

1943 年，是國際反法西斯戰爭走向勝利的關鍵的一年，也是中國的抗日戰爭，由困境中走出，走向恢復和發展的關鍵的一年。

正義終歸是正義，正義終歸會戰勝邪惡。

正所謂是盛極必衰。

國際法西斯的侵略氣焰發展到了頂頭的時候，也就是它的末日即將來臨的時候。

1943 年春天的來臨，向全世界人民預告了勝利的佳訊。

蘇聯紅軍取得了斯大林格勒戰役的偉大勝利，開始了對德國法西斯的戰略反攻。德軍被迫轉入戰略防禦。

5 月 13 日，北非戰場上最後一批德、意法西斯軍隊向盟軍投降。

7 月 10 日，美英聯軍在意大利西西里島登陸，直逼意大利本土。

9 月 3 日，意大利向盟國投降，歐洲法西斯陣綫徹底瓦解。

在太平洋戰場上：2 月，美軍攻佔瓜達爾卡納爾島，進入戰略反攻。日本倉惶轉入戰略防禦。

日軍在太平洋戰場上的失利和在中國戰場上所進行的曠日持久的消耗戰爭，加劇了日本國內矛盾。

1943年，日本內閣兩次改組，政局不穩，人心動搖。其經濟瀕於破產，國內人民和士兵的反戰情緒異常激昂。

面對這日趨不利的國際國內形勢，日本侵略者，更加急欲盡快結束對華戰爭，以便從中國戰場上抽調更多的兵力用於太平洋戰場，以阻止美軍的反攻。侵華日軍確定首要任務是確保其佔領區，確保重要資源開發區、中心城市和主要交通綫，同時將部隊調整，保持六十萬人的兵力。

在這樣有利的形勢下，世界反法西斯陣綫的人民一派情緒高漲，鬥志昂揚。

那麼，此時，中國的國民黨怎樣籌劃？蔣介石又如何作想呢？

蔣介石還是蔣介石，他永遠改變不了消滅共產黨的最高宗旨，也永遠不想改變。

對日本侵略軍，蔣介石是又抗日，又“觀戰”。在1943年中，國民黨軍隊除了印緬遠征軍在緬北反攻作戰中取得一定勝利之外，在國內正面戰場上，僅僅進行了有限的幾次防禦作戰。他的手，他的槍，是要騰出來打共產黨的。

對於堅持了五年多對日本侵略軍進行艱苦抗戰的中國共產黨來說，國際反法西斯戰爭所取得的勝利戰果，無疑是對他們的巨大鼓勵，使得他們進行抗戰的信心更加堅定。但是，中國共產黨人，對於客觀事物，從來都要作出實事求是的、辯證的和冷靜的客觀分析。

只有有了正確的客觀分析，才能取得戰爭的勝利。

1943年1月，毛澤東即指出：希特勒總崩潰已爲期不遠，中國的時局將好轉，我們應利用這種形勢，鼓勵軍心民心，達到堅持目的。但是，整個抗戰尚須準備兩年，要想盡辦法熬過兩年。

後來，他又指出：我黨應在三年中力求鞏固，屹立不敗。對日軍，應用一切方法去堅持必不可少之根據地，反“掃蕩”，反“蠶食”。對國民黨，應極力避免大的軍事衝突。對敵後抗日根據地，要大力發展生産，堅持政權建設。

中國共産黨向國民黨政府提出四條建議：一是加强作戰，二是加强團結，三是改良政治，四是發展生産。

最終的目的，是戰勝日本帝國主義！

在晉冀魯豫，經過 1942 年以來的鬥爭，根據地嚴重退縮的局面已大有改觀，但由於敵人連續不斷地進行“掃蕩”，實行“三光”政策，根據地的生産力急劇下降，財政經濟空前困難。

對於晉冀魯豫軍民來説，總的形勢是有利的，但眼前的困難仍然是巨大的。

1943 年 1 月 25 日，中共中央太行分局在太行山涉縣溫村召開了高級幹部會議，該分局所屬太行、太岳、冀魯豫、冀南，以及所屬根據地抗日民主政權的各軍政首長參加了會議。

太行分局書記鄧小平作了關於五年來對敵鬥爭的總結和今後對敵鬥爭的方針的報告。

鄧小平指出，當前敵我之間的鬥爭是“全副本領”的鬥爭，今後的鬥爭將更加巧妙而尖鋭。要掌握住敵强我弱的特點，原則是削弱敵人，保存自己，積蓄力量，準備反攻。人民是一切的母親，是對敵鬥爭一切力量的源泉，敵我鬥爭的勝負，決定於人民。我們要掌握正確政策，發展抗日民族統一戰綫，團結各階層一切抗日的人民對敵鬥爭。要建設根據地，鬥爭中堅持敵進我進，在進行游擊戰的同時不放鬆有利條件下的運動戰。要發動群衆，減租減息，發展生產，建立自給自足的經濟。①

溫村會議，確定了今後工作的基本方針，是晉冀魯豫區進入恢復與再發展階段的重要標誌。這次會議的召開，爲各根據地和各抗日民主政權今後的工作指明了方向，爲進一步奪取對敵鬥爭的勝利，在政治上、思想上、組織上作出了重要的準備。

中國共產黨的工作傳統，歷來是分析形勢，制定政策，統一思想，統一行動，團結一致，帶領人民群衆去爭取勝利。

一是力求實事求是；一是力求政策正確；一是力求思想統一；一是力求行動一致。

這些作風和傳統，與中國的其他政黨相比較而言，具有其鮮明的特點，更是國民黨所不具備的。

蔣介石明白這一點。他的切膚之痛，乃是未能在共產黨弱小之時，將其扼死於搖籃之中！

正確分析形勢，是正確制定政策的保障；而正確制定政策，又是爭取勝利的保障。

由於思想明確，政策措施正確，在1943年，在劉鄧首長帶領下，全晉冀魯豫軍民戰勝了一個又一個的困難，取得了一個又一個的新的勝利。

……

1943年上半年，日本侵華軍對我各抗日根據地進行了春、夏季“掃蕩”。

5月初，日僞軍二萬餘人“掃蕩”太行根據地。日軍採取梳篦隊形步步壓縮，企圖將我八路軍總部和一二九師主力圍殲於遼縣、涉縣之間清漳河兩岸的狹窄地區。由於我軍早已判明情況，及時轉移，並採取敵進我進的方針，組織了有效的反“掃蕩”作戰，至5月下旬“掃蕩”結束，我軍共殲敵二千五百餘人。

5月，在豫北的國民黨龐炳勛、孫殿英部投敵後，配合日軍進犯我區。我一二九師發起了衛（河）南戰役和林（縣）南戰役。我軍成功地運用奇襲、强攻和大膽穿插、分割包圍等戰術，兩次戰役共殲日僞軍一萬二千餘人，並開闢了衛南、豫北的廣大地區。

戰爭，就應該是勇者勝，智者勝，正義者勝!

下半年，日軍再次向我華北敵後各根據地發動秋、冬季“掃蕩”。

9月21日，日僞軍三萬餘人，向冀魯豫根據地“掃蕩”。10月12日，日僞軍一萬五千餘人再次“掃蕩”該區。至11月中旬“掃蕩”結束。由於我軍先行轉移，適時出擊，共進行大小戰鬥三百餘次，殲敵四千餘人，並恢復和開闢了部分地區。

10月1日，日僞軍二萬餘人，在飛機支援下，採用“鐵滾式”新戰法，對我太岳根據地實行毀滅性“掃蕩”。至11月底“掃蕩”結束，我軍對敵作戰七百多次，殺傷敵軍三千五百多人。

在反“掃蕩”的同時，我八路軍積極開展了廣泛的群衆性的游擊戰爭，深入敵區，四面開花，有力地打擊了敵軍。

對於國民黨頑固派的鬥爭，也在繼續。

1943年3月，蔣介石發表了《中國之命運》一書，大肆鼓吹“一個主義（三民主義）、一個政黨（國民黨）、一個領袖（蔣介石）”。

此乃司馬昭之心。

此君在此時造此輿論之用心，人們一看即知。

蔣介石頗有預見，他怕抗日戰爭一旦勝利之後，他對付不了共産黨。

蔣介石這一輩子，恨的是共產黨，怕的也是共產黨。

在製造輿論的同時，蔣介石密令國民黨各部包圍我抗日民主根據地，對我華中、華東抗日根據地發動進犯，並準備向我陝甘寧抗日根據地發起大規模進攻，企圖掀起第三次反共高潮。

針對國民黨頑固派的反共陰謀，爲了避免內戰，中國共產黨一方面堅決回擊頑軍的進犯，一方面作好大規模應戰的準備，一方面向全國發出强烈呼籲，揭露國民黨的戰爭陰謀。

蔣介石這種外虜未滅，先打同胞的卑劣行徑，立即受到了社會輿論的强烈譴責，連英美等國也公開表示反對。

在强大的壓力下，這場預計波及西北、華北、華中各地的第三次反共高潮，於1943年7月，徹底破產。

真是樹欲靜而風不止啊!

共產黨和國民黨之間的鬥爭，抗日戰爭前就在進行，抗日戰爭中從未停止，抗日戰爭後還將繼續。

這是不以人的意志爲轉移的。

對於這點，國民黨人心裏明白，共產黨人心裏也明白。

……

在1943年中，對於各敵後抗日民主根據地，對於晉冀魯豫根據地，對於在太行山上的劉鄧，有一項重大的任務，貫穿整年。

這就是發展生產，發展經濟，抗災救災。

1943年的天災，真是何其多哉!

1942年和1943年，發生了五十年來最嚴重的旱災。秋旱完了是冬旱，冬旱完了是春旱，春旱完了又是夏旱，晉冀魯豫一些地區的農業收成只達常年的二、三成，個別村莊甚至顆粒無收。全區需要救濟的災民約有一百五十到一百六十萬人之多。

1943年夏秋，發生了規模空前的蝗蟲災害，這場巨大的災害直至1944年。這次毀滅性的災害波及了大半個邊區，使根據地的莊稼幾盡無收。

同年八九月間，又遭天下暴雨，太行濁漳河和清漳河兩岸冲走了大量灘地，冀南、冀魯豫的衛河、運河、滏河等河多處決口，不少縣區一片汪洋，淹没村莊三四千個。

> "面對自然災害，敵人更加趁火打劫，造謠破壞。災區部分幹部和災民也產生了一些消極、悲觀、失望的情緒。市場上物價波動，食品價格大漲，衣物傢具等的價格則大跌。社會秩序動蕩，人心不安。面對這種形勢，中共中央北方局、太行分局、八路軍前方總部、一二九師師部、邊區政府等黨政軍領導機關，先後發出了救災的決定和指示。"②

當時的處境的確是困難哪！

根據地本來就已缺食少衣，平漢綫敵佔區的災民還每日不斷擁來。根據地幹部每人每天供應一斤糧食，還要響應號召節約二兩來救濟災民。

爲了渡荒充飢，八路軍們就去採集野菜和樹葉，與糧食一起煮飯吃。高級幹部的小竈裏，糧食也不多。在一二九師師部，你走到食堂裏，揭開鍋蓋，看到的也是野菜稀飯。

政委鄧小平對來人解釋道：由於太行區連年災荒，收成減少，特別是敵人連續大"掃蕩"破壞很大，再就是太行區人口少，負擔很重。太行區人口數有一百五十萬，只能負擔三萬人的抗日部隊，但實際上我部隊和機關的人數大大超過這個數。太行區人民不僅要負擔部隊和地方幹部，還要負擔一二九師、太行分局、晉冀魯豫邊區政府等這一級的黨政軍領導機關。華北其他根據地也有困難，加上敵人封鎖，支援太行也很困難，我看主要還是靠我們黨政軍人員和太行山人民大家動手發展生產，這樣是能夠克服這些困難的。至於吃野菜，太行人民這幾年來都是瓜菜代了！③

鄧政委說的都是實話，當時在太行，絕大部分人家都採集野菜以補糧荒。一些災情嚴重的地區，一開始還能採到榆錢榆葉和着粗高粱麵煮飯，到了後來，連槐樹、柳樹、楊樹的葉子也成了寶貝了。

鄧小平提出："去冬今春，太行區的旱災面積佔根據地的五分之一，而敵佔區流入的災民還有很大數目。這是幾年來最困難的關頭。……我們救災的辦法，除了部分的社會互濟之外，基本上是靠生產。"

他又說：首先，我們要確定發展生產是經濟建設的基礎，而發展農業和手工業則是生產的重心。④

他向毛澤東和彭德懷報告：太行經濟已接近枯竭點，今後必須注意生產，講求積蓄，不僅在人民中提倡耕三餘一，軍政方面也要切實注意糧食物資的積蓄。⑤

要厲行節約！

劉鄧一聲令下，全區立即施行。

部隊的小米供應，主力部隊由一斤半減到一斤，機關人員由一斤減到十三兩（舊制十四兩一斤）。從戰士到師級幹部，每人每月只發一元五到五元的津貼費。辦公費、菜金一律停發，由各單位從生產中自行解決。食糧不夠吃，以野菜補充。劉鄧二人以身作則，一樣節約用糧。

當時整個的部隊和幹部，都處於半飢狀態，但是軍紀嚴明，對群眾秋毫無犯。1943 年的秋天，太行山滿山遍野的成熟了的柿子掛在枝頭，紅彤彤的，實在誘人，但是，八路軍的戰士，没有一個人去採摘。

入冬了，部隊好不容易才籌措到土布和棉花，來不及集中縫製冬裝了，就把土布、棉花發給各單位，動員人人動手，自做自穿。没有染料，就找草木灰和樹根染色。不會剪裁，就請老百姓幫忙。那些拿慣了槍支的大手，也學着拿起了針綫。

劉鄧也和大家一樣，穿的是深一片淺一片的灰土布棉衣。有一回，供給處給他們每人做了一套細灰布的棉衣，被劉鄧堅決退回，還被斥責道：這不是對我們的愛護，是要我們脱離群衆。

劉鄧和大家穿得一樣，吃得一樣。幹部和戰士穿得一樣，吃得一樣。有福同享，有難同當。一二九師和晉冀魯豫根據地的軍民，心能不齊，勁兒能不往一塊兒使嗎?

根本的出路還是要發展生産。

鄧小平主持召開了中共太行分局會議，專門研究太行區的經濟建設問題。

鄧小平在根據地和部隊的生産會議上作了報告，題爲《努力生産，渡過困難，迎接勝利》。

他説：必須加强對生産工作的領導，今後應把生産當作根據地一切工作的中心環節。

在救災中，邊區政府除了盡最大的能力向災民發放救濟糧款以外，特别强調生産自救。政府幫助農民逐户制定生産自救計劃，有效地克服了他們的迷信觀念和悲觀失望，調動起人定勝天、戰勝困難的積極性，還在有條件的地區幫助農民組織生産合作社。

就這樣，在太行，在太岳，在冀魯豫，在冀南，整個的晉冀魯豫大地上，掀起了生産救災的熱潮。

鄧小平於1943年7月2日在延安的《解放日報》上，發表了《太行區的經濟建設》一文。文章對生產救災的過程，作了生動而又詳盡的介紹。

他寫道：

"農業生產是貫穿於全年而又富於季節性的事情，嚴格說來，無所謂農閑時間。犁地、選種、下種、選苗、鋤草、夏收、秋收，還要適時地積肥、施肥……我們在春耕、秋耕、夏收、秋收的時候，都做了巨大的工作。我們發動人民的生產熱忱，反對懶漢，組織勞動力並實行調劑，改良種子，解決牲畜農具的需要，發動兒童拾糞，號召婦女參加生產，調解租佃關係和主僱關係，以及發動植樹、修渠、打井、造水車等事業……正因為我們注意了生產的組織與領導，人民許多困難被克服了，'增加生產、改善生活、準備反攻'的口號，響遍了太行山的每個角落，獲得了生產戰綫上年復一年的勝利。"⑥

劉鄧親自抓生產，還親自帶頭參加生產勞動。

8月初，久旱之後下了一場雨，鄧政委指示邊區各機關學校，全體動員，幫助群衆補種改種。他親自組織和指導機關工作人員幫助群衆搶收。

在鄧政委的辦公室裏，支起了一台土造的手工紡綫車，他親自動手，帶頭學紡綫。他的夫人卓琳和其他的女同志，也都下地種糧，在家紡綫，還用紡出的綫爲部隊編織綫衣。

嘿，我媽媽那一手又巧又快的毛綫編織技術，就是在太行山練就的。解放後，我們那麼一大家人老老少少全身上下的毛衣毛褲，全是媽媽憑着這手本事，編製而成的。

在劉鄧的帶頭作用下，僅太行區，各部隊於 1943 年即種地十萬畝，其中開墾荒地八萬多畝，總收入達一千五百萬元以上。而且自製香烟自給有餘，布匹、毛巾等自產物品還可往外運銷。

在發展生產的同時，爲了穩定貨幣和物價，10 月間，冀南銀行還發行了冀南鈔票。該種鈔票逐步在整個晉冀魯豫地區流通了起來。貨幣的發行，補助了財政上的不足，還有效地扶持了生產。

在這一年中，在鄧小平親自督促參與下，晉冀魯豫邊區參議會還通過並頒佈實施了“統一累進税”，這項税制，照顧了各階層的利益，不僅進一步奠定了財政的基礎，而且提高了各階層的生產熱忱。

這一年的 8 月份，太行地區發生了嚴重的蝗蟲災害。

這是一次毀滅性的蟲災。

飛蝗來時，一落地就是幾座山、幾道溝。無窮無盡的蝗蟲，飛過來遮天蔽日，落下來蓋地無邊。太行地區百分之四十六的地區受災嚴重，受災面積達三千平方華里，受害莊稼六十萬畝，其中被吃得顆粒無收的有二十七萬畝。

怎麼辦？有的人提出用藥物拌糖來滅蝗，糖在當時，簡直珍貴如奢侈品，此法當然不通。

鄧政委説：用手打！

於是，全區軍民一起打蝗，各級領導同志也一起打蝗。不但打蝗，而且發明了吃蝗。有人説，吃蝗蟲，不但可以解飢，還是高蛋白的呢！

在發展生產、戰勝災害的同時，我八路軍在反“掃蕩”中還努力保衛夏收和秋收，保證徵糧任務勝利完成。

鄧小平曾感慨地寫道：

“以八路軍這樣窳劣的武器，四年來沒有得到一個銅板一顆子彈的接濟，而能戰勝各種困難，與強大的敵人進行短兵相接的鬥爭，這不能不是一個奇迹。究竟它的秘訣在什麼地方呢？如人所共知的，我們有一個毛澤東的戰略戰術指導原則。依據這個原則，從無數的戰鬥中，才創立、保衛與鞏固了各個抗日根據地，才箝制了日寇在華總兵力的一半，減輕了大後方正面作戰的負擔。如人所共知的，我們同敵人進行了嚴重的政治、文化和反特務的鬥爭，大大地發揚了根據地和敵佔區人民的抗日積極性，堅定了人民的民族自尊心和自信心。然而，還有如人所共知的，就是我們在敵後還在極端困難的條件下，進行了經濟戰綫的鬥爭，而且獲得了不小的勝利。也正是因為有了這一經濟戰綫的勝利，我們才有可能堅持敵後抗戰六年之久，並且還能繼續堅持下去。”⑦

這是無與倫比的豪言壯語。

沒有經過那個時代，沒有經歷過那樣生活的人，可能永遠也不能體驗這短短一段話中所包容的全部內涵。

秋天到了。

太行山的石頭山上秋色濃郁。

10月6日，中央決定，中共北方局與太行分局合併，八路軍總部與一二九師合併。北方局直接領導晉冀魯豫區的太行、太岳、冀南、冀魯豫四個區黨委。八路軍總部直接領導一二九師部隊和太行、太岳、冀南、冀魯豫四個軍區。

鄧小平接替彭德懷，任中共北方局代理書記。

8、9月間，彭德懷、羅瑞卿已離開太行赴延安學習。

10月9日，劉伯承師長赴延安，參加學習和準備參加中國共産黨的第七次全國代表大會。

蔡樹藩、陳賡、薄一波、陳再道、陳錫聯、楊得志等高級幹部也先後前往延安。

我的母親把我的大姐從鄉下老百姓家接了出來，委託蔡樹藩的夫人陳書蓮將她帶到延安去。前方太艱苦了，實在無法帶孩子、養孩子！我的大姐到延安後，進了延安保育院，在相當長的時間內一直由陳書蓮代爲照看，後來，蔡樹藩和陳書蓮，成了我大姐的乾爸爸和乾媽媽。

在太行山上，我的父親鄧小平，開始負責主持北方局和晉冀魯豫地區的全面的軍政工作。

代理北方局書記，主持晉冀魯豫地區的軍政工作，是一副不輕的擔子。

讓父親挑起這副擔子，是黨中央對他在政治上和能力上的雙重信任。

對於父親本人來說，獨當一面，要率領全區軍民把仗打好，把根據地建設好，把黨的隊伍和軍隊的隊伍建設好，還要努力開創新的局面，的確是一個重任。

但是，此時，父親已年過三十九歲，已成爲一個在政治、軍事等諸方面都具有相當經驗的領導幹部。

他有能力，也有信心，擔此重任。

從 1943 年 10 月，到 1945 年 6 月他赴延安參加黨的第七次代表大會，在近兩年的時間內，他出色地完成了黨中央和中央軍委賦予他的重任。

1943 年 12 月 6 日，中共北方局在代理書記鄧小平的主持下召開委員會，討論和確定了 1944 年的工作。

會議指出，1944 年全華北的工作方針是，團結全華北人民的力量，克服一切困難，堅持華北抗戰，堅持抗日根據地，積蓄力量，準備反攻，迎接勝利！

抗戰勝利的信心，已愈加明確。

抗戰勝利的曙光，已在漫佈烏雲的天空中閃爍，顯露虹霓！

注：

① 《中國人民解放軍第二野戰軍戰史》，第一卷（抗日戰爭時期），第257—258頁。

② 陳東《鄧小平同志與晉冀魯豫邊區建設》。《二十八年間——從師政委到總書記》（續編），第28—29頁。

③ 陳鶴橋《鄧小平同志在北方局》。《二十八年間——從師政委到總書記》（續編），第103頁。

④ 陳東《鄧小平同志與晉冀魯豫邊區建設》。《二十八年間——從師政委到總書記》（續編），第29頁。

⑤ 陳鶴橋《鄧小平同志在北方局》。《二十八年間——從師政委到總書記》（續編），第76頁。

⑥ 《鄧小平文選》（1938—1965年），第81—82頁。

⑦ 《鄧小平文選》（1938—1965年），第78頁。

50. 神聖抗戰的勝利

勝利的曙光已開始在天邊閃爍。

世界戰爭局勢的迅速演變更把勝利的希望展現在人們的眼前。

1944 年，世界反法西斯戰爭進入大規模反攻階段。

在形勢對日軍極端不利的情況下，侵華日軍爲了扭轉被動局面，於 1944 年 1 月 24 日發出打通中國大陸交通綫的作戰命令。

在形勢日趨變得有利的情況下，國民黨政權，滿腦子想的是保存實力，準備內戰。對於日軍突如其來的大規模正面進攻，竟然毫無準備，以致於在日軍强大的進攻之下，倉皇而又迅速地大規模敗退。

到了 10 月，侵華日軍不但打通了一些貫穿中國南北和西南的重要交通綫，而且相繼佔領了鄭州、許昌、洛陽，和我華南長沙、衡陽、桂林、柳州、南寧、龍州等重要城市，實現了與從越南北上的日軍會合的目的。

國民黨在正面戰場上屢遭失利，短短幾個月內竟又失地數千里，喪師數十萬!

與國民黨軍隊形成鮮明對照的是，在廣大華北敵佔區的後方，我英勇的八路軍，從 1944 年開始，扭轉了困難局面，向日本侵略者發起了積極而又靈活主動的攻勢作戰。

爲了寫這本書，我編寫了一份詳盡的戰爭大事年表。在年表上，凡是日本侵略軍向我發動“掃蕩”和進犯的地方，我都用藍顏色作上記號。凡是我軍發起破襲和進攻的地方，我都標上紅色的記號。

前兩年，在一頁一頁的年表上，佈滿了藍色的標記，顏色一片暗淡。從 1944 年開始，紅色的標記已開始越來越多，而到了最後，竟然整頁通紅。

這標誌着勝利的紅色，鮮明耀眼，令人振奮不已。

我軍的春夏季攻勢，使得日軍顧此失彼，兵力日顯不足。爲此，日軍於 7、8 月間，抽調兵力回華北，從 9 月至 12 月，出動兵力五萬餘人，對我晉冀魯豫區進行了十四次殘酷瘋狂的局部“掃蕩”，並實行了慘絕人寰的“三光”政策。

我晉冀魯豫區一面勝利地粉碎了敵人的“掃蕩”，予敵以重擊；一面趁敵後方空虛之際，主動出擊，開展了秋冬季攻勢作戰。在正太綫、白晉綫、同蒲綫和津浦綫上，頻繁出擊，重創敵軍及敵主要交通綫。

在鞏固和擴大根據地的同時，由主持北方局和八路軍前方總部工作的鄧小平親自佈置，根據中央的指示，採取敵進我進的戰略行動，兩次派遣豫西抗日游擊支隊，從太行、太岳由北向南渡過黃河，開闢了擁有二十個縣、三百餘萬人口的豫西抗日根據地。

中共北方局還發出指示，在隴海路以南、平漢路以東的廣大地區，加强水東（黃河以東），開闢水西（黃河以西），擴大豫東解放區。冀魯豫軍區即刻南下，出師豫東，經過與日僞軍和國民黨頑軍的激戰，勝利地控制了豫東廣大地區。

經過英勇頑强、主動開展攻勢的戰鬥，到 1944 年底，在北方局和八路軍總部直接領導下，晉冀魯豫區軍民，共殲敵七萬六千餘人，收復縣城十一座，解放人口五百多萬，從侵略者手中收復國土六萬餘平方公里，使戰局發生了有利於我的變化。

我抗日民主根據地軍民，没有被困死，没有被餓死，轉守爲攻，轉被動爲主動，正在向着更大的勝利邁進。

父親自從擔任北方局代理書記後，身上的擔子和責任更重了。

他主持中共北方局的工作，主持八路軍總部的工作，主持晉冀魯豫區黨、政、軍的全面工作。

他主持軍事工作，堅決而又有效地執行黨中央、毛澤東主席的戰略部署。對於所轄各區、各部隊的領導幹部，既要求嚴格，又充分放手發揮他們的主觀能動性和作戰指揮才能，大膽使用。在他手下工作的幹部，一致地説，鄧政委十分嚴格和嚴肅，但在他手下工作，可以盡量地施展才幹。對於軍事行動，父親以十分的重視來對待，許多行動之前，他都親自部署，親自找軍事政治主官談話，而且對於工作和戰事的部署十分周密、十分細緻、十分全面。

他主持北方局的工作，經常召集會議，研究形勢，討論、宣傳和貫徹中央的各項方針政策。他多次提出，要把對敵鬥爭作爲頭等重要的任務來抓，强調積極主動地加强全面開展對敵鬥爭，鞏固和不斷擴大根據地，爲反攻作好準備。他特別重視分析形勢，他的許多次講話，都是首先分析國際反法西斯的形勢，其次分析中國國内的抗日戰爭形勢，再次分析面臨的處境、優勢和困難，在這些基礎上，根據黨中央的精神，再部署本區域的工作和任務。他的工作作風是，執行中央意圖，堅決而果斷，不打折扣。但執行任務時，必作到心中有數，心中有全局，心中有戰略戰術。不打無準備之仗，不作無運籌之事。

他主持根據地建設工作，既注意政權組織建設，又特別注意經濟工作。我們的根據地建設，是在既無外援，又困難重重之中進行的，戰爭殘酷，天災不斷，人民生活困苦，因此我們的軍隊在依靠人民群衆的基礎上，必須作到以戰養戰，自己動手，發展生産，耕戰兼作。只有自力更生，自給自足，才能克服財政經濟困難，才能減輕根據地人民負擔，才能保證我們軍隊旺盛不衰之戰鬥力，才能爭取最後的勝利。這是一條人民軍隊所實行的特殊的而又行之有效的方針政策。

他主持政治工作，根據中央的精神，深入地抓了整黨整風運動。整風運動是 1941 年由中央發起的一個黨内政治教育運動。早在 1935 年的遵義會議上，中國共産黨就在軍事上結束了教條主義和“左”傾冒險主義。此後，經過六年的時光，中國共産黨的組織大大發展，軍事力量大大發展，革命事業大大發展，但是，由於戰事連綿，黨内在思想上、政治上、組織上存在許多不良傾向和作風有待整頓。四十年代初期的整風，就是旨在反對主觀主義，反對宗派主義，反對黨八股，對全黨進行一次普遍的馬克思主義教育運動。這次運動，對於統一全黨的思想，提高黨的素質，具有極其重大的意義。正是因爲有了這次全黨範圍内的提高和統一，中國共産黨才能夠適應並駕馭今後的鬥爭形勢，取得輝煌的勝利。

父親在彭德懷、劉伯承及大批高級黨政軍領導幹部調往延安學習的情況下，和其他戰友一起，領導北方局、八路軍總部、一二九師和整個晉冀魯豫全區，在軍事上、政治上、生産建設上，勝利地完成了中央交付的任務。在艱難困苦中，在勝利的希望中，領導全區軍民奮鬥不息。

我問過父親："你那時一個人在前方，也夠不容易的吧?"

父親輕輕地笑了一下，回答我説："我没幹什麼事，只幹了一件事，就是吃苦!"

問話時，我正陪着父親坐在北戴河的庭院裏，四周濃蔭密蔽，風朗花香，海風陣陣襲來，海濤之聲不絶於耳。

年近八十八歲的父親，坐在藤椅上，説完上述那一句簡短的話後，不再言語，雙目直視那一片濃翠玉綠，陷入了沉思之中。我坐在他的旁邊，也不再言語。

我不想打擾他，也許，他的思緒又飛回到那艱苦歲月之中，又飛回到太行山上。

……

太行山已是隆冬時分，寒風飈戾，滴水成冰。

太行山在嚴冬中已聞聽到春的訊息。那密封山野的層層冰雪，已開始在人們的心中融化。

太行山，終於迎來了 1945 年。

1945 年，是世界反法西斯人民勝利的一年，也是在抗戰中苦鬥了近八個春秋的中國人民的勝利的一年。

經過長期戰爭，日軍總戰略形勢已更加不利，戰役迭次失敗，士氣更加低落，戰鬥力明顯下降。

我共産黨八路軍，則經過局部反攻、整黨整風和生産運動，在政治、軍事、經濟上都得到了很大發展。我已擁有九千多萬人口的根據地、二百多萬民兵和七十八萬正規軍。

消滅敵僞，擴大解放區，縮小淪陷區，是解放區軍民的首要任務。

在太行山的中共北方局、八路軍總部和一二九師師部，向全晉冀魯豫區發出命令，集中優勢兵力，向敵人守備薄弱的地方，發起進攻!

開年便是1月，在1月，我軍便發起了春季攻勢。

春天還未來臨，春季攻勢就已打響了!

這春天般的勝利熱情，比春的腳步還要急迫，比春的消息還要振奮人心。

冀魯豫區發起大名之戰，攻克古城大名。

太行區發起道清戰役，殲敵二千五百餘人，收復國土二千餘平方公里，解放人口七十五萬。

太岳區發動了豫北戰役，攻克據點四十餘處，殲敵二千八百餘人。

冀魯豫區乘勝出擊，再發起南樂戰役，攻克南樂縣城及周圍據點三十二處，殲敵三千四百餘人。

我軍春季攻勢節節勝利，使得日軍被迫不斷收縮兵力。

春天過了，即是夏天。

天氣熱了，人們的心也更加熾熱了。勝利的佳音，伴隨着更爲高漲的戰鬥熱情，瀰漫在抗日戰場之上。

緊接着春季攻勢，華北大地上的八路軍迅猛地展開了夏季攻勢。

如同春季攻勢一樣，夏季攻勢也是捷報頻傳，戰績斐然。

晉冀魯豫區的春、夏兩季攻勢作戰，共進行大小戰鬥二千三百餘次，攻克敵人據點二千八百餘處，收復縣城二十八座，殲敵三萬七千八百餘人，太行、太岳兩區聯成了一片，山區與平原聯繫更加暢通，整個根據地更加擴大，人力物力大大增强，抗日軍民信心倍增，抗戰形勢一派大好!

1945年5月8日，在歐洲，德國法西斯無條件投降。

日軍，在同時對中國及美、英等國的戰爭中，已如困獸之鬥，行將失敗。

1945年4月23日至6月11日，在中國的陝北，在延安，中國共產黨召開了第七次全國代表大會。

會議回顧和總結了歷史，具體地提出了各條戰綫的任務和政策。

會議指出，中國面臨着光明和黑暗兩種命運的選擇；面臨着是建立一個獨立、自由、民主、統一、富强的新中國，還是回到半殖民地半封建的、分裂的、貧弱的舊中國這樣兩種前途的選擇。

會議指出，中國共產黨的任務，就是要竭盡全力去爭取光明的前途，反對黑暗的前途。中國共產黨的政治路綫是：放手發動群衆、壯大人民力量，在我黨的領導下，打敗日本侵略者，解放全國人民，建立一個新民主主義的中國。

會議開得民主團結，會議開得朝氣蓬勃，會議開得信心百倍。

在沒有外來幹預的情況下，中國共產黨，選舉出了新的中央委員會，選舉出了新的黨的領導核心，選舉出了他們自己的主席——毛澤東。

在經歷了二十四個春秋之後，中國共產黨獨立自主地確定了它的第一代領導核心的統率地位。

中國共產黨人，充滿必勝的決心，爲了中國，爲了中國人民，繼續英勇頑强地去戰鬥，直到取得最後的勝利！

在“七大”選舉出的四十四名中央委員中，有鄧小平的名字。

父親沒有參加“七大”，他一直受命在前方指揮戰鬥。

1945年2月，他根據中央的指示率北方局人員，由遼縣麻田出發，通過平漢鐵路敵人封鎖綫，於3月到達冀魯豫地區，去視察工作和進行調查研究。

6月中旬，父親接到中央通知，命他赴延安參加黨的七屆一中全會。

6月29日，父親從冀魯豫出發，趕赴延安開會。①

當選爲中央委員會委員，是父親革命生涯中的又一個重要的起點。

1945年的夏天，伏天剛到，就已驕陽似火，而形勢的發展，則比驕陽還要"火"!

7月26日，中、美、英三國政府發表《波茨坦公報》，要求日本政府立即宣佈無條件投降。

8月8日，蘇聯對日宣戰。

8月9日，一百萬蘇軍從三面向在中國東北的侵華日軍發起進攻。

8月6日、9日，美國向日本的廣島、長崎先後投擲兩枚原子彈。

8月9日，毛澤東發表《對日寇的最後一擊》，號召中國人民的一切抗日力量舉行全國規模的反攻。

8月10日，八路軍總司令朱德發佈大反攻第一號命令。

同日，　劉伯承、鄧小平從延安致電晉冀魯豫各軍區，作出具體行動部署。隨即，各區部隊立即行動。

8月15日，日本宣佈投降。

9月2日，日本政府簽署了投降書。

至此，第二次世界大戰勝利結束。

至此，中國人民頑强堅持了八年之久的神聖抗戰勝利結束。

至此，帝國主義殘暴侵略中國的屈辱的歷史，已開始走向結束。

……

八年抗戰，終於勝利了。

中國人的心裏，充滿了難以抑制的喜悦。中國抗日軍民的心裏，充滿了勝利的激情。

媽媽告訴我，在延安，聽到勝利的喜訊，整個山城都沸騰了。人們笑呀、跳呀！人們敲鑼呀、打鼓呀！人們高高地掛起鞭炮，噼噼啪啪地放起來呀！沒有鑼鼓，沒有鞭炮，人們就從衣服上撕下破布，從被子裏扯出棉花，點起來就燒呀！

整個的延安，整個的中國，頓時間像一片沸騰了的歡樂的海洋。

八年抗戰，八年中華民族與侵略者的浴血奮戰，每一個親身經歷過它的人，都會銘心刻骨，永誌在心。

八年抗戰，中國軍民的犧牲最大，中國民衆傷亡達一千八百餘萬人，中國軍隊傷亡近四百萬人。

八年抗戰，中國軍民的勝利也最爲輝煌，特別是中國共產黨所領導的人民軍隊，在敵後戰場，對敵作戰十二萬五千餘次，消滅日軍五十二萬七千餘人、僞軍一百一十八萬餘人。

史書是這樣評價中國八年抗戰的：

> “中國人民的抗日戰爭，是人類戰爭史上的奇觀，中華民族的創舉。它是中國人民百餘年來反對帝國主義侵略鬥爭中規模空前並第一次取得完全勝利的民族解放戰爭，在整個中國革命歷史上具有十分重大的意義。”②

八年抗戰終於結束了。

但是，在中國，正義與非正義，光明與黑暗的鬥爭，卻沒有結束，並仍將繼續下去。

注:

① 《中國人民解放軍第二野戰軍戰史》，第一卷（抗日戰爭時期），第 506 頁。

② 中共中央黨史研究室著《中國共產黨歷史》(上卷)，第 659 頁。

51. 針鋒相對，寸土必爭

抗日戰爭結束了，但在中國的大地上，仗，還没有打完；戰爭，仍將繼續。

這是因爲，國民黨、蔣介石，爲了維持其封建腐朽的統治，必須把其心腹之敵——中國共産黨及其所屬軍隊消滅不可。

而共産黨和共産黨人，從成立和加入該黨的那一天起，便是以奪取政權，建立一個繁榮、富强、獨立、民主的新中國爲最終目標。

這場戰爭的到來，是客觀形勢使然，是不以個人的意志爲轉移的。

抗日戰爭結束後，中國國内的形勢是這樣的：

共産黨領導的軍隊，已發展到一百二十萬人，民兵二百二十萬人，解放區遍及十九個省區，面積一百萬平方公里，擁有人口一億之多。①

國民黨領導的軍隊，擁兵四百四十萬人，佔有中國大部分領土和大部分人口，但是，其主要兵力遠離華東、華北，尚位於遠離抗戰前綫的西南、西北大後方。

在中國，久經戰爭摧殘的人民大衆，普遍反對内戰，反對獨裁，要求和平和渴望民主之呼聲甚高。

國際上，由於各自自身利益所使，美、英、蘇三國也都表示不贊成中國發生內戰。

蔣介石一時準備未就，又迫於輿論，不能立即動手，於是乎，便一方面電邀毛澤東到重慶“共同商討”“國際國內各種重要問題”，作出和平姿態；一方面趕緊調兵遣將，搶佔戰略要地和利用經濟接收對人民財產進行强取豪奪。

蔣介石爲了達到搶佔大城市和交通要道的目的，一邊在美國政府提供的飛機、軍艦的幫助下急速運送兵力北上；一邊竟然與侵華日軍陰謀勾結，甚至聘請罪大惡極的日本戰犯作顧問，以阻止共產黨八路軍、新四軍等參加受降。

蔣介石滿以爲，毛澤東縱有天大的膽子，也不敢赴重慶談判！

而出乎蔣介石所料，毛澤東以宏大的膽略和氣魄，竟然率周恩來、王若飛等，親赴重慶談判，與蔣介石面對面地坐了下來！

當然，共產黨，毛澤東，並沒有天真地看待問題。對於內戰的危險，他們有足夠清醒的估計。他們一再告誡全黨全軍：要把一切工作的立足點放在國民黨要打內戰的基點上，對於國民黨向解放區的進攻，要站在自衛的立場上，進行堅決的回擊！

首先，中共中央下令，我軍主力應迅速組成正規兵團，加强集中統一。

其次，在延安參加中央會議的各區高級指揮官迅速返回前綫，作好戰鬥準備。

8月25日，一架美國飛機從延安機場起飛。

起飛前，下面送行的人看到，飛機上的人每人揹着一個降落傘，飛機的門也不知道爲什麼沒有了。

起飛前，下面送行的人發現，飛行員是美國人，一句中文也不會；而乘坐飛機的則全是中國人，沒有一個會講英文！於是乎，楊尚昆臨時拉夫，讓會講英文的黃華也上了飛機，負責與美軍飛行員的聯繫。

這架美軍DC－9軍用運輸機，轟隆隆地發動起來，搖搖晃晃地起飛了。

後想起來，這也實在是一件“夠懸”的事情。如非情況緊急，是不會冒這樣大的危險的。

要知道，這一架飛機上乘坐的，全都是中國共產黨各區的前綫最高指揮官，計有劉伯承、陳毅、林彪、鄧小平、薄一波、陳賡、陳錫聯、陳再道、張際春、滕代遠、楊得志、蕭勁光、鄧華、鄧克明、宋時輪 、李天佑等，共二十餘人!

當日，飛機在太行山黎城縣的長寧機場着陸。李達參謀長派一個騎兵排到機場迎接。

劉鄧首長未敢稍留，立即奔赴軍區駐地——赤岸。

劉鄧回太行後，即刻投入了繁忙的軍政工作。

此時，遵照中央決定，爲了統一太行、太岳、冀魯豫、冀南解放區的領導，特成立中共中央晉冀魯豫局，鄧小平任書記。同時改一二九師爲晉冀魯豫軍區，下轄五個縱隊和冀魯豫、冀南、太行、太岳四個軍區，劉伯承任司令員，鄧小平任政治委員。全軍區共有野戰部隊八萬餘人，地方部隊二十三萬餘人。

抗戰結束了，但是中國大地上的政治風雲，卻仍然是錯綜複雜的。

國民黨一邊散佈和談的烟幕，一邊積極備戰和搶奪地盤。

明眼人一看便知，這和談是假，備戰才是真。

8月28日，毛澤東率中共代表團赴重慶，與國民黨、蔣介石談判。

毛澤東這一果敢的行動，震驚了中外。

毛澤東置個人安危於不顧，親到重慶，無非是向世界宣告中國共産黨謀求和平的誠意。這一壯舉，無疑給積極備戰的蔣介石將了一個大軍!

談判是艱苦的，這是意料中事。談判被一再拖延和障礙，也是意料中事。但是，一邊還在桌上談判，一邊已開始進行軍事行動，迅速調兵遣將，向解放區推進和進犯，卻是許多善良的人所始料不及的。

在重慶談判的同時，至 9 月中旬，國民黨調動了三十六個軍、七十三個師，向解放區進兵，企圖盡快控制華北和華東的戰略要地，打開進入東北的通道並搶佔東北，以强大的軍事壓力，逼迫中共在談判中屈服。

中國共産黨人，在爭取和平的同時，從未天真地放棄戰鬥的準備。

毛澤東已經預言：蔣介石對於人民是寸權必奪，寸利必得。我們的方針是“針鋒相對，寸土必爭”!

國民黨軍隊開始向我解放區進犯了，内戰的危險與日俱增。

晉冀魯豫解放區地處華北戰略區域的中央大門，其西面，是太行、太岳、中條三條山脈；東面，是河北、山東一望無際的大平原；南面，有黃河奔湍；北面，是正太交通幹道蜿蜒。

劉伯承稱這塊古燕趙之地爲“四戰之地”，稱他的野戰軍爲“四戰之師”。

古燕趙之地，乃兵家必爭之地。古燕趙之士，多慷慨悲歌之風。

這塊戰略要地，成爲國民黨進攻的主要方向。形象地説，就是從一開始，便處於“針鋒相對”的“針鋒”之上!

在山西的東南部，有一個上黨地區。這個地區環抱在太行山、太岳山和中條山之中，以長治縣城爲其核心，是崇山峻嶺之中一塊略爲平緩的地區，乃古今兵家要地。

8月中旬，國民黨閻錫山部一萬六千人，侵入太行山腹地的上黨地區，佔領了襄垣、潞城、長治、長子、壺關、屯留等城。

一時之間，國民黨軍隊氣勢洶洶，四面八方向共産黨的解放區開進，内戰的危機空前嚴重。

毛澤東説："國民黨一方面同我們談判，另一方面又在積極進攻解放區。"

他説："太行山、太岳山、中條山的中間，有一個腳盆，就是上黨區。在那個腳盆裏，有魚有肉，閻錫山派了十三個師去搶。我們的方針也是老早定了的，就是針鋒相對，寸土必爭。"②

我晉冀魯豫的主要任務是粉碎國民黨在平漢、同蒲兩個方向的進攻，但是，目前進犯上黨之敵，已構成心腹之患，如不迅速予以殲滅，待國民黨主力北上之時，我將會腹背受敵。基於這一判斷，劉鄧上報中央，決定進行上黨戰役，將閻錫山進犯之敵堅決消滅。

要知道，下定打上黨戰役的決心，並不是輕易可以作出的。

在抗日戰爭中，我軍爲了靈活機動作戰，曾將主力化整爲零，直到抗戰後期，才逐步集中作戰，目前，正在完成逐步由分散的游擊戰爭向集中的運動戰的轉變。而在這個時期，我軍編制不充實，多數的團人員在千人以下。部隊裝備也很差，全軍區只有山炮六門，僅半數的團有迫擊炮二至四門、重機槍三至四挺。新參軍的戰士還多用刀矛禦敵。彈藥也奇缺，不少步槍僅有數發子彈。

我軍就是在這樣一種狀態下，下決心去迎擊閻錫山裝備齊全的基幹部隊。

決定打這一仗，是需要決心、勇氣和高超的戰鬥指揮藝術的。

中央批准了晉冀魯豫軍區的這一作戰方針。

劉鄧立即進行全區戰鬥部署，集中太行、太岳、冀南三區主力及地方兵團一部，共三萬一千人。參加戰役的指揮官有李達、陳錫聯、陳賡、謝富治、王新亭、陳再道、秦基偉等著名將領。

9 月 7 日，劉鄧下達發動上黨戰役的命令。

當時，毛澤東已赴重慶談判，許多人爲毛澤東的安全擔心。鄧小平回答說："我們上黨戰役打得越好，殲滅敵人越徹底，毛主席就越安全，毛主席在談判桌上就越有力量。"③

9 月 10 日，戰役正式發起。

我軍首先連克屯留、潞城、壺關、長子、襄垣，陷長治於孤立，並在戰鬥中從敵軍手中奪取大量武器彈藥。在這一基礎上，我軍合圍長治。劉鄧發佈作戰命令，以勇猛速決的動作，拿下長治，並以圍城打援的作戰方法殲滅敵人有生力量。敵援軍被我軍圍困，經數日激戰，敵援軍軍心動搖，向北突圍。我軍迅速追擊、截擊，猛烈穿插，使敵援軍潰不成軍，幾被全殲。長治之敵待援無望，棄城突圍，爲我軍追擊、兜擊。我軍不顧飢餓疲勞，日夜兼程，追擊敵軍，終將敵軍主力殲滅於沁水之畔。

至 10 月 12 日，上黨戰役勝利結束。

此役殲敵十一個師、一個挺進縱隊，共三萬五千餘人，繳獲山炮、機槍、長短槍一批，生擒閻軍第十九軍軍長史澤波。同時，全長二百五十公里的新鄉至石家莊鐵路沿綫上，除個別城市外，日僞軍均被我軍肅清。

上黨戰役後，毛澤東說："這一回我們'對'了'爭'了，而且'對'得很好，'爭'得很好。就是說，把他們的十三個師全部消滅。他們進攻的軍隊共計三萬八千人，我們出動三萬一千人。他們的三萬八千被消滅了三萬五千，逃掉兩千，散掉一千。這樣的仗，還要打下去。”④

上黨戰役，是抗日戰爭勝利後，我軍對國民黨軍隊的第一仗。也是我軍所進行的第一個較大規模的殲滅戰。

這一仗，以共產黨的部隊獲得巨大勝利而告結束。

這一仗，加强了我黨在重慶談判中的地位，鼓舞了解放區軍民戰勝國民黨軍的信心，鞏固了我區後方，加速了我軍由游擊兵團向適應大規模運動戰的正規兵團的轉變。

上黨戰役結束後，晉冀魯豫野戰軍將所屬四個軍區的兵力編成一、二、三、四縱隊，並組建了炮兵部隊。

父親和劉伯承親自在火綫上指揮了上黨戰役後，返回赤岸。這時，整個小山村沉浸在一片歡樂的勝利氣氛之中。

父親更是高興，因爲此時，他又得了一個女兒。

赤岸，是我兩個姐姐的出生地。

我的大姐鄧林，小名叫林兒。以前説過，她出生在最爲艱苦的 1941 年，生下後即送到老鄉家餵養，四歲送到延安，寄放在保育院。

我的哥哥鄧樸方，小名叫胖胖。大概是因爲他生下來胖呼呼的緣故吧！他是 1944 年出生在太行山遼縣的麻田村。出生後因爲媽媽没有奶，無法撫養，便也送到麻田鎮河對岸的一個農民家哺養。

1945 年上黨戰役後出生的是我的二姐，現在的“官號”叫鄧楠，那時候取了個小名叫南南。媽媽説，這個名字是哥哥給她取的。當時哥哥才一歲，還説不清話，看見妹妹，只會連聲叫“喃喃、喃喃”。媽媽於是就給二姐取了個名字叫南南。二姐出生後，也被送到一個農民奶娘家去哺養。

我的三個哥哥姐姐都是生下來後送到太行山的老鄉家撫養的。他們都是喝太行山人的奶水長大的。太行山，對於我們這一家人來說，意義的確非同一般。近些年來，媽媽已是七十多歲的高齡，一般不怎麼外出，可是，太行山老區的人來了，她還冒着嚴寒去見見他們。就在我寫這一章的時候，媽媽正在苦思苦想，怎麼樣爲尚在貧困之中的太行山老區和老區的人民做點什麼。

……

1945年10月10日，中國共產黨和中國國民黨在重慶簽定了《政府與中共代表會談紀要》，也就是“雙十協定”。雙方協議要長期合作，避免内戰。

10月11日，毛澤東回到了延安。

毛澤東一回到延安，便極有預見地指出：“已達成的協議，還只是紙上的東西。紙上的東西並不等於現實的東西。”“我們的任務就是堅持這個協定，要國民黨兑現，繼續爭取和平。如果他們要打，就把他們徹底消滅。”⑤

是的，協議是簽了，但這仗，打與不打，都不是以某個個人的意志，甚至於某個黨單方的意願爲轉移的。

果然爲毛澤東說中了，“雙十協議”墨迹未乾，國民黨便進一步擴大了向解放區進攻的規模。在美國的協助下，國民黨用飛機、軍艦把部隊運向北平、天津，同時將進攻解放區的兵力增加到八十萬人。國民黨的首要目標，是搶佔北平、天津，進而奪取東北。

10月中旬，國民黨幾路兵馬紛紛出動。胡宗南、傅作義、孫連仲等諸大將所率之部隊，分四路向華北進攻，真是氣勢洶洶，大有不可阻擋之勢。

在這四路大軍之中，孫連仲部四萬五千餘人，在其副司令長官馬法五和高樹勛的率領下，從河南新鄉沿平漢綫北犯，準備夾擊河北重城邯鄲。

劉伯承形象地說：“蔣介石把足球朝解放區的中央大門踢來了。”⑥

邯鄲，是河北省最南部的一個城市，位於平漢鐵路綫上，是華北平原的一處戰略要地。

邯鄲，是古代趙國的都城，具有三千多年的悠久歷史，有多少動人而又充滿傳奇色彩的故事和歷史事件曾在這裏發生。

國民黨的大部隊來了，要搶佔這一華北名城。

中央軍委指示：阻礙和遲滯頑軍北進，是當前嚴重的戰略任務。即將到來的平漢戰役的勝負，關係全局，極爲重大。

中央軍委指示：要求利用上黨戰役的經驗，動員全部力量，由劉伯承、鄧小平親臨指揮，精密組織各個戰鬥，爭取第二個上黨戰役的勝利！

劉鄧受命之後，立即分析形勢：

敵軍方面，雖兵力多、裝備好，但弱點極爲明顯。一是遠征新到，地理民情不熟，遠離後方，且不善野戰。二是敵軍內部派系不一，矛盾重重，特別是其中新八軍和四十軍乃是“雜牌”，與蔣嫡系不和。

我軍方面，雖野戰兵團組成不久，裝備較差，且連戰之後未經休整，但剛剛取得上黨戰役的勝利，士氣高昂，同時還有根據地人民的大力支援。

劉鄧判斷：以我之優勢，完全有條件打一場更大規模的殲滅戰。

10月6日，軍區下達關於進行平漢戰役的命令。決心集中第一、第二、第三縱隊等兵力共六萬人，動員十萬以上民兵，以兩個月的時間，連續作戰，殲滅沿平漢綫進犯之敵。並對戰役作了周密的軍事佈置。

10月20日，劉鄧率指揮部離開涉縣赤岸村，進駐到太行山麓的與邯鄲近在咫尺的峰峰煤礦，實施對平漢戰役的前綫指揮。

平漢戰役，又稱邯鄲戰役，是繼上黨戰役之後的又一次大規模殲滅戰。對於這次戰役，劉鄧進行了細緻周密的戰略部署。

10月中旬，戰役開始。我軍首先以一縱隊將從河南新鄉北進的敵人遏止於邯鄲以南。24日，待敵人三個軍全部渡過漳河以後，我軍迅速將敵軍包圍並實施不間斷地攻擊。敵軍急忙收縮，並急電向蔣介石求援。26日，敵石家莊、安陽之部隊前來增援，我軍調集部隊實施阻擊。當時的戰爭形勢是十分險峻的，仗打得也是十分激烈和緊張的。我軍一面加緊攻擊被圍困之敵，一面加緊打援，一面加緊分化瓦解敵軍。軍區參謀長李達，親赴敵新八軍，積極作新八軍軍長高樹勛的工作，曉以大義，敦促起義。28日，我軍向被圍困的敵軍發起總攻，在周密安排下，新八軍軍長高樹勛率部萬餘人宣佈起義。新八軍的起義，使敵人兵力驟減，部署出現缺口，軍心動搖。31日，敵軍開始向南突圍，我軍早已按部署先機轉移到敵軍退路兩側，並立即對南逃敵軍實施多路突擊和兜擊。到11月2日，除少數漏網者外，敵軍被我全殲於清漳河以北地區。

這次戰役，新八軍起義，我軍斃傷敵三千餘人，俘虜敵第十一戰區副司令長官兼第四十軍軍長馬法五及其以下一萬七千餘人，繳獲大批武器物資。

上黨、平漢兩大戰役勝利結束了。

至今，提起這兩個戰役，父親仍是感慨萬分。他幾次對我們說：“我們這個野戰軍，從抗戰以後，一直沒有停止過一天打仗。最多只能整訓一個禮拜，十天都難得呀！”

他說：“真正講反攻，是上黨、平漢戰役開始迎戰敵人的。我們迎戰敵人，逼蔣簽定雙十協定。”

他充滿感情地說：“那兩個仗打得好險！沒有彈藥，一枝槍才有幾發子彈。打攻堅戰很困難，決定的關頭靠衝鋒，靠肉搏戰。這兩個都是殲滅戰，打勝了以後，武器也多了，人也多了！”

父親從來話很少，也從不談個人的歷史，但講起打仗，他的話就多了。他總是說：“哪有天生會打仗的！都是從打仗中學習打仗，從打敗仗中學習打仗。我剛到紅七軍的時候，什麼也不知道，一點軍事也不懂。還是我在上海當中央秘書長的時候，陳毅來中央匯報紅四軍的工作，才知道了好多情況。這也是一種學習呀！以後仗打得多了，敗仗也打過，慢慢地就學會打仗了！”有一次我的好朋友，陳毅元帥的小女兒姍姍來我們家玩兒，父親看見她，還在說：“我從你爸爸那裏聽了不少東西，後來搬到紅七軍去用！”

父親講的都是真話、實話。他之所以成爲一個軍事家，這路，也是一步一步走過來的。

對於上黨、平漢兩個戰役，父親曾作過詳細的回顧和總結。

那是1989年11月20日，編寫第二野戰軍戰史的老同志們雲集人民大會堂（因爲劉鄧野戰軍最後被編爲第二野戰軍，所以劉鄧部隊的人，習慣地把劉鄧的這支部隊統稱二野）。

編寫二野戰史，劉已過世，鄧當然要到會。

父親到人民大會堂，會見他的老戰友們，講了一篇話。

他說：“在戰爭年代，二野在每個階段都完成了中央軍委給予自己的任務，而且完成得比較好。這是對二野的評價。在解放戰爭中，從頭到尾，二野都處在同敵人針鋒相對的局面，都處在這個局面的前面。開始在晉冀魯豫，用伯承同志的話說，這裏是華北解放區的一個大門，預計敵人首先從這個口子來。果然，毛主席到重慶簽訂雙十協定的時候，敵人從兩路來。一路閻錫山，打了個上黨戰役；一路馬法五、高樹勛，打了個平漢戰役。還要說遠一點，抗日戰爭的時候，我們就處在針鋒相對局面的前面，處在大門口的位置上。那時同國民黨的摩擦，幾個大區都有，但最集中的是在晉冀魯豫，從山西、河北、山東到河南這一片。這裏是個大門，敵人首先進攻的就是這個大門。而我們守這個大門口的力量並不強。閻錫山三萬多人進攻上黨區，我們才多少？比他們還少一點，也就是三萬出頭，而且成團的建制都沒有，真正一個完整的團都沒有。從人數、編制上講，可以說是一群游擊隊的集合，而且裝備很差，彈藥很少。還有就是臨戰前沒有將軍，那時李達在前綫，但下面的將軍都不在。陳再道也不在，是和我們一塊乘一架飛機飛回太行的。一起飛回來的有劉帥和我，陳錫聯也是，陳賡也是，還有二野和其他野戰軍的一些領導同志。宋任窮那時留在冀南，也沒有將軍。仗已經打得熱火朝天了，我們才回到太行山。是美國人幫了忙，我們是乘坐美軍駐延安觀察組的運輸機飛回太行的。一下飛機就上前綫。在那樣的情況下，把敵人完全消滅掉是很不容易的。應該說是超額完成任務。接着就是國民黨十一戰區馬法五、高樹勛兩個副司令長官的三個軍，還有一個喬明禮的河北民軍縱隊。馬法五的第四十軍，還有第三十軍，兩個軍都是强的部隊。就是高樹勛的部隊也是有戰鬥力的。錫聯不是在馬頭鎮碰了一次，一碰就是幾百人傷亡。高樹勛的功勞很大。當然，沒有高樹勛的起義，敵人也不會勝利，但不會失敗得那麼乾脆。就是因爲高樹勛一起義，馬法五的兩個軍全部被消滅了，只跑了三千人。但是不管怎麼樣，我們打平漢戰役時比打上黨戰役時困難，好處是彈藥有點補充，裝備有點改善，但部隊還是一個游擊隊集合起來的整體。打了上黨戰役，疲憊不堪，接着又打平漢戰役。打平漢戰役時，我們後面隊伍没趕上，没到齊。我跟蘇振華通電話，叫他堅持五天，堅持到我們的後續部隊到達指定地點。我們的隊伍還没到齊，敵人就開始進攻了。那次一縱隊的阻擊戰打得不錯，實現了堅持五天的任務，這樣我們的隊伍才趕上。那次我們主要是政治仗打得好，就是説服高樹勛起義。如果硬碰硬地打，他不可能取勝，通不過去，但我們傷亡會很大。他至少可以把主力向南撤，撤回石城、安陽去。這是比較公道的評價。政治仗我們下的本錢是很大的，不知道你們記得不記得，高樹勛在受湯恩伯指揮的時候他就同我們有聯繫。由於聯繫比較久，所以派參謀長李達親自到馬頭鎮，到他的司令部去做工作。……我們確實知道高樹勛傾向起義，但在猶豫當中。因爲那時國民黨要吃掉西北軍，形成矛盾。李達一到那裏，見到所有的汽車、馬車都是頭向南的，準備撤退的。他們兩人一到，一談就合拍了，高樹勛決定起義。起義後的第二天伯承同志就到馬頭鎮去看望高樹勛，决定將部隊開向西北面的解放區去。這樣，馬法五的兩個軍一下就潰退，結果我們在南面，在漳河北岸，把敵人截住。這是一場政治戰爭。

“所以説，抗日戰爭，反摩擦鬥爭，我們，都是處在同敵人針鋒相對的前綫。打摩擦仗，全國各個地區都有，但集中在晉冀魯豫區。蔣介石發動進攻，首先進攻的大門是這個區，是二野所處的地區。仗一打開，我們才開始真正形成一個野戰軍的格局。”⑦

當時，年過八十五歲的父親講這一番話時，充滿了激情。二野那些白髮蒼蒼的老將軍們聽着這些話時，也都心潮澎湃，浮想連翩。

11月的北京，已是秋意盎然，寒風乍起，但在人民大會堂裏，卻是明明亮亮，暖意融融。回首這些艱苦而又輝煌的歷史片斷，在這些年逾古稀的老戰士的心中，掀起了一片春天般明朗的情懷。

……

平漢戰役結束後，在峰峰煤礦，由父親主持，召開了一次中共晉冀魯豫局的全體會議。

會議對全區工作做了統一部署，對於群衆工作，經濟工作等作出了安排。

此次會議後，晉冀魯豫軍區根據中央的指示，調集二十五個團的架子支援東北，同時進一步組編本區部隊。

至此，全軍區共組成六個縱隊：

第一縱隊：司令員楊得志、政治委員蘇振華。

第二縱隊：司令員陳再道、政治委員宋任窮。

第三縱隊：司令員陳錫聯、政治委員彭濤。

第四縱隊：司令員陳賡、政治委員謝富治。

第六縱隊：司令員王宏坤、政治委員段君毅。

第七縱隊：司令員楊勇、政治委員張霖之。

至此，整個晉冀魯豫解放區建立了二百個縣市政權，擁有城市百餘座，全區部隊發展到三十一萬餘人，武器裝備得到改善，基本完成了從分散的游擊戰到集中的運動戰的轉變。

11月中旬，劉鄧率前方指揮部返回涉縣赤岸。在赤岸，舉行了聲勢浩大的慶祝勝利的大會。

根據自衛戰爭形勢的發展需要，晉冀魯豫中央局、晉冀魯豫軍區，決定離開涉縣，遷往邯鄲以西的武安縣的下柏樹、龍泉一帶。

12月底的一天，野戰軍司令部整隊出發，離開了太行山的這一個小山村，離開了在陽光下粼粼閃光的清漳河。⑧

劉鄧和他們的部隊，在赤岸這個小山村中整整駐紮了五年有餘。在五年的時光中，他們在這個小山村中研究形勢，研究敵情，召開了多少會議，發出了多少道作戰命令。這裏，成爲中國共產黨的這支抗擊日本侵略軍的部隊的心臟和靈魂。多少戰鬥的殘酷激烈，多少生活的艱難困苦，都和這座小山村緊緊聯繫在一起。今天，他們離開了這裏，勝利地離開了這裏，去奔赴更大的戰鬥天地，去迎接更輝煌的勝利。

太行山和太行山的人民，養育了這支人民的軍隊，培育出了許許多多的英雄人物。劉鄧和他們部隊的全體指戰員，永遠不會忘記這巍峨聳立的太行山，永遠不會忘記太行山那勤勞樸實的人民。劉伯承元帥逝世以後，他的一部分骨灰，掩埋在了太行山上。他完成了他的心願，永遠靜臥在太行山的懷抱之中。

我不是太行山人，但我的三個哥哥姐姐都是太行山人。從小兒，我就常常聽父親母親講太行山，講太行山的山，講太行山的水，講太行山的老鄉，講太行山的那一段艱苦卓絕的戰鬥生活。在我心裏，太行山是那樣的親切，太行山的一草一木，都彷彿與我息息相關。

我採訪過許多太行山的老戰士，講起太行山，講起太行山的山和石，講起太行山那金黃色的柿子和赤紅的大棗，講起太行山那一段戰鬥生活，每一個人都顯示出格外的自豪，顯示出格外的眷戀。他們的激情，不止一次地令我大爲感動，令我對太行山產生了一種不同一般的神往……

1945年，在12月的冬日中，劉鄧率領他們的這一支部隊，士氣高昂地向東邁進了一步，開始邁向那廣袤的華北大平原。

注：

① 張憲文主編《中華民國史綱》，第631頁。

② 毛澤東《關於重慶談判》。《毛澤東選集》第四卷。

③ 《針鋒相對——上黨戰役資料選編》，第78頁。

④ 毛澤東《關於重慶談判》。《毛澤東選集》第四卷。

⑤ 毛澤東《關於重慶談判》。《毛澤東選集》第四卷。

⑥ 《中國人民解放軍第二野戰軍戰史》，第二卷（解放戰爭時期），第20頁。

⑦ 本文中所述的這次講話，引自當時在場的工作人員的記錄。

⑧ 中共涉縣縣委黨史辦公室編《一二九師在涉縣——資料選編》，第245頁。

52. 内戰前夜

1945 年結束了。

自抗戰勝利以來，國民黨和共產黨一直是在和談和局部作戰的兩重戰綫上相替交手的。

共産黨在上黨、邯鄲和綏遠地區，粉碎了國民黨的大舉進攻，殲敵七萬餘人。到了 1946 年 1 月，解放區已擁有二百三十九萬餘平方公里的土地，一億四千九百萬人口，以及五百零六座城市。共産黨在重重圍困之中都没有被日本侵略軍所消滅，更不會懼怕國民黨蔣介石的進犯。

而國民黨呢?

國民黨除了忙於和共産黨較量以外，在日本投降以後，馬上加緊搶佔地盤和進行所謂的“接收”。

國民黨是怎樣接收的呢?

在蘇浙皖、湘鄂贛、粵桂閩、冀察熱、魯豫晉、東北和台灣七個區，國民黨共接收日僞工廠二千四百一十一個，價值二十億美元；接收了大量的物資、金銀、房地産等，價值十億美元。

在接收過程中，各色各樣的國民黨接收大員滿天飛， 各大員、各機構競相搶掠各地的金條、房屋、汽車，競相瓜分日僞資産。他們假公濟私，名爲接受實則私吞。僅北平一地被接收的物資，就有五分之四没有入庫。國民黨上海市黨部主任委員吳紹澍，利用職權侵佔日僞房産一千餘幢，汽車八百餘輛，黄金一萬多條。上海市長錢大鈞竟然盜賣日僞物資四十二億法幣。這些都是國民黨官員以“接收”之名，堂堂皇皇地劫掠而得。①

在國民黨官員貪得無厭地劫收錢財的同時，國民黨政府爲了達到擴大財政和維持巨額軍事費用的目的，一是大大壓低在淪陷區流通的僞幣的價值，以便用官發法幣進行收換；二是大量印發紙幣，以應急用；三是增加捐税。這些措施，使得通貨膨脹率大幅度上升，人民手中財産貶值，原敵佔區三分之二的敵僞工礦企業不能開工，民族工商業紛紛倒閉，城市失業人數日增，農村經濟凋蔽。

當抗戰剛剛勝利的時候，中國人民曾經是多麽高興呀！他們盼望着和平，盼望着安寧，盼望着過上有希望的生活。可是才時過半年不到，他們就發現，他們的希望落空了。他們“想中央、盼中央，中央來了更遭殃”。他們驚呼：“這一帶無數萬的人民都曾爲勝利狂歡過，而今卻如水益深，如火益熱，大衆不得聊生。他們痛苦極了，比未勝利時還痛苦。”②

1945年11月，重慶各界代表五百餘人舉行大會，反對國民黨的内戰政策，反對美國干涉中國内政。

11月25日，昆明六千餘大、中學生集會反對内戰，國民黨軍隊包圍校舍，鳴槍恫嚇。

11月26日，昆明三萬餘名大、中學生宣佈總罷課。

12月1日，國民黨當局組織大批軍警特務闖入西南聯合大學，毆打師生，甚至投擲手榴彈，致使四人死難，數十人受傷。

12月2日至20日，昆明公祭四位烈士，十五萬人到靈堂進行祭奠，表示了對國民黨政權殘暴行徑的極大憤怒。

國土收復了，但民心卻失去了！

這是國民黨政權最終覆亡的根本原因。

對於國民黨的作爲，美國人並不是没有看在眼裏。在幾年以後，美國國務卿艾奇遜曾致函當時的美國總統杜魯門。他明言道："國民黨文武官員在日本手中收復之地區中的舉止，已使國民黨迅速地在這些區域中，喪失了人民的支持和他們自己的聲望。"③

哀嘆雖然如此，但美國政府卻生怕國民黨没有能力用軍事手段鎮壓共産黨，生怕如中國發生内戰將會導致共産黨控制全中國。同時，美國也爲了維持同蘇聯之間所達成的關於中國問題的妥協，便派遣美國前陸軍參謀長馬歇爾上將以總統特使的身份赴華。

馬歇爾的使命，一是"調解"中國國民黨與共産黨之間的爭端，二是繼續全力支持國民黨，幫助其將軍隊運往中國的東北和華北地區。美國最終的目的，是要建立一個由國民黨蔣介石統治的，親美國的，能夠不戰而得控制的中國。

此即是美國的如意打算。

在這種種背景因素的制約和促進之下，1946 年 1 月 5 日，國共雙方初步達成停止國内軍事衝突的協議。

1 月 7 日，由國民黨代表張群、共産黨代表周恩來、美國政府代表馬歇爾組成一個"三人會議"，會商解決軍事衝突及其他有關事項。

1 月 10 日，國共雙方正式簽定停戰協定。

同日，政治協商會議在重慶召開。中共派出周恩來、董必武、王若飛、葉劍英、吳玉章、陸定一、鄧穎超等人組成代表團參加會議。會議的内容是關於政治民主化和軍隊國家化等問題。31 日，會議閉幕，在共産黨和各民主人士的敦促下，會議基本上達到了符合全國人民和平民主的願望，通過了和平建國綱領、軍事問題、憲法草案等協議。

與此同時，“三人小組”也在鄭重其事地進行會內、會外的協商活動，並達成了《關於整編及統編中共部隊爲國軍之基本方案》。

縱觀一個多月以來的形勢，似乎時局已開始向着有利於停止內戰和和平民主的大方向行進。

但是，偏偏事與願違。國民黨蔣介石，的的確確不能容忍，也不能經受真正的民主改革。蔣介石説：“我對憲草也不滿意，但事已至此，無法推翻原案，只有姑且通過，將來再説。”④

共産黨對此也有足夠清醒的估計，認爲中國民主化的道路依然是曲折的，長期的。據此，中共中央部署，必須注意保持陣地，把練兵、減租與生産當作目前解放區的三大任務。

人們良好的願望是一回事，而事實卻往往是另一回事。

國民黨簽定停戰協議是假，備戰是真。

美國調停停戰是虛，幫助國民黨備戰是實。

從 1945 年 9 月至 1946 年 6 月，美國用飛機、軍艦將國民黨軍隊十四個軍約五十四萬人，由西南、西北大後方運送至華北、華東、華南、東北各地。美軍海軍陸戰隊九萬人進入中國，駐華美軍多時竟達十一萬三千人。美國政府還不惜撥出巨額經費，爲國民黨軍隊武裝了四十五個師的兵力，訓練了十五萬軍事人員，裝備了空軍飛機九百三十六架。美國政府還給予國民黨政府以大量的經援和軍援，僅 1946 年上半年，美國即提供了價值五千一百七十萬美元的軍用品。美國還正式組成了二千人的軍事顧問團，實際作爲直接參與策劃和指揮中國內戰的一個軍事機構。⑤

美國政府當時是志在必得的。二次大戰剛剛結束，美國政府正處在輝煌的頂峰，似乎，他們怎樣策劃，目的就可以怎樣實現；彷彿，中國的內政，完全可以按照美國的指揮棒來運行進展。

也是天不從人願，事態的發展最終將會證明，美國人想錯了。

什麼是天意，天意就是民意。

中國人民已經受得太多太多，他們不想再由別人主宰自己的命運。而美國政府，最大的失誤，就在於他們選擇了一個已被中國人民唾棄的政權，選擇了一個“扶不起來的天子”，選擇了一個注定要失敗的前途。

停戰協定是簽定了，但戰爭卻從未停止。

1946年1月到6月，國民黨軍隊對各解放區的大小進攻達四千三百六十五次，用兵總計二百七十萬人次，侵佔解放區城市四十座，村鎮二千五百七十七個。其中，蔣介石本人及各高級將領，曾頻繁坐着飛機，前往各戰場親自督戰。

1946年3月，蘇聯軍隊撤出中國東北。國民黨軍佔領東北重鎮瀋陽，此後即用五個軍的兵力向南面本溪、四平的共產黨軍隊發起進攻。經過激烈鏖戰一個月，國民黨軍隊控制了松花江以南地區。

東北之戰，一是使國民黨軍隊控制了大片國土，二是使美國達到了遏制蘇聯的目的。其結果，東北內戰的加劇，加深了全國內戰的危機。

在晉冀魯豫區，從1946年1月14日至4月底，國民黨軍隊對該解放區進行了大小九百二十餘次的進攻，也就是說，每日平均有八次之多。其中萬人以上的進攻四次，千人以上的四十次，百人以上的一百一十多次。晉冀魯豫解放區軍民當仁不讓，在劉鄧率領下，進行了針鋒相對、寸土必爭，同時又是有理、有利、有節的鬥爭。

雖然簽定了停戰協定，雖然美國人的調停還在繼續，但是，解放區人民的心裏雪亮雪亮的。面對國民黨的頻繁進攻，解放區軍民必須丢掉幻想，提高警惕，隨時準備迎戰來犯之敵。

這是一段没有平靜的相對“平靜”時期。

自從1945年12月間，劉鄧司令部遷至武安縣以後，父親、母親在武安暫居下來。這時，母親把三個孩子都接回了身邊。這是自1939年這個家庭建立以來，自有了三個孩子以來，全家五口人第一次團聚在一起。

媽媽和爸爸結婚以後離開延安，一晃，竟過去了五年多的時間。

這五年，媽媽過得可真不容易啊！

她這個原來名牌大學的大學生，這個剛剛邁入革命殿堂爲時不長的青年革命者，一下子走進了太行山脈，一下子投入了抗日戰爭的槍林彈雨之中。她毫不猶豫、毫無畏懼地接受了戰爭的洗禮。雖然她一直在機關工作，但在太行山上，根本就没有後方。她和部隊一起行軍，一起轉戰，一起“跑掃蕩”。她先是駐在遼縣麻田的八路軍總部，這裏是前方中的小“後方”。不久，她捲起鋪蓋卷兒，到涉縣赤岸，和父親一起留在了一二九師前綫指揮部。

第一個孩子生下以後，媽媽本可以把孩子留在身邊，但那時正值敵人頻繁“掃蕩”，如要行動起來，帶着孩子將會很不方便。媽媽説：“我不願意爲了我和孩子，動用一些戰士來專門保護我們。”她忍痛把孩子送到老鄉家，隻身一人，隨部隊去行軍、去轉移。一年以後，他們的部隊路過孩子住地的附近，媽媽才得一機會去看望了孩子。媽媽是和一二九師政治部副主任蔡樹藩的妻子陳書蓮一起去的。他們一進屋，只見孩子又瘦又小，身上的衣服又髒又破，簡直不成樣子！媽媽忍住心酸，把眼淚咽進肚裏，和陳書蓮一起趕快給孩子洗了澡，做了衣服和被子。

部隊停留了三、四天，就又出發了。媽媽捨不得孩子，但她還是走了。

我的大姐林兒一歲半時，她的奶娘懷孩子了，媽媽就把她接了回來。媽媽說，剛回來時，林兒身體極弱，連用手趕蒼蠅的勁兒都沒有。那時，還是抗日戰爭最艱苦的年代，在部隊裏帶個孩子，又要經常跑“掃蕩”，可實在是辛苦的，所以媽媽又把林兒送到另一個老鄉家中寄養。次年，蔡樹藩去延安開會，媽媽正好讓他把林兒送到延安進入保育院。1944 年我哥哥胖胖出生後，1945 年我的二姐南南出生後，也同樣被送到老鄉家中去餵養。

媽媽的頭三個孩子，就是這麼樣在戰火紛飛的歲月中出生，在戰爭的殘酷進行中成長的。他們從生下來的那一天起，就沒有過一天的太平日子，沒有任何的基本生活享受，他們是由太行山老百姓的奶水和太行山的小米粥餵養起來的。就這麼着，在戰火中，在各種天災人禍中，他們都活了下來，而且長大了。

到武安後，三個孩子都接回來了。爸爸高興極了，媽媽卻愁死了。

爲什麼愁呢？原來，大孩子剛從延安回來，不說話，不張口吃飯，手裏拿着個蘋果都不會吃，人瘦瘦的，一看就是營養不良。二孩子拉肚子，晚上睡覺也不得安生。第三個孩子才一歲半，媽媽又沒奶，餵小米粥又餵不進去。媽媽找了一個農村小姑娘和一個老太婆來幫忙，結果她們非但幫不上什麼忙，連火都生不着。這可真把媽媽急壞了。工作再忙，軍情再急，行軍再苦，都没有把媽媽急壞過，這下子，她可是真正的着急了。

生活嘛，本來就是這個樣子，看似重要的問題未必難倒人，看似簡單的平常小事兒，卻反而可以使人手足無措。

好在，生活總歸是會進行下去的，什麼事情，慣了，也就好了。在武安的這個家，終於慢慢地安頓了下來，平穩了下來。三個孩子開始歡歡喜喜地一塊兒玩耍了。太陽把他們照得黑黑的，他們人長胖了，個兒長高了，圍着爸爸媽媽團團轉了。爸爸極愛孩子，他雖然没時間管孩子，但依我看，天底下像他這麼愛孩子的，那樣不言不語地，卻是全心全意地愛孩子的，也是少有的。

1946年3月2日，晉冀魯豫軍區領導機關由武安遷往邯鄲市。⑥

從此，邯鄲，這個古代趙國的都城，便成爲晉冀魯豫邊區的首府，成爲劉鄧的指揮中心，成爲華北解放區的南大門。

爸爸、媽媽帶着我的三個哥哥姐姐也駐進了邯鄲。孩子們當然什麼也不懂，每日照樣嬉笑玩耍，可大人們卻都十分高興，要知道，這是軍區機關第一次進駐較大城市呀!

媽媽忙着照看三個吵吵鬧鬧的孩子，爸爸則是每日忙着他的軍政大事。

進城了，鄧政委指示，所有直屬機關部隊要少住民房，多住貨棧。司令部也是駐在原日本軍隊的一個兵營裏面。

進城後，部隊開始進行政治整訓。鄧政委講，一要認清時局，二要整頓紀律。認清時局，就是認清大規模内戰的危機嚴重存在，而堅決鬥爭是爭取和平民主的重要保證。整頓紀律，就是要執行政策法令，保持人民軍隊的本質，還特別强調了遵守城市政策的重要性。⑦

5月份，部隊在政治整訓的基礎上，開展了轟轟烈烈的大練兵。整個部隊上下一致，强調以臨戰姿態進行練兵，各種形式的練兵，把部隊的軍事技術提高到了一個新的水平。

與政訓、練兵的同時，全區根據中央指示，決定在減租減息的基礎上，在解放區腹心地區開展土地改革運動。6月中旬，由鄧小平主持，在邯鄲召開了土地會議，決定放手發動廣大貧苦農民自己救自己，通過清算、退租等方式從地主手中奪回土地，實行耕者有其田。土地改革中，堅決解決貧僱農的土地問題，團結中農，同時注意不侵犯地主、富農的工商業。廣大解放區貧苦農民分到了土地，熱情高漲，支援人民子弟兵進行革命戰爭的力量大大增强。

到1946年6月底，晉冀魯豫解放區不斷地壯大和發展，全區軍隊二十七萬人，民兵發展到六十萬人，人口增加到三千餘萬，所轄縣城由八十多座增加至一百一十多座。

在半年之中，國民黨軍隊，調集了十一個整編師和三個軍的兵力，對我晉冀魯豫解放區進行了頻繁的“蠶食”、襲擾和進犯。

戰爭的陰雲，已愈益密集地在中國大地上空翻滾。

1946年6月中旬，晉冀魯豫區在邯鄲召開高級幹部會議。劉鄧指出：內戰的危險已十分嚴重，部隊必須做好一切準備，以應付全面內戰的爆發。

美國人的調停活動仍在進行，但是，不管這是真調也好假調也好，反正中國全面內戰的爆發，已經迫在眉睫了！

注：

① 中共中央黨史研究室著《中國共産黨史》（上卷），第687—688頁。

② 《大公報》1945年10月24日社評《爲江浙人民呼籲！》。

③ 美國國務卿艾奇遜於1949年7月30日致美國總統杜魯門的信。

④ 梁漱溟《我參加國共和談的經過》。《中華民國史料叢稿》，增刊第6輯。

⑤ 中共中央黨史研究室著《中國共産黨歷史》(上卷)，第700—701頁。

⑥ 陳斐琴《他就是這麼一個人》。《二十八年間——從師政委到總書記》，第135頁。

⑦ 陳斐琴《他就是這麼一個人》。《二十八年間——從師政委到總書記》，第135—137頁。

53. 全面內戰的爆發

1946年6月下旬，整個中華大地上赤日焰焰，酷暑難當。

國民黨蔣介石以大舉圍攻共產黨的中原解放區爲起點，發動了對解放區的全面進攻。

中國的大規模內戰，揭開了戰幕。

到了這個時候，什麼和談，什麼調停，統統拋至九霄雲外。全面內戰，不再是危機和紙上談兵，而已成爲極其冷酷的現實。

蔣介石大舉用兵，向中共解放區大肆進攻，是志在必得的。

因爲，蔣介石擁有四百三十萬人的總兵力，擁有從日本侵略軍手中接受的可供一百萬人使用的全部裝備，擁有大量的各式美國援助。他的八十八個整編師中，有二十二個爲美械、半美械裝備，他擁有大量的炮兵，還有飛機、軍艦和坦克。他還擁有大大强於對手的戰爭資源，佔有國土總面積的百分之七十六，擁有總人口的百分之七十一。他控制着全國幾乎所有的大城市，控制着縱橫全國的主要交通綫，控制着幾乎全部近代工業。

而此時，共產黨方面，總兵力只有一百二十七萬人，軍事裝備只有從日僞軍手中繳獲而來的步兵武器和少量大炮。其控制的地區只有二百三十萬平方公里，人口一億三千六百萬，基本上没有近代化工業。

國民黨對共產黨的實力對比，是3.4:1。

國民黨的優勢是一看即知的，卻不是絕對的。

但這個道理，蔣介石卻不會明白。

日本人走了，蔣介石自以爲總算騰出手來，可以以全副精力去打共產黨了。這口惡氣，他已經積蓄了近二十年了。今天，他手中有兵有將有武器有援助，他要一雪心頭之恨，而且發誓要採取速戰速決的戰略方針，用全部正規軍百分之八十的兵力，在全國規模內發起對共產黨的全面進攻，力爭在三至六個月內，首先消滅關內共軍，然後解決東北問題。

蔣介石的決心下定了，而且立即開始大舉行動。

他一點兒也没有想到，他的這一步一經走出，就已注定走錯了。

他的這一步，是走向全面失敗的一步，是走向自我毁滅的一步!

對於國民黨、蔣介石的戰爭意圖，共產黨、毛澤東早有預見，也早有準備。

中共中央昭告全黨："蔣介石雖有美國援助，但是人心不順，士氣不高，經濟困難。我們雖無外國援助，但是人心歸向，士氣高漲，經濟亦有辦法。因此，我們是能夠戰勝蔣介石的。全黨對此應當有充分的信心。"①

毛澤東説："我們所依靠的不過是小米加步槍，但是歷史最後將證明，這小米加步槍比蔣介石的飛機加坦克還要强些。雖然在中國人民面前還存在着許多困難，中國人民在美國帝國主義和中國反動派的聯合進攻之下，將要受到長時間的苦難，但是這些反動派總有一天要失敗，我們總有一天要勝利。這原因不是别的，就在於反動派代表反動，而我們代表進步。"②

1946年6月，大規模內戰開始了。

全面內戰的第一槍，是在中原打響的。

6月26日，蔣介石調集二十多個師，向共產黨的中原解放區大舉進攻。由李先念等率領的中原解放軍按照中共中央指示，實施堅決突圍，勝利到達陝南等地。

與此同時，國民黨軍用五十八個旅的兵力，進攻共產黨的華東解放區。由陳毅率領的山東野戰軍四萬餘人，由粟裕、譚震林率領的華中野戰軍三萬餘人，分別迎戰敵軍，至1946年10月，共殲敵軍七萬餘人。

大戰已經開始，形勢十分嚴峻。

晉冀魯豫解放區，西起同蒲路，東抵津浦路，北至正太路和德石路，南跨黃河達隴海路，與我陝甘寧、晉綏、晉察冀、華東各解放區都相毗連，並與中原解放區最相鄰近。其重要的地理位置，使之成爲我各解放區的樞紐，因此，亦成爲國民黨進攻的重點之一。

蔣介石已調集三十餘萬軍隊集結於晉冀魯豫周圍，以胡宗南、閻錫山、薛岳、孫連仲、劉峙等各路大軍，準備實施進攻和"圍剿"，控制並打通交通綫，並擬引黃河之水歸回故道，分割和淹沒解放區。

爲了掌握戰爭的主動權，爲了配合華東的作戰，劉鄧報經中央同意，決定集中野戰軍主力，主動而又機動地殲滅敵人，並將全野戰軍分爲兩部，一部由劉鄧親自率領，四萬餘人，向豫東方向作戰；一部由陳賡率領，二萬餘人，歸中央軍委直接指揮，向晉南方向作戰。

1946年6月28日，太陽剛剛從東方地平綫上出現。朝陽初照大地，原野一片輝煌。

在邯鄲以南的馬頭車站，晉冀魯豫野戰軍全副戎裝，列隊肅立。小火車的車皮搭成講台，劉鄧首長準備講話。

這是晉冀魯豫野戰軍的誓師大會。

鄧小平政委站在講台上，他說："蔣介石不遵守政治協商會議和停戰協定，並已公開撕毀停戰協定向解放區全面進攻了。"我們"要迅速作好一切準備，粉碎蔣介石的進攻。""蔣介石雖有美國援助，但他發動反人民內戰，遭到全國人民的反對。他的軍隊士氣不振，經濟困難，是他無法克服的。我們雖無外援，但人心所向，士氣高漲，經濟亦有保障。我們一定能夠打敗蔣介石。我們要有足夠的信心，打好自衛反擊這一仗！"③

在中原大地上，南北一條平漢鐵路，東西一條隴海鐵路，呈十字架形，構成貫穿中原大地東南西北的交通動脈。

劉鄧首先選擇的就是隴海路。

1946 年 8 月，中央批准了劉鄧的作戰計劃。

8 月 10 日，晉冀魯豫野戰軍發起隴海戰役。

劉鄧將全野戰軍組成左、右兩路軍。左路軍由七縱司令員楊勇、政委張霖之統率。右路軍由三縱司令員陳錫聯、政委彭濤率領，其中有六縱司令員王近山、政委杜義德參加。

8 月 10 日，各路部隊急行軍三十公里進入縱深地區，在隴海路開封至徐州段一百五十公里寬的正面上，突然向敵人發起進攻，至 12 日，便攻佔河南的蘭封和山東的碭山等城鎮、車站十餘處，殲敵五千餘人，控制鐵路一百餘公里。

碭山城是由勇將楊勇、張霖之指揮攻下的。正在部隊慶祝勝利之時，鄧政委趟着泥水來到前綫。

打了勝仗，本該嘉獎，没想到，楊勇、張霖之卻挨了鄧政委的"大批評"。原來，楊勇的部隊素以勇猛著稱，稍未注意，在戰鬥中紀律不好，損壞了群衆的傢具鍋碗等用具。

鄧政委來了，縱隊緊急通知團以上幹部開會。人們靜悄悄地坐在泥水地上鋪着的秫稭上。

鄧政委嚴肅地說：“隴海戰役已經打了四天。第一階段你們打得很好，解放了碭山，俘虜了幾千人，繳獲武器也不少。但必須指出，你們有人卻違犯了群衆紀律。你們打仗犧牲了那麼多人，爲了什麼？爲什麼又這樣損害群衆的利益，你們要認真賠償群衆的損失。”

講話之際，敵人的飛機又飛到頭頂上來了，人們擔心鄧的安全，楊勇親自去高處觀察飛機的動向。

鄧看着楊勇，大聲說：“楊勇，怕什麼。有什麼關係嘛，飛機不是天天來嗎？”

他接着繼續嚴肅地說：“違犯了群衆紀律，就得不到人民群衆的支持，没有人民的支持，取得勝利是不可能的！”

楊勇、張霖之當場承認了錯誤，立即命令部隊進行賠償，向群衆道歉。④

父親根據黨的作風，一貫高度重視部隊紀律，一貫嚴格要求部下。以前如此，隴海戰役中如此，打南京時如此，進上海時如此，進軍大西南時如此，和平解決西藏問題時如此，今天，他對中國人民解放軍的要求，亦是如此。

他的信念，就是“人民是一切的母親，是對敵鬥爭一切力量的源泉。”⑤

人民的軍隊的根本宗旨，就是一切爲了人民。正是這個宗旨，決定了人民的軍隊，必將獲得最終的勝利。所以對於維護和嚴格遵守群衆紀律，父親從來毫不含糊。

隴海戰役繼續進行。由於我軍迅速而突然的進攻，迫使敵軍趕緊抽調正在追擊我中原野戰軍的三個師回援開封，並調正在進攻淮南的一個軍和另兩個師增援碭山和徐州地區。劉鄧指揮部隊，連克杞縣、通許、虞城等地，並殲敵一部。當敵軍東、西兩路援軍迫進之時，我軍旋即轉移到隴海路以北休整。

8月22日，隴海戰役結束。是役，我軍共殲敵一萬六千餘人，攻克縣城五座，車站十處，破壞鐵路一百五十餘公里。

在劉鄧精心大膽的運籌下，我軍採取出敵不意，長趨縱深，突然襲擊的戰術，有力地迅速取得戰果，並有效地達到了吸引進攻其他解放區的敵軍回援的目的。

這一戰，是以奇襲制勝的一次範例。

我軍勝利出擊隴海路後，國民黨軍大爲震驚。

蔣介石迅速在鄭州、徐州一綫集結十四個整編師、三十二個旅，共三十餘萬人，欲乘我軍未及休整之機，以絶對優勢兵力合擊我軍於隴海路以北山東界內的定陶、曹縣地區。

敵人來了，分六路大軍向我軍逼進。

8月22日，中共中央指示：凡無把握之仗不要打，打則必勝；凡與敵正規軍作戰，每戰必須以優勢兵力加於敵人，各個擊破之。

在晉冀魯豫野戰軍司令部的作戰室裏，劉鄧正在研究敵情。

鄧走到地圖前說："從津浦路北上的共三個師，其中兩個是蔣介石的王牌部隊。蔣介石一共五大王牌（新一軍、新六軍、新五軍、整編十一師、整編七十四師），這一下把兩大王牌都拿出來了。新五軍和十一師全部美械裝備，戰鬥力强，比較難對付。西邊來的敵人數量多，但戰鬥力不强。針對這一情況，我考慮有兩個方案：一個是暫避開敵人的鋒芒，將我主力迅速撤到老黃河以北休整一個短時間，爾後再尋機會，南下殲敵。這個方案從我們這個局部情況考慮，是比較有利的，但這樣一來，勢必增大對陳毅、李先念的壓力，對全局不利。另一方案是咬緊牙關再打一仗。這樣，我們的包袱會揹得重些，但陳毅、李先念他們那裏就輕鬆多了！我的意見以第二方案爲好。”

劉笑着說：“我完全同意你的意見。蔣介石是飯館子戰術，送來一桌還不等你吃完，又送來一桌，逼着你吃。來而不往非禮也，既然送來了，我們就放開肚皮吃喲！”

聽了劉伯承的話，大家都笑了。

戰局的緊張，在這一笑之中化解了。

劉鄧分析：兩路相比，西邊的敵人比較弱，以集中主力殲滅西路敵人爲宜。

劉鄧決定，進行定陶戰役。

作戰命令起草好了，鄧感嘆地說：“我們這個部隊，在外邊名聲很大，都叫什麼劉鄧大軍，其實我們就這麼點家底，兵不足五萬，外加幾門山炮、迫擊炮，彈藥也很缺。我們部隊的這一批戰士，大部分都是翻身解放的農民子弟，素質很好。隴海戰役傷亡五千人，補充不多，拿這批骨幹打，實在有些心疼。”⑥

戰爭是殘酷的，而指揮戰爭的人，卻是有情感的。

……

1946年9月2日，戰役打響。

西路敵軍大搖大擺地進入了我軍預先設好的戰場。我軍集中以四倍於敵的兵力，包圍了敵軍整編第三師。敵軍指揮劉峙急令其他四個師從兩個方面實行增援。在我軍重擊下，敵被圍之第三師向南突圍，我軍全綫出擊，將其迅速全殲。敵援軍一看增援無望，即行撤退，我軍迅速轉移兵力，又殲援敵一部於撤退途中。

9月8日，定陶戰役結束。我軍以傷亡三千五百人的代價，殲敵四個旅約一萬七千人，俘虜敵整編第三師中將師長趙錫田。

這一仗，連同我軍在蘇中的勝利，扭轉了整個共産黨解放區南方戰綫的嚴重局勢。

這一仗，打得國民黨鄭州綏署主任、蔣介石心腹大將劉峙被撤職。

毛澤東致電劉鄧：慶祝你們殲滅第三師的大勝利，望傳令全軍嘉獎。⑦

攻克定陶一仗，打得十分勇猛，鄧政委表揚了王近山、杜義德兩員猛將。但是，由於居功情緒滋長，個別部隊紀律有些鬆弛。鄧小平治軍，向以嚴格著稱。戰後，召開高級幹部會議，到會的各級幹部均滿面春風，没想到，鄧政委卻開門見山地説："今天開會不握手！省得打幾個勝仗就握手言歡。"

這個"不握手"的會議，鄧小平治軍的作風，使與會者至今難忘。

連打兩仗，都是勝仗，都是大勝仗，但自內戰開始兩個多月以來，部隊連續作戰，確實疲勞了。

部隊需要休整，需要補充，但敵人不允許。

定陶戰役剛剛結束，國民黨以其主力新五軍和整編第十一師向定陶、菏澤發起進攻。爲避其主力，我軍撤出菏澤，主力轉入以北的巨野西南休整。

敵軍得寸進尺，決心不讓我軍得以休整，於 10 月初進犯巨野地區。爲阻止敵軍繼續前進，劉鄧決定於 10 月 3 日開始進行巨野戰役。

在巨野，我軍的對手是全副美械、戰鬥力很强的國民黨軍主力軍新五軍。雙方激戰四日，斃傷敵人五千人，但我軍亦傷亡四千餘人，雙方打成僵持局面。我軍爲避免被動，停止了進攻。

此役，是劉鄧野戰軍首次與敵軍强手較量，雖獲小勝，達到了阻止敵軍進攻的目的，但亦有經驗教訓。

劉伯承是共產黨軍中的大軍事家，被人稱爲“常勝將軍”。其精於宏觀戰略，智於戰役戰術，爲舉世公認。但他從來實事求是地對待問題，善於總結利弊長弱。這一點上，他與鄧小平的作風是完全一致的。

劉鄧對巨野戰役認真地作了總結，實事求是地分析了利弊得失，總結了經驗教訓。

總結後，劉鄧向中央報告説：“我們正準備大踏步的機動，哪裏有機會就到哪裏打!”⑧

敵人真是不讓我軍有一絲一毫的喘息。10月中，敵整編第二十七軍軍長王敬久率部又向我軍撲來。

此次，劉鄧決定撇開敵主力王敬久，而尋機進攻從鄭州來的孫震的部隊。

10月29日，我軍在山東巨野東北發起鄄城戰役。

我軍撇開强敵，集中四倍於敵的兵力，突然向敵孫震部實施包圍和進攻。

10月31日戰役結束。

我軍全殲敵軍九千餘人，生俘敵旅長劉廣信，繳獲美製榴彈炮八門、山炮七門、迫擊炮三十七門、小炮九十五門、輕機槍二百零八挺。這一戰，不僅殲滅了敵人有生力量，阻止了敵人的進攻勢頭，而且在武器裝備上大有斬獲。真好比大大地美餐了一番，頓使部隊如虎添翼。

仗，打了三個了，劉鄧野戰軍主動出擊，機動靈活地尋殲敵軍，共殲敵十個旅五萬餘人。這個勝利是在敵强我弱的兵力對比下取得的。我區雖有十七座城鎮爲敵所佔，但敵人兵力分散，攻勢開始下降。我軍不計一城一地之得失，主要在運動戰中求得殲滅敵軍有生力量，已初步取得了戰略上的主動。

與劉鄧在河南山東戰場的作戰相呼應，陳賡部在晉南連續取得聞（喜）夏（縣）、同蒲、臨（汾）浮（山）諸戰役的勝利，三個月殲敵五萬餘人。

在其他戰場，晉綏的賀龍、晉察冀的聶榮臻所率部隊，亦殲敵三萬八千餘人。

毛澤東於 1946 年 10 月 1 日發出了《三個月的總結》。

中央指出：三個月來，我軍共殲滅國民黨軍二十五個旅，集中優勢兵力，各個殲滅敵人是唯一正確的作戰方法，今後必須繼續堅持此種作戰方法，在三個月內，再殲敵二十五個旅左右（即平均每月殲敵八個旅左右），這是改變敵我形勢的關鍵。

劉鄧野戰軍經過四個月的戰鬥，軍隊已從二十七萬人增加到三十一萬人，民兵由六十萬人增加到七十四萬人，武器裝備由於國民黨軍隊的"奉送"而得到改善，進行大規模運動戰也更具經驗，全軍士氣高漲。晉冀魯豫解放區全區三分之二的地區、二百萬人口進行了土地改革，實現了耕者有其田，翻身農民支援戰爭的熱情和積極性也大大提高。

1946 年 11 月，劉鄧作出決定，全區要在三、四個月的時間內，再消滅敵軍六、七個旅。

楊國宇當時寫道："劉鄧幹事，完全是預算好了，才決心幹。劉鄧他倆向軍委報告冀魯豫戰場形勢時，提出今後三、四個月殲敵六、七個旅的計劃。没有十分把握他們是不會這樣寫電報的。"⑨

11 月 4 日，鄧小平向全區部隊號召：再打幾個大勝仗。⑩

在河北、河南、山東的這一片大地上，國民黨也正在調兵遣將，劉汝明集團、孫震集團、王敬久集團，加上王仲廉、孫連仲，已分頭部署，各有作戰計劃，要奔邢台、取邯鄲、打通平漢綫。

劉鄧野戰軍於 11 月 18 日在平漢綫以東發起滑縣戰役，用四天五夜，殲敵一萬二千人，吸引了王敬久、王仲廉兩集團各一部從東、西來援，打亂了敵軍北進打通平漢綫的計劃。

而這次戰役所使用的戰術是極妙的，劉伯承詼諧地說：“我們打法也怪，我們不理會那些伸出來的手，我們從他們的手邊擦過，穿過他們的小據點，一下子抱住他們的腰，猛虎掏心，打他的根。”⑪

此役後，我華東野戰軍在宿遷附近獲殲敵五萬的大勝。

爲了繼續實現打通平漢路的計劃，敵軍王敬久、王仲廉、孫震、劉汝明部共九個旅五萬餘人，從滑縣並肩北犯，氣勢洶洶。

根據中央指示，劉鄧大軍決心不顧敵軍對我腹地之進犯，實行敵進我進，以主力大踏步前進，向敵後方徐州西北地區實施進攻。

1946 年 12 月 30 日到 1947 年 1 月 16 日，進行了巨（野）金（鄉）魚（台）戰役。

此役劉鄧發揮了高超的指揮藝術。部隊連續行軍二十餘天，輾轉二百餘公里，出其不意地攻敵後方，共殲敵軍一萬六千餘，繳獲大批武器，收復縣城九座，迫使敵軍緊急回援，又一次粉碎了敵軍打通平漢綫的計劃。

這一仗，劉鄧指揮得好，各部將領們打得也好。

劉鄧在給中央的報告中寫道：“各級首長在一個機動戰役意圖之下，必須預見情況的演變，因勢利導，機斷行事，努力達成殲敵任務。上述的戰役情況如此演變，各級指揮員一般都能在總的意圖上，獨立自主抓住戰機，向勝利方向擴張戰果。尤其在戰役最後一段向勝利進展之際，各縱隊能從各方面向心集中作戰，發揮有餘不盡之力，故能獲得如是戰果。戰鬥時敵人屢戰屢敗，其狡如兔，不易捕捉。這要各級指揮員在作戰中，不單能從自己方面打如意算盤，守株待兔。而應在注視戰機進展中，更以自己積極行動的因素去開展戰局，走向殲滅敵人。即如何創造敵人的弱點，如何誘敵前進，如何追求敵人，如何兜擊敵人之類。……由於機動作戰，必須發揮前綫指揮員捕捉戰機的靈敏性和責任感。而上級指揮員的指揮，預宜以訓令（示以任務而不示以手段）方式推出，以便下級機斷行事。"⑫

我之所以抄下這一大段純軍事上的報告，主要是想以此說明劉鄧的指揮藝術。

取得戰役勝利要靠指揮員高明。但單靠個別指揮員高明是遠遠不夠的，能夠發揮每一級指揮員的主觀能動性，發揮每一個指戰員的勇敢精神和聰明才智，才是最爲高明的指揮藝術。

劉鄧是如是指揮的。

毛澤東更是如是指揮的。

所以，整個的中國共產黨的軍隊，是一個充滿了集體智慧的，充滿了主動積極精神的，是一個相互配合，相互支持，甚至捨自己而求全局的戰鬥集體。

這種精神，成爲中國共產黨軍隊克敵制勝的一大戰鬥優勢。

1946年結束了，全面內戰爆發已有半年的時間了。國共之戰，也已越打越激烈了。

可是這時局，這戰事，卻沒有按照蔣介石潛心策劃的那樣去發展，甚至，有一種莫名的兆頭，已開始隱藏其中。

1947年的開年，就是在這種氣氛中渡過的。

蔣介石急了。

他急派心腹大將陳誠，至鄭州、徐州組織"魯南會戰"，調兵五十三個旅三十餘萬人，向山東南部進攻。

爲遵照中央命令，擴大戰果和吸引進攻魯南的敵軍主力，劉鄧下決心於1947年1月24日進行了豫皖邊戰役，也就是二出隴海戰役。

是役，劉鄧野戰軍在隴海路南北兩側的廣大地區機動作戰。鄧小平親赴楊勇率領的南集團指揮作戰。他和部隊冒着敵機的轟炸掃射，冒着敵人密集的炮火，行軍、打仗、實施戰場指揮。解放皖北亳縣以後，鄧看到當地群衆生活饑饉，立即下令開倉濟貧，當地群衆頓時沸騰。他們說，國軍搶人，共軍救人……

2月11日，二出隴海勝利結束。劉鄧大軍收復了隴海路兩側的廣大地區，殲敵一萬六千餘人，取得重大戰果。

從1946年11月至1947年2月，劉鄧野戰軍在冀魯豫戰場，大踏步機動作戰，殲敵八個旅，共四萬四千餘人，收復縣城二十五座，放棄縣城二十四座，粉碎了敵人打通平漢綫的計劃，滯留了敵王敬久集團主力，有力地配合了我軍在山東、蘇北的作戰。

全面內戰爆發以來，八個月的時間過去了，這八個月，戰爭之急迫是出人預料的，戰事之緊張是出人預料的，而人民解放軍所取得的輝煌戰績，更是出人預料的。

蔣介石曾信誓旦旦地說，三至六個月消滅關內共軍。三個月過去了，六個月過去了，八個月過去了，關內共軍非但沒有被消滅，反而越打越强大了!

到1947年2月，八個月的時間，共産黨的軍隊，共殲滅國民黨軍七十一萬人，總兵力上升到一百六十萬人，積累了豐富的進行較大規模殲滅戰的經驗，充實了武器裝備，還建立了炮兵。

而國民黨，不但損失了七十一萬軍隊，還未能實現其野心勃勃的戰略計劃。在此期間，國民黨軍佔領了解放區的一百零五座城池，但每佔一城，平均就要付出損失七千人的代價。同時，每佔一城，就是又多揹上了一個需要看守的包袱。因此，其用於第一綫攻擊的兵力，從1946年10月的一百一十七個旅，已下降爲八十五個旅。

八個月過去了，經過全面的輪番較量，國民黨軍隊，雖然對於共產黨的軍隊來說，還佔有總兵力上的優勢，但已經喪失了對解放區實行全面進攻的能力。

基於這種形勢，毛澤東說："必須在今後幾個月內再殲蔣軍四十至五十個旅，這是決定一切的關鍵。"⑬

注：

① 中共中央《以自衛戰爭粉碎蔣介石的進攻》，1946年7月20日。

② 毛澤東《和美國記者安娜·路易斯·斯特朗的談話》，1946年8月6日，《毛澤東選集》第四卷。

③ 張雲軒《鄧政委教育部隊的幾個片斷》。《二十八年間——從師政委到總書記》（三編），第291頁。

④ 段君毅、喬明甫《實事求是，堅持原則的領導》。《二十八年間——從師政委到總書記》，第61頁，第81頁。

⑤ 楊國宇《劉鄧麾下十三年》，第216頁。

⑥ 王文楨《敢擔重擔敢於創新的人》。《二十八年間——從師政委到總書記》，第212頁。

⑦ 《中國人民解放軍第二野戰軍戰史》，第二卷（解放戰爭時期），第58頁。

⑧ 《中國人民解放軍第二野戰軍戰史》，第二卷（解放戰爭時期），第63頁。

⑨ 楊國宇《劉鄧麾下十三年》，第281頁。

⑩ 《中國人民解放軍第二野戰軍戰史》，第二卷（解放戰爭時期），第90頁。

⑪ 同前注，第92頁。

⑫ 陳斐琴《他就是這麼一個人》。《二十八年間——從師政委到總書記》，第140頁。

⑬ 毛澤東《迎接中國革命的新高潮》。《毛澤東選集》第四卷。

54. 突破黃河防綫

經過八個月的時間，國共雙方在中華大地上進行了輪番軍事較量之後，國民黨軍十分不幸地喪失了對共產黨全面進攻的能力。

惱怒之下，國民黨宣佈解散爲進行和平調停而成立的軍事三人小組，美國也把他們派駐延安聯絡團的人員撤出了陝北。

國共談判徹底破裂。

國民黨越來越明白了，和共產黨打仗，單靠他自己的力量絶對不足成事，他必須拉一個大靠山，必須依靠美國。

要換取美國的支持，國民黨不惜付出任何代價，包括出賣民族和國家的利益。

國民黨和美國簽定了以下協議：

“中美商務仲裁會”：規定美國人在中國犯罪要交美“當局”裁判。

“中美警憲聯合勤務協定”：規定美軍肇事由美方處理，中方僅有旁聽權。

“中美友好通商航海條約”：規定美國人在中國領土全境内享有居住、從事商務、製造、加工、金融、科學、教育、宗教及慈善事業等權利；美國商品與中國商品享有同等待遇；美任何種植物、出產物、製造品對中國輸入，不得加以任何禁止或限制；美船舶可以在中國開放的一切口岸、地方、領水內自由航行，“危難”時還包括軍艦在內。

“中美空中運輸協定”：規定允許美國飛機在中國領空到處飛行，必要時可擁有軍事性的降落權。

該給的都給了。

美國駐華軍完全可以堂而皇之地以佔領者的姿態在中國的土地上任意作爲了。

美國大兵什麼樣，大家不用想也知道。

從1945年8月至1946年11月，僅在上海、南京、北平、天津、青島五個城市，發生美軍暴行至少三千八百起，中國民衆死傷三千三百人以上。

從1945年8月至1946年7月，美軍軍車肇事事件達一千五百起，美軍姦淫中國婦女三百餘人。①

美國軍人的這些劣行，是他們在自己本國的領土上都不敢如此肆意而爲的。

美國軍人的這些劣行，中國人民明明白白地看在眼裏，記在心裏。

1946年12月24日，美軍軍人在北平强姦了北京大學女學生。這個事件，恰似一個導火綫，引發了中國人民早已積蓄在心中的憤怒，掀起了一場聲勢浩大的抗議美軍暴行的群衆運動。

12月30日，北京大學、清華大學五千餘學生舉行遊行示威，抗議美軍暴行。怒火中燒的學生們振臂高呼：“美軍退出中國!”“維護主權獨立!”

北平學生的反美愛國鬥爭，迅速得到全國學生的響應，天津、上海、南京、開封、重慶、昆明、武漢、廣州、杭州、蘇州、台北，五十萬學生相繼進行示威活動。許多教授和學界、文化界、商界人士也紛紛發表聲明，以示對學生愛國運動的支持。

國民黨的政治、經濟政策，使得美國工商業長驅直入，嚴重地損害了中國工商業的利益，致使百業凋零，工人失業，市場蕭條。

1946 年，國民黨政府財政收入爲一萬九千多億元（法幣），而軍費支出爲六萬億元。1947 年則更甚，財政收入爲十三萬億元，總支出爲四十萬億元，赤字佔總支出的百分之六十七點五。

爲了彌補嚴重的財政赤字，國民黨濫發紙幣，引起貨幣貶值，並引發惡性通貨膨脹。1947 年 7 月物價上漲了六萬倍，到年底更上漲至十四萬五千倍。

同時，美國商品幾乎獨佔了中國市場。到 1947 年年底，二十多個大城市中，中國工商業倒閉二萬七千多家，大批工人失業，城市人民生活困苦。

在農村，國民黨大肆徵糧徵款，到處拉夫抓兵，造成嚴重的田園荒蕪、人口外流。河南、湖南、廣東三省的荒地總數即達五千八百萬畝。美國農產品大量傾銷中國，又嚴重地打擊了中國的農業生產。中國本來就是一個落後的農業國，農業經濟的凋蔽，造成農村發生了數十年未有的饑饉，災民達數千萬人之衆。

1947 年，在中華大地上，三十多個大城市中爆發了搶米風潮，參加人數達三百二十萬。不久，四十餘個中小城市亦爲之席卷。飢民們搗毀糧店和政府機關，有的地方甚至活抓了縣長。

國民黨，在戰場上沒有得手，在民衆的心中，則已經徹底完全地失敗。

對於這一點，蔣介石充耳不聞，視而不見。他滿心以爲，他的獨裁統治，能夠鎮壓住人民的反抗；他滿心以爲，他的軍隊，能夠打敗共產黨。

蔣介石被迫放棄對共産黨的全面進攻後，在晉冀魯豫、晉察冀、東北等戰場上轉入守勢，抽調兵力對南部戰綫的共産黨的兩翼實施重點進攻。也就是，東對山東陳毅部，西對陝北中共的中央核心。

蔣介石集中了九十四個旅的兵力，準備東西兩路進攻，同時强使黄河在花園口合攏回歸故道，構成西起風陵渡、東至山東濟南的一千公里的"黄河防綫"。

1947年3月，國民黨軍三十四個師，二十五萬人，分兵幾路向共産黨的心臟、中共軍隊的總指揮部延安進攻，氣焰囂張地要消滅共産黨的首腦機關和毛澤東於黄河以西。

在陝北，毛澤東和中央首腦機關只有四個旅一萬七千人的兵力和三個地方旅。爲了保護中央，爲了保存部隊，爲了把國民黨一大部分軍隊吸引在陝北戰場，毛澤東決定，暫時放棄延安。

毛澤東撤出了延安，帶着一小隊人馬在陝北黄土高原上和敵人兜圈子、打轉轉。

毛澤東離開了延安，但没有離開陝北。

多少人爲了中央的安危，爲了毛澤東的安危，勸毛澤東東渡黄河。但毛澤東意志堅決地留在了陝北。

在敵人大兵進犯，每日追兵追隨在後的危難時刻，毛澤東依然處變不驚，依然保持了瀟洒幽默的情懷，依然充滿對前途的必勝的信心。他説：以邊區地域之廣，地形之險，人民之好，有把握鉗制敵軍並逐漸消滅之。②

佔領延安後，蔣介石高興極了，他大駕親臨，硬是飛到延安，在毛澤東的核心地盤上用脚踩來踩去。此時此刻蔣介石興奮得意的心情，是可想而知的。

而毛澤東卻還在陝北，還在實施對全國共産黨部隊的軍事指揮。

在山東，蔣軍於3月下旬發起進攻，投入兵力六十個旅約四十五萬人，由陸軍總司令顧祝同親率作戰，山東的形勢隨告危急。

敵人伸出兩個拳，一個擊陝北，一個擊山東。

劉鄧的部隊在中間。

根據中央指示，劉鄧決定組織反擊戰，準備用兩個月的時間，進行連續作戰，利用敵人在該地區已轉入戰略防禦的機會，大量殲滅敵人有生力量，收復一切可能收復的失地並擴大解放區，要有力地配合陝北、山東我軍粉碎敵人之重點進攻。

劉鄧選中的反攻地點，一個是河南北部，一個是山西南部。

在豫北，有敵軍王仲廉、孫殿英、孫震部的九萬五千餘人，守備平漢鐵路以東、黃河以北地區。

劉鄧決心以第一、第二、第三、第六縱隊等十萬人的兵力，舉行豫北反攻。

戰役於3月23日開始。我軍連續攻佔濮陽等城鎮，迫敵調兵北援。我軍機智地避開敵人，揮師北上，解放了衛河以北、平漢鐵路兩側廣大地區，主力逼近安陽、圍攻湯陰。敵軍追近，我軍誘敵深入，然後以預伏之重兵出擊。敵軍受擊南撤，我又乘勝追擊，一路殲敵，一路收復城鎮，最後攻克湯陰。

豫北反攻，於5月25日結束。

兩個月的時間，劉鄧大軍活動在豫北廣大寬闊的戰場上，運動作戰。此役，共殲敵四萬餘人，解放縣城九座，擴大了南北一百五十公里、東西一百公里的解放區域，控制了一百五十公里的平漢鐵路，戰果輝煌。

在晉南，陳賡率第四縱隊等五萬人的兵力，實行晉南反攻。

經過一個半月的作戰，我軍殲敵一萬四千餘人，收復解放二十二座縣城及三百萬人口的廣大地區，控制了二百三十餘公里的同蒲鐵路，徹底改變了晉南局勢，有力地粉碎了胡宗南、閻錫山的聯防體制，並嚴重地威脅了進攻陝北的胡宗南的側背。

與晉冀魯豫劉鄧部隊的戰果相呼應，在山東，陳毅部隊在孟良崮全殲蔣介石嫡系整編七十四師等三萬二千餘人，擊斃蔣介石得意門生七十四師師長張靈甫。

在晉察冀，聶榮臻部隊發起正太戰役，殲敵三萬五千餘人。

在東北，林彪、羅榮桓部隊五十天攻勢作戰，殲敵正規軍四個，連及非正規部隊，共八萬餘人。

1947年3月至6月，四個月的作戰，我軍共殲滅敵軍四十萬七千餘人，淨得城市五十八座。敵軍在陝北、山東兩大重點進攻戰場未能得手，反而損兵折將，陷入不得自拔的境地。

在戰略意義上來說，戰爭的主動權，已逐步轉入共産黨部隊手中。

内戰爆發一年以來，劉鄧的部隊粉碎了敵軍多次進攻，並舉行了區域性的戰略性反攻，解放縣城四十三座，殲敵三十個旅，三十萬人。

在進行戰爭的同時，晉冀魯豫解放區堅決地進行了土地改革。廣大農民支持我軍作戰的積極性高漲，二十四萬翻身農民自願參軍，十萬餘解放過來的敵軍俘虜經改造亦加入我軍。全區部隊總人數由一年前的二十七萬人，發展到四十二萬人，其中野戰軍由八萬人發展到二十八萬人。

劉鄧在原有基礎上，將五個縱隊擴大到十個縱隊。

新建縱隊如下：

第八縱隊：司令員兼政委王新亭。

第九縱隊：司令員秦基偉，政治委員黄鎮。

第十縱隊：司令員王宏坤，政治委員劉志堅。

第十一縱隊：司令員王秉璋，政治委員張霖之。

第十二縱隊：司令員張才千，政治委員劉建勛。

西北民主聯軍：軍長孔從周，政治委員汪鋒。

對於第一年的作戰，父親後來回憶道："解放戰爭第一年，我們完成了軍委規定的殲敵指標。"

他説："戰爭開始三個月以後，毛主席就説，只要每個月消滅敵人八個旅，這個仗就肯定能打勝。果然，第一年就略超過一點，消滅了敵人九十八、九個旅。這個時候，毛主席就説，仗肯定能勝利。在二野地區來説，完成了分配給的份額，可能還超過了一點，總算是圓滿地完成了任務。全國的努力，有二野的份!"

這只是幾句簡單的回憶。其中，則是包涵着一年間連續不斷的作戰，包涵着多少思慮和心血……

1947年年中剛過，中華大地上的戰爭局勢，已經發生了巨大的，而且帶有根本性的變化。

一年戰爭的結果：

國民黨方面，總兵力從四百三十萬減少到三百七十萬，其中正規軍由二百萬下降到一百五十萬。其重兵深陷於陝北、山東兩個戰場，而中間地區的兵力十分薄弱，形成了一個兩頭强、中間弱的戰爭佈局，形象地説，就是一個"啞鈴形"的佈局。蔣介石，已喪失了大舉進攻的能力。

共産黨方面，總兵力從一百二十七萬增加到一百九十五萬，其中正規軍由六十一萬發展到一百萬以上。我軍在陝北、山東使敵人的重點進攻受挫，在晉冀魯豫、晉察冀、東北等戰場，已轉入局部反攻。

戰爭的勝敗結局，常常是出人預料的，也常常是十分之富於戲劇性的。

好似下圍棋一樣，這棋，未必是執黑先下者贏，也未必是來勢兇猛者勝。

毛澤東還是帶着一支小小的部隊在陝北的大山中與蔣介石進犯的大軍周旋。他和中央的險境還未擺脱，但在他的腦海中，已開始進行開展戰略反攻的運籌。

中共中央的戰略部署已經形成：

——劉鄧野戰軍南渡黄河，向中原出動，轉變爲外綫作戰。

——陳毅、粟裕野戰軍與劉鄧協力擊破蔣軍顧祝同系統。

——晉南陳賡部與陝北兩軍協力擊破敵胡宗南系統。

——劉鄧過黄河後，在黄河以南、長江以北的地區機動，經略中原。

——總的戰略意圖是，決心不待敵人的重點進攻全部被粉碎，不待我之總兵力超過敵人，立即組織中國人民解放軍主力轉入戰略進攻，以敵人兵力薄弱的中原地區爲主要突擊方向，實施中央突破。

在純兵力對比還處於弱勢的情況下，在我中央機關還在被圍攻的情況下，斷然決定開始實施戰略進攻，這是只有毛澤東以其偉人的氣魄才能作出的決定。

毛澤東和中共中央，指揮他們的軍隊開始反攻了！

……

黄河，源出於中國西部的崑崙山脈，一路曲折蜿蜒，直奔東部黄海之濱。以其五千四百六十四公里的軀體，把中華大地劃爲南北兩半。

黄河，以其奔騰不息的渾洪之濤，孕育和陶冶了中華民族五千年的文明歷史。

黄河，是中華民族的母親河。

在戰略上，黄河，也是一道天然屏障，被蔣介石趾高氣揚地稱爲足抵四十萬大軍。

劉鄧，要率領部隊，跨過黄河去。

劉鄧，把强渡黄河的地方選在山東西部張秋鎮至臨濮集一百五十公里地段。

6月3日，中央命令劉鄧於6月底突破黄河防綫。

劉鄧大軍立即開始進入渡河前的積極準備階段。

第一，普遍進行大反攻的形勢教育，開展大練兵運動。

第二，採用一切方式，加緊修造船隻，必須於渡河前準備好大小船隻三百條，同時加緊組織訓練水手和船工。

第三，劉鄧發佈戰役作戰命令，發佈戰術指導命令。

渡河前夕，劉鄧十分繁忙。

鄧去部隊，檢查工作，並告訴他的部隊：中國人民推翻國民黨反動統治的革命高潮已經臨近，我軍轉入戰略進攻的時機已基本成熟。我們一定要抓住這一極其有利的時機，不待我軍總兵力超過敵軍，也不待敵軍的重點進攻被粉碎，立即由戰略防禦轉入戰略進攻，不讓敵人有喘口氣的機會。

他説：我們應當把戰爭推到蔣管區去，不能讓敵人把我們家裏的罎罎罐罐打爛。

他説：我們晉冀魯豫區好似一根扁擔，挑着陝北和山東兩大戰場。我們要堅決執行黨中央、毛主席的戰略方針，責無旁貸地打出去，把陝北和山東的敵人拖出來。我們打出去挑的擔子愈重，對全局就愈有利。③

1947年的6月天，黄河兩岸的戰場已經擺下。

劉鄧下令，6月30日晚，正式發起渡河戰役。

6月30日終於到了。

是夜，南風陣陣，皓月當空。

滾滾黃河，浩浩蕩蕩地向東急流奔湍。没有人聲，没有馬嘶，只有河岸那無邊無限的蘆葦在風中沙沙作響。黃河之濱，這戰前之夜，顯得異樣的寧靜。

而黃河以北的大地，卻已然沸騰。

劉鄧大軍，千軍萬馬，浩浩蕩蕩，正向着各渡河口急行軍。

沿路上，黃河北岸的人民群衆，也未安睡。他們在數百里的行軍途中，一村一鎮，男女老幼，夾道迎送。他們燒好了熱水，做好了軍鞋，蒸好了乾糧，親手送給奔赴前綫的子弟兵。他們駕上車，趕上牲口，抬上擔架，緊跟着隊伍去支援渡河。這黃河北面的大地，彷彿是在過節、是在過年。翻身的農民，要把他們的子弟兵送過黃河去。

午夜十二時整，我軍大炮開火。驚雷般的轟鳴震撼了夜空，頓時，黃河對岸變成一片火海。

早已在蘆葦叢中隱藏着的幾百隻木船，一齊衝向河面。

到了此時，河對岸的敵軍才發現大難臨頭，禍從天降，慌忙回擊。

有人把這突如其來的攻擊大軍稱爲“神兵天降”。

既是神兵，自不可擋。

一夜之間，劉鄧大軍四個主力縱隊十二萬餘人，在一百五十公里的地段上突破天塹，强渡黃河，踏上了黃河以南的土地。

蔣介石那號稱可抵“四十萬大軍”的天然防綫，爲劉鄧大軍一舉突破。

國民黨軍的“黃河戰略”，傾刻間便灰飛烟滅矣!

劉鄧大軍强渡黃河，揭開了中國人民解放軍舉行戰略反攻的序幕。

注：

① 中共中央黨史研究室著《中國共產黨史》（上卷），第730頁。

② 《中國人民解放軍戰史》，第三卷（全國解放戰爭時期），第101頁。

③ 杜義德《渡河反攻前後》。《二十八年間——從師政委到總書記》（續編），第151頁。

55. 千里躍進大別山

劉鄧大軍一舉突破黃河天險，令人聞之耳熱，思之心驚。

美國駐華大使司徒雷登不禁叫道："這簡直是驚人的事件！不亞於當年法國'馬其諾防綫'被攻破！你們（指國民黨）花着平均每月三千萬銀元的美援軍費，使用着世界上頭等的美械裝備，竟然一槍不發，號稱足抵四十萬大軍的防綫被人突破，國軍力量，日見式微！"①

蔣介石急了。

他親自飛到鄭州，召開作戰會議。

他手下大將顧祝同、白崇禧、劉峙、孫連仲、王敬久、王廉仲、胡璉、邱清泉、孫元良、李彌……，都到了。

蔣介石命令，以王敬久指揮十四個旅的兵力，死守鄆城、菏澤、定陶，並以各路軍馬齊頭並進，逼迫劉鄧背水一戰，置於死地！

背水作戰，乃兵家大忌。

但背水之戰，卻能使人生出勇敢百倍。

鄧說："我們絕不去學韓信。在對待生死的問題上，我們只能有一種選擇。爲着人民利益，我們要生存下去，讓敵人去跳黃河！"

劉說："此時不打，更待何時？"②

古來兵家之戰，貴在神速，貴在勇敢，貴在決心，貴在智謀。

劉伯承是大軍事家，鄧小平是大政治家，他們兩人聯手配合，真是珠聯璧合，相得益彰。

他們兩人下定決心要打的仗，就一定能夠打勝！

劉鄧決定發起魯西南戰役。

劉鄧大軍迅速運轉，堅決出擊。

7月8日，一縱攻克鄆城。

7月10日，二縱收復曹縣，六縱攻克定陶，三縱進至鄆城東南。

這樣一來，十日之間，劉鄧大軍已在黃河以南開闢了廣闊的戰場，擺脫了背水作戰的危險局面。

經過一系列的戰鬥，敵王敬久主力在我軍南部巨野至金鄉一綫，變成了一條孤立的一字長蛇陣。

這時，敵軍認爲，我軍不是回頭吃菏澤，就是向前打濟寧。

萬萬没有想到，劉鄧大軍已經以隱蔽果敢的動作，直撲王敬久的長蛇陣，於7月13日，迅速將敵軍三個師分割包圍。

爲了避免敵軍作困獸之鬥，劉鄧決定，對於六營集之敵，改四面圍攻爲“圍三闕一”，迫敵向東突圍。14日，向東突圍之敵被我全殲於預設陣地。

至此，敵王敬久部已大部爲我所殲，僅剩一個半旅，爲我包圍在羊山集。

7月19日，蔣介石又親自飛抵開封，嚴令王敬久在飛機、坦克的掩護下解羊山集之圍。

羊山集之敵，雖僅一個半旅，卻是王敬久的精鋭之部，我軍久攻不下。

中央軍委給劉鄧來電，指示對羊山集之敵，如確有把握，則攻殲之，否則，立即集中休整十天左右，不打隴海，不打新黃河以東，亦不打平漢鐵路，下決心不要後方，以半個月的行程，直出大別山。

中央是不想延誤我軍南進的計劃。

劉鄧在思考。

鄧說：攻羊山的部隊不能後撤！

劉說：蔣介石送上來的肥肉我們不能放下筷子！

劉鄧決心啃下這塊硬骨頭。

7月27日，我軍對羊山之敵發起總攻，激戰一天，全殲敵六十六師。

當時任三縱隊司令員的陳再道將軍曾對我萬分感慨地說："羊山集這一仗，是我打得最艱苦的一仗！犧牲的戰士最多！"

至此，經二十八天的連續作戰，魯西南戰役結束。

劉鄧以十五個旅的兵力，殲敵四個整編師師部及九個半旅共六萬餘人，繳獲大量軍用物資和各種火炮八百七十二門，並調動了敵人七個整編師十七個半旅馳援魯西南。

劉鄧之師，好似一把出鞘的利劍，徹底打亂了敵軍的戰略部署。

蔣介石兩次親臨指揮，也無濟於事。

共產黨的中央機關和毛澤東，此刻仍在陝北的山嶺溝壑間與胡宗南的部隊轉圈子，但中共中央，已作出了更加完整的戰略反攻計劃。

——劉鄧，向大別山地區進擊，在長江以北的鄂豫皖邊地區實施戰略展開。

——陳（賡）謝（富治），自晉南强渡黃河，在豫陝鄂邊地區實施戰略展開。

——陳（毅）粟（裕），在豫皖蘇邊地區實施戰略展開。

——以上三部的任務：挺進中原，在中原地區以“品”字形陣勢，相互協力作戰，機動殲敵，創建新的中原解放區。

中原地區，從東到西，地跨江蘇、安徽、河南、湖北、陝西五省，南臨長江、北枕黃河，東起南北大運河，西至伏牛山和漢水，是我國東部長江、黃河之間的一塊要衝之地。

中原的正前面，即是國民黨統治的中心城市南京、武漢，再往前走一步，就會進入江南腹地。

如果說整個中國的形狀好似一隻雄鷄的話，那麼，中原地區，就正好在雄鷄的心肺部位。

古今以來，逐鹿中原，勝者，少則可得半壁江山，多則便會直接威懾江南乃至全國。

共産黨要直出中原，解放中原。在此基礎上，更要進軍全中國，解放全中國。

中央下達給劉鄧的命令是，下定決心，不要後方，直出大別山，佔領以大別山爲中心的數十個縣，發動群衆，建立根據地，吸引敵人向我進攻打運動戰。

與此同時，中央命令：

> 陳謝集團出豫西，吸引胡宗南一部打運動戰，配合劉鄧行動。
>
> 西北野戰軍向北打榆林，調動胡宗南主力向北。
>
> 陳粟部隊內綫把顧祝同拖向膠東，外綫牽制邱清泉於隴海路北，以確保劉鄧突入敵人戰略縱深。

中央部署後，各路兵馬遵令行動。整個的戰場形成了一盤佈局完整的棋，而每一個棋子，都按照統率部的指揮統一行動。這是一盤完整的戰棋，是一盤活躍機動的戰棋。

大別山，其主要部分在安徽境內，地跨湖北、河南，由西北向東南，把北部的華北大平原和南部的江漢平原分割開來。

大別山，峰巒重疊、山勢險要。那莽莽蒼蒼的山嶽叢林，那崎嶇蜿轉的山野小路，構成了極其複雜的地形。

父親曾這樣描述過大別山："中原的戰略地位非常重要，正當敵人的大門，其中大別山是大門邊。"

他說："中原形勢決定於兩個山，一個是大別山，一個是伏牛山，敵人最關切的還是大別山，它比伏牛山更重要。中原要大定，就要把大別山控制起來。"

他說："大別山是一個戰略上很好的前進基地，它迫進長江，東面一直頂到南京上海，西南直迫漢口，是打過長江的重要跳板。"

他說："大別山，敵人必爭，我也必爭！"③

劉鄧大軍進軍大別山的決心已定。

但是，要進軍大別山，在大別山站住腳，實際並非易事。要知道，共產黨的軍隊，曾經在那一個地區幾進幾出。

中央和毛澤東對於此次出擊的重要性和艱巨性，心裏是明白的。

中央指示劉鄧，進軍大別山，可能有三個前途。一是付出了代價站不住腳，準備回來；二是付出了代價站不穩腳，在周圍堅持鬥爭；三是付出了代價站穩了腳。要從最困難方面着想，堅決勇敢地戰勝一切困難，爭取最好的前途。

中央並具體指示，劉鄧抓緊時間休整至8月中旬，爾後出擊。

在魯西南，劉鄧野戰軍已連續作戰一個月，部隊未得休整，新補充的戰士來不及訓練。各縱隊才下戰場，還未對躍進大別山的戰略進行動員和具體準備。同時，部隊所帶款項已不足半月開支，東北的炮彈、邯鄲的軍衣都未運到，如立即進行大的軍事行動，對這支部隊來說，將會是困難重重，險象環生的。

劉鄧的部隊，太需要喘一口氣了，哪怕是稍稍地喘一口氣呀!

可是，蔣介石不讓他們喘息，戰機也不容他們喘息……

自從劉鄧大軍南渡黃河以來，陰雲，一直像一個巨大的鍍蓋，籠罩在天空。雨，一直在淅淅瀝瀝地下個不斷。接着，天河又像開了口，突然間暴雨如注，下個不停。

黃河，開始漲水了。

站在黃河堤上，一眼望去，只見濁流洶湧，波濤連天。

天公不作美，人心則更歹毒。

蔣介石，要由開封決開黃河大壩，用黃河之水來把劉鄧趕回黃河以北。

蔣介石用黃河進行水戰，這已不是第一次了。

所有經過抗日戰爭的人都一定記得，1938年6月，爲了阻止日本侵略軍前進，蔣介石下令在河南炸開了花園口黃河大堤。這次決堤，並未阻擋住日軍侵華的步伐，卻使黃河北移改道，淹沒了河南、安徽、江蘇三省的四十四個縣，五萬四千平方公里的土地，造成了八十九萬餘人喪生，一千二百五十萬人口受災，大批難民流離失所的悲慘狀況。在中原大地上，人爲地製造了一片連年災荒的黃泛區。

這是差不多九年以前的事情了，但人們仍記憶猶新。

這黃河，竟然變成了蔣介石的一件可以隨意移挪的戰爭武器。

今天，蔣介石又要陰謀挖掘黄河大堤了，要用這條萬古江流來淹没劉鄧大軍。

一旦黄河再次決堤，這十幾萬大軍，這河邊數百萬人民群衆怎麼辦?

在野戰軍指揮部的作戰室裏，劉伯承説出一句話："憂心如焚!"

當時的情况的確萬分危急，的確令人心急如焚!

四十多年後，父親曾對我們説過："我這一生，這一個時候最緊張。聽到黄河的水要來，我自己都聽得到自己的心臟在怦怦地跳!"

危難險情真是一波接着一波。正在劉鄧部隊進行休整，準備於8月中旬出擊的時候，他們收到毛澤東親自起草的一個三個A級（最急的）極秘密的電報。

父親告訴我們："毛主席的電報很簡單，就是'陝北情况甚爲困難'。只有我和劉伯伯看了這份電報，看完後立即就燒燬了。當時，我們真是困難哪，但是，我們二話没説，立即覆電中央，説十天後行動。用十天作千里躍進的準備，時間已經很短了，但我們不到十天就開始行動了。"

説完後，父親又重複了一句："當時，真正的是二話没説，什麽樣的困難也不能顧了!"

説這話時，一向不大形露感情的父親，聲音都略帶梗塞了……

劉鄧打過黄河，一是實現戰略反攻，一是吸引和殲滅敵人，更重要的就是要減輕陝北、中央和毛主席的困難處境。

黄河漲水，没什麽可怕；蔣介石要決堤放水，也嚇不倒劉鄧。本來，劉鄧還考慮再打幾個仗，再就地殲滅一些敵人。但是，中央困難，劉鄧便義無反顧地、不顧任何困難地提前盡早出擊了。

8月6日，劉鄧下達預備命令，決心提前結束休整，立即執行挺進大別山的戰略任務。

收到劉鄧電報後，中央於8月9日、10日連續覆電，指出劉鄧的"決心完全正確"，並指示："情況緊急不及請示時，一切由你們機斷處理。"

劉鄧指示部隊：勇往直前，決心不要後方，不向後看，堅決勇敢地完成這一光榮艱巨的戰略任務。

1947年8月7日，劉鄧命令部隊從魯西南的鄆城地區揮師南進。

千里躍進大別山的偉大戰略進軍開始了。

在魯西南地區，蔣介石親自坐鎮開封，調集了五個軍事集團三十個旅的强大兵力。

爲了實行突破，劉伯承巧設神機，以一部在黃河邊佯動，造成北渡聲勢；一部向西破擊平漢鐵路，切斷敵之交通；一部向西直出信陽，作出挺進桐柏山的姿態。

正當敵軍迷惑不解、判斷不清之時，我劉鄧大軍主力，分成左、中、右三路，突然甩開敵軍，從敵人還未來得及造成的合圍圈口一舉突破，開始了向大別山的挺進。

魯西南地區，與地處安徽的大別山，相距千里之遙。這一路上，有黃泛區、沙河、汝河和淮河等天然路障，還有敵人數十萬大軍的前堵後追。

千里躍進大別山，是一次路途諸多險阻的進軍，是一次全憑意志和勇敢才能取勝的進軍。

8月11日，劉鄧主力跨過隴海鐵路，向南急進。

不日，部隊到達了黄泛區。

在劉鄧大軍的面前，是一片寬達二十公里的曾被黄河之水淹没過的土地。

那裏，遍地的積水污泥，淺處及膝，深則到腰。那裏，没有道路，没有人烟，遠遠望處，只能看到殘毀的房屋和幾根樹幹。那裏，連作戰地圖上標明的村莊鄉鎮，都已無法尋找。真是一片荒野，滿目凄涼。

這就是被蔣介石曾經放水淹没的地區。

在八月的酷熱中，部隊開始跋涉了。戰士們深一腳淺一腳，一步難似一步地在泥濘中艱難地徒涉。

車是不能開了，所有的重武器和輜重，都改用牛拉人推，推不動的，拆卸成塊用人扛。一些榴彈炮和野戰炮，還有牽引用的汽車，凡是拉不動的，扛不走的，上級命令，全部銷毀炸掉。

這些重型武器，是部隊用鮮血從敵人手中一件一件奪過來的，爲部隊視爲珍寶，聽着一陣陣炸藥的轟鳴，許多指戰員都掉下眼淚，痛心地哭了。但是他們深知，若非爲了敵情嚴重，若非爲了不影響部隊的前進，上級是決不會命令如此而爲的。

8月17日，劉鄧，手拄着棍子，腳踩齊膝深的污泥，冒着敵機的轟炸掃射，走一腳拔一腳地，和所有的指戰員在黄泛區中共同跋涉。當日，野戰軍主力即行通過。在劉鄧身先士卒的帶頭作用下，整個野戰軍，以最快的速度，於8月18日全部徒涉過了黄泛區。

過了黄泛區，劉鄧大軍主力立即直奔沙河，冒着敵軍的炮火和飛機轟炸，架設浮橋，於18日勝利渡過沙河。

到了這時，蔣介石方才如夢初醒，察覺了劉鄧大軍南下的戰略意圖。這時，再要組織大規模的封鎖攔截，已爲時晚矣！

據說，美軍顧問組的魏德邁將軍在 8 月 24 日離華前，曾對蔣介石直言不諱地說：這一個月來，我在中國看到了什麼呢？看到共軍一槍不發而攻破了足抵“四十萬大軍”的東方“馬其諾防綫”。他們二十八天連續戰鬥，消滅了“國軍”九個半旅。說他們“西竄”，實際他們在南進；說他們“失踪”，實際他們在反攻！

魏德邁生氣，蔣介石也生氣。一氣之下，蔣介石到廬山養病去了。

……

過了沙河後，劉鄧部隊抓緊這難得的瞬間休整了一天。

鄧政委向全部隊提出：“走到大別山就是勝利！”

部隊進一步輕裝，把一些笨重的武器車輛埋藏或炸掉。劉鄧大軍，要以更快的速度，向大別山直進。

過了沙河，前面又是汝河。

8 月 23 日，第一、第二縱隊渡過汝河，第三縱隊進抵淮河。當野戰軍指揮部和六縱到達汝河邊時，敵人已強佔了渡河地點南岸渡口。這時，前方，敵軍部隊用強大的火力正在阻擊；後方，尾追的敵三個整編師已距離不到三十公里；上方，敵人的飛機接連不斷地實施狂轟濫炸。我過河部隊一再受阻。

在這萬分險惡的關頭，劉鄧肩並肩地來到汝河前綫。

“劉鄧首長來了！”全軍上下一派振奮。

鄧用一貫簡練的語言說：“我們要不惜一切代價，堅決地打過去！”

劉一改平時溫儒的風格，提高嗓門堅定地說：“狹路相逢勇者勝，從這裏殺開一條血路，衝過去！”

劉鄧的到來，劉鄧的決心，劉鄧的命令，形成了一股不可抗拒的巨大力量，使指戰員們勇氣倍增。

天剛微明，六縱開始實施强渡。戰士們冒着敵人猛烈的阻擊火力，踏着浮橋，殺出一條血路，衝過河去，突破了敵人的汝河防綫。

過河之後，人們看到，劉鄧首長，騎着戰馬，行進在疾進的隊伍中間。他們兩人走走停停，時而議論研究，時而觀測地形，從從容容，鎮定自如。

劉鄧指揮着部隊，劉鄧與部隊同在。

到達集合地彭店後，鄧政委告訴部隊："我們到大別山還有一條天險——淮河。"

部隊經兩日多行軍後，拿下了淮河北岸息縣縣城並佔領了渡口數個。

淮河，是華東地區介於黄河和長江之間的一條最大的河系，由西向東貫穿於河南南部與安徽全境，在這一帶形成了一片縱横交匯，疏密錯落的水網地帶，在劉鄧大軍躍進大別山的途中，形成了一道天然鴻溝。

劉鄧部隊中，大部分是北方人，都是"旱鴨子"，極不習慣在南方水網地帶作戰。可這一路上，他們，卻過了多少的河，走了多少的泥路水路呀。無怪乎有的人詼諧地調侃道："江山如此多嬌，無數英雄光摔跤!"

調侃也好，摔跤也好，反正這河，還是要過，而且非過不可!

8月的淮河，正值雨季時分，河深水急。劉鄧大軍到來之時，正好上游剛剛下雨，河水上漲。敵人追兵先頭已距我僅十五公里，如兩天不能過河，我軍將被迫背水作戰。

無橋，無船，河面又寬，這七個旅十幾萬大軍，怎麼過去?

在指揮部裏，劉鄧連夜召開緊急會議。

鄧提議："伯承先行指揮渡河，我和李達在後指揮部隊阻擊。"

劉果斷地說："政委說了就是決定，立即行動。"

劉伯承到了河邊。

有的幹部報告說："淮河不能徒涉。"

真的不能徒涉嗎？

劉伯承登上一隻竹排，手持一支竹竿，提着馬燈，全神貫注地探測水深。

不久，劉伯承捎回口信，水不太深，可以徒涉！

天快亮時，河水又開始退潮，真是天賜良機！

我軍千軍萬馬，立即開始過河。

先期過河的劉伯承，在南岸的山頭上看着這壯觀的渡河場面，微笑了。

事後，他說："粗枝大葉就要害死人！"

到 8 月 27 日，劉鄧野戰軍全部渡過淮河。

說來事情也真巧，我軍剛一過完河，河水突然驟漲了起來，上游又下來了洪峰。敵軍的大路追兵到了河邊，看着剛剛遠去的劉鄧大軍，只好"望河興嘆"了。

這種經歷，父親牢記在心，有一次，他談起過淮河的情景，對我們說：

"那一路真正的險關是過黃泛區，過淮河。過淮河，劉伯伯去探河，水深在脖子下，剛剛可以過人。這就是機會呀！我們剛過完，水就漲了，就差那麼一點點時間，運氣好呀。以前，從來不知道淮河能夠徒涉，就這麼探出條道路來了，真是天助我也！好多故事都是神奇得很。"

這僅是湊巧嗎？僅僅是個奇迹嗎？

實乃天助我也。

天之大道，理應助劉鄧之師一臂之力。

有詩云：天若有情天亦老。

但是，看樣子，有時候，老天爺，也會有情的。

過了淮河，這最後一道天險，劉鄧野戰軍，進入了大別山地區，勝利完成了千里躍進大別山的戰略任務。④

國民黨和共産黨逐鹿中原，這第一步，共産黨搶先了。

注：

① 苗冰舒《劉鄧大軍突破中央戰綫》。《劉鄧大軍强渡黄河》（資料選），第187頁。

② 同前注。

③ 鄧小平《躍進中原的勝利形勢與今後的政策策略》，1948年4月25日。《鄧小平文選》（1938—1965年）。

④ 本章參考下列資料：《中國人民解放軍第二野戰軍戰史》，第二卷（解放戰爭時期）；《二十八年間——從師政委到總書記》及其續編、三編；《劉鄧大軍强渡黄河》（資料選）；《挺進大別山》；《中國共産黨史》。

56. 逐鹿中原

逐鹿中原，問鼎中華，勝者爲王，敗者爲寇。

二千多年以來，中國的帝王將相、英雄豪傑們，就是這樣奮勇執着、鍥而不捨地相互爭雄、相繼替取的。

逐鹿者也，乃是一個比喻。

這鹿，並非直說的是鹿，而是以鹿喻天下，喻政權，喻帝王之位。

逐鹿，也不是說的狩獵驅鹿，而是毫不含糊地直指群雄並起，爭奪天下。

公元前二百多年，中國第一號皇帝秦始皇建立的秦朝帝國行將滅亡時，天下各路豪傑紛起爭而代之。史書謂此曰："且秦失其鹿，天下共逐之"。①此其意也。

而這群雄奮起，究竟鹿死誰手，則可茲取決的因素就太多了。

就中國版圖來說，在某種意義上，從古到今，得中原者便可得天下。

"得中原者得天下"，這是古來就有的道理。

因此，欲問鼎江山，必要逐鹿中原。

二十世紀四十年代的第七年，也就是公元 1947 年，劉鄧南進一千里，一下子把戰爭引向國民黨控制的中原地區，由此，共產黨和國民黨逐鹿中原之戰揭開了帷幕。

劉鄧到了中原，但未必能立足於中原。

劉鄧率軍到達了大別山，也並不等於説就能夠立足於大別山。

要知道，僅在紅軍時期，共產黨的軍隊，就曾先後三次在大別山建立了根據地，又先後三次撤出過那一地區。

大別山，那連綿巍峨的高山峻嶺，那鬱鬱葱葱的山林野莽，可以成為據守生存的良好天然要塞，也可以成為吞噬軍事勁旅的虎口險地。

對於這一場中原逐鹿之戰的艱巨和重要性，劉鄧心裏是雪亮雪亮的。

鄧小平一到大別山，便於 8 月 27 日以中共中原局的名義發出指示：

一、要求全體人員全心全意地、義無反顧地創造鞏固的大別山根據地，並與兄弟兵團配合，全部控制中原。

二、實現此歷史任務，要經過一個艱苦鬥爭的過程，必須大量殲滅敵人和充分發動群衆，才能站穩腳跟。因此，應切勿驕躁，兢兢業業，上下一心，達成每一具體任務。

三、應向全軍説明，我們有完全勝利的把握。

四、應向全區群衆説明，我們是鄂豫皖子弟兵的大回家，我們的口號是與鄂豫皖人民共存亡，解放中原。

五、軍事上最初一個月內，不求打大仗，而是佔領城鎮，肅清土頑。爭取打些小仗，熟悉地形，習慣生活，學習山地戰，為大殲滅戰準備條件，但在半年內要殲滅敵人十個旅以上的兵力。

六、充分發動群衆及游擊戰爭。軍隊嚴格執行紀律，嚴整軍風軍紀。

父親作指示，從來如此明確堅定。父親撰寫文稿，從來用語果斷簡明。

劉鄧大軍從建立以後，許許多多的指示、訓令，特別是向中央的報告和電報，都是鄧親自提筆撰寫的。他没有秘書。在那軍情如火如荼的戰爭年代，時間，就是戰爭勝負的關鍵，就是軍隊的生命。一切親力親爲，無陳規，無繁文，這是鄧的作風。

許多劉鄧野戰軍的老將軍們，在談及這一點時，都對我發出過很深的感慨……

劉鄧一俟進入大别山地區，立即分遣各部隊迅速向預定地點實施展開，三縱在皖西，二縱和一縱比肩在豫東南相繼展開，六縱更是攻克了河南至湖北光山南北一綫十數個縣城，南進至武漢以東百餘公里處。

我軍九個旅的兵力，在大别山北麓地帶，就地鋪開攤子，紮下了禦敵陣勢。

蔣介石也不含糊，他以二十三個旅的兵力緊跟劉鄧過了淮河，尾追而來。

蔣介石派來的大將有夏威、張軫、程潛，由國防部長白崇禧親自指揮，從東、北、西三個方向出擊，欲與劉鄧主力交戰，趁我立足未穩，或逐我離開，或消滅劉鄧於大别山區。

根據中央的指示，劉鄧對敵作戰，避開白崇禧的桂軍主力，先打較弱的滇軍。

9月上旬，在大别山北麓河南商城以北，劉鄧大軍以第一、第二、第六縱一部，與敵軍打了在大别山的第一仗。

這一仗，雖然調動了敵其他部隊的回援，但由於我軍從北方來的部隊不熟悉南方的山地水田作戰，所以未能達到有效殲敵的目的。

9月19日，劉鄧集中上次參戰部隊在商城以西殲敵一個團，並繼續引敵來援。

這是進入大別山後的第二仗。

9月25日，劉鄧在商城西北的光山附近打了第三仗，擊退敵援兵進攻。

這三次作戰，將敵軍全部機動兵力調動至大別山北麓，保證了我第三、第六縱隊在鄂東、皖西地區的展開。

至9月底，經過緊張戰事，劉鄧大軍在鄂豫皖地區解放了縣城二十三座，殲敵六千餘人，在十七個縣建立了民主政權。

經過一個月的時間，劉鄧已經打開了局面，依托山區安置了後方。

但是，要知道，這短短一個月的時間，是絶對不足以使劉鄧大軍立足於大別山的。

在劉鄧面前，困難，那些超乎想像的困難，實在是太多了！

其一，這一地區雖曾爲紅軍根據地，但紅軍走後，國民黨對當地群衆進行了極其殘酷的鎮壓。我軍到後，反動勢力威脅群衆，斷我軍糧，絶我生存之路，使我部隊吃不上飯，找不到嚮導，常陷於飢餓、疲勞、迷途之中。

其二，大别山與太行山不同，這裏山高路窄，地形複雜。我軍由北方到南方，由平原到山地，飲食不習慣，言語不相通，地形不熟悉，穿不慣草鞋，加之常常夜間行軍，使部隊極不適應。

其三，我軍面臨二十三個旅的敵人重兵，連續作戰，已極度疲勞，產生了一些畏難情緒。

父親後來對我們說:“我們逐鹿中原,四面都是敵人!”

他不勝感慨地說:“中國的南北界限,是以淮河爲分界綫的,淮河以南叫南方。一過淮河,種水稻,走山地,都是南方的習慣。原來我們估計不足,只知道北方人到南方有個不習慣的問題,沒想到像我們這些原來的南方人,在北方呆久了,到南方也不那麼習慣了。擔子落到二野身上。整個解放戰爭中最困難的是這個擔子。”

他說:“大別山的鬥爭,勝敗不是決定在消滅了多少敵人,而是能不能夠站得住脚。這就要求,對兵力的集結和分散要掌握得好。關鍵是不打硬仗,避開敵人主力。”

父親笑了笑,又說:“當時部隊要打仗的呼聲很高,有急躁情緒。我召集了一個會議,十幾個人參加,有的縱隊司令騎馬走一百多里來開會。我説服幹部,不打硬仗。他們回去後,情緒穩定了。三個月後,形勢變了。”

父親說的這個會議,就是1947年9月27日在光山縣白雀園召開的縱隊領導幹部會議。

會議指出,要增强鬥志,反對右傾情緒,嚴肅糾正違法亂紀現象。

這次會議對於進大別山一個月的總結和對於今後工作的佈置是十分及時和必要的。

要站穩脚跟,就要發動群衆;而要發動群衆,則必須嚴肅紀律。

對於群衆紀律,父親是嚴厲有加,從不苟且的。

他說:“軍隊紀律壞,就是政治危機的開始。”

剛一進大別山,劉鄧就嚴令:以槍打老百姓者槍斃,搶掠民財者槍斃,强姦婦女者槍斃!

一次，鄧政委發現，在黄岡縣的一條街上，一個軍人刺刀上掛着一捆花布，一捆粉條，顯然來路不正，便立即叫查。結果查明，此人是一警衛副連長，立過戰功。鄧經過權衡利弊，最後決定必須嚴肅紀律。

槍斃了一個違紀的副連長，赢得了一大批當地商販和群衆的歡迎。這一消息，迅速地傳遍了大别山區，人們奔走相告：紅軍真的回來了！

劉伯承曾經説過：慈不掌兵。

戰爭中，慈不能掌兵；執行紀律中，慈亦不能掌兵。

在嚴於掌兵的同時，父親極其重視部隊的思想工作，他親自到部隊，向基層幹部講話。

那是10月初的一天，在一個小山坡的草坪上，鄧政委身着退了色的灰布軍裝，腰紮皮帶，向二縱的連以上幹部講話。

他説：

“現在有的同志不敢對部隊講困難，你不講，困難也還是客觀存在着。我們不要怕講困難，相反，應該勇敢地正視困難，實事求是地向大家説明困難，這樣，才能對困難有充分的思想準備，才能積極主動地想辦法戰勝困難。”

他説：

“我們遠離後方，在敵佔區還能没有困難？我們整天揹着幾十萬敵軍在這裏轉，彈藥、糧食、被服得不到補充，戰士們不服水土，很多人生病鬧瘧疾，傷病員得不到很好的治療，群衆基礎、物資供給都遠不如解放區，所有這些都給我們帶來了極大的困難。有困難是事實，但有困難並不可怕。我們幹革命就難免要同困難打交道，就要有克服困難的耐力。”

他說：

“毛主席說：你們走到大別山就是勝利！這是為什麼呢？因為我們插入了敵人的心臟，打中了敵人的要害。我們把敵人大量吸引過來，壓力大了；我們遠離後方，困難多了。但是，我們的兄弟部隊在其他戰場上就輕鬆了，就可以打勝仗了。”

他比喻道：

“我們進軍大別山，就像打籃球一樣，蔣介石看我們到大別山來投籃了，要得分了，他就把前鋒後衛都調來跟着我們。這樣，他顧了南就顧不了北。他不讓我們在南面投籃，不惜用幾十萬大軍纏着我們，可他北面的籃板就空出來了，我們的兄弟部隊在北面就可以投籃得分了。我們在大別山困難很多，是在‘啃骨頭’，但是，在其他戰場上，我們的兄弟部隊已經開始‘吃肉’了！我們背上的敵人越多，我們啃的骨頭越硬，兄弟部隊在各大戰場上消滅的敵人就越多，勝利也就越大。而各大戰場的勝利，反過來也可以支援我們，減輕我們的壓力。”

他繼續說：

“要講困難，我們有，蔣介石也有。我們的困難是局部的、暫時的，是前進中、勝利中的困難。而敵人呢，他們面臨的是解放區、蔣管區人民的重重包圍，他們的困難是全局性的，是一步步走向滅亡的不可克服的困難。眼下，我們雖然困難一點，我們身上還要掉幾斤肉，我們還要付出一些代價，這沒有什麼了不起，為了全國革命的勝利，這是值得的，是很光榮的。”②

劉鄧的信念，堅定了全體部隊的信心，鼓舞了全體指戰員的士氣。

10月的大別山，秋猶未過，但早晚已是寒氣襲人。劉鄧大軍遠離後方，供應不及，因此，指戰員們穿的還是夏天的單衫單褲。眼看嚴冬將至，冬衣問題已變得十分突出。

没有後方，没有供給，怎麼辦？劉鄧命令全軍，自己動手縫製冬裝。

自己製冬裝，首先要找布。採購來的布匹，五顔六色，不成系統，於是，土法土製，部隊就用鍋灰、草木灰，把白布染成灰色，作面子。那些色彩鮮艷的花布就作裏子。

有了布，又要找棉花。買來的棉花，多數是籽棉，還帶着棉籽，於是只好自己加工。戰士們没有彈棉花機，於是又是土法上馬，用樹條抽打，用手來撕來剝。

有布有棉花了，衣服還得人來做呀！這可難壞了劉鄧大軍的指戰員們。

自古以來，男兒從來是拿鋤拿筆拿槍，可偏偏就是不會拿針！還有裁剪，就更别説了。天一天比一天冷了，棉衣不做也得做了，這些拿慣了大槍的粗手，拈起了那細得難拿的縫衣針。不會裁剪，就找老鄉家的婦女幫忙。我們的劉伯承司令員，拿着針，戴着眼鏡，一邊做，一邊給他人示範。一邊示範，還一邊耐心地説：“縫衣也有竅門，荷包用勾針，路綫要匀要密，扣門要採用倒綫，裁領口可以用一隻軍用瓷碗扣起來比着裁！”

戰士做棉衣，劉鄧也親自做棉衣。

劉説：“我們再困難也要穿上軍裝，决不以爛爲榮！”

鄧説：“我們這個軍隊有一個最大的長處，只要自己動手，没有克服不了的困難!”③

冬裝做好了，部隊上下人人一身新做就的棉衣。

這軍棉衣，乍看上去還算整齊，但細看一下，可就顯得太粗糙了。縫綫的針角有長有短，衣服裁得有大有小。衣服歪歪扭扭的，裏面絮的棉花疙疙瘩瘩的。然而，儘管這些棉衣觀瞻並不甚雅，但它們畢竟是由戰士們的手自己做出來的，穿在身上，格外暖和。

況且，劉鄧，穿的也是這樣的冬裝呀!

……

10月初，當劉鄧大軍剛剛適應了大別山區的情況，蔣介石便集結大別山北麓的七個整編師的兵力，對光山、新縣我軍進行合圍。

在劉鄧的指揮下，我軍機動靈活地運動殲敵，至10月27日，共殲敵軍一萬二千餘人，繳獲大炮、機槍等大批軍用物資，取得了進入大別山以來的第一個重大勝利。

到了11月，劉鄧大軍在兩個月中，共殲敵三萬餘人，解放縣城二十四座，建立了三十三個縣政權。

劉鄧大軍，在大別山，由此完成了戰略展開。

在劉鄧進軍大別山的同時，陳賡、謝富治集團向河南西部挺進，三個月長驅機動，殲敵五萬餘人，解放了十餘個縣城，在完成戰略展開的同時，調動了敵軍八個旅的兵力，在大別山以西有力地配合了劉鄧的作戰。

與劉鄧、陳謝相配合，陳毅、粟裕大軍挺進豫皖蘇邊地區，三個月大踏步尋戰，殲敵二萬餘人，調動了敵軍十五個旅的兵力，其中包括準備用於進攻大別山的八個旅，打亂了敵之軍事部署，在劉鄧以北擴大了解放區。

就這樣，根據中央和毛澤東的指揮，劉鄧、陳謝、陳粟三個棋子，均部署到位，在北黄河、中淮河、南長江、西漢水之間的中原地區，結成了一幅“品”字形狀、互爲犄角的有利的戰略態勢，把敵人進攻我解放區的重要後方，變成了我奪取全國勝利的前進基地。

逐鹿中原，這第一個回合，共產黨方面已經完成佈局。

根據這不斷變化、不斷前進的戰爭勢態，1947 年 10 月 10 日，《中國人民解放軍宣言》豪邁地提出：“打倒蔣介石！解放全中國!”

……

劉鄧大軍挺進中原，克服了千難萬險，在大别山站穩了腳跟，實現了毛澤東所指出的三個前途中最好的一個前途。

但是，嚴重的敵情仍未有分毫的減輕。11 月下旬，蔣介石成立了一個“國防部九江指揮部”，由國防部長白崇禧任主任，統一掌管豫、皖、贛、湘、鄂中原五省軍政大權，要以所謂的“總力戰”與共產黨爭奪中原，並確保其長江大動脈。

白崇禧受命之後，首先組織了十五個整編師又三個旅的兵力，配以戰鬥機、轟炸機的支援，於 11 月 27 日，開始了對大别山的全面圍攻。

針對新的敵情，毛澤東指示中原三路大軍：大别山是否能鞏固，是中原解放區能否最後確立與鞏固的關鍵，足以影響戰爭的發展。因此南綫三軍必須長期配合，密切協同作戰。劉鄧主力堅持大别山，陳粟和陳謝向平漢、隴海兩大鐵路綫展開大規模的破擊戰並機動殲敵，以調動圍攻大别山的敵軍，直至粉碎敵軍對大别山的圍攻爲止。

白崇禧三十三個旅的圍攻開始了，各路蔣軍以兇猛之勢撲向大别山區。

面對愈益嚴酷的敵情，劉鄧分析，大别山區迴旋餘地狹窄，糧食困難，不便於大兵團寬大機動，因此不宜集中過多兵力於大别山區。劉鄧決心採取“避戰”方針。

具體部署：以主力部隊留在大别山區，在内綫進行小的鬥爭和游擊戰，牽住敵人；以總部機關帶一部分部隊分兵而行，跳出包圍圈，轉入外綫，向大别山以西的桐柏、江漢一帶實施戰略展開。

1947年12月10日，入夜時分，在漢口以北百餘公里的一個小村莊——王家灣，劉伯承、鄧小平與剛到十餘日的新任野戰軍副司令員李先念在作戰科研究作戰行動。

鄧小平對劉伯承説：“我到底比你年輕。我留在大别山指揮，你到淮西去指揮全局。”

劉伯承回答説：“警衛團都給你留下，我只帶一個排就行了……”④

當夜，劉鄧分開了。

他們兩個人，一人率一部，一個裏，一個外；一個在重敵圍攻中堅守大别山，一個在外綫實施運動展開。

劉鄧人雖分開了，但行動卻未分開。裏外兩個指揮部，在分開的時間内，一切電報指示仍照舊由“劉鄧”聯署簽名。

不管人是否在一起，劉鄧都是一體。

父親率領一支精幹的前方指揮所，指揮留在大别山地區的第二、三、六縱隊，與强大的敵軍展開了艱苦的反“圍剿”作戰。

1948年來臨了。父親和他的戰友們，在大别山北麓的金寨地區，渡過了1948年的除夕之夜。

父親身着灰布棉衣，人更顯削瘦，在被寒冷的山風吹得摇摇曳曳的松明光下，他一面從廣播中收聽黨中央、毛主席的聲音，一面聽取地方工作匯報，就這樣迎來了 1948 年的第一個黎明……

1948年伊始，敵人依據絶對優勢的兵力，用密集靠攏的隊形，從南向北對大別山壓縮堵擊，迅速佔領我腹心地區，並到處實行瘋狂的"三光"政策，摧毀我建立的民主政權，捕殺我地方幹部，掠搶民財，抓人抓丁，甚至殘酷地製造無人區。

大別山地區的敵情空前嚴重。

父親帶領的指揮所，不到一千人。他確定的鬥爭策略是，主力部隊化整爲零，採取敵向外，我向外，敵向內，我亦向外的方針，將敵人牽到外綫，以小部牽制敵人大部，以大部尋機殲滅敵人小部。

父親後來生動地回憶説："我一個，李先念一個，李達一個，就這麼三個人，帶着幾百人的前方指揮所留在大別山，方針就是避戰，站穩腳，一切爲了站穩腳。那時六縱擔負的任務最多，從東到西今天跑一趟，明天跑一趟，不知來回跑了多少趟，就在那個丘陵地帶來回穿梭，一會兒由西向東，一會兒由東向西，調動敵人，迷惑敵人。別的部隊基本上不大動，適當分散，避免同敵人碰面。就這樣搞了兩個月。"

父親經歷了一輩子的戰爭生涯，大別山這敵重情險的危機局面，被他就這樣輕描淡寫地一言蔽之了。

但是，那兩個月中間，在他的肩上，擔了多重的擔子，在他的心中，承擔着怎樣的負荷啊！

戰事險，軍情急，但在大別山的鬥爭，又偏偏怎是"軍事"二字了得！

在鄂豫皖解放區，建立政權後，頭一件大事就是進行土地改革。

那還是在1947年的10月，中共中央頒佈了《中國土地法大綱》，一個熱火朝天的土地改革運動在共産黨的各解放區中開展了起來。

鄂豫皖區也不例外，區内各地大張旗鼓地開展了打土豪、分田地、分浮財的土改運動。但是，大別山與別的解放區是不同的。在這裏，敵情嚴重複雜，群衆疑慮甚多，加之共産黨曾四次從這裏撤走，如果這次再走，老百姓能夠承受得了嗎？在土改中，一些地區的幹部又犯了嚴重的左傾急性病，在政策和策略上發生了失誤。這些作法，非但不利於發動群衆，反而脱離了群衆，甚至侵犯了群衆的利益。

父親及時地察覺了這些問題。

1948年1月14日，毛澤東親自致電鄧，詢問新解放區的各項問題。

趁此機會，父親於1948年1月15日和22日，連續向中央發了兩個電報，詳細介紹了大別山各方面的情況。

他在電報中説，大別山的特點，是經過土地革命和抗日戰爭兩個時期，土地革命時期的"左"，抗日時期的右，都在本地區各階層發生了很深的影響。鑒於在大別山有兩種區域，即鞏固區和游擊區，他提出，在鞏固區可以進行土改，在游擊區則不能急於平分土地。

2月8日，父親又給中央去電，再次强調了土改要分區域進行的觀點。

對於鄧小平的幾次來電，毛澤東極爲重視，親自覆電，親自批語道："小平所述大別山經驗極可寶貴，望各地各軍採納應用。"⑤

從1948年1月份起，由於敵情嚴重，太行山地區實際上已停止進行土地改革，改爲實行減租減息的政策。

3月8日，父親給毛澤東的報告中明確提出在大别山停止土改，實行減租減息。

父親的這個報告，是在行軍途中撰寫的。

那一天，春天乍至，天氣猶寒，部隊天亮時分方才在野外宿營休息。在幾顆鳳尾竹下，地面潮濕，父親叫人點起一盞美孚油燈，在黎明的朦朧中，倚着馬鞍，快迅地思索與撰寫。⑥

就這樣，在黎明中，他倚着戰馬，再次向中央陳述了他的觀點。

土地改革工作是解放區建設的頭等大事，父親到一處落實一處，針對不同的情況提出不同的政策措施，緊抓不放，從不懈怠。

到了5月，他再次爲此致電毛澤東，報告情況，闡述看法，並於同月在他負責的中原局召開會議，確定由土改轉爲減租減息的政策。

5月24日，毛澤東致電鄧小平，明確了在新區實行減租減息的政策。

6月6日，父親以中原局的名義下發了關於土改問題的“六六指示”，這近二萬字的指示，指出了“左”傾錯誤的表現和根源，詳述了新區農村工作的政策問題，同時指出，要全面評價新區工作，既反“左”傾又反右傾。

至此，中原局的新區工作政策轉變認識的過程宣告完成。

雖然只是農村中如何進行土地改革的一個具體問題，但實際上，這是個關係到我解放區新區是否能夠得到鞏固發展的重大問題。這個問題能否處理得好，至關重要。

要知道，共產黨的新區，將會越來越多，越來越大，直到整個中國大陸的解放……

父親率部留在大別山區的那一段時日，是極其艱苦的一段時期。

在敵人圍攻開始後，各縱隊都及時地跳到了合圍圈外，以旅、團爲單位行動作戰。大家忍飢受寒，不顧疲勞，在山野林莽中露宿，在雨水泥濘中行軍。

那是十冬臘月天啊！年輕人都不耐其寒，父親、李先念這些指揮官和所有的指戰員一樣，穿着單薄的自製布棉襖。行軍時，他們在泥水中行進；宿營時，他們點着松明在研究敵情和工作。外面天氣冷，室内比外面還要陰冷。警衛員拿點稻草想給首長們燒堆火烤烤手，鄧說："不用烤火。大家都過得去，我們怕什麽。要知道，群衆的一根草也是來之不易呀！" 鄧知道，大別山窮，大別山的人民更窮，他不忍心動用群衆的一草一木。

在此期間，父親以劉鄧的名義，簽發了許多指示，並數次向中央起草了關於大別山工作的報告。

2月初，春節到了。部隊有了幾天的休息。

人逢佳節，自然而然地想到了改善生活。有幾個戰士，放掉了池塘裏的水想捉魚。正在大家看着捕捉到手的活蹦亂跳的幾百斤魚而歡呼雀躍之時，鄧政委從小山坡上走了下來。

看着這人魚俱躍的歡樂場面，想到這段艱苦歲月，鄧向戰士們走了過去。

對着這群年輕的戰士，他首先表揚了他們在艱苦條件下能夠保持飽滿樂觀的精神狀態，然後，他轉爲嚴肅地批評道："池塘的水是當地群衆備旱用的，你們'竭澤而漁'，貪圖了眼前，損害了群衆的利益。" 水是失而不可復得了，但事後，部隊向群衆賠償了損失。⑦

鄧政委一向嚴肅，但他對部下又不失關切和和藹。其實，他比誰都更加關心部隊的生存和生活，但他深知，只有嚴肅維護紀律，我們的部隊才會得到人民群衆的擁護和支持，而只有在人民的支持下，我們的軍隊才能戰勝困難，去爭取勝利。

在父親克服一切匪人所想的艱難，率劉鄧主力堅持在大別山的時候，劉鄧大軍後續南下的第十、第十二縱隊，分別向大別山以西的桐柏地區和江漢地區出擊並建立了解放區；隨劉伯承出外綫的第一縱隊挺進開闢了在大別山以西的廣大淮西地區，由此把淮河變成了我中原解放區的內河，並實現了與陳粟、陳謝在平漢綫的勝利會師；陳粟野戰軍和陳謝集團，積極實施對平漢、隴海兩大鐵路的破襲，殲敵二萬餘人……我軍在中原其他戰場的作戰，迫使敵軍從大別山調出十三個旅的兵力，以茲應付，從而有力地粉碎了敵軍對大別山地區的圍攻之勢。

經過我軍劉鄧、陳粟、陳謝三路大軍內外配合，積極作戰，四個月殲敵十九萬五千餘人，解放縣城近百座，創建了長江、淮河、漢水之間的新的中原解放區，把南綫敵軍總兵力一百六十多個旅中的九十個旅，調動和吸引到中原戰場，取得了具有戰略意義的重大勝利。

至此，劉鄧千里躍進大別山的戰略任務已屆完成。

父親在回憶這一壯舉時說："解放戰爭剛開始的時候，蔣介石要把戰爭引到解放區，枯竭解放區的人力、物力、財力。毛主席就決定把戰爭引向蔣管區，命令二野出大別山，同時三野南下。用這麼一着，不但把戰綫推進到了蔣管區， 而且不再耗費解放區的人力、物力、財力，用這種方式獲得了勝利。"

他評價說："從戰略上看，一下子從北往南躍進了一千里，直達長江，這是個巨大勝利。千里躍進大別山，是一個了不起的戰略行動。没有一個偉大的戰略思想，是做不出這樣的決定的。這一套戰略思想是毛主席定下來的。毛主席的戰略思想，是很值得我們學習的。”

對於劉鄧這支部隊完成這一偉大而又艱巨的戰略任務，父親是這樣描述的：“1948年初，我們給軍委、毛主席報告：大别山站穩了，實現了戰略任務。”

他説：“大别山鬥爭的勝利，主要是對幾個問題的判斷比較準確，處置也比較正確。我們的傷亡不算很大，費的勁也不是很大，但是完成了戰略任務，把戰綫從黄河延伸到了長江。所以説，戰略反攻，二野挑的是重擔，種種艱難我們都克服了，完成了任務。還是那句老話，叫作合格。”

1948年2月，根據中央指示，鄧小平率大别山前方指揮所北渡淮河，轉出大别山區。

2月24日，前、後方兩指揮所在安徽臨泉地區會合。

劉鄧會師了。

劉鄧和他們的部隊，挺進了大别山，在大别山站穩了腳跟。此刻，他們從大别山中走出，帶領他們的部隊，要在更大的空間領域内，在更寬闊的戰場上，去進行更大的戰鬥。

逐鹿中原，雖尚未見最後分曉，但勝利女神的光輝，已照向共産黨的方面。

注：

① 《漢書·蒯通傳》。

② 閻代舉《精闢的論述　巨大的鼓舞》。《挺進大别山》，第125頁。

③ 苗冰舒《劉鄧在中原前綫》，第136頁。

④ 楊國宇《威嚴的山》。《二十八年間——從師政委到總書記》，第44頁。

⑤　毛澤東《批轉鄧小平〈新區土改政策之補充意見〉的按語》。

⑥　苗冰舒《劉鄧在中原前綫》，第 154—155 頁。祝明幹、楊良新《偉大的壯舉》。《挺進大別山》，第 327 頁。

⑦　魏錦國《前指紀事》。《二十八年間——從師政委到總書記》（續編），第 177 頁。

57. 決戰之前

自解放戰爭開始以來，劉鄧野戰軍打了多少仗啊！

要是連同抗日戰爭的八年一起算，這仗，是數也數不清的。

指揮的戰鬥越來越多，指揮的戰鬥越來越大，可是，劉鄧，卻只有一個非常之小的指揮統率機關，而且小得令人吃驚。

劉鄧要求司令部要組織精幹，要人員素質高，要工作效率高。

在黃河以北的時候， 劉鄧野戰軍共十餘萬人。劉鄧的野戰軍司令部，下設作戰、機要、情報、通信、軍政等幾個處級單位。每個處少者十來人，多也不過二十幾個人。電台、警衛、通訊、汽車分隊也很精幹。劉鄧司令部從來不編設辦公室，不設秘書處，劉鄧二人也不編設個人秘書。

劉鄧每天辦公的地點，就是作戰科。他們每天上午，吃過早飯，必到作戰科去。在這裏，劉鄧實施作戰指揮與處理其他工作。

作戰科，就是劉鄧的辦公室。

在戰爭情況下，劉鄧日夜處理軍政大事，工作極其繁忙，精神高度緊張。可想而知，每日在劉鄧身邊的作戰科的任務，也是極其繁忙緊張而又艱巨的。

劉鄧要求作戰科人員工作質量高，效率高，但卻要求組織精幹。

説來也許你都不相信，到了 1946 年 9 月，作戰處只有一個處長，作戰科只有作戰參謀二人。到了 1947 年春，才擴充至四個人。

到大别山後，李先念到野戰軍任副司令員，他帶來了四位作戰參謀，不久，作戰科擴大至九人。這時作戰科的人員，一下子增長了一倍還多，可真是今非昔比了。

到了 1948 年 5 月，陳毅任中原野戰軍副司令員後，又帶來一人到作戰科工作，這下子，作戰科的人員湊了一個整數，共有十員大將。

1948 年下半年，陳賡的兵團歸回劉鄧野戰軍建制，華東野戰軍的一個兵團也劃歸劉鄧野戰軍指揮，加上劉鄧野戰軍原有的六個野戰縱隊、一個軍、七個軍區，共計數十萬大軍，還要加上擁有四千五百萬人口的新的解放區，這時，仗也越打越大，作戰科的任務簡直是成倍地增加。

作戰科長張生華兩次去找李達參謀長，要求增加人員。

有一天，鄧政委在作戰科辦完公後，對張生華説：“聽説作戰科還想增人，我看你們科現在人夠多的了。連正副科長共十人。十個人都努力工作，是個很大的力量呀！在冀魯豫和豫北戰場，你科只三四人，那時人少，工作多，擔子重，迫使你們兢兢業業，緊張勤奮，團結一致，拼命努力，一心一意地工作。兵貴精，不貴多。現在還是要從提高人員素質，改進工作方法，提高工作效率來解決問題。不能再增加人了。”①

十個人，真可算是一個袖珍作戰科了。那麼，憑着這麼一個小小的作戰指揮系統，劉鄧，是怎樣指揮千軍萬馬去進行游擊戰、運動戰和大規模的大兵團作戰的呢?

張生華每日在劉鄧身邊工作，他最了解。

他說：劉鄧是直接指揮作戰，親自處理重大問題，堅持當天的事當天辦完。所有來往電報和各類情報材料，均送作戰科，由參謀人員分類放好，由劉鄧來時閱讀和處理。這樣作，保證了工作的及時性和高效率。

他說：野戰軍參謀長李達，是劉鄧的代理人。李達能夠正確理解劉鄧意圖，主動承擔了許多作戰的具體指揮工作，而且發揮作戰科每一個人的積極主動性，在首長到來之前，即起草好電報覆電文稿，大大提高了工作的效率。

他說：劉鄧及其他首長，堅持重大工作親自動手、動筆、動口。劉鄧從來堅持自己起草文件和報告，從不讓人給他們寫講話稿子。劉鄧有個共同的特點，講話從來不拿講話稿，但一篇講話，洋洋灑灑數小時，竟然十分精彩，真可謂“胸有成竹”、“腹稿在懷”。劉鄧野戰軍對每次戰役都要寫出總結和報告，這些基本上都是劉伯承、李達親自寫成。淮海戰役殲滅黃維的初步總結，是由鄧親自主持完成的。鄧親自撰寫的文件電報數量是很大的，僅上報中央的，每年就有幾十份之多。作戰科的人都說：“鄧政委寫文電報告又多、又快、又好。許多需要的有關數據，也記得非常準確。”

他說：劉鄧對司令部工作要求極其嚴格，鄧經常說：“你們的工作，是貫徹我們的作戰計劃和決心。你們工作得好與壞，成功與失誤，是關係着千軍萬馬的行動，關係着戰役戰鬥勝敗的大事。”鄧極其鄭重地告誡作戰科人員：“你們不能有一點疏忽大意。”

劉鄧要求參謀人員：

第一，工作上做到快速，也就是快速準確地了解和掌握敵情、我情，並能及時上報，即劉伯承所說的“了如指掌”。同時，辦事要快，“時間就是生命，時間就是勝利”，這一格言，在戰爭上表現得最明顯、最現實、最深刻。

第二，參謀人員報告情況要準確，寫出的材料要真實，不能有差錯，所謂“差之毫厘，失之千里”。在作戰問題上，一個問題，一句話，甚至一個字的差錯，都會造成嚴重後果。所以，作戰科的工作一定要精益求精，準確無誤。

第三，要求參謀人員要精通業務，熟悉情況，要熟知敵情、我情、地形、氣候等諸多問題。鄧是熟悉敵情的模範，對敵情比作戰參謀記得還熟還準，他還經常出奇不意地考參謀人員，如答不上，他就會笑道：“怎麼你們青年人還記不過我們上年紀的人呀!”劉鄧還要求參謀人員會寫、會畫，並要大事小事都會做。

劉鄧直接到現場辦公，參謀人員效率高，這就是劉鄧作戰指揮的基本特點。

在劉鄧司令部裏，沒有繁文，沒有縟節，大事小事一齊處理，作戰命令當場可下，戰略決心及時可定，戰役指揮現場即可下達。

這就是劉鄧的作戰指揮風格。

張生華感切至深地寫道：劉鄧李三首長，感情異常融洽，親密無間，工作十分協調，配合默契。在戰役過程中，李達參謀長一向埋頭苦幹，自覺擔負起許多具體工作。李處理不了的問題，鄧政委就親自主動找各縱隊首長講話，實施指揮。只有在戰役發展遇到困難時，劉司令員才親自出馬。劉鄧李作戰指揮這種特點，各縱隊領導都很熟悉。

對於劉鄧，張生華的感觸就更多更深了。

他寫道：劉鄧兩位首長互相尊敬，互相信任，互相支持，團結得像一個人，對人教育極深。鄧常說："劉司令員年大體弱，司令部要特別注意，有事多找我和參謀長。劉是我們的軍事家，大事才找他決策。"而劉則常說："鄧政委是我們的好政委，文武雙全，我們大家都要尊敬他，都要聽政委的。"②

不只是張生華，劉鄧野戰軍中所有的人，都對劉鄧二人之間的親密感受至深，也受益至深。

有人說，二野是最團結的。

這句話是對的。

二野的團結，始自於劉鄧的團結。

團結就是力量，一種不可戰勝的力量。

……

自從1947年6月，中國共產黨領導的人民解放軍轉入戰略進攻以來，經過半年的時間，我三路南下大軍已在長江、淮河、漢水之間的廣大地區站住了腳跟。在華北、東北、西北、華東其他各戰場，我軍實行的進攻和反攻，也大量地殲滅了敵人有生力量。

中國的戰爭形勢，已進一步發生變化，這是一個質的變化。

戰爭，已主要在國民黨控制區域内進行了。

1947年底，毛澤東在陝北豪邁地指出：

> "中國人民的革命戰爭，現在已經達到了一個轉折點。"
>
> "這是蔣介石的二十年反革命統治由發展到消滅的轉折點。這是一百多年以來帝國主義在中國的統治由發展到消滅的轉折點，這是一個偉大的事變。"
>
> "這個事變一經發生，它就必然地走向全國的勝利。"③

1948年初，在南綫的中原戰場，國共雙方的兵力對比是這樣的：

國民黨方面：國防部長白崇禧、陸軍總司令顧祝同、西安綏靖公署主任胡宗南三員大將，率軍三個整編軍、三十七個整編師、八十六個旅，共六十六萬人，佔國民黨全國總兵力的三分之一。其下屬計有胡璉、邱清泉、張軫、孫元良、斐會昌、張淦等諸多要員。

放下這六十六萬的兵力且不用説，單説這白崇禧、顧祝同、胡宗南三人，也都來歷不凡。

白崇禧乃桂系舊底，爲人多謀狡黠，素有“小諸葛”之稱。顧祝同出身黄埔，先後任過參謀總長、陸軍總司令等要職，幾十年來追隨蔣介石，是蔣“剿共”的心腹幹將。這胡宗南，乃蔣校長黄埔一期的得意門生，不但是蔣介石與共産黨打仗的一員軍中上將，還是蔣的同鄉，據説甚至曾被宋氏家族的愛女孔二小姐看中過。若非胡宗南本人不樂意，他早已當上宋氏家族的乘龍快婿了。

以上部署，可見蔣介石對中原戰場之重視。

共産黨方面：劉鄧野戰軍主力，陳謝集團，華野陳（士榘）唐（亮）兵團，三大作戰集團共五十個旅三十五萬人，由劉鄧統一指揮，準備在淮河、漢水、隴海路和津浦路之間機動，打中等規模的殲滅戰。(華野粟裕另有任用)。以上佈局，總的戰略指導思想，是繼續大量殲敵，粉碎國民黨的中原防禦體系。

爲了加强中原地區的領導，中共中央決定：

一、加強中原局，由鄧小平任第一書記，陳毅為第二書記；

二、建立中原軍區，劉伯承為司令員，陳毅為第一副司令員，李先念為第二副司令員，鄧小平為政委，下轄七個軍區；

三、將劉鄧的晉冀魯豫野戰軍改名為中原野戰軍，下轄第一、第二、第三、第四、第六、第九、第十一等七個縱隊，並負責指揮華東野戰軍的陳唐兵團。

劉鄧野戰軍由此更名爲中原野戰軍，簡稱中野。

在中原地區，國共雙方都已佈好陣局。

逐鹿中原，猶未結束。

毛澤東指揮的軍隊，在中原地區，開始了有步驟、有計劃的，甚至是有節奏的軍事行動。

1948年2月，劉鄧轉出大別山後，進入淮河以北進行休整。

3月，陳謝、陳唐兩兵團發起進攻，一舉奪下河南大城市洛陽，同時掩護了劉鄧的休整。

5月2日，陳賡指揮中野二、四縱及華野十縱，發起宛西戰役，殲敵二萬一千餘人，解放縣城九座。

此時，粟裕兵團休整完畢，中央令其加入中原戰場。

5月22日，爲鉗制敵張軫部，保障粟兵團南下，劉鄧中野發起宛東戰役，東西集團各由陳錫聯、陳賡指揮。是役用不到十日的時間，殲敵一萬餘人，俘虜張軫手下之少將三名。

在中原，蔣軍有三大機動兵團，即南陽的張軫，駐馬店的胡璉，魯西南的邱清泉。

華野進入魯西南，找準的對手就是邱清泉的第五軍。

6月17日，我軍發起豫東作戰。華野打擊邱清泉，中野負責阻擊胡璉、張軫部北援邱清泉。至7月6日，華野殲滅邱清泉部等敵軍九萬餘人。中野三次阻擊作戰，亦殲敵七千。

此役後，華野轉移休整，劉鄧中野決心於7月2日發起襄樊戰役。

這時，仗，已經由北向南，打到漢水邊上來了。

7月16日襄樊戰役結束，劉鄧野戰軍殲敵二萬一千人，解放了襄陽、樊城等城鎮，控制了漢水中段，並活捉了國民黨的大特務頭子康澤。

1948年1月至7月，在中原戰場上，我中野、華野兩支勁旅，相互配合，運轉作戰，共殲敵二十萬人以上，解放了洛陽、開封、襄樊等重要城鎮。

國民黨軍在淮河、漢水以北的防禦體系至此已被徹底粉碎。

中原解放區，已擁有人口三千萬，人力、物力、財力都大爲加强。

父親曾經自豪地對我們說過："從大別山出來以後，二野就削弱了。二野本來武器就差，好不容易從敵人手裏奪來的重武器，過黄泛區時也丢掉了。二野兵力小，還分了兩攤，劉鄧一攤，陳賡一攤。主體四個縱隊都削弱了，有三個縱隊每個只有兩個旅。不過，我們始終保持了旺盛的鬥志。淮海戰役前，打了一些小仗，取得了勝利。我們没有喪失過機會，該打的都打了。這時，中原三足鼎立，東北取得了勝利，西北也穩住了腳，對全國的鼓舞很大。總的形勢是好的。"

正如父親所説，到了解放戰爭的第二年結束的時候，也就是到了1948年6、7月間，總的形勢的確是好的，而且不是小好，是大好。

共産黨的軍隊，在西北，四個月殲敵五萬三千；在蘇北，四個月殲敵二萬五千；在華北，幾次戰役殲敵十四萬人；在東北，九十天殲敵十五萬六千餘人，連克四平、吉林、營口等戰略要點。

在解放戰爭的第二年裏，共産黨共殲國民黨正規軍九十四個旅，一百五十二萬餘人，斃俘敵將級軍官一百七十四名，解放人口三千七百萬，收復和解放國土十五萬五千六百萬平方公里，攻克城鎮一百六十四座。

共產黨控制的地區擴展到二百三十五萬平方公里，城市五百七十九座，人口一億六千八百萬。人民解放軍已發展到二百八十萬人。

國民黨軍隊，除兵力損失一百五十二萬人以外，其正規軍均被分別鉗制在東北、西北、華北、中原、華東戰場上，其中大部分只能扼守戰略要地和交通要道，已喪失了機動作戰的能力。

在蔣管區，國民黨政府的財政經濟已陷入空前危機，巨額財政赤字不斷上升，惡性通貨膨脹已如洪水猛獸，貨幣連連貶值，物價日日飛漲，連製幣工廠都已趕印不出當日所需鈔票。

蔣介石軍事上失利，經濟上失敗。他心情不好，脾氣也不好。他自我哀嘆道："國軍處處受制，着着失敗。"④

在中國，參與政治運籌的，不只是中國的國共兩家，還有美國呢。

美國政府對中國發生的一切看得清清楚楚的。美國駐華大使司徒雷登給美國國務卿馬歇爾寫信，他說："局勢的惡化已經進展到接近崩潰的地步。"⑤

美國政府不願意共產黨奪取勝利，因此照舊繼續支持國民黨打內戰。但是，美國政府對於蔣介石的無能又深懷不滿，於是便暗中支持原桂系的李宗仁逼蔣下台。美國的目的，是在中國另找一個代理人，以挽回沮喪之局面。

自從第二次世界大戰以後，美國的勢力大幅度上升，於是乎，它便以爲，在世界上，它想作什麼就可以作到什麼。其實，它不知道，在中國，時至今日，任你用武器金錢支持也好，任你

議事日程上，準備於 1949 年内召開政治協商會議，成立人民的國家和中央政府。

毛澤東的決策，總是果斷而又及時。

毛澤東的判斷，總是先人而又準確。

毛澤東的膽略，總是那麼超乎常人。

在抗戰最艱苦的年代，他就預言抗戰必勝；在國民黨佔有絶對强大優勢的時候，他就抱有必勝的信心；在我軍力量還大大弱於敵軍的時候，他就下令進行戰略反攻，在我力量還未大到足以超過敵人時，他就決心進行戰略大決戰！

共産黨和國民黨在中華大地上的戰略大決戰，就這樣開始了。

注：

① 張生華《劉伯承、鄧小平、李達領導的司令部》。《二十八年間——從師政委到總書記》（續編），第 131 頁。

② 同前注。

③ 毛澤東《目前形勢和我們的任務》。《毛澤東選集》，第四卷。

④ 台灣“國防研究”《蔣總統集》，第二册，第 163 頁。

⑤ 司徒雷登致馬歇爾的報告，1948 年 8 月 10 日。

⑥ 西柏坡今屬河北省平山縣。

58. 大決戰

1948年的秋季來臨了。

在這東方古國九百六十萬平方公里的土地上，酷熱，已遠遠地退去；陽光，也變得更加的明朗而鮮亮。碧空萬里，長雲急流；江河東去，奔湍不息。

秋來了。

秋帶來了秋風。

對於秋的來臨，不同的人有不同的感覺。

傷感者，認爲秋代表着蕭瑟，代表着凋零，代表着隨之而至的寒冷，代表着人心中難以排遣的低回悱惻的那一個愁字。

愁，是心上的秋。

愁和秋，是傷感的詩人的詠唱中的兩個永遠的主題。

這是悲秋者的情懷。

而心境明快者，對於秋，則賦予了全然不同的感受。

他們看到的秋的天，是碧藍澄清、浩渺寬廣的；他們踏着的秋的大地，是萬物收穫、五穀豐登的；他們聞到的秋的氣息，是成熟，是豐腴，是醇厚，是帶有浪漫情調的。

在他們的眼裏，秋，是金色的。

在他們的心裏，秋，代表着成果和勝利。

這是成功者的心境。

1948年的秋，是驚心動魄的，無論成功者，還是失敗者，都將終生不忘。

中國共産黨決心在1948年的秋冬兩季，要打前所未有的大規模殲滅戰。

中共中央指示：

華東野戰軍，秋取濟南，冬克徐州；

中原野戰軍，與劉峙集團在中原進行決戰；

東北野戰軍，在東北全殲衛立煌集團；

華北地區，攻克太原，並解決北平的傅作義集團。

第三年的作戰計劃，全殲敵正規軍一百一十五個師，在長江以北殲滅敵人兵力之百分之八十。

1948年9月開始，共産黨軍隊先後在東北、華東、中原、華北、西北戰場上，發起了規模空前的秋冬攻勢。

從1948年9月到1949年1月，共産黨的軍隊，連續舉行了遼瀋、淮海、平津三大戰略決戰。

一場在中國版圖上廣大北方地區的戰略大決戰，開始了。

三大戰役，第一戰，是在中國東北的遼寧瀋陽地區舉行的遼瀋戰役。

東北地區，恰如中國這隻雄鷄的頭部，與蘇聯、朝鮮緊相毗鄰，是中國重工業最發達的地區，也是當年日本侵略軍最先佔領的地區。

到了1948年秋，東北百分之九十七以上的土地已控制在共産黨手中，百分之八十六的人口已獲解放新生。東北我軍正規軍的兵力共約七十萬，另有地方部隊三十三萬。東北野戰軍擁有十二個縱隊、三十六個主力師，擁有大量的各式戰炮和較好的輕型裝備，是共産黨軍隊中兵力最强、裝備最好的一支主力軍。

國民黨方面，國民黨東北“剿總”司令衛立煌集團，是國民黨軍主要的戰略集團之一。該集團擁有兵力五十五萬人，但已被分割在長春、瀋陽、錦州三個互不相連的地區內，長春、瀋陽的補給已全靠空運。

在東北，共産黨的兵力已超過國民黨。

對於東北的戰略，是守還是撤，蔣介石一直舉棋不定。守，怕守不住，被共産黨全殲；撤，雖可保存實力，但政治影響惡劣。衛立煌則擔心，如撤軍，極有可能非但撤不出來，在路上就會爲共軍全殲。

蔣介石猶豫再三，最後決心固守東北，確保瀋陽、錦州、長春，並相機打通通往關内的北寧鐵路。

毛澤東看準了，在東北地區，我之兵力和經濟力量均已超過國民黨，於是決心將國民黨軍封閉在東北，對其實施各個殲滅。

長春、瀋陽、錦州，由東北向西南一字排列。

毛澤東電令東野林彪、羅榮桓，首先攻取錦州，卡住敵軍退入内關的咽喉。

林彪曾一度猶豫，不願南下北寧鐵路去打錦州，而想就近拿下長春。

這時，敵軍已增兵錦州附近的海港葫蘆島，以便撤退時保障海上通道。

敵人如此動作，如時間再遲，則敵退路不能切斷，便會喪失在東北全殲敵軍的重任。

到此，林彪方下定決心，先克錦州。

10月9日至15日，東野經過激烈而又艱苦的攻城戰和阻援戰，終於攻取東北入關的咽喉要道，錦州。

共軍攻錦州時，蔣介石焦慮萬分，親自飛北平，又飛瀋陽，親自部署作戰。錦州失守後，蔣介石大光其火，又一次親自飛抵瀋陽。

這次，蔣介石到瀋陽，一改固守東北的決策，而嚴令長春的守軍向南邊的瀋陽突圍。

這也不知是一種什麼戰術。把兩股本來可以相互呼應、相互支援的力量堆在一起，抱成一團兒，要挨打一起挨打，要逃跑則誰也跑不了。

長春守軍沒往虎口裏跳，鄭洞國率部起義，長春和平解放。

錦州、長春連失，蔣介石更急了。他第三次飛到瀋陽，這次，他聲色俱厲地部署了總退卻，下令瀋陽主力廖耀湘兵團南撤。

南撤途中，廖耀湘一受我軍阻擊，二受我軍合圍，三受我軍大膽穿插攻擊。廖耀湘亂了，他的整個兵團也亂了。一陣混亂之中，在一百二十平方公里的區域內，廖兵團終未逃脫被殲滅的惡運。

廖耀湘被殲後，他的頂頭上司衛立煌算是識時務者，馬上坐着飛機從瀋陽跑了。

11月2日，我軍攻佔瀋陽。

遼瀋戰役結束。

經過五十二天的作戰，我軍以傷亡六萬九千人的代價，殲敵一個"剿匪"總司令部、四個兵團部、十一個軍部、三十三個整師，共計四十七萬二千餘人。

共産黨軍隊，控制了東北全境。

這一戰後，國民黨總兵力下降到二百九十萬人，共産黨總兵力上升至三百萬人。

國共雙方正負的位置，已經顛倒過來了。

毛澤東信心十足地說：“這樣，我們原來預計的戰爭進程，大爲縮短。”“現在看來，只需從現時起，再有一年左右的時間，就可能將國民黨反動政府從根本上打倒了。”①

東北問題解决了，共産黨的下一個目標，就是中原。

中國人民解放軍總司令朱德說：“自古以來，誰在中原取得勝利，最後勝利屬於誰的問題就能解决。”

中國共産黨，這下子要結束在中原之逐鹿，並開始問鼎中華了。

三大戰役的第二戰，淮海戰役，行將開始。

淮海戰役的戰場，位於黄淮平原，江蘇、安徽、山東、河南四省交界之地。

這裏，地形開闊，村落密集，南北有天津至上海的津浦鐵路，東西有鄭州至徐州的隴海鐵路。這個戰場，以兩條鐵路大動脈的交匯點——徐州，爲中心。

平原地帶，地域廣闊，公路縱横，天生一個於大兵團進行大規模運動作戰有利的戰場。

蔣介石在中原的部署，是以徐州爲中心的劉峙集團，和漢口爲中心的白崇禧集團，北，控制隴海、津浦鐵路，屏障國民黨的首府和心臟——南京；南，控制平漢鐵路南段，扼守武漢、信陽，屏障華南。

徐州的劉峙，和漢口的白崇禧，構成了蔣介石的中原防禦體系。

徐州，位於呈十字架形展開的隴海、津浦兩條鐵路的中心。

在徐州，駐有以總司令劉峙爲首的國民黨徐州“剿匪”總司令部。

徐州四周部署如下：其西邊，與鄭州之間，駐有邱清泉的第二兵團；其東邊，駐有李彌的第十三兵團和黃百韜的第七兵團；其北邊，駐有三綏區部隊；南邊，與蚌埠之間，鐵路兩側，西有孫元良的第十六兵團，東有李延年的第六兵團。

徐州，是中原戰場的最重要的戰略要點。

漢口，地處長江中段，位於貫穿中國南北的大動脈平漢鐵路綫上。

在漢口，駐有以總司令白崇禧爲首的國民黨華中"剿匪"總司令部，其北部信陽一帶，部署着黃維的第十二兵團，張淦的第三兵團，以及張軫的第五綏區。

蔣介石用於淮海戰場的總兵力有二十九個軍七十個師，連同其他部隊，共七十萬人。

共産黨方面，劉鄧的中原野戰軍，主力位置在徐州以西的開封一帶；陳粟的華東野戰軍，主力位置在徐州東北的臨沂一帶。

中原、華東兩支野戰軍，加上華東、中原、華北軍區的部隊，共有兵力六十萬人。

毛澤東和中共中央分析了南綫的戰略勢態，認爲決戰時機已經成熟，決定組織和發起淮海戰役。

爲了統一指揮南綫我軍行動，中央決定，由鄧小平、劉伯承、陳毅、粟裕、譚震林五人組成總前委，鄧小平任書記。

中央決定，總前委統一領導華東、中原兩個野戰軍，以徐州爲中心，與蔣介石最大的戰略集團進行大規模決戰，準備以三至五個月的時間各個殲滅敵人於淮河以北地區。

毛澤東指出：淮海戰役爲南綫空前大戰役。"此戰勝利，不但長江以北局面大定，即全國局面亦可基本上解決。"②

中央指示：可能時，開五人會議討論重要問題，經常由劉伯承、陳毅、鄧小平三人爲常委，臨機處置一切，鄧小平爲總前委書記。

中央授予總前委臨機處置一切的權力。

國共雙方在淮海戰場的部署都已完成，中原地區最大規模的一場決戰，已迫在眉睫。

1948 年 11 月上旬，淮海戰役開始了。

根據中央的指示精神，總前委確定了第一階段的作戰部署：

華野及中野一部共七個縱隊，在徐州以東割裂、圍殲黃百韜兵團，並阻擊位於黃百韜以西的李彌第十三兵團東援。

中野分爲兩部，一部以鄧小平、陳毅指揮，舉行徐蚌作戰，切斷津浦鐵路徐州南至蚌埠的聯繫。另一部由劉伯承指揮，遲滯由西南方向而來的黃維第十二兵團。

第一個動作，不惜一切代價切斷徐蚌綫。

11 月 6 日，敵軍在徐蚌鐵路兩側的部隊開始向徐蚌綫靠攏，收縮兵力。

當晚，我軍發起淮海戰役。

陳鄧在開封至徐州段，發起攻勢，迅速攻佔徐州以西一百公里處的碭山，控制了由此至鄭州的三百公里鐵路綫，並直逼徐州。華野在徐州以東發起了圍攻黃百韜的强烈攻勢。

徐州劉峙一見共軍多路向徐州進發，頓時驚恐萬狀，急令其東西兩翼的邱清泉第十二兵團和李彌的第十三兵團向徐州收縮，並令黃百韜第七兵團迅速向徐州靠攏。

劉峙其實也是一位軍中上將，没想到竟然如此不堪一擊。他真的亂了方寸，他實行的是一種龜縮戰術。戰役剛一開始，他已經想到了總退卻。

仗，剛剛開始打，劉峙，已經害怕了。他的膽怯，就注定了他的失敗。

劉峙要總退卻，陳鄧卻偏偏不讓他跑。

總前委指示，華野加緊截殲黃百韜，力求圍殲黃百韜。

華野各部隊不怕疲勞，不怕飢餓，不怕死亡，不怕任何困難，勇猛追擊截擊，11月10日，切斷了黃百韜西逃之路，將第七兵團合圍在一個叫碾莊的狹小地區內。

黃百韜第七兵團被圍，劉峙急了，連蔣介石也急了。

蔣介石嚴厲氣惱地訓斥部下："徐淮會戰實爲我革命成敗、國家存亡最大的關鍵!"

蔣介石恨劉峙無能，特派他最得意的門生杜聿明到徐州，任劉峙的副手，實際實施前綫指揮。

蔣介石深恐會戰兵力不夠，將淮海戰場的兵力加至八十萬人。

毛澤東則指示前綫：一、華野要殲滅黃百韜，打得敵人不能動；二、中野要迅速佔領徐蚌要點宿縣。

中野立即轉入徐蚌作戰。

中野部隊一面沿路殲敵，一面於11月12日，佔領了宿縣。

宿縣，在津浦鐵路徐州至蚌埠段的中間，乃南北交通要衝。佔領了宿縣，即是切斷了徐州與蚌埠敵軍的聯繫，乃是一個重要戰略動作。

父親曾多次對我們説："宿縣是關鍵，佔了宿縣，就把徐州和南面切斷了。實際上形成了對徐州的戰略包圍。"

一個描寫大決戰的電影中有這麼一個鏡頭，劉、陳、鄧三人在宿縣火車站的天橋上，看着腳下轟轟震響、氣笛長鳴的往來列車，各自抒發感情，顯示了完成攻佔宿縣這一戰略行動的愉快心情。

這種三個人的叙懷，是一種藝術處理。不過，攻佔宿縣，對於總前委來説，當然是喜事一樁，怎麼樣的藝術渲染都是不過分的。

切斷了徐州南下的通道，就可以放手在北面殲敵了。

11月11日，華野發起對黄百韜的總攻，至22日，經十一日的激戰、苦戰，我軍全殲第七兵團，擊斃兵團司令黄百韜。

在攻佔宿縣，全殲黄百韜兵團的同時，我軍對從徐州東援黄百韜的兩個兵團、從蚌埠北援徐州的兩個兵團，有效地實施了阻擊。

至此，淮海戰役第一階段結束。

我軍共殲敵正規軍十八個師，切斷徐蚌綫，將劉峙集團一分而爲南北兩塊。

11月23日，總前委和中野指揮部進駐宿縣的一個小村莊——小李莊。

劉伯承、陳毅、鄧小平，三位總前委常委集中到了一起。

説起他們三個人，也是怪有意思的。三個人都是四川人，都是歷經幾十年的走南闖北而鄉音未改。只不過，他們三個人，一個比一個大幾歲，而且，一個人一個脾氣。

劉伯承，高高的個子，戴一幅近視眼鏡，文韜武略，雅儒温厚。講起戰略戰術，精妙高深；談論問題事物，又常常雅俗並至。那種四川歇後語加幽默形象的比喻，常常出語驚人，令四座噴飯。他的老部下們，常想編一册劉司令員妙語集，可惜又怕那些言語過分形象生動，而無法形著文字。其時劉五十四歲已過，是三人中的最年長者。

陳毅，個子次之，但體胖有加。那圓圓的臉形，厚厚的雙下巴，加上一個便便大腹，好一派威風八面，將帥之尊。他是四川人，當然具有四川人的幽默。其實，豈止是幽默，陳毅將軍天生就一副瀟洒豪爽、談笑風生的開朗性格。他武，能指揮千軍萬馬，文，則詩興常發，文章頓成。而且談天論地，也是妙語如珠，使人聽而難忘。這時的陳毅，四十七歲。

鄧小平，個子又次之，年齡也又次之。這時他四十四歲，不惑已過。比起劉、陳，鄧自有另一番風采。鄧不多語，沉穩精明，嚴肅起來令三軍生畏，細緻之時體貼入微。他行事果斷，意志鮮明，與老友相聚，亦是談笑風生，用四川話談古論今，故事可也多着呢。

鄧和劉，相濡以沫，自不必說。

鄧和陳，同是留法勤工儉學生，話題更多一個，關係更深一層。

要説也可真算是天湊地合，中原戰場這個總前委的班子，竟然搭配得這麼樣的巧，這麼樣的好！

劉、陳、鄧的指揮部，設在小李家村的一個大院子裏，他們三個人，則住在村邊一個偏僻的小院子裏。三個人住着一個裏外間，鄧和陳住在外間，他們讓年齡最大的劉一個人住在裏間。

在小李家村，總前委正在研究，淮海戰役，這第二階段，這下一拳，應該打在誰的身上。

經過一再分析戰場形勢，總前委於 11 月 23 日給中央發電，建議先打黃維。

中央於次日迅速覆電：完全同意先打黃維。

中央指示：情況緊急時機，一切由劉陳鄧臨機處置，不要請示。

又是一個臨機處置，而且不要請示。

黨中央、毛澤東，十分信賴淮海總前委。

黃維的第十二兵團，是蔣介石的嫡系精鋭部隊，下轄十二萬人之衆，其中第十八軍系國民黨軍中“五大主力”之一，全副美製裝備。

黄維本人乃是蔣介石的得意門生，又值風華意氣之年，甚是驕蠻。

黄維本駐紮在桐柏山一帶，因黄百韜被我軍圍攻，蔣介石下令黄維緊急馳援。

接到命令，黄維即率十二萬衆之軍，日夜兼程地北進，增援徐州。但當他們匆匆趕了三百餘里山路，吃盡苦頭，方才到蒙城時，黄百韜兵團已全被殲。

黄百韜被殲後，徐州方面驚恐萬狀，急令邱清泉、李彌兩兵團由西東西側向徐州緊縮。黄維一見情急，也急於向徐州靠攏。

如果讓黄維這支比較有戰鬥力的力量加入徐州，將爲我軍全殲徐州之敵造成困難。

儘管黄維的實力較强，要吃掉它絶非易事，但劉、陳、鄧已下定決心，要與黄維進行決戰。

中原野戰軍，自從大别山轉出後，總共只有十五萬人的兵力，而且武器裝備很差，要打黄維，必須要下大的决心，狠的決心，決心打一場惡仗。

鄧告訴中野部隊：“只要消滅了南綫的敵軍主力，中野就是打光了，全國各路解放軍還是可以取得全國的勝利，這代價是值得的！”③

總前委決定，投入十二萬人的兵力，中野主力阻滯黄維北上，將其合圍並殲滅之；華野主力監視徐州方面之敵，防其南援黄維；以華野、中野各一部看住位於黄維以東的李延年、孫元良二兵團。

黄維至宿縣以南的蒙城地區後，繼續北進，剛過澮河，突然發覺竟然進入了共産黨軍隊預設的袋形陣地。黃維也算精明，一發現不妙，轉頭就向南撤。我中野部隊乘敵撤退之際，全綫猛烈出擊，至11月25日，將黃維兵團團團包圍在了宿縣以南的雙堆集地區。

黃維被包圍了，蔣介石驚慌而不知舉措了。

蔣介石令黃維向東突圍，被我軍擊退；蔣介石又改令黃維就地固守，待兵來援，黃維依令大量構築工事，把自己環狀地團團圍住，轉入防禦；蔣介石急令徐州援黃，爲我華野頑强阻擊而未得進；蔣介石再令李延年、孫元良援黃，豈知李、孫二人不想與共軍交戰而求自保，竟然向南邊撤去……

經蔣介石這一令一改，再令失算，黃維兵團，算是被共軍給結結實實地圍困住了。

蔣介石眼見形勢危殆，便專門十萬火急地把杜聿明召到南京，面受機宜。

蔣介石給杜聿明的，並非什麼錦囊妙計，而是令杜聿明放棄徐州，全綫南撤。

12月1日，杜聿明率三個兵團及其他人員，共三十萬人，倉倉皇皇地撤離徐州。

三十萬人的大撤退，兵慌馬亂，混亂異常，人人爭相逃命，車輛擁擠不堪。

這不是大撤退，而是貨真價實的大潰退。

12月4日，我華野部隊將杜聿明全部合圍於一個名叫陳官莊的小村落一帶，兩天後，全殲了孫元良的第十六兵團。

杜聿明没有救成黃維，自己也被包圍了。

在這一段時間内，中原野戰軍對黃維兵團實施了猛烈攻擊，但進展不大。總前委決定，由陳賡率東集團，陳錫聯率西集團，王近山率南集團，於12月6日，對雙堆集發起全面進攻。至10日，我軍雖殲敵五萬，但仍未攻下。前委再下決心，取華野一部加入攻堅。13日我軍發起總攻，激戰至15日，全殲以雙堆集爲中心的敵十二兵團十萬餘人，俘獲兵團司令黃維。

全殲黃維兵團，淮海戰役第二階段結束。

殲滅黃維兵團的這一階段，是戰事最緊張，總前委也最繁忙的時期。

據當時任作戰科長的張生華回憶：

在對黃維兵團的作戰中，鄧小平政委主動擔負了戰役的具體組織指揮工作。

鄧對劉、陳兩位說："兩位司令員，我比你們小幾歲，身體也比你們好一些，具體工作讓我多做些，夜間值班我也多值些。"

劉、陳爽朗地哈哈大笑。陳說："我們既要竭盡全力，克盡職守，又要尊重政委的意見。但值夜班的權利一定要我們二人分享!"

劉接着說："在我們這把年紀裏，這樣的會戰、決戰，已不會很多啦，我們理應努力工作，拼命完成任務。"

鄧說："大的決定還是靠兩位司令員，靠我們三個'臭皮匠'，只是具體工作我多做些。"

鄧向作戰科宣佈：一般事情多找鄧請示報告，重大事情同時報劉、陳、鄧三位首長。

在第二階段整個作戰過程中，真是軍情急，戰事緊。電話鈴聲通宵不斷，電報戰報雪片般飛來。鄧天天守在作戰室，每天值班都要到深夜，甚至到下半夜，直到戰事無大變化時，他才回去。總前委的決定，多是由鄧向各縱隊傳達部署，他隨時聽取作戰科匯報戰情，每每親自與各縱隊首長直通電話。晚上，爲了在住宿的地方接電話而又不影響劉、陳休息，鄧讓把電話綫拉得長長的，一有電話，他總是披上衣服，走到院子裏去接。④

劉、陳、鄧，就是這樣親密無間地並肩戰鬥在淮海前綫。

第二階段殲滅黃維兵團的任務完成了，鄧於 1949 年 1 月 11 日向毛澤東所作的綜合報告中寫道："殲黃維兵團時，各部均下了最大的決心，不顧任何代價，殲滅黃維兵團的意志一直貫穿到下面；故在整個作戰過程中，各縱隊雖經過三次到四次的火綫編隊，没有叫苦的，但是在總攻的時候，中野各縱隊傷亡二萬餘人，氣已不足，結果使用了華野兩個縱隊才解決了戰鬥。……戰後各縱隊一致感覺中野不充實，以不能獨殲黃維，增加華野過大負擔爲憾。"⑤

父親的這一遺憾，不是爲了別的，而是爲了勞動兄弟部隊而心感不安。

父親多次跟我們説過，黃維的確難打，黃有飛機大炮，有坦克，連雙堆集的防禦工事， 都是用坦克、裝甲車、汽車排成排做成的。

黃維是國民黨的軍中勁旅，但他終未逃脱被全殲的命運。

解決黃維後，父親甚感鬆了一口氣，他居然到政治部，從口袋裏摸出一個蘋果，親自用小刀一破爲三，讓大家分而食之。然後，他不慌不忙地拿出一張像帳單一樣長長的紙幅，交給副政委張際春，以歇了一口氣的口氣説："這張單子上中央來的二十幾個電報，都是同作戰没有直接關係的，還没答覆，請你一個一個地起草答覆吧。"⑥

殲滅黃維後，中央指示淮海總前委五人開一次總前委會。

因粟裕、譚震林正在指揮圍攻杜聿明的作戰，因此劉、陳、鄧三人便於 12 月 16 日晚，驅車五十多公里前往華野指揮部蔡窪村。

這是自從總前委成立以來，五位成員第一次聚在一起。

總前委全體會議，整整開了一天。

會上討論的題目，已不是淮海，更不是杜聿明，而是如何打過長江去。

淮海戰役尚未結束，渡江戰役的重任，已經落在了總前委身上。

決戰的勝利，使人精神爽朗，而未來大跨步前進的戰略規劃，更使人振奮不已。

在華野指揮部的小土屋前，總前委五個人，照了一張照片。

看看這張照片吧，中國共產黨軍隊的五員重要將領，每人身着一件鼓鼓囊囊、臃臃腫腫的土布棉襖，姿勢也就是那樣自自然然，隨隨便便。看看我那位父親吧，又瘦又黄，鬍子都那麼長了，可能真是忙得連刮鬍子的時間都没有了吧。

從照片上看得出來，他們五個人，臉上在笑，心裏也在笑。

開完總前委會後，劉、陳於12月19日奉中央之命，前往西柏坡開中央政治局會議，去擬定1949年的軍事計劃。

鄧於同日返回小李家村總前委。

12月30日，鄧率總前委經宿縣、徐州至商丘，次日到達張菜園。⑦

1949年的元旦，鄧率總前委就是在這裏度過的。

這次總前委遷址，是去指揮淮海戰役的第三個階段，全殲杜聿明集團。

在徐州西南不到一百公里的地方，一個以陳官莊爲中心，南北五公里，東西十公里的狹小地區内，杜聿明集團兩個兵團八個軍，被緊緊地合圍在了一起。

眼見得黃百韜、黃維相繼被殲，杜聿明，對於自己的命運，豈能心中不明？

但是共產黨的軍隊竟然對他只圍不打！

原來，在北面，大決戰的第三個戰役——平津戰役，已經開始。爲了不讓北平的傅作義集團南逃，毛澤東決定，暫不殲滅杜聿明，給傅作義以幻想，將其滯留華北以殲滅之。

從1948年12月1日杜聿明被圍，直到1949年1月10日被全殲，整整一個多月的時間，杜聿明的日子，可真是不好過啊！

時間已至隆冬季節，從12月20日開始，雨雪交加，氣溫驟降。合圍圈內只剩下邱清泉、李彌兩個兵團不足二十萬人，吃、穿、住，均十分困難。蔣介石空運送來的食品，時斷時續，而且杯水車薪，因此每一空投，必引起飢兵瘋搶，甚至爲爭搶食物而打死擠傷無數。餓慌了的兵士們，見什麽，吃什麽，連戰馬都殺了充飢。凍壞了的人們，找到什麽，燒什麽，甚至挖墳墓挖工事來取木保暖。

陳官莊的營地內，已是一片充滿絶望情緒的凄慘景象。

杜聿明以其英姿勃發的大好年華，落到這一番光景，怨誰呢？

怨自己吧，太不公平，一切都是按照他的蔣校長的指示行事，甚至不同意也要違心去做；怨蔣介石吧，也無濟於事，因爲蔣介石不是不想打勝，而是打勝不了。杜聿明消沉、沮喪，終日在掩蔽部内靜坐不語，面壁嘆息……

1949年1月6日，我華野對杜聿明集團發起總攻。敵潰已不堪一擊，杜聿明企圖突圍未成。至10日下午，我軍全殲杜聿明集團，擊斃第二兵團司令邱清泉，俘虜徐州“剿匪”司令部副司令長官，杜聿明。

至此，聲勢浩大、規模空前的中原決戰——淮海戰役，宣告結束。

在總前委指揮下，我中野、華野兩支主力，歷時六十六天，以傷亡十三萬四千餘人的代價，殲滅國民黨軍一個“剿總”指揮部、五個兵團部、二十二個軍部、五十六個師，共計五十五萬五千餘人。

至此，南綫國民黨精鋭主力已爲我軍全部消滅，長江中下游江北廣大地區均獲解放。

淮海戰役，是大決戰三大戰役中唯一一場我軍在總兵力少於敵軍的情況下進行的。

六十萬對八十萬。

六十萬戰勝了八十萬。

遠在幾千里之外的斯大林聞聽此事後，曾在記事本上寫道：“六十萬戰勝了八十萬，奇迹，真是奇迹!”

斯大林後來派來的駐華大使尤金説：淮海戰役打得好，是中國革命戰爭史上的奇迹，也是世界戰爭史上少見的。

斯大林讓尤金到中國學習和了解淮海戰役勝利的原因。⑧

毛澤東表揚了總前委。到了解放以後，毛澤東還念念不忘，對劉、陳、鄧説，淮海戰役打得好，好比一鍋夾生飯，還沒完全煮熟，硬被你們一口一口地吃下去了。⑨

……

正當淮海戰役進行到如火如荼的時分，在華北地區，共産黨的軍隊發起了大決戰的第三個戰役——平津戰役。

遼瀋戰役結束後，在東起山海關，西至張家口的五百餘公里的狹長地帶上，部署着國民黨四十二個師五十餘萬人的軍隊。其中五分之二是傅作義系統，五分之三爲蔣介石嫡系。

傅作義鎮守北平。

傅作義和蔣介石有共同的敵人——共產黨，但傅蔣之間各有山頭，亦有利害衝突。

1948 年 11 月 29 日，共產黨以一百萬人的總兵力，發起了平津戰役。

根據毛澤東的部署，戰役第一階段，首先將華北敵軍的一字長蛇陣作幾段分割開來，切斷了北平、天津、塘沽之間的聯繫。對西綫張家口、新保安圍而不打，吸引北平、天津之敵不從東邊海口竄逃；對北平、天津則隔而不圍，完成戰略分割，以便今後從容不迫，各個殲滅。

完成以上戰略目的後，我軍繼而採取先取兩頭，後打中間的戰略方針。首先，相繼打下了西頭的新保安和張家口。繼而，對東頭的塘沽實行監視，並集中兵力攻擊天津。

天津是華北第二大城市，防守堅固，守備力量很强。我東北野戰軍以五個縱隊三十四萬人，於 1949 年 1 月 14 日發起總攻，經一日激戰，全殲守軍，俘虜守備司令陳長捷，解放天津。

天津解放後，北平傅作義二十五萬人完全陷入絕境，最終與共產黨簽定了和平解決北平問題的協議。

1949 年 1 月 31 日，我軍進駐北平，宣告了北平，這一華北最大城市，這一建都六百年的古城，這一東方文明瑰寶，獲得和平解放。

1949 年 2 月 3 日，中國人民解放軍舉行了莊嚴隆重的入城式。

曾屢遭日本侵略軍鐵蹄踐踏，曾受盡軍閥官僚盤剝蹂躪的這座文化古城，終於煥發了青春的異彩。

北平二百萬市民，以紅旗，以彩帶，以歡呼，以興奮的熱淚，歡迎解放軍入城。人們敲起了鑼鼓，扭起了秧歌，以數十公里夾道歡慶的盛狀，迎來了一個從未有過的、前途光明的全新的時代。

平津戰役至此結束。

遼瀋、淮海、平津，三大戰役都結束了。

共產黨和國民黨在長江以北的大決戰結束了。

這場從 1948 年 9 月至 1949 年 1 月的大決戰，在中國戰爭史上是空前的，就是在世界戰爭史上也是罕見的。

在三大戰役中，連同這個時期其他戰場的勝利，共產黨的軍隊殲滅國民黨軍共計二百三十一萬人，國民黨軍主力已基本歸於消滅。共產黨將戰綫一下子推進到了長江邊上。中華大地的北方區域，這半壁江山，已經控制在了共產黨的手中。

父親說過："毛澤東的戰略思想，就是要把蔣介石的部隊封鎖在長江以北打，不讓他跑掉！這是一個偉大的戰略思想。"

毛澤東的戰略思想，如願以償地實現了。

此時此刻，蔣介石的心情，是苦，是恨。

苦的是大戰而敗；恨的是敗在共產黨手裏。

1949 年 1 月 21 日，蔣介石宣佈"引退"，回他浙江奉化溪口的老家去了。

注：

① 毛澤東《中國軍事形勢的重大變化》。

② 《中國人民解放軍戰史》，第三卷（全國解放戰爭時期），第 272 頁。

③ 何正文《在總前委麾下》。《二十八年間——從師政委到總書記》（續編），第 260 頁。

④ 張生華《鄧政委在淮海戰役中》。《二十八年間——從師政委到總書記》，第 155 頁。

⑤　陳斐琴《一九四八年十一月二十七日》。《二十八年間——從師政委到總書記》(續編)，第 271 頁。

⑥　同注⑤。

⑦　吳克斌《總前委書記在大江南北》。《二十八年間——從師政委到總書記》(續編)，第 298 頁。

⑧　胡奇才《奇迹的由來》。《二十八年間——從師政委到總書記》，第 179 頁。

⑨　胡奇才《鄧小平爲書記的五人總前委》。《二十八年間——從師政委到總書記》(續編)，第 242 頁。

59. 打過長江去

三大戰役結束後，共產黨已得半壁江山，解放全中國，已指日可得。

1949 年 3 月 5 日，中共中央在西柏坡召開了七屆中央委員會第二次會議。

劉伯承、粟裕請假。

鄧小平、陳毅、譚震林等於 2 月 28 日聯袂趕往西柏坡赴會。

在西柏坡一個簡樸的會場內，毛澤東作了重要報告。

會議決定主要如下：

> 一、批准召開新的政治協商會議，以及成立民主聯合政府的建議；
>
> 二、人民解放軍應爭取解放長江以南的華中、華南各省，及西北地區。完成渡江後，有步驟地穩健地向南方進軍。
>
> 三、解放軍應把工作重心轉向城市，先佔領城市，後佔鄉村。

會議還研究了經濟問題和民主革命等問題。

七屆二中全會討論的問題，已不僅僅是軍事問題，中共中央的視野，已開始轉向怎樣建國，怎樣把中國由一個舊的農業國轉變爲工業國，由新民主主義社會轉變爲社會主義社會……

二中全會閉幕的次日，也就是3月14日，中央召集了一個座談會，議題是對各大區的人事安排提出方案並做出決定。

出席會議的除中央領導外，還有各大區的主要負責人，包括西北的彭德懷，東北的高崗，華北的聶榮臻，華中的鄧子恢和林彪，中原的陳毅、鄧小平。

會上第一個發言的是鄧小平。

毛澤東讓鄧小平提出華東管轄範圍和人事安排。

鄧小平顯然已經經過充分的準備，他深知毛澤東委以他"點將"之任務的重要性。

鄧小平拿出一個名單，邊唸邊解釋。

中共中央華東局由鄧小平、劉伯承、陳毅等十七人組成，鄧爲第一書記。

華東區管轄範圍有：上海、南京、杭州、蕪湖、鎮江、無錫、蘇州、武進、南通、寧波等城市，地跨山東、江蘇、浙江、安徽、江西等省份。

華東區共有軍隊兩百萬人。

上海市由陳毅任市長。

南京市由劉伯承任市長。

鄧還談到其他許多有關的人事安排建議，談了部隊過江後新區籌糧辦法，談了城市籌款辦法，談了貨幣使用辦法，還着重談了接管上海的工作。

對於鄧的細緻而又周全的報告，毛澤東欣然表示贊同。他說："人事配備，現在就這樣定，將來有變動再說。"

此次會後，毛澤東再次召集鄧小平、陳毅等商討渡江作戰問題。

父親告訴我們，毛澤東當時親口對他說：交給你指揮了。

毛澤東對鄧小平說這句話，不是第一次。在淮海戰役時，毛澤東也這樣說過一次。

在西柏坡開完會後，父親和陳毅一起回前方。

這時，他們二人的心情輕鬆多了。4月份才進行渡江戰役，軍隊正在休整。父親對我說過："開完會後，我和陳伯伯順便去爬了泰山，還去曲阜看了孔廟，然後我們才回前綫。"

父親和陳毅都是史學興趣極濃厚的人，也都極愛遊覽觀光之賞心樂事，這次遊覽，是他們二十多年來都未曾享受過的逍遙自在，他們一定相當開懷。一路上，他們一定是談笑風生，悠哉悠哉者也。

二中全會後，根據中央軍委命令，將西北、中原、華東、東北四個野戰軍的番號改爲第一、第二、第三、第四野戰軍。

一野，彭德懷任司令員兼政委；

二野，劉伯承任司令員，鄧小平任政委；

三野，陳毅任司令員兼政委；

四野，林彪任司令員，羅榮桓任政委。

中國人民解放軍總兵力已達四百萬人。

共産黨對國民黨的下一個大的戰役，就是渡江戰役。

淮海戰役總前委，改爲渡江戰役總前委，仍由鄧小平任總前委書記。

中央部署，由總前委率領第二、第三野戰軍於4月中旬進行渡江戰役。

3月26日，總前委在蚌埠附近的指揮部召開第二、第三野戰軍高級幹部會議，由鄧小平主持討論渡江作戰方案。

3月31日，總前委移至合肥以東。

在這裏，鄧小平親自執筆撰寫了《京滬杭戰役實施綱要》，並電報中央。

綱要提出，敵軍總兵力是二十四個軍四十四萬人，我軍二、三野戰軍共計七個兵團二十一個軍一百萬人。我軍佔有絶對優勢。擬將渡江部隊，組成東、中、西三個集團，採取寬正面、有重點的多路突擊戰法。第一階段達成渡江任務，實行戰略展開；第二階段割裂和包圍敵人，切斷退路；第三階段分別殲滅被圍之敵，完成全部戰役。殲滅敵軍集結於上海至安慶段之兵力，佔領蘇南、皖南、浙江全省，奪取南京、上海、杭州，徹底摧毀國民黨反動政府的政治、經濟中心。

4月1日，毛澤東覆電，批准京滬杭戰役實施綱要。

4月2日，鄧小平和陳毅坐着一節"悶罐車廂"，沿鐵路從蚌埠到達了合肥，並立即驅車前往瑤崗村的總前委指揮部。

第二、第三野戰軍，開始進入渡江戰役的全面準備。

共産黨，已下定決心，打過長江去，解放全中國。

在江的那一面，蔣介石雖名義上退隱，而實際上仍在行使對國民黨軍隊的全面指揮大權。

蔣介石一方面由南京政府派代表，假與中共談判，一方面積極在長江沿綫部署江防。在湖口至宜昌一千八百公里的地段上，佈置了一百一十五個師，七十萬人的兵力。其中，以湯恩伯佈防上海一綫，以白崇禧扼守武漢一綫，並於該戰區部署了江防艦艇四十餘艘，空軍四個大隊。

蔣介石，以最後的勇氣，最大的能力，準備憑藉長江天塹，不惜任何代價，進行負隅頑抗，保住其半壁江山，與共産黨劃江而治。

長江，西起青藏高原，東至黄海之濱，以其浩蕩蜿蜒之軀，流經九省一市，由西向東五千八百公里，構築了中華大地上最大的水系，形成了亘古以來中國最長的江流。

長江，以其萬古濤濤，譜寫了中華民族的不朽史詩。

在長江以北，我人民軍隊，正在用熱烈而又緊張的行動，進行渡江準備。

我軍一面勘察水情，一面進行訓練，一面組織民工，一面修造船隻。廣大江北地區的人民群衆，以高昂的熱情，以各種形式支援軍隊，光是臨時民工，就達三百萬人，真是“要糧有糧，要人有人，要船有船”。

在總前委統一領導下，東有粟裕，中有譚震林，西有劉伯承，人民解放軍已一字排開，萬事俱備，只待令下。

1949 年 4 月 21 日，毛澤東、朱德公開發佈了“向全國進軍”的命令。

命令中國人民解放軍“奮勇前進，堅決、徹底、乾淨、全部地殲滅中國境內一切敢於抵抗的國民黨反動派，解放全國人民，保衛中國領土主權的獨立和完整。”

4 月 20 日 20 時，渡江戰役按預定計劃開始。

在總前委統一指揮下，中、東、西三路大軍，以排山倒海之勢强渡長江。

一時之間，萬船齊發，乘着滾滾波濤，衝向南岸。照明彈如禮花怒發，映紅了天空；槍聲炮聲一齊轟鳴，如催人奮進的戰鼓，震耳欲聾。

我軍部隊，乘着千萬艘木船木舟，英勇無畏，有進無退，似神兵，似天將，勇猛難擋。

長江，像一條巨大的蛟龍，被我英勇之師踏在了腳下。

蔣介石那號稱“固若金湯”的長江防綫，爲我第二、第三野戰軍一舉突破。

蔣軍之江防爲我軍突破後，倉皇實行總退卻。

我軍以迅猛之勢向縱深發展。

23日，我軍攻佔國民黨中央政府所在地——南京。

國民黨的青天白日旗，從南京總統府的旗杆上倏然飄下，落入塵埃。代之而冉冉升起的，是共産黨那艷麗奪目的鮮亮的紅旗。

幾天以後，總前委進駐南京。

鄧小平和陳毅，在莊嚴肅立的解放軍戰士隊列中，走進了蔣介石的"總統府"。

我問過父親："你進總統府了嗎?"

父親說："進去了，是和陳伯伯一起進去的。"

我問："那劉伯伯呢?"

父親說："他那個時候在西綫指揮。"

我問："你們在蔣介石的總統寶座上坐了坐嗎?"

父親微笑了："總要坐一坐嘛!"

南京解放了。

下一步，解放上海。

總前委移至南京以東京滬鐵路上的丹陽縣。

陳毅5月3日先到了丹陽，鄧6日才從南京趕來。

鄧到丹陽時，已是夜深人靜時分。

也是一時興起，陳竟然帶着鄧，上街找舖子吃宵夜去了。三更半夜，哪兒還有店開門。陳和鄧，只碰到了一個賣餛飩的挑子。他們二人，稀里糊塗地大吃了一頓僅剩的餛飩皮和餡的大雜燴。

這一個司令員，一個政委，兩位都乃開國元勳，但仍脱不了四川人那愛下小館子的脾性，而且是隨時隨地的，竟連時間也不看看。我想，這麼着“逃”出來溜達一下，也是他們二人的一件快事吧！

鄧、陳也就偷閑了這麼一下，要佈置打上海的工作，真是時不我待，分秒必爭啊。

丹陽，並不是一個大地方。總前委在這裏，這座小城，一下子變得人多了，擁擠了，忙碌了。來的人，有各縱隊穿軍裝的，也有來自上海穿長衫西裝的，真是人來人往，好不熱鬧。①

劉尚在南京，粟裕和譚震林還在各自的部隊，只有陳和鄧兩人在丹陽。作爲總前委書記，鄧自然是臨戰受命，繁忙異常了。

工作可謂千頭萬緒，軍事部署，作戰計劃，入城工作，幹部準備，都要抓緊安排。

總前委身上的擔子，可不輕啊！

上海，是當時中國和亞洲最大的口岸城市，擁有六百萬人口，其工業產值和貿易均佔全中國的一半，又是亞洲最大的金融中心。

陳毅比喻：“解放上海，好比瓷器店裏捉老鼠，老鼠要抓住，瓷器可不能打爛。”

這就是所謂的投鼠忌器。

但蔣介石已在上海附近部署了以湯恩伯爲首的八個軍二十五個師，共二十萬人。4 月 26 日，蔣介石還乘軍艦從浙江趕到上海，親自部署上海防務，準備憑藉着豐富的資財和四千多個永備工事守上海，以爭取時間搶運物資和進行破壞。

東北戰場，是蔣介石親赴指揮的；淮海戰場，也是蔣介石耳提面命地指揮的；這次守上海，蔣介石又來了。

父親曾對我們說過：“蔣介石到哪裏，哪裏就打敗仗。”

蔣介石來上海了，因此，上海這一仗，他又敗定了。

經過緊張周密的研究，鄧、陳決定：

一、穩住湯恩伯，不使其從海路逃走。

二、首先在外圍作戰，切斷吳淞海上退路。如向市區進攻，力爭不用炮火炸藥，盡量保護居民和財產。

三、加強部隊紀律教育，嚴肅軍紀，進城不擾民，宿街不入戶，用鮮明的紀律性作為給上海人民的見面禮。

四、作好接管準備，調集五千多名幹部集訓，以參加入城接管。

五、發揮上海九千名地下黨員的作用，動員人民群衆護廠、護校、維護秩序，反對國民黨軍特的破壞活動。

萬事俱備，解放上海，指日可待。

5月12日，我軍向上海外圍之敵發起進攻。

22日，將敵主要兵力壓縮於吳淞口兩側地區。

23日，向上海守敵發起總攻。

27日，上海戰役結束，殲敵十五萬人。

上海，這顆東方的明珠，從此獲得新生。

到了這個時候，在丹陽總前委日夜守候在作戰室的鄧、陳，終於鬆了一口氣，放下了心。

……

進大上海了!

人民解放軍軍紀嚴明，秩序井然。

這些身着土布衣着的軍人，文明執勤，禮貌待人。爲了不擾民，甚至在濛濛細雨中夜宿在上海高屋華廈的屋檐之下。一支嶄新的人民軍隊的形象，立即深深地印入了上海市民的心中。

上海的秩序迅速得到了穩定，但總前委面臨的問題，卻依然雜亂繁多。在上海，要反對敵人的武裝封鎖，反擊敵機的轟炸，更重要的，是要盡快恢復上海的生產和經濟生活。

鄧把接管工作分爲軍事、政務、財經、文教四大部門。

上海的工作的確是千頭萬緒呀！要抓社會治安，要抓恢復生產，要抓精兵減政，更要抓上海六百萬人的吃飯籌糧問題。

父親和陳毅二人搬到瑞金路原國民黨勵志社來住。他們二人，白天下基層，晚上聽匯報，常常工作通宵，直到日出東方，晨光乍露的時候，才躺下來打個盹。

在他們的腦海中，只有一個極其鮮明的目標，建設一個全新的大上海。

至5月27日，京滬杭戰役宣告結束。

是役，我二、三野戰軍配合，不但解放了南京、上海、杭州，而且一直向南，其一部進入福建，解放了閩北地區，一部攻入江西，控制了贛中廣大地區。

父親有一次向我們講了個故事。

他說：

> “那些仗，打得快呀！原因是敵人跑得快。我們的追擊，都是成排、成連、成團地跑路，否則追都追不上。我們的部隊，分成了多少路呀！陳賡打得最遠，佔領了江西的全省。紅軍時期，蔣介石抓住了陳賡，後來因為念及陳賡在大革命時期曾救過蔣介石一命，就把陳賡放了。蔣介石放陳賡的時候，在南昌，有人說：歡迎你再來。陳賡說：‘再來，我就帶十萬部隊來！’結果，真的是陳賡帶兵去佔領了南昌。幸好我們當時沒讓陳賡打南京，讓他直接往南邊打去。否則，陳賡就實現不了

他的諾言和願望了!”

陳賡是劉鄧手下的一員最出色的愛將，他膽識過人，爲人豪爽，生性活潑，甚至有點調皮，深得劉鄧賞識。在戰爭時期，中央和劉鄧多次讓他獨擋一面，擔當重任。説起陳賡，父親總是十分驕傲，欣賞不已。

解放上海以後，陳、鄧的家屬們來到了上海，兩家人一起住在勵志社的那個樓上。

媽媽告訴我，自從 1945 年父親他們從太行山走向平原後，父親已極少和家人相聚。

媽媽離開太行山後，一直在晉冀魯豫中央局組織部工作。後來，她帶着三個孩子到了邯鄲。

對於孩子們來説，邯鄲，是他們進的第一個大城市。那裏的一切都和鄉下不一樣，什麼都挺新鮮的。住房的廁所裏有抽水馬桶，我的哥哥也就是三歲多，從來没見過這玩藝兒，看着奇怪，就一天跑到廁所裏去放水冲馬桶玩兒個不停。

隨着戰綫不斷向前推進，媽媽和其他二野高級幹部的家屬們也不斷地向前搬家。

那時候，二野的幾位首長家裏，每一個媽媽都帶着幾個孩子。劉伯承家三個，李達家二個，蔡樹藩家二個，張際春家三個。

這個家屬大隊，從邯鄲又遷到了邢台，幾家人住在一個教堂裏，五個夫人輪流炒菜作飯。媽媽説，輪到她作飯那一天，大家都不愛吃她炒的菜。哎，没辦法，我那個媽媽呀，這一輩子也没學會炒菜的手藝。

媽媽總想用點科學方法教養孩子，她每日在教堂的屋頂上放一個大鐵皮盆，裏面放上水，先讓太陽把水曬一上午，再把孩子們脱光，讓太陽再把孩子們曬一會兒，然後就讓被太陽曬過的孩子跳進被太陽曬過的水中，一邊嬉戲，一邊洗澡。媽媽說，這叫日光浴。結果三個孩子都給曬得黑不溜秋的，可倒也真都是健健康康的。

鄭州解放後，媽媽他們幾家人，準備移住鄭州。鐵路被破壞了，公路也被損壞得不成樣子。他們這一群媽媽們和孩子們，坐在一個大卡車上，還是一個沒有蓬子的大卡車，趕往鄭州。這一路最緊張了，倒不是因爲戰事，而是因爲孩子。每天早上，天不亮，就要把孩子們叫起來，趁他們迷迷糊糊、還没睜開眼的時候給孩子們穿上衣服，一邊收東西，一邊隨便給小孩塞幾口飯，黑朦朦之中，頂着滿頭的星光，便開始出發了。中午，打個尖兒，車停一下，馬上又出發。車上盡是孩子，還得帶個尿罐，以爲方便之用。

就這樣，一路不停，趕了好幾天，總算到了鄭州。

到鄭州後，馬上又轉到洛陽的一個鄉下。要知道，共産黨的機關和宿營地，總是設在鄉下的，也許是爲了方便指揮，也許是爲了不在城市擾民，也許，共産黨的軍隊，和農民群衆，實在是有着一種血肉相連密不可分的親情……

在洛陽的鄉下，住得倒是安穩，可孩子們卻開始不安份了。有一天，三個孩子圍着一個桌子坐着，兩歲多的南南拿着一個花炮在玩兒，她玩着玩着，就把花炮在蠟燭上點着了，花炮噴出了火花，南南一急，手往前一伸，火花正好滋在胖胖的臉上。後來大人察看，總算没出什麼大事。此一驚剛過，幾天後，胖胖又不知從哪兒拿來一把剪刀，揮舞了起來，一下子把剪刀尖兒戳到了南南的臉上。這次，也幸好没有戳成重傷，只劃破了一點皮。這一回一報，也算是一場家庭戰爭吧！氣得媽媽，不論三七二十一，三個孩子，每人的屁股上都着實地給了幾下。

南京解放後，這一隊人馬又移到了南京。很快，隨着解放大軍的步伐，媽媽們和孩子們又到了上海。

陳家三個孩子，鄧家三個孩子，連同大人，每家五口人。有一天，一時興至，兩家大人帶着孩子們，一齊親親熱熱地照了一張相。照片上，陳伯伯大腹便便地坐在那兒一副自然瀟洒之態。父親瘦瘦的，依舊是那樣沉穩地微笑。兩個媽媽，那樣年輕，那樣漂亮。幾個孩子，又是那麼那麼的小，實在是可親可愛。

這是兩個幸福的家庭。

在上海，父親專程去拜望了孫中山的遺孀，共產黨的摯友，宋慶齡女士。

在上海，父親帶着母親，找到了張錫瑗的遺骨，將之收斂並放到他們住的勵志社的樓下存放。

在上海，也有趣事，父親丢了一支派克筆。

有一次，父親和上海新任市長陳毅去參加一個大型慶祝活動。他們走出辦公地點的大門，在衆多警衛人員的簇擁和保衛下，去街對面開會。就走過這麼一條不寬的街道，就這麼幾分鐘的瞬間，父親胸前口袋中別着的一支從敵人手中繳獲來的派克鋼筆，就被上海的小偷偷掉了。

直到這幾年，父親還對此耿耿於懷，他一到上海就講這件事兒。

他説：“上海的小偷真厲害啊！”

……

從 1938 年走上抗日戰場，到 1945 年打響與國民黨之戰的第一槍，再到强渡黄河、挺進大別山、進行淮海戰役、舉行渡江戰役，直到解放南京、解放上海，已經是十一年了。這十一年的歲月中，父親櫛風沐雨，歷盡艱難，卻從未病倒過。他雖不强壯，但卻健康，爲了戰爭，爲了勝利，他也必須保持健康。抗日戰爭以來，父親一直堅持每日洗冷水浴，無論春夏秋冬，每日清晨，他都用一桶冷水，從頭到脚一注而下。就是十冬臘月，天寒地凍，也從未間斷。

可是，到了上海，在戰爭取得了決定性的勝利之後，父親卻病倒了。

他頭痛，痛得卧床不能起身。

他太累了，實在太累了。

中央批准他休假一個月。

9月的一天，父親、母親，帶着三個孩子，到北京了。

在北京，父親一邊治病養病，一邊還在向中央報告工作和研究解放大西南的作戰。閑暇之間，他還帶孩子去北京西郊的頤和園，在秋水瀲灧的昆明湖上興致很濃地泛舟暢遊了一番。

這是父親在其四十五年的生涯中，第一次到北京。

他第一次到北京，就參加了新中國的兩大盛事。

一個是中國人民政治協商會議第一屆全體會議。

一個是中華人民共和國的開國大典。

1949年9月21日，第一屆中國人民政治協商會議在中南海懷仁堂隆重召開。

各界各階層人士的傑出代表從四面八方而來，在勝利喜悦的氣氛中歡聚一堂。人人臉上掛着喜慶的笑容，個個心懷中充滿了對新生活萬般憧憬的激情。

在會上，毛澤東莊嚴宣佈：“佔人類總數四分之一的中國人從此站立起來了。”

在會上，代表們舉手投票，通過了中華人民共和國國旗、國歌，通過了臨時憲法性質的《共同綱領》，確定了北京作爲中華人民共和國的首都，選舉産生了第一屆中央人民政府，選舉毛澤東爲中華人民共和國中央人民政府主席。

會後，爲了祭奠在人民革命戰爭中犧牲的無數先烈，毛澤東率領全體代表，揮鍬灑土，莊嚴肅穆地爲將要豎立在天安門廣場的人民英雄紀念碑舉行了奠基禮。

1949年10月1日，這一天終於來到了。毛澤東同他的戰友們，登上天安門城樓，莊嚴地宣佈：

> 中華人民共和國成立了！
>
> 中國人民從此站起來了！

父親和劉伯承、陳毅這些開國元勳們肩並肩地站在天安門城樓上，注視廣場上鮮艷奪目的五星紅旗在陽光照耀下冉冉上升，傾聽着雄壯有力的《義勇軍進行曲》那震撼人心的鳴奏，俯看着廣場上三十萬歡呼沸騰的人民群衆和威武雄壯的遊行隊伍。在他們心中，領略的，是一派勝利的豪情壯志；感受的，是對未來新的國家，新的天地，新的事業的充滿信心的渴望和追求。

中華人民共和國的開國大典，這不是歷史上帝皇王侯的换代改朝，也不是新舊軍閥的輪番替取，而是人民，是中國人民，登堂入室，建立了自己的國家。

從公元1949年10月1日起，中國那具有五千年文字記載的歷史，翻開了完全嶄新的一頁！

注：

① 本章以上内容參考了吳克斌《總前委書記在大江南北》。《二十八年間——從師政委到總書記》（續編），第298頁。

60. 向大西南進軍

渡江戰役後，共產黨的部隊相繼佔領南京、上海、武漢、杭州、九江、南昌、安慶、金華、上饒等城市，以及長江以南的江蘇、安徽、浙江全部和江西、湖北、福建三省的部分地區。

人民解放軍的戰綫，正在以迅猛之勢向中華大地的南部和西部推開。

要在整個中國的大地上全部、乾淨、徹底地殲滅國民黨軍隊，就要以連續作戰的精神，以兵貴神速的幹勁，以勇追窮寇之豪氣，一鼓作氣，全面出擊。

中央部署：

第一野戰軍出陝甘，解放西北五省；

第二野戰軍，直進黔川，解放大西南；

第三野戰軍，南下福建，解放東南沿海；

第四野戰軍，先取廣州，解放中南各省；

華北軍區，攻克太原，解放華北全境。

時不我待，我各部大軍，不分先後，早已如弦上之箭，倏然而發。

劉鄧要率第二野戰軍奔赴西南了。

劉鄧告別了陳毅。

在將近一年的時間裏，劉陳鄧並肩作戰，第二、第三野戰軍並肩作戰，打勝了淮海戰役，打過了長江，解放了南京，解放了上海。

毛澤東曾說過，二野三野聯合作戰，不只是增加一倍兩倍的力量，而是一個質的變化。

也就是說，這個數學公式是：1＋1＞2。

父親說："這個質的變化，一開始就體現在擴大中原局，調陳毅來當第二書記。特別是淮海戰役前成立了總前委，由五個人組成，劉陳鄧三個人是常委，我當書記。毛主席親自對我說：'我把指揮權交給你'。這是毛主席親自交代給我的任務。"

總前委的使命完成了。劉陳鄧的二、三野戰軍又要分開行動了。

根據進軍大西南的需要，中央決定，成立西南局，鄧小平任第一書記，劉伯承、賀龍分任第二、第三書記。

解放大西南的任務，落在了第一、第二野戰軍的肩頭，由二野從東向西，由一野從北向南，兩路出擊，把國民黨在西南的軍隊全部消滅。

1949 年 10 月 20 日，劉伯承、鄧小平，率第二野戰軍總部從南京出發，向西進軍，開始進行川黔作戰。

是日，南京城內，各界人士，熱烈歡送劉鄧大軍向西南出征。

進軍大西南的作戰，開始了。

劉鄧總部於 10 月 23 日到達鄭州。

28 日進駐武漢。

要打大西南，核心是要拿下四川。

因爲四川乃是大西南的心臟。

蔣介石再次披掛上陣，親自到重慶坐鎮。

國民黨以四川爲其防守重點。川東、湖北、貴州一帶地勢險要，交通不便，且有白崇禧十餘萬人，因此蔣介石判斷，共軍主力不會由東入川，而會由北向南推進。

蔣介石的判斷又錯了。

劉鄧先是作出佯動，假示大軍要由鄭州向西動作，實際已令陳錫聯的第三兵團從東直入川東地區；楊勇的第五兵團向南迂回，進入貴州，切斷敵人南逃後路。

劉鄧大軍從東西五百公里的地段的突然多路進擊，完全打亂了蔣介石的整個西南防禦部署。

也正是所謂的兵敗如山倒。

國民黨部隊已潰不成軍，只有奪路逃竄一條路了。

這國民黨軍逃命可也是逃得真快，原來中央定的我軍穩健進軍的方針，也“穩健”不行了。敵軍跑得快，我軍必須追得更快！

我軍冒着陰雨，踏着泥濘，爬高山過叢林，不顧休息，不顧吃飯，爭先追敵，神速地切斷了川軍向南撤退的退路，並已將戰劍直指重慶、成都。

重慶，是西南最大的城市，是國民黨政府抗日戰爭時期的陪都。拿下重慶，等於摘取了大西南的皇冠。

蔣介石不久前還在重慶督陣，這會兒，他已經非常識時務地攜軍政委員們飛走了。

11 月 30 日，陳錫聯三兵團輕取重慶。

重慶失守，蔣介石又令其部隊撤至成都地區。

劉鄧下決心，將蔣介石最後一支主力胡宗南集團，全殲於成都盆地。

12 月 20 日，我軍完全截斷了胡宗南的退路，從西、南、東三面對成都地區形成袋形包圍，由楊勇統一指揮。

胡宗南曾在陝北驕橫一時，而如今，已成爲籠中困獸。他手下的數十萬之衆，也已軍心大亂了。

胡宗南拋下他那已陷於絶望境地的衆兵將，坐飛機隻身逃跑了。

12月27日，成都之敵爲劉鄧大軍全殲。

成都宣告解放。

這時，在雲南的滇軍宣佈起義，陳賡第四兵團解放雲南全境。

此後，陳賡又率第四兵團在四川西昌地區殲敵一萬，致使殘存於西南地區的蔣介石正規部隊全部肅清。

在大西南，只有最後一個地區還未解決了，那就是西藏。

1950年1月31日，西藏班禪堪布會議廳致電毛澤東、朱德，反對拉薩當局背叛祖國的行爲。

毛澤東授命劉鄧大軍，擔負起進軍西藏的任務。

1950年10月，我軍用十八天的時間，在西藏東部大門昌都發起戰役，殲滅藏軍五千七百餘人，打開了進軍西藏的大門。

在我對西藏各界人士多方工作和和平誠意的感召下，西藏地方當局決定響應中央人民政府和平解放西藏的號召，派出以阿沛·阿旺晉美爲首的西藏地方政府代表團赴京，和中央政府代表談判。1951年5月23日，談判雙方簽署了《中央人民政府和西藏地方政府關於和平解放西藏辦法的協議》。

1951年8、9月，劉鄧的部隊開始向世界屋脊進軍。

他們攀越了十餘座雪山峻嶺，跨過了許多條怒濤激流，穿過了壯麗的原始森林，走過了無邊無際的草原沼澤。他們不畏氣候嚴寒，不怕空氣稀薄，踏着千年積雪，終於10月、11月間進入了西藏的首府——拉薩。

西藏，是一個宗教習俗極其濃厚的地方，而且還處於封建制度和奴隸制度相交織的時代。人民解放軍進入西藏，不住民房，不進佛堂，不借民具，寧願風餐露宿，寧願日曬雨淋，把鐵的紀律和保護尊重民族、宗教習慣放在最重要的位置。同時，他們還積極與各界人士接觸交流，給缺醫少藥的藏族人民看病治病。

解放軍嚴明的軍紀，民族平等的作風，打動了西藏人民的心，受到了藏族同胞的熱情歡迎。

解放西藏後，人民解放軍做的第一件大事，就是立即開始進行勘測和設計，要在世界屋脊上修築人類的第一條公路——康藏公路。

西藏和平解放了，中國大西南全部回到了人民的懷抱。

劉鄧大軍以勇猛不可阻擋之勢，行進二千餘公里，光榮而又勝利地完成了解放大西南的任務。

是役，共殲滅國民黨在大陸最後的殘餘部隊九十萬人，消滅盤踞在大西南無惡不作的土匪九十萬人。

在劉鄧第二野戰軍進軍大西南的同時，我第一野戰軍解放了陝西、甘肅、寧夏、青海、新疆五省；

第三野戰軍進軍華東南地區後，解放了福建及東南沿海大部分島嶼；

第四野戰軍解放湖北、湖南、江西、廣東、廣西中南地區；

華北軍區解放華北全境。

東西南北中，從此中華歸於一統。

九百六十萬平方公里的中華大地上，再也沒有戰爭。

中國共産黨人實踐了他們的諾言：用戰爭的手段，最終達到消滅戰爭的目的。

幾千年以來，二十五次朝代更替，數不清的烽烟戰火。

中國的江山，改朝換代，從來都是用武力奪取的。

勝者爲王，敗者爲寇，這是中國的歷史法則。

歷史是無情的，無情得令人爲之不寒而慄。

歷史又是有情的，在好一番天旋地轉之後，歷史，又終於把掌握它的命運的舵輪，送到了人民的手裏。

中華人民共和國的成立，不同於四千年中任何的一次封建帝王式的改朝換代，它是一場真正的人民革命的勝利成果。

中華人民共和國的建立，標誌着中國，這個在世界東方沉睡了多少年的巨龍，蘇醒了。

一個嶄新的中國，一個面貌煥然的中華民族，將出現在世界的東方。

曾幾何時，中國人被人恥笑爲男人梳着長辮，女人纏着小腳的弱小民族；曾幾何時，中國人被人無比蔑視地稱爲“東亞病夫”；曾幾何時，中國人自己都看不起中國人，漂洋過海地去異國他鄉，只爲找口飯吃……

何其幸哉，這一切，這一切的屈辱，永遠一去不復返了。

中國共產黨人，和四億五千萬的中國人民，在全世界面前挺起了腰杆。

從來沒有救世主，也沒有神仙皇帝，要創造人類的幸福，全靠我們自己。

全靠我們自己！

腳下的路，是我們自己走出來的。

這路，走得壯麗，走得豪邁。

這路，還剛剛開始。

這路，還十分十分的遙遠，十分十分的漫長。

這路，還要靠中國人民一步一個腳印地去走。

但，這路，畢竟是向前走，筆直地向前走。

……

1949年12月1日，中國人民解放軍第二野戰軍舉行進入大西南的心臟——重慶的入城式。

重慶人民男女老少，各行各界，舉行了極其隆重的夾道歡迎儀式。

12月8日，劉鄧率野戰軍機關進入重慶。①

在此之前，中央命令成立西南局，鄧小平爲第一書記。

在此之後，中央命令成立西南軍政委員會，劉伯承爲主席。

再繼此之後，中央命令成立西南軍區，賀龍爲司令員，鄧小平爲政委。

全中國，共分爲西北、西南、華東、中南、華北、東北六大區域。

西南的工作，由西南局書記鄧小平主持。

劉鄧大軍駐紮在大西南了。

這一支中國共産黨領導的部隊，從西北高原，走進晉冀魯豫戰場，經過中原大戰，挺進華東戰綫，最後，一直打到大西南。

這支部隊，在劉鄧親率下，從太行山，躍進至大別山，又從大別山，最終一躍而上喜瑪拉雅山。

這支部隊，先後殲滅國民黨軍二百三十萬人，消滅土匪一百餘萬人。

這支部隊，爲中國革命，爲偉大而壯闊的人民革命戰爭，立下了不朽的功勳。

現在，這支部隊，擁有六十萬的精兵强將，據守着六千萬人口的西南一隅。成爲人民軍隊中戰功顯赫，聲威大振的一支勁旅。

這支部隊的指揮員中，許許多多人被晉升爲中國人民解放軍的最高將領，被選拔爲中華人民共和國政府的行政要員。

這支部隊的政委，鄧小平，是用一種特殊的感情和平和的口吻來形容這支部隊的。

他說：

"不務虛名，注意內部團結，這種作法貫穿到二野部隊整個作戰過程中。所以二野內部是非常協調的。各縱隊之間，部隊與部隊之間，人與人之間，甚至更下層一點，彼此關係都是很協調的。從戰爭一開始，每一次的具體作戰，指揮的都是各縱隊的頭頭，劉鄧沒有親自到戰場上指揮過一個具體的戰鬥行動。有的戰鬥是陳再道指揮的，有的戰鬥是陳錫聯指揮的，有的戰鬥是王近山、杜義德指揮的，也有是楊勇、蘇振華指揮的，還有的是陳賡、謝富治指揮的。採取這種方式的好處，是發現有不妥的地方，有電話可以聯絡。我們沒有發現過下面有什麼不對的地方，也沒有糾正過任何一個縱隊領導同志指揮的戰鬥。這種做法對增加上下信任，增強部隊的戰鬥力，鍛煉指揮員的能動性很有好處。"

他說：

"總的來說，在戰爭中二野挑了重擔，完成了任務，沒有辜負黨和人民的委託。就是這麼個歷史。苦頭吃了不少，但困難都勝利渡過了。"

平平淡淡，就這麼幾句話，沒有豪言壯語，也沒有任何的驕傲和自誇。

就好像一個老人，在給後人們講點什麼故事。

言無重話，語不驚人。

但是，其中所具有的內涵，其中所包括的艱難與辛苦，其中所含納的功績與榮耀，其中蘊藏的激情與壯烈，又怎能用三言兩語所能敍説得完，講述得清？

劉鄧誇獎的是他們的部下。

而劉鄧的部下，敬重的是劉鄧。

在我爲了寫這本書而進行的採訪中，那些現在都已白髮蒼蒼的老將軍們，言談之中，無不對他們的劉鄧首長充滿真摯的深情，充滿無限的崇敬，充滿衷心的愛戴。

是啊，從初上抗日戰場，到解放大西南，十三年的戰鬥生涯，整整十三年的時光，對於任何一個人來説，都不是一段短暫的時光，更何況，那十三年，還是那種充滿了腥風血雨，充滿了悲壯艱辛，充滿了勝利與榮耀的十三年。

凡參與其間者，誰，能夠忘記呢！

斗轉星移，時光流逝。

有人説，時間可以磨掉一切人生的痕迹。

但，卻磨損不掉在人們心目中那高高聳立的豐碑。

注：

① 《中國人民解放軍第二野戰軍戰史》，第二卷（解放戰爭時期），第 424 頁。

61. 西南局第一書記

父親又回到了四川。

回到了重慶。

回到了他的故鄉。

命運竟然安排得這樣的巧。

記得嗎？二十九年前，在重慶江邊的碼頭上，一個名叫鄧希賢的十六歲的少年，乘着一艘名叫“吉慶”號的客輪，順着那奔流不息的長江之水，走出四川，遠洋跋涉，開始了他人生的第一個旅程。

有誰想像得到，二十九年後，這位鄧希賢，已改名爲鄧小平，而這位鄧小平，竟然是率領着千軍萬馬前來解放四川的首席指揮員。

從重慶走出，從四川走出，又回到重慶，回到四川。

命運將父親的人生歷程在這二十九年間，劃了一個曲曲折折的圓圈。

回到四川，父親已是四十五歲的中年人了。

這時，他是中央下屬幾大行政區域之一的最高官員。

在重慶，父親終於建立了一個安穩的家庭。

南下的時候，因爲軍情沒有那樣險峻和危急，所以，父親和劉伯承兩人，都是攜帶家眷南進的。

兩輛美國吉普車，劉家一輛，鄧家一輛。

劉家大人小孩共六口人。

鄧家還是兩個大人，三個小孩。但是，實際上，媽媽的肚子裏，已經又有了一個小小的生命，那就是我。

我的哥哥姐姐們總是說，他們參加過抗日戰爭，資歷最差的也是參加過解放戰爭。而我呢，只好反唇相譏道：我也參加過解放戰爭，參加過解放大西南，只不過是在媽媽肚子裏罷了。

這麼兩輛吉普車，顛顛簸簸地，走了二千多公里，到了四川。

四川解放了，新中國成立了，我才降生了。

其實，我還不算最沒資歷的，我的弟弟飛飛，是 1951 年 8 月才出生的。他才真正的連一點兒老革命的邊兒也沒沾上，是個貨真價實的"解放牌"。

在重慶，我們家住在原來國民黨一個機關的樓上。劉伯承調到南京去任中國人民解放軍高等軍事學院院長後，賀龍一家就住在我們家的樓下。

父親這個人，外表上嚴肅不多言語，實際上與人極好相處。

在中國人民解放軍的十大元帥中，他與幾乎所有的人的私交都相當的好。

朱老總自不必說了，德高望重，和藹慈祥，又是四川人，父親極敬重他。

彭德懷，在太行山八路軍總部時，一直與父親在一個戰場上。彭沒有孩子，看見我們家孩子多，就向我父母親提出來要把我過繼給他們當孩子。我的父母當然捨不得了，可有一段時間，嚇得我一見彭老總就沒命的往父母身後又藏又躲。

劉伯承，與我父親不但十三年生死與共，而且兩家人長期住在一起，兩個媽媽也是極好的朋友。

陳毅，與我父親都是四川人，都是留法勤工儉學生，一起打淮海，一起渡江，一起打南京、上海，又是兩個在好吃方面有共同嗜好的人，後來在北京還作過十年的鄰居，兩家人常常一起散步，一起郊遊。如果有點奇珍異果，像外國朋友送點那種臭得出奇的榴連什麼的，也有福同享一番，可見相互關係之親密。

聶榮臻，又是一個四川人，又是一個留法勤工儉學生，父親稱他爲老兄。五十年代初剛到北京時，我們就住在聶伯伯家隔壁，我們小孩兒們一有空就跑到聶伯伯家要糖吃。聶伯伯常請我們家去他家吃四川小吃。父親也不客氣，一帶就帶上七口八口一大家人去吃“冤枉”。聶伯伯最長壽，在他九十歲去世之前，是我那年事已高的父親唯一出門去探望的一個人。

羅榮桓，長征時與我父親在一起，後來雖不在同一條戰綫上作戰，但二人相知很深。父親和羅伯伯在生活上相互關心，在政治觀點上也甚是投合。可惜羅伯伯去世得太早。他去世後，父母親還特意讓我去羅家住了一個禮拜，陪他們家的兩個和我年齡差不多的小女兒。

葉劍英，父親解放前與他共事並不算多，但在解放後，特別是“文化大革命”以後，兩人可真是肝膽相照，共解國難。記得爲了讓父親第三次復出，葉伯伯讓他的小兒子親自駕車，把還在軟禁中的我的父親偷偷接到他的住處。當時我在場，清清楚楚地記得，他們兩人見面之時，萬分激動，父親長長地叫了一聲“老兄”，兩人的手便緊緊握在了一起。

徐向前，曾在劉鄧大軍中任過副司令員，我們兩家人也在一起住過一段時間。父親十分尊重徐帥。徐帥體弱多病，又年長幾歲，父親總是十分關心徐帥的身體。

賀龍，賀胡子，性情特別豪爽。在西南，兩家人樓上樓下，孩子年歲也差不多，一塊兒玩，一塊兒打架。解放後，父親常帶我們去賀伯伯家串門兒，大人們又說又笑，孩子們又玩又鬧，別人不知道，還以爲是一家人呢。

說來也怪，十大元帥，父親與九人關係都極好，可唯獨就是與林彪從不來往。話也說回來，這主要是因爲，林彪性情太古怪，是他從來不與任何人來往。

回過頭來說西南吧！

劉伯承調往南京工作後，在西南，在四川，主持軍政工作的主要是父親和賀龍。

到了西南，父親工作之繁忙分毫不讓戰時。

你想，又管軍事，又管政治，又管經濟，還有民族問題，也是千頭萬緒，不容閑暇的。

在西南，戰爭結束了，父親問他的部下："仗打完了没有？"

父親解釋道，西南今後的工作，比普通軍事鬥爭要複雜得多，不是打幾個衝鋒就能解決問題的。

他說，西南的任務是：九十萬、六千萬、六十萬。

九十萬，指的是要把戰爭中俘虜和投誠的九十萬原國民黨部隊改造過來，成爲人民的軍隊，成爲能工作、能生產的人。

六千萬，指的是西南七千多萬人口中，有六千多萬是我們要依靠的人民群衆，要把人民組織起來，實行土地改革，組織生產，恢復經濟。

六十萬，指的是我軍在西南的六十萬部隊，要把戰鬥隊變爲工作隊，提高素質，加强紀律，去創造和建設一個新的大西南。

做地方工作，父親的風格，與做軍事工作一樣，作風是簡單明瞭，處理問題明確果斷。

父親主持開會，兩大特點。

第一，開短會，西南軍政委員會召開的第一次全體會議，只開了九分鐘。沒有繁文縟節，沒有多餘的話，話講完了，就散會。

第二，先聽意見後作決斷。每逢開會，總是各部門先發言，不管提出什麼樣的問題，也不管提出多少問題，大家發完了言，擺完了問題，該父親發言了。他一二三四五，當回答的回答，當發回研究的發回研究，當拍板決定的立即拍板作出決定。

西南局的人都說，他們常常是帶着許多問題、許多煩愁、許多疑慮而來，但散會時，則每個人都已目的明確、任務明確、方法明確。

在西南期間，父親還決定了兩件大事，第一，是修築從拉薩到青海的青藏公路。第二，是修築成都到重慶的成渝鐵路。

父親心裏明白，仗雖打完了，而建設一個新中國，比起打仗，將會工作更多，任務更重。

在此以後，經過兩年的治理，大西南的秩序迅速穩定，經濟開始恢復，一切工作均逐漸走上了正軌。

……

在重慶，我和弟弟相繼出生。我們兩個算是真正的四川人。

其實，我弟弟是揀來的。

當時，我們家已有四個孩子，三女一男，有了第五個孩子後，媽媽正好在重慶的人民小學中當校長。她那個時候忙極了，不想再生孩子了。結果二野的衛生部長說：“也許這是一個男孩子呢?”爲了這句話，飛飛幸得生命。結果，這個本不想要的孩子，反倒成了父母親心中最疼愛的孩子。

在重慶，我的祖母從鄉下來了。

說起來也有意思。

我的二姑姑鄧先芙，那時在老家廣安上中學，已經參加了四川地下黨的外圍活動。

四川快解放時，地下黨找到了她，告訴她，你的大哥要打回四川了。

父親到重慶後，二姑姑由組織安排從老家廣安到了重慶，見到了這個她從未見過面的長兄。

二姑姑回到廣安，把消息告訴了我的祖母。

我這個祖母一聽，高興極了。她拿起一把鎖，把大門一關，一個人，拿着一個小小的包裹，坐着她那在嘉陵江上推船的父親的小船，來到了重慶。

她老家也不要了，田產和房產都不要了，從此便和我的父母親住在了一起。

我的祖母不是我父親的親母親，但我的父母待她很好。特別是我的媽媽，和祖母從不分你我。媽媽去上班，家和孩子就全交給祖母照看。

我的祖母來時，我剛好十個月。從我十個月大時起，我就由祖母帶養。我弟弟出生後，也是由祖母帶養的。所以我和我弟弟對祖母的感情特別親。祖母真是替我媽媽分擔了不少的家庭操勞。

我的祖母真是高壽，現在已經九十多歲了，還和我們住在一起。

總之，在重慶，我們這個家的基本隊伍就都到齊了。這個隊伍的規模一直保持了二十年，直到我們這一代又成家生孩子以後，家庭的規模又才擴大了起來。

在重慶，父親忙，母親也忙。

媽媽在人民小學當校長，學生都是二野和西南局的子弟。那一群在部隊中長大的孩子，個個嬌野，都不是好調教的人。媽媽便從我們自己家的孩子開刀。我的大姐和哥哥自然是媽媽的學生，不聽話，不遵守紀律，首先整肅的就是他們，以儆效尤。就連我的二姐才五歲，也被媽媽每日放到教室的最後一排，管你懂也罷，不懂也罷，反正一律都得上課。

有的孩子不好好上課，不聽講，還又哭又鬧。媽媽就把這樣的孩子帶到校長室，任你哭也好，鬧也好，她一概不予理睬，自己辦自己的公。等到孩子鬧夠了、哭累了，自然乖乖地停嘴了。

媽媽是校長，但什麼課都教，語文、數學，連音樂都教。她天生五音不全，也不知這音樂課是怎麼教的!

許多二野的子弟都是媽媽的學生，直到現在，他們都是四五十歲的人了，還常常回憶起當年他們校長教他們和“整”他們的情形。

……

中華人民共和國建國的時候，父親整整四十五歲。

四十五年，近半個世紀的時光。

那個當年滿臉稚氣，年方十六歲的鄧希賢，從他走出四川的那一刻起，便邁向了他漫長的人生旅途。他由一個有愛國心的青年，走進了共產主義理想的殿堂。他出洋求學，卻成爲一名共產黨員而回到祖國。他參加了大革命的浪潮，經歷了白色恐怖的腥風血雨。他走上了戰場，和軍閥勢力，和日本侵略軍，和國民黨軍，整整打了二十年的仗。

在他四十五歲的時候，他的名字，鄧小平，已與中華人民共和國的建黨、建軍、建國的歷史，與整個的人民革命史緊緊相連，密不可分。

在黨中央和毛澤東的領導下，鄧小平，和其他的開國元勳們，在戰爭年代，爲開闢中華民族的新的紀元，立下了汗馬功勞和不朽的功勳。

鄧小平，作爲他個人來說，也由一位青年革命者，成長爲一名叱咤風雲的革命家，成爲獨當一面的戰場指揮官。

在父親這四十五年的生命歷程中，打仗就打了整整的二十年。

仗，打完了，新中國建立了，而他，又作爲“封疆”大員而坐鎮西南。

四十五年，是個不算短，也不算長的時間。

有的人，四十多年便已走過人生的頂峰。有的人，快到五十了可能才開始找到事業的起點。我相信，絕大多數的人，積其一輩子的時間，經歷的事情，可能都不及我父親這四十五年中的一半。

在渡過四十五歲的生日那一天，如果父親回顧過去，可資回味的事情太多了，也太豐富了，他完全可以捫心自問而無愧於世。如果展望未來，他也一定會躊躇滿志，充滿信心，立志爲了開創一番新的天地而繼續奮鬥不息。

四十五歲，是父親漫長的一生中的一個里程碑。

但是，四十五歲，同時又是父親政治生命的另一個新的起點。

在他渡過四十五歲生日的那一天，他自己絕不會想像得到，這個世界上也沒有人會料想得到，鄧小平的人生道路，還要經過多少激流險灘。

父親的前半生，這一半的道路，是輝煌的，但卻不是最輝煌的。

鄧小平的政治生涯，從這一刻起，方才起步，開始邁向其光輝的頂峰。

62. 沒有結束的故事

這本書，所記述的故事，是關於我的父親——鄧小平，前半生的故事。

這本書，就要結束了。

但是，有關鄧小平的故事，卻遠遠沒有結束。

有關父親後半生的故事，不是本書所要記述的範疇。

我希望，在不久的將來，我能夠把關於父親後半生那絢麗奪目的歷程的故事，繼續展現在人們的面前。

但今天，對於那些更加動人心魄的故事，我只能介紹一個梗概。

1952 年，父親奉中央調遣，到北京工作。

父親攜家眷又一次離開四川。

這是他一生中的第二次出川。

第一次出川，他向那未知的人生，邁出了第一步。

這第二次出川，他開始邁向他一生中那日益光輝的未來。

1952 年，他到北京，擔任了中央政務院副總理的職務，後又先後兼任過財政部部長、交通部部長、中共中央組織部部長等職。

1954 年，父親被任命爲中共中央秘書長、中央軍事委員會委員、國防委員會副主席。

1955年，父親被增選爲中共中央政治局委員。

1956年，在中國共產黨第八次全國代表大會上，父親當選爲中共中央政治局常務委員會委員，中央委員會總書記。

從這個時候開始，父親進入了中國黨政最高領導集體。

作爲總書記，他主持中央書記處的日常工作，成爲毛澤東主席的重要助手。

作爲國務院排名第一的副總理，他根據工作分工，成爲周恩來總理的左膀右臂。

到了六十年代初期，他和劉少奇被毛澤東內定爲共同擔負一綫領導工作的接班人。

從1952年到1966年這段時間，是中國政治上相對穩定的一段時間，儘管在決策上和政策上不無失誤，但總的來說，新中國，自建國以來，經過十七年的建設和發展，奠定了重要的經濟基礎和物質基礎，已經在國際事務和世界政治舞台上佔有了不可忽略的一席之地。

1966年，新中國歷史上不幸的一頁翻開了。

毛澤東親自發動的"文化大革命"爆發了。

一場巨大的"左"的政治風暴席卷了整個中華大地。

父親被作爲"中國第二號最大的走資本主義道路的當權派"而被打倒了。

我的父親，我們的家庭，我們全體的中國人民，都經歷了一段瘋狂的、迷亂的、政治被誤導、人性被扭曲的不幸時期。

1971年，轉機出現了。

毛澤東指定的接班人——林彪，陰謀謀害毛澤東未遂，駕機逃跑，機毀人亡。

1973年，毛澤東奇迹般地啓用了鄧小平。

1973年3月，毛澤東恢復了鄧小平國務院副總理的職務。

1975年1月，毛澤東賦予鄧小平中共中央副主席、國務院副總理、中央軍事委員會副主席、中國人民解放軍總參謀長的重任。

父親復出後，在他眼前呈現的，是一片被“文革”的颶風橫掃得滿目瘡痍的零落景象。

父親被打倒過一次了，而他没有因此而存有絲毫的猶豫。

他當機立斷，運用毛澤東賦予他的權力，憑着對災難深重的國家的前途命運所擔負的責任感，義無反顧地在周恩來的支持下，開始了對“文化大革命”的全面整頓。

父親大刀闊斧，旗幟鮮明的大膽作爲，受到了毛澤東的夫人江青等人的大肆反對。

鄧小平和江青“四人幫”，形成了中國政治舞台上誓不兩立的對抗勢力。

毛澤東英明瀟洒一世，但是，他的晚年，卻是一個充滿謬誤的、令人悲哀的晚年。

他把政治天平的砝碼，放在了比他還“左”的“四人幫”的一邊。

到了這個時候，他唯一信任的人，只剩下了他身邊的親屬和親信。

1976年，是中國歷史上充滿了不幸的一年，也是最令人難忘的一年。

1976年1月8日，周恩來滿懷悲憤地與世長辭了。

同年4月，鄧小平再次被打倒了。

同年9月9日，毛澤東逝世了。

同年10月6日，江青和她的“四人幫”，終於被捉拿拘捕，送上法庭。

1977年，鄧小平再度復出，恢復了他在黨政軍所擔任的一切職務。

一生之中，三次被打倒，又三次復出，而且一次比一次更加引人注目，一次比一次走向更大的成功。

這不是神話，也不是人爲的編撰。

這是鄧小平真實的故事。

第三次復出後，鄧小平已經七十五歲了，年逾古稀。

他仍舊不改他那幾十年一慣的頑强作風，不改他那大膽創新的思想方式，不改他那堅定不移的信念。

他的信念，就是要用實事求是的科學態度，集中古今中外一切所長，闖出一條中國式的發展道路。

他的信念，就是要讓中國人民富裕起來，要讓中國强盛起來。

在他不遺餘力地倡導、帶領和推動下，在“文化大革命”的一片廢墟之上，中國，開始走向改革開放的光明大道，開始了一次新的革命，開始進行新的萬里長征。

十年“文革”結束了，中國開始了一個新的紀元。

鄧小平像一個工程設計師，爲他的祖國——中國，提出了一個全新的發展藍圖：

到二十世紀八十年代末，實現國民生產總值在1980年的基礎上翻一番，首先解決十一億人口的溫飽問題。

到本世紀末，使國民生產總值再翻一番，人民生活從溫飽達到小康水平。

到下一個世紀中葉，也就是二十一世紀五十年代，即中華人民共和國建國一百周年的時候，十五億人口的中國，人均國民生產總值達到中等發達國家的水平，人民生活比較富裕，基本實現現代化。

這就是鄧小平設計的中國發展戰略“三部曲”。

鄧小平提出，要建設有中國特色的社會主義，在他的帶領下，中國一步一步地在摸索，中國一步一步地在向前走。

十五年過去了，中國取得了舉世公認的進步和成就。

世人評論，未來的世紀是亞太世紀。而在亞太國家中，最引人注目的將是中國。

這是中國的驕傲。

有人說，二十世紀最引人注目的偉人是鄧小平。

有人說，在當今世界上，當之無愧的風雲人物首數鄧小平。

有的中國老百姓，把鄧小平的像，和毛澤東的像並排，掛在家裏的正堂之上。

而鄧小平，則辭職退休了。

他退休了，目的是讓中國廢除封建的終身制，讓年輕人來接班換代。

他退休了，可卻時刻關注着改革開放大業，在八十八歲高齡，還在爲中國的進一步騰飛而奔走疾呼。

他退休了，而他開創的事業卻沒有停步。

今日的中國，已大業初就，正待騰飛。

時間過得真快呀!

轉眼間秋冬已過，又是一春。

1993 年的春節來到了。

1993 年，是中國的鷄年。

聞鷄起舞。

中國，恰如那八面威風的雄鷄，恰如那振奮欲飛的巨龍，充滿信心，充滿豪情，充滿熱情，在除夕夜那如雷震耳的鞭炮鳴響中，正昂首挺胸，準備邁向二十一世紀。

像往年一樣，父親帶着全家人來上海過年。

這真是一個人心舒暢、萬象更新的喜慶的年節。

室外，彩燈高掛，如火樹銀花。

室內，暖意融融，如春之已至。

我們全家祖孫三代十幾口人，正在熱熱鬧鬧、歡歡樂樂地沉浸在節日的喜慶之中。

年近八十九歲的父親，坐在我們中間。

他的白髮，在燈光下閃耀，他的神態，寧靜而安祥。

在他的臉上，掛着沉穩的微笑。

這微笑，是發自內心的微笑。

這微笑，是超越時空的，永恒的微笑。

……

後　記

我要寫我的父親，因爲這是我嚮往已久的一個心願。

我要寫我的父親，因爲我常常在我父親的身邊，我認爲我了解他。

我要寫我的父親，因爲我崇敬他。

世界上有許許多多的名人。

世界上也有許許多多的名人的子女。

有許多的名人的子女都在寫他們的父母。

其中相當一部分人並不恭維他們的父母。

而我不同。

我以我的全心，愛我的父親。

我想寫我的父親，想了很多年了。

可是，直到近年才下定決心。

我用了整整三年的時間，找資料、採訪人、熟悉歷史。

整整三年的時間，我終於寫完了這本書。

我用了大量的精力，傾注了我全副的心血，化了整整三年的時間，才寫了我父親的前半生。

父親今年八十九歲了。新中國建立時，他四十五歲，正好渡過了他人生的差不多一半旅程。

父親的一生，經歷太豐富了，故事太多了，時間的距離，也的確拉得太長了。

以我一個人如此單薄的力量，要把父親那豐滿而又極富傳奇色彩的一生描繪出來，哪怕僅僅描繪一個輪廓，都是何其難哉。

我的本心，是要把我所知道的告訴大家。

作爲史學角度，也可以補漏於萬一。

我寫完了這本書，但還没有寫完我的父親。

我的父親一生中最光輝燦爛的篇章，還在後面。

對於父親的後半生，我知道得更多，了解得更深。

因爲在父親後半生的時候，我已經長大了，成熟到足以理解我的父親了。

所以在這本書寫完以後，我將繼續寫我的父親的後半生。

我要將父親那絢爛多彩的整個的一生，展現在人們的面前。

有人會問我，爲什麼你不一氣呵成，一直寫完？

我要告訴你，並請你原諒我。

因爲無論憑我一個人的精力還是能力，我都作不到這一點。

但我敬請願意讀這本書的人們，敬請那些願意再讀撰寫我父親後半生的書的人們，耐心一點，給我一點時間，先讓我稍稍地喘一口氣，然後一鼓作氣，把故事講完。

我知道，我的這本書，絶對不足以描繪出我的父親那曲折而又漫長的一生的全部。

但我已盡了最大的努力。

我相信，下一本，一定會比這一本更好。

最後，我希望，我的父親看了這本書後，説一句：還不算糟。

父親從不表揚我們。

不算糟，就足夠了。

鳴謝

在本書撰寫的過程中，曾訪問過許多革命前輩，曾參考了大量的文獻資料和有關書籍，曾接受過許多單位和同志的各種形式的幫助，特別是中共中央文獻研究室的李琦同志和力平同志審定了全書，在此，謹向所有幫助過我的單位和同志表示最誠摯的感謝。

作者